De Schotse bruid

Bertrice Small

De Schotse bruid

the house of books

Oorspronkelijke titel
A dangerous love
Uitgave
New American Library, a division of Penguin Group (USA) Inc., New York
Copyright © 2006 by Bertrice Small
Copyright voor het Nederlandse taalgebied © 2007 by The House of Books,
Vianen/Antwerpen

Vertaling
Toby Visser
Omslagontwerp
Julie Bergen
Omslagdia
Vittorio Dangelico, Thomas Schlück GmbH
Opmaak binnenwerk
ZetSpiegel, Best

ISBN 978 90 443 2015 2
D/2007/8899/215
NUR 342

Voor Maryl Killmeyer, een vriendin

1

'Adair! Adair! Wat heeft dat kind nu weer uitgehaald?' vroeg Juffie zich hardop af. Als ze maar niet uit de hal was geglipt. Niet nu de Lancastrianen het platteland afstruinden, verwoestingen aanrichtten. En zeker niet nadat haar was verteld dat het in deze woelige tijden gevaarlijk was om naar buiten te gaan. Niet dat Adair Radcliffe ooit naar iemand luisterde, behalve naar haar, dacht Juffie. 'Adair!' riep ze ongeduldig. 'O, hemeltjelief!' riep de bediende toen het kind vanachter een hoge stoel te voorschijn sprong.

'Boe!' zei Adair Radcliffe, met een ondeugende grijns naar haar bewaakster.

'Jij stoute meid,' riep Juffie. 'Je hebt me erg laten schrikken, kind, maar kom. Je moeder en vader willen je spreken in de grote zaal. Schiet nou op, liefje. Je wilt niet ongehoorzaam zijn aan je ouders.'

'Ze hebben het dorp platgebrand,' zei het zesjarige meisje. 'Ik ben in de westelijke toren geweest, en ik heb het gezien. En de velden ook.'

'Dit zijn verschrikkelijke tijden,' mompelde Juffie. Ze pakte de hand van het kind en voerde haar mee door de gang naar de grote zaal van Stanton. Ze ontwaarde haar meester en meesteres aan het eind van de ruimte. Ze stonden bij de grote open haard in een ernstig gesprek verwikkeld. 'Hier is ze, milord, milady,' zei Juffie toen ze de graaf en gravin van Stanton bereikte. Ze maakte een buiging en wilde weggaan, maar Jane Radcliffe verzocht haar te blijven.

'Wat we te zeggen hebben, gaat jou ook aan, Juffie.' De gravin van Stanton keek zowel bezorgd als bedroefd. 'Kom, laten we allemaal gaan zitten.'

Adair klom op haar vaders schoot en wachtte op wat haar moeder zou gaan zeggen.

'Jij moet het kind redden, Juffie,' zei Jane Radcliffe. 'De Lancastrianen zijn op weg hier naartoe. Mijn man en ik zijn aanhangers van het Huis York. Ze hebben het dorp platgebrand en iedereen gedood die ze te pakken konden krijgen. Ze hebben geen genade getoond voor oud of jong. Dat hebben we gehoord van de weinigen die hierheen konden vluchten. Als ze hier komen, zullen ze iedereen doden. Je moet Adair meenemen naar degene die haar heeft verwekt. Je moet haar naar koning Edward brengen. Hij heeft haar bij haar geboorte erkend, en als je hem vertelt wat hier is gebeurd zal de koning haar in zijn hofhouding opnemen. De koningin zal er niet blij mee zijn, want ze is een kille vrouw, maar toen ik haar dienst verliet, bezwoer ze me dat ze vriendelijk over me zou blijven denken. Zeg haar voor mijn zielenrust die vriendelijkheid op mijn kind over te dragen. Het is mijn laatste wens.'

'Milady!' riep Juffie, die zichtbaar verbleekte.

De graaf van Stanton tilde Adair van zijn schoot. 'Ga je moeder troosten, mijn kind,' zei hij tegen haar. Daarna richtte hij zijn aandacht op Juffie. 'Je bent geen jonge vrouw meer, Elsbeth,' begon hij, 'maar Jane en ik moeten je ons kostbaarste bezit, onze dochter, toevertrouwen. De Lancastrianen zijn bijna klaar met de plunderingen van het dorp en de velden. Het duurt nog een paar uur voor de zon ondergaat, en voor die tijd zullen ze hier zijn. Ze zullen iedereen doden die ze vinden. Ze mogen Adair niet vinden.'

'Maar hoe kunnen we aan hen ontsnappen, milord?' vroeg Juffie met trillende stem. Ze was inderdaad niet jong meer, maar ook niet oud. Ze wilde blijven leven.

'Er is een tunnel onder het huis. Aan het eind staan gezadelde paarden klaar. Hun tassen bevatten voedsel voor verscheidene dagen. En water. Morgen om deze tijd zullen de Lancastrianen vertrokken zijn. Jullie zullen via de tunnel verdwijnen. Rij naar het zuiden, Elsbeth. Naar Londen. Iemand zal weten waar de koning te vinden is. Breng Adair naar hem. Wanneer je koning Edward hebt gevonden, zeg je tegen iedereen die je wil tegenhouden dat Adair zijn dochter is, de jonge gravin van Stanton, die gekomen is om zijn bescherming te zoeken. Laat niemand je ervan weerhouden om bij de koning te komen, Elsbeth. Begrijp je me?'

Juffie knikte. 'Ik zal zoveel mogelijk inpakken voor mijn kleine meesteres,' zei ze, en stond op. 'Met uw toestemming, milord.'

Hij knikte. 'Ga.'

Juffie verliet stilletjes de hal.

'Goddank is ze loyaal,' zei Jane Radcliffe.

'De laatste bastaard van mijn grootvader,' antwoordde hij. 'We werden in hetzelfde jaar geboren. Ik zal nooit vergeten hoe geschokt mijn moeder was door haar geboorte. Waarom mijn moeder dacht dat hij als oude man geen interesse meer had voor de vleselijke lusten, weet ik niet. Ik was vijf jaar toen hij stierf. Ik herinner me nog dat ik hem in een gang zag waar hij een vrouwelijke bediende met zijn robuuste gestalte tegen de muur had gedrukt. Naar haar kreten te oordelen bezorgde hij haar kennelijk genot.'

'John,' mompelde de gravin, 'dit zijn geen verhalen voor Adairs oortjes. We hebben belangrijker dingen met onze dochter te bespreken.'

'Ja,' beaamde de graaf. 'Inderdaad.' Hij ging naast zijn vrouw zitten, tilde Adair van haar schoot en zette haar voor zich neer. 'Zo, Adair, ik wil dat je luistert naar wat we je te vertellen hebben. Koning Edward de Vierde heeft jou bij je moeder verwekt. Ik kon je moeder geen kind geven, en de koning begeerde haar. Maar je moeder is een eerbare vrouw. Ze weigerde. Hij was hardnekkig en kwam bij mij. Ik gaf hun mijn toestemming om met elkaar te slapen als hij bereid was van Stanton een graafschap te maken, een dochter zou erkennen en haar een bruidsschat zou verschaffen. Maar ik zou een dochter ook erkennen en haar mijn naam geven. Ik heb je niet verwekt, Adair, maar je bent desondanks mijn kind, en ik heb altijd van je gehouden. Nu moet je echter je connectie met de koning gebruiken om je te helpen overleven wat gaat komen. En onthoud altijd dat je een Radcliffe bent.'

'Wat als ik een jongen was geweest, papa?' vroeg het meisje hem.

'De koning zou je niet hebben erkend. Alleen ik zou dat hebben gedaan,' legde de graaf uit. 'Maar er is nog een ding. Na mijn dood word jij gravin van Stanton, Adair. En morgenochtend zal ik dood zijn.'

9

'Papa!' schreeuwde het meisje ontzet. Haar violette ogen waren groot in haar bleke gezicht. 'Nee!'

'Adair, ik kan deze strooptocht van de Lancastrianen niet ontvluchten. Stanton is eeuwenlang mijn familiehuis geweest. Vroeger waren we alleen in strijd met de Schotten. Dat wij Engelsen nu tegen elkaar strijden, doet me verdriet, mijn kind. Een troon betekent weinig voor eenvoudige mensen. Maar ik zal mijn huis tot mijn laatste adem verdedigen, en je moeder heeft ervoor gekozen aan mijn zijde te blijven, hoewel ik het anders zou willen,' zei de graaf.

'Mama?' Het meisje keek haar moeder aan. 'Ga je me verlaten?'

'Niet vrijwillig, Adair. Maar ik zal je vader niet alleen laten ten overstaan van de toornige Lancastrianen. We zullen Stanton samen verdedigen. Weet je, mijn kind, ik hield niet van je vader toen we trouwden. Maar dat is niet ongewoon voor mensen zoals wij. Mensen van onze stand trouwen niet uit liefde. Ik bracht je vader land en geld. Ik ben echter van hem gaan houden, en omdat ik me een leven zonder hem niet kan voorstellen, zal ik aan zijn zijde sterven omdat ik aan zijn zijde heb geleefd. En omdat jij sterk bent, zul je overleven, en je zult je herinneren dat ik van je hou,' zei Jane Radcliffe zacht tegen haar enige kind.

Adair begon te huilen. 'Ik ben nog maar een klein meisje,' zei ze meelijwekkend. 'Ik heb je nodig!'

'Laat dat gejammer onmiddellijk achterwege!' beval Jane. 'Je kunt je de luxe van verdriet nu niet permitteren, Adair. Niet als je deze nacht wilt overleven. Ik heb je niet ter wereld gebracht om je door een stel dwaze partizanen te zien afslachten! Je moet de toekomst grijpen, mijn dochter, en op een dag Stanton herbouwen. De koning, je verwekker, zal je een echtgenoot bezorgen, en met toestemming van je vader zal die echtgenoot jouw naam dragen. De Radcliffes zullen uiteindelijk terugkeren naar Stanton. De Lancastrianen kunnen ons afslachten, maar als jij blijft leven, verslaan we ze voor eens en altijd.'

Adair onderdrukte haar snikken. Ze stond op en rechtte haar schoudertjes. 'Ik haat de Lancastrianen,' zei ze met grimmige stem.

'Haat,' zei de graaf, 'is een verspilde emotie, mijn kind. Verspil je hartstocht niet aan haat. Ontvlucht Stanton en blijf leven voor onze familie. Kom hier en geef me een kus, mijn kind.' John Radcliffe stak zijn armen naar haar uit en Adair vloog naar hem toe, worstelend om haar intense verdriet te onderdrukken. Hij streelde zachtjes haar zwarte haar, en nadat hij haar op beide wangen had gekust, gaf hij Adair over aan haar moeder.

Jane Radcliffe streed tegen haar eigen verdriet, maar ze zou er niet aan toegeven. Ze sloeg haar armen rond haar enige kind en hield haar langdurig tegen zich aan. Daarna kuste ook zij Adairs beide wangen. 'Wees dapper, mijn kind,' zei ze zacht. 'John Radcliffe heeft je zijn naam gegeven, en je bent zijn dochter, hoewel een andere man je heeft verwekt. Onthoud dat altijd, en breng geen schande over de Radcliffes.'

Adair keek haar ouders aan. Ze was nog slechts zes jaar oud, maar plotseling voelde ze zich veel ouder. 'Ik zal me alles herinneren, maar vooral dat ik een Radcliffe ben,' zei ze.

'Meer dan dat kunnen we niet van je vragen,' zei de graaf van Stanton.

Juffie droeg een kleine bundel toen ze terugkwam. 'We zijn klaar,' zei ze.

'Heeft mijn dienstbode je de geldbuidel gegeven, en heb je die bij je gestoken?' wilde Jane Radcliffe weten. 'Er zitten twee gouden munten in en een groot aantal zilveren munten, Elsbeth. En heeft ze je Adairs granaatrode fluwelen rok gegeven? In de zoom daarvan zitten vijf gouden munten genaaid.'

'Ik heb ze beide, milady,' antwoordde Juffie.

'Ga naar het zuiden,' zei de graaf. 'Waar de zon in het oosten opkomt. Waar ze in het westen ondergaat. Het noorden is over de grens in Schotland. Het zuiden is de andere kant op. Reis niet over de wegen. Blijf op de velden, en wees heel voorzichtig. Vertrouw niemand, Elsbeth. Adair moet haar verwekker veilig bereiken. Het is haar enige kans om te overleven. En de jouwe.'

'Milord!' De rentmeester rende de hal binnen. 'Het Lancastriaanse gespuis komt eraan. We hebben de deuren gebarricadeerd en de luiken voor de ramen gesloten. Veel meer kunnen we niet doen. Ze zullen er snel genoeg doorheen breken.'

'Verzamel zoveel mogelijk mannen,' zei de graaf, en de rentmeester rende weg.

Juffie pakte een toorts van de muurhouder.

'Kom,' zei John Radcliffe. Hij leidde zijn vrouw, dochter en Juffie de zaal uit, en stopte onderweg naar de kelder om een kleine lantaarn en verscheidene kaarsen uit een kastje te pakken. Een grote wolfshond die bij het vuur had liggen slapen, kwam overeind en drentelde achter hen aan tot hij naast Adair liep.

'Beiste wil met me mee,' zei het meisje, en legde haar hand op de kop van het dier.

'Dat is geen slecht idee,' merkte de graaf op. 'Hij is intelligent en gehoorzaam, en hij zal zijn meesteres verdedigen. Ja, neem Beiste maar mee, mijn kind.'

Ze begaven zich door een smalle, donkere gang. Aan het eind ervan stak de graaf zijn hand uit, tastte rond, en plotseling sprong een kleine, lage deur krakend open. 'Hier is de ingang van de tunnel,' zei hij. Daarna gaf hij de kaarsen aan Juffie en stak met haar toorts de lantaarn aan. 'Het andere eind van de tunnel is goed verborgen,' zei hij tegen de oudere vrouw. 'Het eindigt ruim een kilometer hier vandaan in het bos bij Stanton Water. Ga niet naar buiten voordat je zeker weet dat de Lancastrianen allang weg zijn. Sla rechtsaf als je de tunnel verlaat, en rijd zuidwaarts. God zij met jullie, Elsbeth.'

Juffie pakte de hand van de graaf en kuste die. 'God zegene u, milord,' zei ze. 'Ik zal het kind beschermen. Met mijn leven!'

De graaf tilde Adair op en kuste haar op de lippen. 'Wees dapper, dochter, en vergeet niet dat je een Radcliffe bent.'

'Ik beloof het, papa,' zei ze terwijl hij haar weer op de vloer zette.

'En onthoud hoeveel je moeder van je hield, mijn lieve dochter,' zei Jane Radcliffe zacht. Er stonden tranen in haar violette ogen, maar ze zou niet huilen. 'En vertel je verwekker dat de Radcliffes achter hem stonden.' Daarna omhelsde ze Adair en duwde haar vervolgens de smalle tunnel in. 'Vaarwel, Adair. God zegene je en behoede je,' riep ze, waarna haar man de houten deur sloot en er een oude kast voor schoof om hem nog meer te verbergen.

'Mama?' Adairs stem trilde door de plotselinge scheiding en het donker om haar heen. Ze sprong verschrikt op toen ze een hand op haar mouw voelde.

'Ik ben het, liefje,' zei Juffies troostende stem. 'Kom nu mee. We moeten het eind van de tunnel zo snel mogelijk bereiken.' Elsbeth wist dat de geluiden van de strijd in het huis boven hen niet geheel gedempt zouden worden door de diepte waarin ze zich nu bevonden. Ze wilde niet dat de kreten van haar stervende ouders Adairs laatste herinnering aan hen en het huis zouden zijn. Dus haastte ze zich met het kind door de tunnel die slechts verlicht werd door de flakkerende lantaarn. De wanden waren van steen, met houten balken boven hun hoofd. Ze had haar hele leven in dit huis gewoond, maar ze had nooit van het bestaan van de tunnel geweten.

De wolfshond liep snuffelend en alert voor hen uit. Toen ze het eind van de tunnel bereikten, bleek deze in een kleine grot uit te komen, met een smalle uitgang. Daar stonden tot Juffies opluchting de gezadelde paarden, zoals de graaf haar had beloofd. Ze kauwden rustig op het hooi en graan in hun voedselkisten. Beiste liep naar de dieren toe en besnuffelde ze. De paarden reageerden op dezelfde manier.

'Luister naar me, Adair,' zei Juffie. 'Je moet je zo stil mogelijk houden. We willen niet dat die afschuwelijke Lancastrianen ons hier vinden. Ze zullen ons doden. Begrijp je me?'

Adair knikte. Haar oren leken heel in de verte het geluid van geschreeuw op te vangen, en ze was er bijna zeker van dat ze rook opsnoof, maar ze zei niets.

Juffie liep naar de paarden en pakte de dekens die aan de achterkant van hun zadels waren vastgemaakt. Ze zocht een goed plekje in de lege grot en spreidde de dekens uit. 'Kom kind, je moet nu gaan slapen,' zei ze.

'Ga jij ook slapen?' vroeg Adair.

'Nu nog niet, liefje, straks,' beloofde Juffie haar terwijl Adair ging liggen. Ze drapeerde haar mantel over het meisje heen. 'Wat grappig om op een bed van geurig hooi te slapen,' merkte ze op.

'Zullen de Lancastrianen mijn ouders doden?' wilde Adair weten.

'Ja,' zei Juffie.

'Waarom?' Adairs oogleden werden zwaarder, maar ze moest een antwoord op haar vraag hebben.

'Omdat ze trouw zijn aan onze goede koning Edward, en de

Lancastrianen zijn trouw aan die dwaze oude koning Henry van Lancaster,' legde Juffie naar beste kunnen uit. 'Nu koning Edward naar Engeland is teruggekeerd en verwelkomd werd door de burgers, is de dwaze koning weggestuurd. De Lancastrianen zijn kwaad. Ze willen de aanhangers van het Huis York verslaan. Maar ze zullen jou niet krijgen! Ik heb je vader en moeder mijn woord gegeven, en Juffie zal je in veiligheid houden. Nu moet je gaan slapen, want we hebben een moeilijke reis van verscheidene weken voor de boeg.'

Adair geeuwde. 'Welterusten, Juffie,' mompelde ze, en viel snel in slaap. De wolfshond strekte zich naast haar uit, zijn grote kop lag vlak naast haar hoofd.

Elsbeth ging op het hooi zitten en spitste haar oren. Een grote groep ruiters denderde op korte afstand voorbij. De geur van rook werd sterker. Toen klonk er een donderklap en de regen begon buiten de grot in bakken naar beneden te vallen, maar binnen bleven ze droog. De paarden bewogen zich een paar keer rusteloos, en ten slotte, ervan overtuigd dat ze veilig waren voor de nacht, stond Elsbeth zich de luxe van slaap toe en nestelde zich aan de andere kant van het kind.

Ze werd wakker toen het vage licht van de nieuwe dag door de dikke braamstruiken bij de ingang van de grot scheen. Weer hoorde ze het geluid van paarden, maar deze keer stopten ze kortstondig bij Stanton Water. Beiste hief nerveus zijn kop. Toen besefte ze dat de mannen slechts hun paarden drenkten en zich een ogenblik ontspanden. Binnen de kortste keren gingen ze weer op weg. De hond legde zijn kop weer neer.

Elsbeth boog zich over Adair heen. 'Wakker worden, liefje, ik moet even weg,' zei ze. 'Jij blijft hier, en Beiste zal bij je blijven en je beschermen.'

'Blijf niet lang weg,' zei Adair slaperig, waarna ze haar ogen weer sloot en zich dichter tegen de hond aan drukte.

Elsbeth stond op en schudde haar rokken uit. Toen begaf ze zich naar de ingang van de grot, waar ze ingespannen luisterde. Het was een grauwe dag. Het miezerde, maar alles om haar heen was stil. Elsbeth rende door het bos en over de wei naar Stanton Hall. Wat eens een elegant huis was geweest, was nu een rokende ruïne. De lucht was bezwangerd met de geur van nat, verbrand hout, want de regen had de verwoesting getemperd. Overal lagen doden, en Elsbeth herkende velen van hen.

Ze vond de graaf van Stanton waar hij was gestorven, zijn zwaard nog in zijn hand. Lady Jane lag ergens anders. Ze was naakt en kennelijk verkracht voordat haar keel was doorgesneden. Elsbeth huilde bij de aanblik van haar mishandelde meesteres. Ze moest haar begraven, dacht ze, maar hoe? Ze keek rond naar iets om mee te graven, maar toen ze niets vond, begon ze harder te huilen. Wat moest ze doen? En toen wist ze het, hoewel die gedachte haar diep pijnigde. Adair was haar eerste prioriteit, de doden waren dood. Ze rende terug over de wei en door het bos, waar Adair op haar wachtte.

'Ik werd zo bang,' zei Adair toen Juffie de grot binnenkwam. 'Waar was je? Het duurde zo lang.'

'Ik ben naar het huis geweest,' zei Elsbeth. 'Ze zijn allemaal dood, milady. We moeten hier weg.'

'Ik heb de dekens al uitgeschud en opgerold,' zei Adair. 'Maar ik ben te klein om ze op de paarden te binden.'

'Ik zal het doen. Heb je honger?'

'Ja,' antwoordde Adair. 'Ik zou wel wat pap en ham lusten.'

'Ik kan je brood geven, een plak kaas en een appel,' zei Elsbeth.

Adair perste haar lippen opeen.

'We hebben geen vuur, en geen meel of spek,' vervolgde Elsbeth. 'En velen hebben niet eens wat wij hebben, milady.'

Adair zuchtte diep. 'Geef me maar wat je hebt, Juffie.'

Elsbeth verdeelde de portie zorgvuldig. Wie wist hoelang het zou duren voordat ze de voorraden die de graaf had laten inpakken, konden aanvullen? Er waren onderweg misschien hier en daar herbergen, maar dergelijke plaatsen moesten ze mijden. Nee, de komende weken zouden niet gemakkelijk zijn. Snel gaf ze het kind te eten.

Daarna leidde ze de paarden de grot uit, en bond de dekens achter de zadels. 'Heb je je behoefte gedaan, kindje?' vroeg ze.

Adair knikte zwijgend.

Elsbeth tilde haar op en zette haar schrijlings op een paard. Vervolgens klom ze zelf op het tweede paard, en met de wolfshond naast hen gingen ze op weg. Gedurende enkele uren volgden ze Stanton Water in een vrijwel rechte lijn tussen de bomen door en over de velden. Toen de stroom oostwaarts boog, lieten ze hem achter. Het land om hen heen was stil en verlaten. De kuddes vee van Stanton waren nergens te bekennen. Ze zagen niemand. De plunderaars hadden hun werk grondig gedaan, hoewel Elsbeth wist dat er een paar zouden zijn die aan de Lancastrianen waren ontsnapt en zich verborgen hielden.

Het duurde enkele dagen voordat ze enig teken van leven bespeurden, maar de mensen die ze zagen haastten zich met afgewende ogen weg. Er werd geen woord gewisseld, alleen vluchtige blikken om zich ervan te verzekeren dat ze ongevaarlijk waren. Een man keek afgunstig naar hun paarden, maar Elsbeth greep meteen naar haar riem waar een groot mes zichtbaar was, en Beiste gromde dreigend.

Na bijna twee weken reizen hadden ze het geluk dat ze tegen zonsondergang op een klooster stuitten, waar de nonnen hen binnenlieten. Toen ze het verhaal hadden gehoord dat Elsbeth hun vertelde – hoewel ze zo verstandig was niets over Adairs biologische vader te vertellen – nodigden de zusters hen uit een paar dagen te blijven om hun dieren te laten rusten en weer op krachten te komen. Ze deden Adair in bad, gaven haar een goed maal van groentesoep en brood met boter, en brachten haar naar een comfortabel bed. Elsbeth huilde terwijl ze hen bedankte voor hun vriendelijkheid.

Ze bleven twee hele dagen, en daarna vertrokken ze. Elsbeth had twee zilveren stuivers uit haar buidel gehaald en liet ze achter op het altaar van de kloosterkerk, zoals gebruikelijk was voor bezoekers.

Hoe zuidelijker ze kwamen, hoe moeilijker het werd om de wegen te mijden, die overal leken te zijn. Evenals vele dorpen. Elsbeth was nooit meer dan enkele kilometers buiten Stanton geweest, en het woeste platteland langs de Schotse grens beangstigde haar, maar ze toonde haar angst niet. Adair was echter gefascineerd door alles wat ze zag. Vooral de steden. Maar Elsbeth weigerde ernaartoe te gaan. Als er in de verte een stad opdoemde, reed ze er met een grote boog omheen totdat ze zuidwaarts hun weg konden vervolgen.

Het was bijna herfst. De dagen werden korter, evenals hun reisuren. Adair had kou gevat, en Elsbeth was bezorgd dat het erger zou kunnen worden als ze niet binnenkort de koning bereikten. Het kind was altijd goed gezond geweest, maar het wekenlange reizen, weinig voedsel en buiten op de vochtige grond slapen, begonnen hun tol te eisen. Ze verlangden beiden naar het einde van hun reis en warm onderdak. Toen ze op een middag gedwongen werden een brede weg over te steken, zag Elsbeth een wegwijzer. In tegenstelling tot veel vrouwen van haar klasse kon Elsbeth lezen. Er stond LONDEN op het bord dat naar een van de vier wegen voor hen wees. Nu ze zo ver in het zuiden waren, zou het misschien veiliger en sneller zijn om de weg te volgen, vooral met het oog op Adairs verslechterde gezondheid, bedacht ze, en wendde hun paarden in de richting die het bord aangaf.

Ze zagen slechts een paar mensen toen ze over de weg reden, en niemand besteedde aandacht aan hen. Elsbeth kreeg net het gevoel dat ze de juiste beslissing had genomen, toen ze achter hen een troep paarden hoorde. Ze greep Adairs teugels en probeerde uit de weg te komen, maar was niet snel genoeg. Algauw waren ze omringd door ruiters. Elsbeth bracht haar paard en dat van Adair tot stilstand, zodat de ruiters hen konden passeren. Maar tot haar verbazing bleven zij ook staan.

De heer die de troep aanvoerde – aan zijn verschijning kon ze zien dat hij een heer was – maakte zich los van de anderen en reed naar Elsbeth en Adair toe. 'Vrouw,' vroeg de heer, 'wat doe je in deze gevaarlijke tijden op de weg? En nog wel met een kind. Waar kom je vandaan, en waar ga je naartoe met alleen deze grote wolfshond als bescherming?'

Elsbeth opende haar mond, maar ze was zo bang dat ze geen woord kon uitbrengen. Wat had ze zich in haar hoofd gehaald door de weg op te gaan? Waarom had ze de aanwijzingen van de graaf niet opgevolgd? Ze haalde diep adem en probeerde opnieuw iets te zeggen, toen tot haar verbazing Adair het woord nam.

'Ik ben lady Adair Radcliffe, gravin van Stanton, sir. Ik ben gekomen om de bescherming van de koning te zoeken, aangezien mijn ouders nu dood zijn, afgeslacht omwille van zijn goede zaak.'

De heer stak zijn hand uit en duwde de kap van Adairs hoofd, waarbij hij de grommende hond negeerde. Hij knikte. 'Je lijkt op je moeder,' zei hij. 'Ik herinner me haar.'

'En wie bent u, sir?' vroeg Adair op een enigszins gebiedende toon, die de heer een glimlach ontlokte.

'Ik ben je oom Richard, hertog van Gloucester, milady. Het is een gelukkig toeval dat je mij tegen het lijf bent gelopen in plaats van iemand anders. Is je bediende haar spraakvermogen kwijt, Adair Radcliffe?'

'Nee. Ik denk dat u haar heeft laten schrikken, milord. Ze is de afgelopen paar weken zeer dapper geweest en ik dank mijn leven aan haar,' antwoordde Adair naar waarheid. 'Haar naam is Elsbeth, maar ik noem haar Juffie, en mijn hond heet Beiste.'

Richard van Gloucester knikte en wendde zich tot de vrouw. 'U hoeft me niet te vrezen, vrouwe Elsbeth. Ik ben de broer van koning Edward en ik zal jullie naar een veilige plek brengen. Jullie kunnen Londen vandaag niet bereiken, en hij is daar nu niet. Morgen zal ik jullie erheen sturen met twee van mijn mannen om jullie te begeleiden en te beschermen. Jullie moeten naar de hofhouding van de koningin, en zij is met haar kinderen nog steeds in het heiligdom van Westminster.'

'Dank u, milord.' Elsbeth had haar stem hervonden.

'Het kind ziet er ziek uit,' zei de hertog tegen Elsbeth.

'Ik vrees dat de slechte condities waaronder we moesten reizen daar de oorzaak van zijn, milord,' zei Elsbeth vermoeid. 'We hebben weinig te eten gehad, en we hebben hoofdzakelijk in de openlucht geslapen. Het is voor mijn kleine meesteres niet gemakkelijk geweest. Ze had alleen de hond om haar warm te houden en te beschermen.'

Hij knikte. 'Nee, dat zal niet gemakkelijk zijn geweest,' beaamde hij. Hij stak zijn armen uit en tilde het geschrokken kind van haar paard waarna hij haar voor zich op het zadel zette. 'Je rijdt met mij mee, Adair Radcliffe,' zei hij, en trok zijn bontgevoerde mantel om haar heen. Toen keek hij naar de grote hond die zijn tanden ontblootte. 'Kom, Beiste!' beval hij, en het dier gehoorzaamde.

Instinctief nestelde Adair zich tegen de borst van de hertog. Haar ogen werden zwaar toen ze wegreden, en even later viel ze zelfs in een lichte slaap. Richard van Gloucester keek neer op het kind. Ja, hij herinnerde zich Jane Radcliffe maar al te goed. Ze was een schoonheid geweest, hoewel ze zich daar zelf niet bewust van was. Haar zwarte haar, violette ogen en serene gezicht hadden de aandacht van zijn broer getrokken. En Edward was nooit in staat geweest een mooie vrouw te weerstaan. Richard was destijds nog maar een jongen geweest, maar hij herinnerde het zich.

Gefascineerd had hij gadegeslagen hoe zijn oudere broer de lieflijke Jane Radcliffe achtervolgde, maar zij, een hofdame van de vrouw van de koning, en zelf een getrouwde vrouw, had Edward zoveel mogelijk gemeden, want ze was een eerbare vrouw. Maar Edward had zich niet laten afschrikken. Hij was naar haar man gegaan, had diens toestemming gekregen om Jane te verleiden, en de baron van Stanton was de graaf van Stanton geworden. En toen Jane zwanger was geraakt, had ze het hof verlaten om nooit meer terug te komen. Later had hij van Edward gehoord dat het kind een meisje was en dat Edward haar had erkend en een bruidsschat voor haar opzij had gezet.

Richard van Gloucester, inmiddels een jonge man, keek neer op de dochter van Jane Radcliffe. Ze was haar moeder in het klein. Er was niets van haar verwekker in haar, goddank, maar hij dacht dat haar houding veel op die van zijn eigen moeder, Cicely Neville, leek. Zijn schoonzuster, de koningin, zou niet verheugd zijn over deze toevoeging aan haar gezin, maar hij wist dat zijn broer, de koning, het kind in bescherming zou nemen. Ik zal haar als het moet zelf in bescherming nemen, dacht de hertog. Hij wilde graag Adairs verhaal horen. Waarom en hoe waren haar ouders vroegtijdig aan hun eind gekomen door toedoen van de Lancastrianen?

Ze bereikten het klooster waar hij die nacht onderdak wilde zoeken. De poorten van St. Wulfstan's zwaaiden voor hen open, want ze werden verwacht. De prior was een verre neef, en zijn gastvrijheid zou edelmoedig zijn. Een jonge monnik haastte zich om het paard van de hertog over te nemen, en was verbaasd in zijn gezelschap een jonge vrouw te zien, een kind en een grote wolfshond. Elsbeth steeg snel van haar paard. Ze stak haar handen uit naar de hertog en hij droeg het kind aan haar over. Beiste stond meteen naast hen en liep achter hen aan.

'Kom met me mee, vrouwe,' zei hij tegen haar, en ze volgde hem met het kind in haar armen het gebouw in. De hertog scheen te weten waar hij naartoe moest, en opende een dubbele eiken deur met houtsnijwerk, waarna hij Elsbeth naar binnen duwde.

'Dickon!' Een gezette man met een jeugdig gezicht stond op uit een stoel bij het vuur. 'En wat, of wie breng je met je mee, neef?' Hij tuurde naar Elsbeth en vervolgens naar Adair, die op de vloer was gezet, en stapte achteruit toen de wolfshond zich onmiddellijk naast het meisje posteerde.

'Peter, ik heb lady Adair Radcliffe en haar bediende meegebracht. Ik trof hen op de weg aan. Edward heeft het kind enkele jaren geleden verwekt. Nu zoekt ze bescherming van de koning.'

'Weet je zeker dat het kind is wie ze zegt te zijn?' vroeg prior Peter Neville aan de hertog.

'Het kind lijkt precies op haar moeder, en ik herinner me Jane Radcliffe heel goed, Peter. Kijk naar haar. Ze is delicaat en heeft verfijnde gelaatstrekken.' Hij stak zijn hand uit naar Adair. 'Kom kleintje, maak een buiging voor prior Peter.'

Adair stapte naar voren en maakte zwijgend een buiging.

'Waar kom je vandaan, mijn kind?' vroeg de prior.

'Van Stanton Hall,' zei Adair. 'Het is platgebrand.'

'En waar is Stanton Hall?' wilde de prior weten.

'In Noord-Humbrië, aan de grens met Schotland. Vanuit mijn slaapkamerraam kun je de Cheviotschapen zien, sir,' antwoordde Adair.

'Peter, het kind, haar hond en haar bediende hebben verscheidene weken gereisd. Ze zijn moe, half verhongerd, en koud tot op het bot. Ze hebben een bed en warm voedsel nodig. Je hebt op St. Wulfstan's een overvloed aan beide. Ik vraag je hun vannacht onderdak te verlenen. Morgen zal ik hen naar Westminster sturen, naar de koningin.'

'De hond ook? Ze zal niet verheugd zijn,' zei prior Peter.

'Toch zal ze Adair en haar groepje opnemen, want het zal mijn broer verheugen, en Elizabeth Woodville is altijd bereid Edward een plezier te doen,' mompelde Richard Gloucester zacht.

'En wat als ze weigert?' vroeg de prior.

'Dan zal ik mijn nicht in mijn eigen huishouding opnemen. Ze is uiteindelijk mijn bloedverwant. Ik ga binnenkort trouwen, en mijn bruid houdt net zoveel van kinderen als ik.'

'Ik heb de koningin niet nodig,' zei Adair plotseling. 'Als mijn verwekker, de koning, me een rijke echtgenoot geeft, kan ik Stanton weer opbouwen. Dat is het enige wat ik nodig heb.'

Prior Peter keek verbaasd door de botte uitspraak van het kind, maar de hertog lachte.

'Op een dag, Adair, zul je een echtgenoot krijgen,' zei hij, 'maar nu nog niet. Je bent een te waardevolle prijs, kleintje, om snel te worden weggegeven of te worden verkwist.'

'Ik? Waardevol? Ik ben arm, milord, dat verzeker ik u. Juffie draagt alles wat ik heb. Dat, en twee paarden en een wolfshond.'

'Je bent de gravin van Stanton, kleintje,' zei de hertog. 'Je zult je echtgenoot een titel en een landgoed bezorgen. Dat maakt je waardevol. En de koning is je verwekker, wat nog meer aan je waarde toevoegt. En je hebt een goede bruidsschat, want die heeft mijn broer je bij je geboorte toegezegd. Dat zal hij niet vergeten zijn.'

'Je kunt werkelijk als een rijke vrouw worden beschouwd, mijn kind,' verklaarde de prior. Hij reikte naar een belletje op de tafel naast hem. Hij belde, waarna een jonge monnik binnenkwam. 'Breng milady de gravin van Stanton, haar hond en haar bediende naar het gastenverblijf voor vrouwen. Zorg ervoor dat ze allemaal te eten krijgen en dat het hen gerieflijk wordt gemaakt.'

'Ja, eerwaarde vader,' antwoordde de monnik.

Richard van Gloucester knielde neer en pakte Adairs kleine hand in de zijne. 'Ik kom nog even naar je toe voordat je gaat slapen. Ik wil graag horen waarom je bent gekomen om de bescherming van je verwekker te zoeken. Ga nu met Juffie mee, kleintje.'

'Bent u echt mijn oom?' vroeg Adair zacht.

'Dat ben ik echt,' antwoordde de hertog glimlachend. Dit kleine meisje had zijn hart al veroverd.

Adair sloeg haar armen om zijn nek en omhelsde hem. 'Ik ben zo blij!' zei ze. Nadat ze hem had losgelaten, pakte ze Juffies hand en volgde de monnik de kamer uit, met de wolfshond in hun kielzog.

'Vertel me hoe Edward erin is geslaagd dat sprookjesachtige kind te verwekken,' wilde prior Peter weten. 'Schenk wat wijn voor ons in en kom bij me zitten.'

De hertog deed wat hem was gevraagd. Daarna vertelde hij het verhaal over koning Edward die onder de bekoring van Jane Radcliffe was gekomen en hoe het hem was gelukt haar te verleiden. 'John Radcliffe, die na drie huwelijken wist dat hij geen kinderen kon verwekken, was veertig, en Jane zestien jaar. En John wilde een erfgenaam, en het graafdom in ruil voor Janes kuisheid. Als er uit het samenzijn van Edward en Jane een jongen zou worden geboren, zou hij alleen door de graaf als zijn zoon en erfgenaam worden erkend. Maar een dochter zou behalve door John ook door de koning worden erkend, hoewel Radcliffe haar zijn naam zou geven, en haar tot zijn erfgenaam zou maken als er geen andere kinderen meer kwamen. En die kwamen er natuurlijk niet.'

Prior Peter schudde zijn hoofd. 'Het gedrag van neef Edward heeft me altijd verbaasd. Hij is een mannetjeshert, altijd in de bronsttijd. Hoe de koningin het verdraagt weet ik niet.'

'Elizabeth Woodville slikt het omdat ze koningin is. En zolang ze kinderen voor hem blijft produceren en niet klaagt, zal ze koningin blijven. De ambitie van de vrouw voor haarzelf en haar familie is afschuwwekkend. Van hen allen kan slechts haar oudste broer, lord Rivers, een heer worden genoemd.'

'Je hebt haar nooit gemogen, is het niet, Dickon?' vroeg de prior.

'Nee,' beaamde de hertog. 'Dat klopt. Warwick had een goed huwelijk voor Edward met de Franse prinses, Bona van Savoie, geregeld, de schoonzuster van koning Lodewijk. We hadden die verbintenis nodig, en het zou het Huis van York eer hebben gebracht. Maar Edward liet zich door Elizabeth Woodville en zijn pik verleiden, en daarmee tot een geheime verbintenis. Mijn broer had lady Eleanor Butler ook een huwelijk beloofd, al voordat hij Elizabeth verleidde en met haar trouwde. Wat er anders was aan Elizabeth Woodville zal ik nooit begrijpen. En we verloren er Warwicks vriendschap door. Nog een ramp vanwege die verdraaide vrouw.'

'Ik heb gehoord dat Henry van Lancaster en zijn zoon, prins Edward, nu beiden dood zijn,' merkte de prior op.

'En Warwick ook, de schoft,' zei de hertog. 'Ik zou met zijn dochter, Anne, trouwen, maar na de breuk met mijn broer gaf Warwick haar aan prins Edward van Lancaster. Ze is nu weduwe, en we zullen trouwen als de rouwperiode over haar vader en echtgenoot voorbij is. We houden al van elkaar sinds we kinderen waren.'

'Er is me verteld dat je broer George, die getrouwd is met Warwicks oudste dochter, Isabel, tegen je verbintenis met lady Anne is,' mompelde de prior.

'Kies geen partij, Peter. Hoewel George herenigd is met Edward, ben ik Edward altijd trouw gebleven. George is hebzuchtig. Hij wil Warwicks hele erfenis, niet slechts de helft. Het maakt hem niet uit met wie ik trouw. En geloof me, hij zal Edward weer bedriegen als de gelegenheid zich zou voordoen en hij denkt er zijn voordeel mee te kunnen doen. Dat is zijn aard.'

De prior nam de laatste slok van zijn wijn, en stond op. 'Het is etenstijd, Dickon, en ik heb honger. Jij niet?'

Richard stond eveneens op. 'Ja, ik heb ook trek.'

Prior Peter leidde zijn gast naar de refter van het klooster, waar ze plaatsnamen aan de grote tafel. Onmiddellijk werden hun zilveren bokalen met geurige wijn gevuld. Vervolgens werden de schalen gebracht met het voedsel dat zoals gewoonlijk met veel zorg was bereid.

Na de uitgebreide en overheerlijke maaltijd bedankte de hertog zijn neef en begaf zich naar het vrouwenverblijf, een klein gebouw naast het klooster. Daar trof hij Elsbeth, die Adair in een houten tobbe voor het vuur in bad deed. 'Hebben jullie gegeten?' vroeg hij. 'Was het genoeg?'

'Ja, milord. Ze hebben een gestoofd konijn gebracht, en kaas en wijn,' antwoordde ze. 'Ik heb nog nooit zoiets heerlijks geproefd.'

'Vast wel, maar na verscheidene weken reizen smaakt alles goed. Ik ben vaak genoeg op reis geweest om dat te weten.' Hij nam een droogdoek van het rek bij het vuur en sloeg deze om Adair heen. 'En jij, kleintje, is je honger nu gestild?' Hij droogde haar zachtjes af en pakte het hemd aan dat Elsbeth hem overhandigde om het over Adairs kinderlijfje te laten glijden.

'Laat mij haar haren maar doen, milord,' zei Elsbeth. Ze was verbaasd en geroerd door de vriendelijkheid die de hertog haar meesteres betoonde. Ze borstelde Adairs lange zwarte haar tot het glansde. Daarna maakte ze er een lange vlecht van. Toen ze klaar was, zei ze: 'Zo, liefje, vertel de hertog maar wat ons naar het zuiden heeft gedreven om de bescherming van de koning te zoeken.'

Richard van Gloucester tilde Adair op en ging met haar op schoot in de enige stoel bij het vuur zitten, terwijl Elsbeth de kamer opruimde. 'Heb je het nu warm genoeg, Adair?' vroeg hij.

'Ja, milord,' fluisterde ze. Ze voelde zich zo veilig, en zo had ze zich niet meer gevoeld sinds ze Stanton Hall hadden verlaten. 'Ja, oom Dickon,' verbeterde hij haar op vriendelijke toon. 'Al mijn nichtjes noemen me oom Dickon, en hoewel je geen prinses bent, ben je wel mijn nichtje. Nou, vertel me maar eens waarom jullie Stanton moesten ontvluchten.'

'De Lancastrianen kwamen, en ze brandden het dorp plat. Daarna de velden en de schuren. Ze slachtten het vee af, en velen van onze mensen werden gedood. Daarna zouden ze naar ons huis komen. Mijn papa en mama brachten me met Elsbeth en Beiste naar een tunnel onder ons huis. De paarden stonden al op ons te wachten, en ze vertelden ons dat we moesten vluchten.'

'Wie vertelde je dat de koning je verwekker is?' vroeg de hertog nieuwsgierig.

'Mama, maar papa zei dat ik desondanks een Radcliffe was, en dat ik daar trots op moest zijn. Ze zeiden dat de koning me zou beschermen. Mama zei dat de koningin haar toen ze haar dienst verliet, had gezegd dat mama altijd haar vriendschap zou hebben. Ik moet de koningin vragen mij die vriendschap aan te bieden, want het was mama's laatste wens.'

De hertog knikte en keek Elsbeth aan. 'Weet je zeker dat de graaf en zijn vrouw beiden dood zijn?'

'Ja, milord,' antwoordde ze. 'Ik ben de dag erna zelf teruggegaan, en ik heb de beide lijken gezien. Ik moest ze echter zo achterlaten, want ik had geen middelen om hen te begraven, en er was ook niemand meer in leven om me te helpen. De graaf had me opgedragen de kleine lady in veiligheid te brengen, en dat was mijn eerste verplichting.' Elsbeth veegde de tranen weg die nu over haar wangen biggelden.

'Je hebt je plicht goed gedaan,' prees de hertog haar. 'Waarom was Stanton niet beter verdedigd?'

'Stanton Hall was geen kasteel, milord,' legde Elsbeth uit.

'Het was een groot stenen huis. Het had onder verwoestingen in het verleden geleden, maar het was altijd weer opgebouwd. Het huis stond op een heuvel met een gracht eromheen. Ik heb eens van mijn vader gehoord dat de Radcliffes geen toestemming konden krijgen om het huis te fortificeren of op die plek een kasteel te bouwen.'

De hertog knikte en keek op Adair neer. Hij glimlachte, want het kind was op zijn schoot in slaap gevallen. 'Arm kleintje,' zei hij, en streelde haar donkere haar. Toen keek hij naar Elsbeth. 'Luister goed naar wat ik je zeg. Mijn broer zal zijn verantwoordelijkheid ten opzichte van zijn dochter nemen. En de koningin zal het kind geen kwaad doen vanwege haar belofte aan Jane Radcliffe. Maar vertrouw de koningin niet. Ze is een kille en omkoopbare vrouw. Zelfs haar eigen kinderen vrezen haar. Heeft je meester je geld voor het kind meegegeven?'

'Ik heb een buidel onder mijn rokken, milord. En er zijn gouden munten in de zoom van een van haar jurken genaaid.'

'Houd er een paar voor je meesteres, maar morgen geef je me de rest van het geld. Ik zal het bij Avram de Jood in Goldsmith's Lane brengen,' zei de hertog.

'Een Jood? In Engeland? Ik dacht dat die hier niet waren,' zei Elsbeth verbaasd.

'Er zijn nu eenmaal altijd uitzonderingen die de regel bevestigen. Londen is een stad van welwarende kooplieden, en de Joden zijn de beste bankiers ter wereld. Ik zal Adairs geld dus naar Avram brengen, en het ontvangstbewijs in mijn schatkist thuis bewaren. Je bent vrij om geld voor het kind op te nemen wanneer je het nodig hebt, maar als het bij Avram is ondergebracht kan het niet worden gestolen door iemand van de hofhouding van de koningin. En als je ooit hulp nodig hebt, dan kom je maar naar mij,' zei de hertog. Hij scheen een ogenblik in gedachten verzonken. 'Ik herinner me Jane Radcliffe nog goed. Ze was lieflijk en vriendelijk. Mijn broer George deed moeite om haar te verleiden, maar ze was Edwards maîtresse. Ik denk dat ik korte tijd ook verliefd op haar was, en zelfs jaloers was op de koning. En toen was ze weg van het hof.'

Elsbeths ogen vulden zich met tranen. 'Ze was een heel goede vrouw, en een goede echtgenoot voor milord de graaf, God hebbe hun ziel.' Elsbeth sloeg een kruisje, en Richard van Gloucester volgde haar voorbeeld. 'Maar u bent een goed mens, milord. Het is niet aan mij om u voor uw goedheid te bedanken, maar ik doe het toch.' Elsbeth pakte de hand van de hertog en kuste deze.

'Dank je,' zei hij. 'Ik erken Adair als mijn bloedverwant, en ik zal er altijd voor haar zijn, zoals ik er voor de kinderen van mijn broer Edward ben. Prinses Elizabeth en Mary zullen haar speelgenootjes zijn. Kleine Cicely is nog niet eens drie jaar, en de kleine prins Edward zal volgende maand één jaar worden.'

'De kinderkamer van de koningin zal dan druk bevolkt zijn. Maar Adair zal geen moeilijkheden veroorzaken, want ik zal zelf voor haar zorgen,' zei Elsbeth.

'De koningin heeft weinig met de kinderen te maken,' antwoordde de hertog. 'De koninklijke kinderkamer is het terrein van lady Margaret Beaufort, wier zoon, Henry Tudor, als de nieuwe erfgenaam van Lancaster wordt beschouwd. Zij is een sterke vrouw, en ambitieus voor haar zoon. Maar ze is ook eerlijk en vroom. Adair zal onder haar leiding veilig zijn, en veilig in haar dienst.' Hij stond op, terwijl Adair nog steeds in zijn armen lag te slapen. 'Vertel me waar het bed van het kind is, dan leg ik haar er zelf in. Ik zal morgen voor jullie vertrek hierheen komen. Als jullie halverwege de ochtend vertrekken kunnen jullie Westminster nog dezelfde dag bereiken. Ik zal jullie door twee van mijn mannen laten vergezellen.' Hij volgde Elsbeth naar een andere kamer, Beiste liep met hen mee, en legde Adair neer in het bed dat Elsbeth aanwees. Daarna trok hij de dekens over het kind heen en kuste haar voorhoofd. 'Slaap lekker, gravin van Stanton,' zei hij. En met een korte hoofdknik naar Elsbeth liet hij hen achter.

Toen hij weg was, ging Elsbeth op de stromatras naast Adiars bed zitten. Ze stak haar hand uit en klopte zacht op de kop van de wolfshond, terwijl ze genoot van de warmte van het haardvuur. God waakte kennelijk over hen, peinsde ze, als vandaag een indicatie was. Dat ze door de broer van de koning gered waren tijdens hun lange en ellendige reis was meer dan alleen maar geluk. En het feit dat de grote lord zich Jane Radcliffe met vriendschap herinnerde, en Adair openlijk als zijn bloedverwant accepteerde, was een wonder. Haar kleine lady was voor het eerst sinds ze Stanton hadden verlaten warm en droog en goed gevoed. Elsbeth fluisterde een gebed om God en zijn gezegende Moeder te bedanken. Ze bad ook voor de zielenrust van de graaf en zijn vrouw. Daarna strekte ze zich uit om te gaan slapen, ervan overtuigd dat ze eindelijk veilig waren. En zolang Adair in veiligheid was, deed niets er meer toe.

2

~~

*E*lsbeth en Adair werden beiden gewekt door het klokken-
gelui. Elsbeth kwam langzaam overeind en riep naar het
kind: 'Tijd om op te staan, liefje. We gaan vandaag naar Westminster om de koningin te ontmoeten. Je moet er zo mooi mogelijk uitzien.' Ze liep naar de deur van het vrouwenverblijf,
opende deze en liet de hond naar buiten. Daarna pakte ze de
bundel die ze voor Adair had ingepakt en haalde er een zachte, roodwollen jurk uit. Ze spreidde het kledingstuk op haar
bed uit en streek de kreukels glad. Vervolgens goot ze een
beetje water in een koperen bak en droeg Adair op zich te
wassen.

Toen Adair haar gezicht en handen had gewassen, en haar
tanden met een doek had afgeboend, trok Elsbeth de jurk over
Adairs hoofd en het hemdje waarin ze had geslapen. Het kledingstuk was vanaf de halslijn wijd gesneden, zonder nadruk op
de taille. De halsopening was vierkant, en de mouwen strak
vanaf de schouder tot de pols. Elsbeth liet het kind plaatsnemen
op het bed en borstelde haar lange, donkere haar tot het glansde. Ze stak de kindervoeten in een paar donkere leren schoenen
en bevestigde een met sierstenen bedekte haarband rond haar
voorhoofd. Rond haar nek hing ze een smalle gouden ketting
met een kruisje.

'Zo!' zei ze, en stapte achteruit om het kind te bekijken. 'Je
bent klaar om de koningin te ontmoeten en om haar bescherming te verzoeken, liefje. Ga nu even zitten terwijl ik me snel ga
aankleden. De hertog heeft beloofd voor ons vertrek naar je toe
te komen.' Haastig waste ze zich en trok een donkerblauwe
jurk aan die hetzelfde model had als Adairs jurk. Ze vlocht haar
bruine haar, stak de vlecht op en bedekte hem met een wit
kapje. Daarna trok ze een paar versleten, maar nog bruikbare
leren schoenen aan. Toen ze Beiste bij de deur hoorde jamme-

ren, haastte Elsbeth zich om hem binnen te laten. Hij besnuffelde haar hand met zijn natte neus.

Kort daarna verscheen er een jonge monnik met een dienblad met sneden brood en warme pap, en een bokaal cider. 'De hertog laat zeggen dat hij dadelijk bij u zal zijn, milady,' zei hij tegen Adair. Hij haalde een groot bot waaraan vleesresten zaten van onder zijn pij te voorschijn. 'Voor de hond,' zei hij, en hield Beiste het bot voor, die het uit zijn hand pakte en zich door de monnik liet aaien. Daarna vertrok de monnik zonder een woord te zeggen.

'Zorg ervoor dat je geen vlekken maakt op je jurk,' waarschuwde Elsbeth toen ze begonnen te eten.

Ze verorberden alles omdat ze, zoals Elsbeth opmerkte, niet wisten wanneer ze die dag weer iets te eten zouden krijgen.

Richard van Gloucester arriveerde even later, en was verheugd te zien dat ze gereed waren om te vertrekken. 'Wat zie je er mooi uit, kleintje,' complimenteerde hij Adair. 'Rood is een kleur die je goed staat, net als je moeder.' Hij knielde neer zodat hij op ooghoogte met haar was. 'Denk eraan dat je je ouders trots maakt, gravin van Stanton. Je moet je ongeacht de situatie elegant en waardig gedragen. Sommigen aan het hof zijn terecht hoogdravend, anderen onterecht. Je moeder sprak altijd vriendelijk met iedereen, en jij zult me trots maken als je dat ook doet.' De hertog liet een gouden ringetje met een groen steentje van zijn pink glijden en schoof het om Adairs middelvinger. Het paste precies. 'Mijn cadeautje voor jou, milady. Ik zal je binnenkort weer zien.' Hij stond op en praatte nu tegen Elsbeth. 'De koningin en haar hofhouding zullen nog een paar weken langer dan gepland in Westminster blijven. Het is veiliger. Zorg ervoor dat Adair de koningin in het openbaar herinnert aan de belofte die ze Jane Radcliffe heeft gedaan. Elizabeth Woodville is erg zorgvuldig wat haar goede naam en woord betreft. En mijn broer, de koning, zal Adair niet ontkennen. Hij is een eerbaar man. Je zult hem misschien de eerstkomende weken niet zien, want we zijn volop bezig de weerstandshaarden van Lancastrianen op te ruimen. Ik heb twee van mijn eigen soldaten opgedragen jullie naar Westminster te vergezellen. Jullie zullen tegen het eind van de middag arriveren.'

'Dank u, milord,' zei Elsbeth. 'Ik weet niet of het ons zonder uw tussenkomst was gelukt.' Ze maakte een buiging. Daarna overhandigde ze hem de geldbuidel. 'Hier is het fortuin van mijn meesteres. U wilde het in bewaring geven bij de Jood in Goldsmith's Lane,' hielp ze hem herinneren.

'Je hebt het tot nu toe heel goed gedaan, vrouwe,' complimenteerde hij haar. 'Het verbaast me dat je zonder problemen zover bent gekomen. Je bent een dappere vrouw.' Hij nam de buidel van haar aan. 'Heb je het geld geteld?'

Ze knikte bevestigend.

'Ik zal het naar de bankier brengen,' zei hij, en tilde vervolgens het kind op. 'Je moet gaan, Adair. Wees een brave meid, en ik zal je spoedig weer zien. Wil je je oom Dickon een kusje geven, kleintje?'

Adair sloeg haar armpjes rond zijn nek en drukte een kus op zijn rode wangen. 'U krijgt er twee,' zei ze. 'Een voor nu, en een voor later om u te helpen herinneren wie ik ben.'

Richard van Gloucester grinnikte. 'Je bent een brutaaltje,' zei hij, terwijl hij haar neerzette. 'Je moet met niemand behalve mij zo vrijelijk met je kussen zijn, milady.'

'U komt me dus bezoeken?' vroeg Adair verlangend.

'Ja, elke keer dat ik aan het hof ben. Ga nu maar afscheid nemen van prior Peter en bedank hem voor zijn gastvrijheid.'

Adair maakte een buiging en pakte daarna Elsbeths hand, waarna ze samen op weg gingen naar de prior. Beiste volgde hen met het bot tussen zijn kaken.

De prior zat te ontbijten, maar hij ontving zijn twee gasten. Adair bedankte hem vriendelijk voor het onderdak en het voedsel dat hij hun had gegeven.

'En Beiste bedankt u voor het heerlijke bot,' zei Adair liefjes.

Prior Peter keek naar de grote hond. Het was een prachtig dier, maar misschien een beetje mager.

'Onderweg heeft hij moeten jagen om aan eten te komen,' verklaarde Adair.

'Ik begrijp het,' zei Peter Neville. 'Kom, mijn kind, kniel, en ik zal je mijn zegen geven.' Hij keek naar Elsbeth. 'Jij ook, vrouw! Jullie zullen beiden mijn gebeden nodig hebben.' Ze knielden voor hem neer en hij sprak een gebed uit en zegende hen.

'Dank u, milord,' zei Adair. Ze stond op en kuste de uitgestrekte hand van de prior. 'Ik hoop dat u mijn ouders en de goede mensen van Stanton die zo jammerlijk zijn afgeslacht, in uw gebeden gedenkt.'

'Dat zal ik doen, kind,' beloofde de prior.

Buiten stonden hun paarden en twee gewapende mannen op hen te wachten. Ze hielpen Adair en Elsbeth hun paarden te bestijgen, en daarna ging het groepje met Beiste naast hen op weg in de richting van Westminster.

Ze reden vier uur en stopten toen om de paarden te laten rusten. De kok van de prior had voor de vrouwen een mand met heerlijk voedsel ingepakt. De soldaten hadden haverkoeken en repen gedroogd vlees voor onderweg meegekregen. Na een uur waren ze weer op weg, en tegen drie uur kwamen de torens van Westminster in zicht. De mannen van de hertog wisten precies waar ze naartoe moesten, en ze brachten Adair en haar bediende voor de duisternis viel naar het verblijf van de koningin binnen het omvangrijke terrein van Westminster.

De hofmeester van de koningin werd naar buiten geroepen. Hij keek hooghartig naar de mannen van de hertog, want hij wist dat zijn meesteres net zomin van haar zwager hield als hij van haar. 'Wat willen jullie?' vroeg hij.

'Onze meester, de hertog van Gloucester, heeft ons gevraagd de gravin van Stanton en haar bediende aan de zorg van de koningin over te dragen. Hij heeft haar gisteren op de weg hierheen gevonden. Ze is op zoek naar de koning, die haar natuurlijke vader is. Haar familie is afgeslacht door de Lancastrianen, en ze is alleen op de wereld.'

De hofmeester trok sceptisch een wenkbrauw op, maar de mannen van de hertog vertrokken geen spier. 'Wie is haar moeder?' wilde de man weten. Hij was al bij de koningin voordat ze met koning Edward trouwde.

'Mijn moeder was Jane Radcliffe,' zei Adair zacht.

Plotseling verzachtte de hofmeester zijn houding. 'Lady Jane Radcliffe?' herhaalde hij. 'Ja, ik herinner me haar goed. Je bent het evenbeeld van je moeder, milady. Kom binnen! Kom binnen!' Hij stuurde de mannen van de hertog met een handgebaar weg. 'Jullie kunnen gaan. Jullie hebben je plicht gedaan, en ik zal ervoor zorgen dat de gravin van Stanton bij de koningin wordt gebracht.' Hij keek naar Beiste. 'Breng de hond naar de kennels voordat jullie vertrekken.'

'Nee, Beiste blijft bij mij,' zei Adair op bevelende toon. 'Hij is goedgemanierd, sir.'

De hofmeester haalde zijn schouders op. 'Heel goed,' antwoordde hij. 'Kom nu mee, milady.'

Adair draaide zich om en bedankte de mannen van de hertog voor hun dienst. Daarna volgden zij, Elsbeth en Beiste de hofmeester naar binnen. Hij leidde hen een trap op, naar de zaal van de koningin, waar Elizabeth Woodville met twee vrouwen en haar twee oudste dochters naar het gezang van een minstreel zat te luisteren. Er brandde een groot vuur in een open haard. De hoofdtafel was gedekt met schalen koud vlees, brood en kazen, appels en peren.

Elizabeth Woodville keek op toen haar hofmeester de ruimte binnenkwam. Toen ze de vrouw, het kind en de hond zag, boog ze haar hoofd opzij. 'Wat is dit, Roger?' vroeg ze, toen hij voor haar stond.

'Uwe hoogheid, mag ik u voorstellen aan lady Adair Radcliffe, de gravin van Stanton. Het is niet aan mij u haar verhaal te vertellen.' Hij stapte achteruit.

Adair kwam naar voren en maakte een buiging. 'Uwe hoogheid, ik smeek u mij de vriendschap te schenken die u eens aan wijlen mijn moeder, Jane Radcliffe, uw trouwe dienaar, heeft beloofd. Mijn ouders zijn afgeslacht door de Lancastrianen, en ik was gedwongen met mijn bediende en mijn hond voor mijn leven te vluchten. Maar eerst hebben mijn ouders me de waarheid over mijn afkomst verteld.'

'Hebben ze dat gedaan?' zei Elizabeth Woodville zacht. Het kind leek precies op haar moeder, dacht ze, ze zou haar moeten haten. Maar dat kon ze niet. 'Hoe oud ben je?'

'Zes jaar, uwe hoogheid, afgelopen augustus,' zei Adair.

'Elizabeth, Mary, kom hier,' riep de koningin naar haar twee dochters. 'Ik wil jullie voorstellen aan de gravin van Stanton, die voortaan de kinderkamer met jullie zal delen.' Toen de twee meisjes naar voren kwamen, stelde de koningin hen voor. 'Dit is prinses Elizabeth, die in februari zeven jaar wordt. En prinses Mary is op zes augustus vijf geworden.'

'O!' zei Adair enthousiast. 'We zijn op dezelfde dag jarig, milady.'

Mary van York keek hooghartig naar Adair. 'Ik deel mijn verjaardag met niemand,' zei ze met een harde stem. 'Ik ben een dochter van de koning.'

'Ik ook!' bitste Adair, en sloeg toen haar hand voor haar mond.

Elizabeth Woodville lachte zacht. 'Je lijkt niet op je verwekker, maar ik zie dat je zijn trots hebt. Nou, de kat is uit de zak, en daar is niets meer aan te doen. Adair is door jullie vader verwekt, mijn dochters, en daarom krijgt ze onze hulp en onderdak, want ze is jullie bloedverwant. Waar is Mags?'

'Ik ben hier, uwe hoogheid.' Lady Margaret Beaufort kwam naar voren. Ze was een grote vrouw van eind twintig, met kastanjebruin haar en mooie donkerblauwe ogen. Hoewel haar zoon de erfgenaam van het huis Lancaster was, was ze toch een betrouwbaar lid van de hofhouding van de koningin. Haar intelligentie en serene houding werden alom gewaardeerd.

'Dit is Adair Radcliffe, de gravin van Stanton, Mags. Ze is een van Edwards bastaards. Haar familie is omgebracht en ze is naar ons toe gestuurd. Ze is een beetje jonger dan Bessie. Ik plaats haar in de kinderkamer bij de meisjes. Jij zult haar onder je hoede nemen, en ze heeft haar eigen bediende,' zei de koningin.

'Heel goed, uwe hoogheid,' zei lady Margaret Beaufort. Ze keek naar Adair. 'Is die hond van jou?'

'Ja, milady.' Adairs hand rustte op de kop van het dier.

'Die gaat naar de kennel. Ik wil geen hond in mijn kinderkamer,' zei Margaret op een toon die geen tegenspraak duldde.

'Dan zal ik met hem in de kennel gaan,' zei Adair koppig. 'Ik wil niet van Beiste worden gescheiden. Hij is mijn beste vriend en alles wat ik van Stanton overheb.'

'De kennel zal je niet bevallen,' zei Margaret droog.

'Waarschijnlijk niet, maar ik laat Beiste niet wegsturen. Het zou wreed zijn. Voor hem ben ik het enige wat rest van Stanton.'

Margaret Beaufort keek neer op het kleine meisje dat zo beleefd maar opstandig voor haar stond. Er was iets aan dit kind dat haar hart beroerde. 'Er zijn katten in de kinderkamer,' merkte ze op.

'Beiste is dol op katten,' verzekerde Adair haar haastig. 'In het huis van mijn vader was er een waarmee hij sliep. En hij doet zijn behoefte buiten. Zelfs in de regen. En hij is een geweldige waakhond.'

De koningin lachte. 'Mags, ik denk dat de gravin van Stanton een goed betoog voor haar wolfshond heeft gehouden, vind je niet?'

Margaret glimlachte. 'Ik veronderstel dat een goede waakhond een prima aanwinst voor de kinderkamer zal zijn,' stemde ze toe. 'Nou goed dan, kind, de hond mag met ons mee. Bessie, Mary, het is tijd om naar onze verblijven terug te keren.' Ze keek naar Elsbeth. 'Heb je een naam?'

'Ja, milady. Elsbeth, hoewel de lady me Juffie noemt.'

'Je zult voor je meesteres blijven zorgen, maar af en toe zal ik misschien een dienst van je vragen. Begrijp je?'

'Ja, milady,' zei Elsbeth, terwijl ze bedacht dat er met deze jonge, maar harde vrouw niet te spotten viel.

Adair nam afscheid van de koningin, bedankte haar voor haar welwillende welkom en maakte een buiging. Daarna liepen zij en Elsbeth met lady Margaret naar de kinderverblijven van het huis, en Beiste trippelde naast hen mee.

De kinderkamer bestond in feite uit meerdere vertrekken. De jonge prins Edward had verscheidene kamers voor zichzelf en zijn bedienden. Adair kreeg een kinderbed met een stromatras in een slaapkamer met de drie prinsessen, die in een groot eiken ledikant met gordijnen eromheen sliepen. De persoonlijke bedienden van de kinderen sliepen in een kleine aangrenzende kamer.

Elsbeth beval een mannelijke bediende een kleine hutkoffer voor de gravin van Stanton te brengen, aangezien ze haar brandende huis was ontvlucht met alles wat ze kon dragen in een doek gewikkeld. 'Verdraaide Lancastrianen!' mopperde Elsbeth tegen de man. Hij knikte meelevend en haalde snel wat ze nodig had.

Lady Margaret sloeg Elsbeth geamuseerd gade. De vrouw zou op den duur nuttig voor hen allemaal kunnen zijn. Ze was slim en loyaal, hoewel haar mening over de Lancastrianen uiteindelijk milder zou moeten worden. Het was onwaarschijnlijk dat Elsbeth wist dat lady Margarets enige kind de erfgenaam van Lancaster was. Daar zou ze nog wel achter komen, en dan zou ze wel op haar woorden passen.

Elsbeth wikkelde de sjaal los waarin Adairs bezittingen zaten en legde die zorgvuldig in de hutkoffer.

In de dagen die volgden werd Adairs leven weer rustig en ordelijk. Elke ochtend gingen de kleine meisjes naar de eerste mis van de dag, waarna ze ontbeten met pap, brood en kaas. Soms was er op feestdagen vlees. Na het ontbijt volgden de lessen. Onder leiding van lady Margaret leerden ze lezen, schrijven en sommen maken. Adair had in haar korte leven nog nooit een andere taal dan Engels gehoord. Nu leerde ze haar moedertaal met een noordelijk accent spreken. En ze leerde ook Frans, want dat moesten hooggeboren lady's volgens lady Margaret kunnen spreken.

Er waren ook andere lessen, en wel in huishoudkunde. Want een lady moest van vele zaken op de hoogte zijn als ze haar bedienden goed wilde instrueren. Daarnaast leerden de meisjes naaien en weven, en ze leerden wandkleden maken. Het kostte Adair drie jaar om een wandkleed van Stanton Hall te maken zoals ze het zich herinnerde. Toen het klaar was, complimenteerde lady Margaret haar uitbundig, waar Adair blij mee was, want een oprecht compliment van lady Margaret was een zeldzaamheid.

Enige weken na haar aankomst op Westminster brak de dag aan dat ze de koning, haar verwekker, ontmoette. Edward van York was groot, met diepblauwe ogen en blond haar. Hij was charmant, en hij bezat het vermogen zich de naam te herinneren van elke man of vrouw die hij ooit had ontmoet. Hij keek neer op de kleine Adair en herinnerde zich de mooie en onwillige Jane Radcliffe onmiddellijk.

'Mijn kind,' zei de koning, en hij tilde Adair op in zijn armen en hield haar daar terwijl hij tegen haar praatte. 'Je weet toch wie ik ben, Adair Radcliffe? Ik ben je vader.'

'Nee,' zei Adair brutaal. 'U bent degene die mij heeft verwekt, maar mijn vader was John Radcliffe, de graaf van Stanton.'

De koning keek verbaasd, en moest toen lachen. 'Zo, ik geloof dat je gelijk hebt. Maar desondanks heb ik een verplichting tegenover je, gravin van Stanton, en ik zal mijn plicht niet verzaken.'

'Ik ben dankbaar voor uw vriendelijkheid en die van de koningin,' zei Adair.

'Je bent pas een maand bij ons en nu al klink je als een echte hoveling,' zei de koning grinnikend. 'Ik zie dat je me op een dag van groot nut zult zijn, Adair Radcliffe. Is er iets waar ik je nu een plezier mee zou kunnen doen?'

'Als uwe hoogheid zo goed zou willen zijn,' zei Adair liefjes, 'want Juffie en ik zouden wat stoffen kunnen gebruiken om jurken van te maken. Onze kleren zijn niet geschikt voor uw hof. Toen we moesten vluchten, konden we echter niet meer meenemen. En misschien nieuwe schoenen. De onze zijn, vrees ik, nogal versleten. Ik wil niet hebzuchtig overkomen, milord, maar lady Margaret zal bevestigen dat onze behoeften oprecht zijn.'

'Inderdaad, milord, Adair spreekt zoals altijd de waarheid,' bevestigde Margaret Beaufort.

'Je zult krijgen wat je denkt nodig te hebben voor de verzorging en het welzijn van deze natuurlijke dochter van me,' zei de koning tegen de koninklijke gouvernante. 'Je hoeft er maar om te vragen. Zolang Adair onder onze hoede is, zal er voor haar worden gezorgd, evenals voor de kinderen van onze koningin.'

Margaret maakte een buiging. 'Dank u, milord.' Daarna nam ze Adair mee naar het vertrek waar de stoffen waren opgeslagen. Samen kozen ze genoeg stoffen voor drie jurken. De vrouw was verheugd te zien dat Adair goed scheen aan te voelen wat geschikt was voor een meisje van haar stand. Het was een zeldzaam talent, vooral voor zo'n jong kind. De kleuren die ze koos waren violet, donkergroen en diep oranjerood.

'Juffie moet ook iets hebben,' zei Adair. 'Ze heeft maar één jurk, en het is moeilijk die schoon te houden als ze hem dagelijks moet dragen.'

Lady Margaret knipte stof van een rol met grijsblauwe stof, en van een rol bruine stof. 'Ik denk dat deze geschikt zijn,' zei ze. 'En we hebben nog wat zachte katoen nodig voor hemdjes, en batist en crêpe voor sluiers.'

'En onze schoenen?' wilde Adair weten.

'Jij en Elsbeth zullen de koninklijke schoenmaker bezoeken,' was haar antwoord.

Terwijl de schoenen werden vervaardigd, hielden Adair en Elsbeth zich bezig met de materialen die dienden om er jurken van te maken.

Uiteindelijk was de rust in Engeland weergekeerd. Alle weerstandshaarden waren opgeruimd. Henry VI was teruggekeerd naar de Tower in Londen en kort daarna onder duistere omstandigheden gestorven. Zijn koningin, Margaret van Anjou, was gevangengenomen en op dezelfde dag dat haar echtgenoot was omgekomen naar de Tower gebracht. Hun zoon was gestorven in de strijd van Tewkesbury.

Richard van Gloucester hield orde bij de regelmatige moeilijkheden bij de grens met Schotland. Adair verheugde zich op zijn bezoeken aan het hof. Terwijl hij zich veel met de groeiende familie van zijn broer bemoeide, was het Adair aan wie hij een groot deel van zijn vrije tijd besteedde. De kinderen van de koningin waren een beetje op hun hoede voor de broer van hun vader, want Elizabeth Woodville deed geen moeite meer om haar minachting voor Richard te verbergen. Maar Adair adoreerde Richard, of oom Dickon, zoals de kinderen hem noemden.

De hertog was met zijn jeugdliefde, Anne Neville, de weduwe van de zoon van Henry VI, Edward, prins van Wales, getrouwd. Ze kregen in december 1473 een zoon, die ze Edward noemden. Hij was een zwak kind, net als zijn moeder, en de hertog maakte zich zorgen om hen beiden.

Adair zag de koning zelden, want nu zijn land weer in vrede was, stond hij zichzelf vele maîtresses toe, van wie Jane Shore, de vrouw van een goudsmid, zijn favoriet was. En toch hield hij van zijn koningin. Adair was vier jaar in de hofhouding toen de koning met een leger van tienduizend man Frankrijk binnentrok, waar hij zijn zwager, Charles de Bold, hertog van Bourgondië, en een andere bondgenoot, de hertog van Bretagne zou ontmoeten. Edward wilde Frankrijk veroveren.

Maar noch Charles noch de hertog van Bretagne verscheen zoals ze hadden beloofd, waarna Edward zonder bondgenoten was. Dus toen koning Lodewijk XI aanbood hem af te kopen, accepteerde Edward dat en keerde terug naar huis. Drie jaar later toen een oorlog tussen Engeland en Schotland dreigde, riep de koning een groot leger bijeen, maar was niet in staat het te leiden, omdat hij zijn kracht leek te verliezen. Richard van Gloucester kreeg het bevel toegewezen, en hij wist de Schotten op afstand te houden.

Toen hij daarna voor het eerst sinds verscheidene jaren het hof bezocht, was hij verbaasd te zien dat Adair inmiddels bijna een vrouw was. Hij keek naar het kleine meisje dat hij bijna tien jaar geleden had gered, en besefte toen pas hoeveel tijd er voorbij was gegaan sinds de dag dat hij haar, Elsbeth en Beiste op de weg had aangetroffen.

'Hoe oud ben je?' vroeg hij, terwijl hij haar armen rond zijn nek losmaakte. 'Mijn God, je bent praktisch een vrouw, gravin van Stanton.'

'Na Lammas word ik zestien,' zei Adair. 'Zie ik er echt volwassen uit, oom Dickon? Ben ik mooi? Niemand zegt het. Lady Margaret zegt dat een vrouw niet trots mag zijn als God haar mooi heeft geschapen.'

'Je bent mooi,' verzekerde hij haar. 'Tjonge, de laatste keer dat ik je zag, was je een en al armen en benen. Nu zullen ze echter moeten gaan bekijken wie een geschikte partij voor je zou zijn. Je zult je man het graafdom brengen, dus je bent een aanzienlijke prijs.'

'Ik wil nog niet trouwen,' zei Adair. 'Bessie en ik hebben besloten dat we in hetzelfde jaar willen trouwen. En daar schijnt lady Margaret ook vrede mee te hebben. Het maakt de koningin niet uit, en de koning ook niet. Zij leiden hun eigen leven, net als wij. Vertel eens, hoe is het met lady Anne? En de kleine Neddie?'

'Beiden zijn momenteel gezond, prijs de Heer en zijn gezegende Moeder,' antwoordde de hertog.

'Goed! Gaat u nu mee uw andere neefjes en nichtjes begroeten, oom Dickon. Ze zijn behoorlijk jaloers wanneer u komt, want het is duidelijk dat ik uw favoriet ben,' zei Adair zelfgenoegzaam.

De hertog lachte hardop. 'Dit is iets wat ik altijd zo in je heb gewaardeerd. Je zegt wat je denkt, liefje.'

'Niet altijd, oom. Alleen tegen u, want ik weet dat u me begrijpt.'

De hertog grinnikte. 'Ja, ik geloof dat ik je begrijp, en je bent nog steeds een echt brutaaltje.'

Adair stak haar arm door de zijne. 'Gaat u nu mee, de anderen wachten op u.'

'Waar is de koningin?' vroeg hij.

Adair lachte. 'Zij wacht niet op u. Zij mag u net zomin als u haar, milord.'

'Ben je tegen de anderen net zo bot als tegen mij?' wilde hij weten.

'Zeker niet! Ik ben een toonbeeld van goede afkomst en opvoeding, dankzij lady Margaret. Het zou haar van streek maken als ze hoorde dat al haar harde werken voor niets was geweest. Nee oom, ik ben een volmaakte hoveling.'

'Op een dag zul je misschien je ware aard moeten tonen, Adair,' waarschuwde hij haar.

'En dat zal ik doen,' beloofde ze hem, terwijl ze het deel van het kasteel betraden waar de koninklijke kinderen woonden.

Elizabeth, inmiddels zestien jaar, kwam naar voren om de hertog te begroeten. Zij was na Adair zijn favoriet. De anderen stonden in volgorde van leeftijd naast elkaar opgesteld. Vervolgens kwam Mary, nu bijna vijftien en daarna Cicely die dertien jaar was. Edward, de eerste van de prinses, was negen, en zijn broer, Richard, was zes jaar. Anne, vernoemd naar de vrouw van de hertog, was vier; Catherine, in de armen van haar kindermeisje, was nog geen jaar oud. En de koningin was zwanger van haar volgende kind. Twee kinderen, George en Margaret, waren op jonge leeftijd gestorven.

De hertog begroette elk kind bij naam, en haalde uit de zakken van zijn mantel snoepjes en speeltjes te voorschijn die hij uitdeelde. Voor Mary had hij een rozenkrans van amber kralen met een zilveren kruisje, en voor Elizabeth en Adair een gouden armband.

Ze bedankten hem allemaal beleefd, en hij glimlachte. 'Ik ben een man van de wereld, en ik weet dat dames van mooie sieraden houden,' zei hij tegen de meisjes. Daarna keek hij naar Edward, en zei: 'Ik heb zowel voor jou als je broer een pony meegebracht. Ik hoop dat jullie er net zo blij mee zijn als mijn zoon met de zijne. Ze staan in de tuin op jullie te wachten.'

'O, ga maar,' zei lady Margaret. Daarna wendde ze zich tot de hertog. 'Je verwent ze, milord. Maar ja, niemand anders doet dat. Het is niet gemakkelijk om een koningszoon te zijn.'

'Ik zou het niet weten,' zei de hertog, 'want ik was geen koningszoon, maar ik weet dat het eenzaam kan zijn wanneer een jongen zijn vader zelden ziet. De pony's zijn erg mak, Mags. De kinderen zullen ze veilig kunnen berijden.'

'Je bent goed voor de kinderen, milord, en daarom houden ze van je. Hoe is het met je eigen zoon?'

'Zwak, en Anne is niet sterk genoeg om nog een kind te krijgen, vrees ik,' zei de hertog.

'Wil je wat wijn?' vroeg de koninklijke gouvernante.

De kinderen verdwenen allemaal, op Elizabeth en Adair na. Een subtiel knikje van lady Margaret gaf aan dat ze waren uitgenodigd om erbij te blijven. Ze zaten gevieren geruime tijd te praten, tot Adair, altijd nieuwsgierig, zich tot de hertog richtte.

'Bent u tijdens uw reizen langs de grens nog in de buurt van Stanton geweest, oom?'

'Ja. Je ouders zijn begraven, met stenen om hun graven op de heuvel te markeren. Degenen die tijdens de inval niet waren afgeslacht, hebben de gemeenschap weer opgebouwd en Stanton Hall van al het puin ontdaan. Toen ik zag waar ze mee bezig waren, heb ik ze geld gestuurd, en een paar van mijn eigen mensen om hen te helpen. Je vertelde dat het ging regenen toen het huis in brand werd gestoken. Die regen is de redding geweest, Adair. Dat, en het feit dat het huis van steen was. Het dak was grotendeels weg, maar ze hebben het gerepareerd met leisteen. Ik heb de mensen van Stanton verteld dat jij met Elsbeth bent ontsnapt en dat jullie onder bescherming van de koning staan. Ze waren blij dat te horen.'

'Ik wil zo graag terug naar Stanton,' zei Adair ernstig.

'Je zult ook teruggaan zodra je een echtgenoot hebt,' zei lady Margaret. 'Je zou al getrouwd kunnen zijn, maar Elizabeth wil je gezelschap tot zij getrouwd is.'

'Waarom kan ik nu niet teruggaan? De koning kan een van zijn trouwe bedienden tot rentmeester benoemen. Stanton zou weer een meesteres moeten hebben om toezicht te houden, en ik ben nu oud genoeg om te gaan. En heeft u me niet alles geleerd wat een goede burchtvrouw moet weten om haar landgoed te besturen, lady Margaret?'

'Je bent een meisje van goede afkomst,' zei lady Margaret. 'Het zou je geen goed doen om alleen op Stanton te zijn. De koning zou het nooit toestaan.'

'Ik wil naar huis!' riep Adair. Plotseling werd ze zich bewust van haar hevige verlangen naar haar huis en haar landerijen. Ze wendde zich tot Elizabeth van York. 'Bessie, je hebt me hier niet echt nodig. Zeg tegen je vader dat je me wilt laten gaan.'

'Ben je hier met ons werkelijk zo ongelukkig?' wilde Elizabeth weten.

Adair dacht na, en toen antwoordde ze haar halfzuster: 'Ja en nee, als je dat begrijpt, Bessie. Ik houd van jullie allemaal, en ik ben jullie dankbaar voor wat jullie de afgelopen tien jaar voor me hebben gedaan. Maar nu ik weet dat Stanton op me wacht, verlang ik ernaar om terug te gaan.'

Elizabeth van York slaakte een zucht. 'Ik houd ook van jou,' zei ze. 'Als het zoveel voor je betekent, lieve Adair, dan zal ik onze vader vertellen dat je wilt vertrekken.'

'Ik zal met mijn broer praten,' zei de hertog, 'en jij, lieve Bessie, zult het met me eens zijn dat het voor Adair tijd wordt om naar het noorden terug te keren.'

'Ik vind het niet verstandig,' zei lady Margaret. 'Wanneer bekend wordt dat een jong meisje, de gravin van Stanton in eigen persoon, terug is in Stanton Hall, wie weet wat er dan zal gebeuren? We kennen allebei het gevaar van ambitieuze mannen, milord. Ik vrees voor Adair als ze alleen is op Stanton.'

'Maar ik zal niet alleen zijn,' zei Adair. 'Ik zal mijn mensen van Stanton bij me hebben, en als er gevaar dreigt, zal ik vluchten door de tunnel die ik als kind heb gebruikt, en naar oom Dickon in Middlesham rijden.'

'De beslissing is aan de koning,' zei lady Margaret. 'Maar ik zal tegen hem zeggen dat ik het er niet mee eens ben, en dat ik het helemaal niet goedkeur. Het is een overhaast en dwaas plan dat je hebt opgevat, Adair.'

'De koning zal naar oom Dickon luisteren,' zei Adair, terwijl haar violette ogen straalden van blijdschap. 'En Beiste wordt ook ouder, en hij moet voor zijn dood thuis zijn.'

'Leeft de hond nog steeds?' vroeg de hertog verbaasd.

Lady Margaret knikte. 'Weet je nog hoe mager hij was toen ze hier met z'n allen arriveerden? Nu is hij een reus van een hond geworden, maar ik moet toegeven dat de kinderen allemaal dol op hem zijn, en hij op de kinderen. Ik had nooit gedacht dat ik nog eens een hond in de kinderkamer zou hebben, maar hij is in de afgelopen jaren eerder een hulp dan een last voor me geweest. Maar Adair heeft gelijk. Hij wordt oud, en beweegt zich trager dan voorheen.'

'Hij moet voor het haardvuur in zijn eigen huis liggen,' zei Adair vastberaden.

Haar metgezellen lachten om haar opmerking.

'Ik denk dat ik binnenkort maar eens met mijn broer moet gaan praten,' merkte de hertog op.

'Vandaag!' zei Adair.

'Heel goed, jij koppig brutaaltje,' zei de hertog.

Adair grijnsde breed. 'Dank u, oom Dickon,' zei ze.

De hertog stond op. 'Ik zal nu op zoek gaan naar Edward,' zei hij met een buiging, waarna hij vertrok. Hij wist waar zijn broer zou zijn – bij Jane Shore. En zoals verwacht trof hij hem in zijn koninklijke verblijven waar hij zat te schaken.

'Richard!' De koning stond op om zijn broer te omhelzen. Daarna wendde hij zich tot zijn maîtresse. 'Ga maar, Jane. Ik zie je later wel weer.'

Jane Shore stond gehoorzaam op, en na een buiging haastte ze zich weg.

'Dank je,' zei de hertog.

'Ik weet dat je het niet eens bent met mijn losbandige manieren, zoals onze moeder ze noemt.' De koning grinnikte. Hij was inmiddels dik geworden door zijn genotzucht. 'Wil je wat wijn?' Hij gebaarde naar zijn page, die in de buurt stond, en zwaaide met zijn eigen bokaal naar de jongen, die zich haastte om wijn bij te schenken en de hertog een eigen bokaal te overhandigen. 'Ga zitten, ga zitten,' nodigde de koning zijn broer uit. 'Zijn Annie en Neddie in orde? Is het in het noorden nog steeds rustig?'

'De Schotten blijven aan hun kant van de grens,' zei de hertog. 'Ik ben gekomen om met je over Adair Radcliffe te praten. Ze wil graag naar Stanton, haar huis, terugkeren.'

'Is het dan geen ruïne?' wilde de koning weten.

'Nee. De muren waren van steen. Het dak was voor een deel verbrand, maar dat hebben ze gerepareerd, zodat het huis niet zou instorten. Veel dorpelingen hebben de inval overleefd en ze hebben de gemeenschap Stanton weer opgebouwd. Maar ze hebben hun meesteres nodig. Het meisje wordt binnenkort zestien. Lady Margaret heeft haar alles geleerd wat ze moet weten om een goede burchtvrouw te zijn. Het is tijd.'

'Ze zal een echtgenoot nodig hebben,' zei de koning.

'Ze wil geen echtgenoot,' reageerde de hertog. 'Althans, nu nog niet. Ze wil tijd hebben om zonder echtgenoot haar kennismaking met Stanton te vernieuwen. Ze wil een rentmeester, iemand van jouw bedienden, om haar te helpen.' De hertog dronk de halve bokaal leeg en keek vervolgens zijn broer aan. 'Het is een redelijk verzoek.'

'Jasper Tudor heeft een bastaard op wie hij bijzonder gesteld is, en hij heeft me via Mags laten weten dat een huwelijk tussen de jongen en een van mijn dochters, niet Elizabeth, hem wel geschikt lijkt. Ik ben ook niet van plan hem met een van de dochters van de koningin te laten trouwen, maar Adair zou ik hem kunnen geven. Als Tudor zich teleurgesteld mocht voelen, dan zou dat worden goedgemaakt door het feit dat zijn zoon door het huwelijk tot het graafdom wordt verheven.'

'Adair zal het niet willen,' zei de hertog kalm.

'Ik ben haar verwekker, en ze zal doen wat ik haar zeg,' antwoordde de koning koppig. 'Als zij naar Stanton terug wil keren, dan moet ze met de zoon van Jasper Tudor trouwen. Het is een oplossing voor onze beide problemen, Richard.' De koning grinnikte. 'Mags pleit weer voor een huwelijk tussen haar zoon, de erfgenaam van Lancaster, en mijn Bessie. Maar ik denk erover mijn oudste dochter met de jonge dauphin Charles, Lodewijks zoon, te laten trouwen. Ze zal koningin van Frankrijk worden, Richard, en dat is veel beter dan gravin van Richmond, zoals je met me eens zult zijn.'

'Dat ben ik,' zei de hertog. 'Maar waarom geef je Adair dan aan de Tudors?'

'Omdat Jasper me een van de dochters van de koning heeft gevraagd, terwijl Mags lobbyt om haar zoon, Henry Tudor van Lancaster, met mijn Bessie te laten trouwen,' herhaalde de koning. 'Terwijl ik Mags zal weigeren, zal ik Jasper honoreren, en aldus de Tudors onder controle houden. Uiteindelijk zal ik misschien een van mijn andere meisjes, Cicely wellicht, aan Henry geven. Maar mijn Bessie zal koningin worden.'

'Ik denk dat Adair niet met je zal meewerken, Edward,' waarschuwde de hertog zijn broer.

'Het is waar dat ik haar niet goed ken, Richard, maar bij de gelegenheden dat ik haar heb gezien, leek ze me rustig en lief genoeg. Ze zal doen wat haar gezegd wordt, broer,' zei de koning.

De hertog lachte hardop. 'Je kent haar niet, Edward. Adair mag dan uiterlijk op haar moeder, Jane Radcliffe, lijken, maar ze is jouw dochter, en dus heeft ze jouw koppigheid en zal ze hoe dan ook haar zin weten te krijgen. Wanneer jij probeert haar naar het altaar te dwingen, zul je er tot je leedwezen snel genoeg achter komen.'

'Als ze zo moeilijk is, dan wordt het tijd dat ze een echtgenoot krijgt om haar in toom te houden. Dat gezelschap van vrouwen, en dan bedoel ik Mags en mijn dochters, is niet goed voor haar. Ze is kennelijk boven haar stand gaan denken,' concludeerde de koning. 'Ze zal zo snel mogelijk met Llywelyn FitzTudor moeten trouwen.' Edward dronk zijn bokaal leeg. 'En als Jaspers bastaard snel een zoon bij haar verwekt, des te beter.'

Richard van Gloucester schudde zijn hoofd. Dit zou Adair helemaal niet bevallen. De hertog overwoog zijn opties, en besloot dat het beter zou zijn als zijn favoriete niet op de hoogte werd gebracht van het lot dat haar wachtte. Misschien zou ze de koning dan nog op andere gedachten kunnen brengen, hoewel hij het betwijfelde. De hertog nam afscheid van zijn broer, de koning, en ging zo snel mogelijk op zoek naar Adair. Zodra hij haar had gevonden, nam hij haar apart en zei: 'Ik heb nieuws voor je, maar ik denk dat het je niet zal bevallen, liefje.'

'De koning wil me niet naar huis laten gaan,' concludeerde Adair, en schudde vermoeid haar hoofd.

'O, hij wil je wel naar huis laten gaan, liefje, maar de prijs voor je terugkeer is dat je een echtgenoot van zijn keuze moet nemen. En hij heeft de favoriete bastaardzoon van Jasper Tudor voor die eer gekozen,' zei de hertog.

'Ik zal niet met hem trouwen,' zei Adair rustig.

'Als de koning zegt dat je moet trouwen, dan zul je trouwen, liefje. Maar je kunt er heel misschien nog voor zorgen dat hij de keus aan jou laat,' zei de hertog.

'Ik weet dat de Tudors zich aan de koninklijke familie willen verbinden,' zei Adair langzaam, 'maar ik ben niet bepaald die schakel. Ik ben niet van belang.'

'Maar je bent nu eenmaal de dochter van mijn broer, de koning, liefje, en je bent als zodanig erkend. Dus zullen de Tudors door een verbintenis met jou zowel een koningsdochter als een graafdom verwerven. En Bessie is bestemd voor grotere dingen,' merkte de hertog op.

'De dauphin Charles,' zei Adair. 'Ik weet dat daarover onderhandelingen aan de gang zijn, oom, maar waarom dwingt de koning mij om met een Tudor naar het altaar te gaan?'

'Mags zoekt ook een partij voor haar zoon, Henry Tudor,' antwoordde de hertog. 'Jij bent natuurlijk niet geschikt, gezien de omstandigheden van je geboorte, maar een van Edwards dochters wel. Dan is Mags tevreden, en haar zwager Jasper is tevreden, want jij bent dan wel een bastaard van de koning, maar zijn zoon is ook buitenechtelijk verwekt. En jij brengt de knaap een titel.'

'Ik herinner me dat u me eens heeft gezegd dat ik daardoor waardevol ben,' zei Adair. 'Maar oom, ik ben niet van plan met een Tudor te trouwen, en zeker niet met een die ik niet ken. Waar is deze jongen die buiten het hof is gehouden? Hoe heet hij?'

'Hij heet Llywelyn FitzTudor,' zei de hertog. 'Meer weet ik niet over hem, liefje. Praat met de koning. Het is je enige kans, Adair. Maar denk eraan dat hij je al die jaren bescherming heeft geboden en voor je heeft gezorgd. Je hebt zekere verplichtingen jegens hem.'

Adair liet er geen gras over groeien en ging op zoek naar de koning. In de tien jaar die ze onder zijn bescherming had doorgebracht, had ze hem slechts enkele keren en maar heel vluchtig gesproken. Maar als hij op dit moment alleen was, durfde ze wel een audiëntie aan te vragen. Ze werd naar het vertrek van de koning geleid.

'Kom binnen, kom binnen,' zei de koning. 'Laat me eens naar je kijken, mijn kind. Je bent een heel mooie vrouw geworden, zo te zien. Je moeder was van jouw leeftijd toen ik haar kende.'

Adair maakte een buiging voor de koning. Hij vroeg haar niet te gaan zitten. 'Mijn oom, de hertog van Gloucester, zegt dat u me binnenkort wilt uithuwelijken zodat ik naar Stanton kan terugkeren. Ik wil echter nog niet trouwen.'

De koning keek naar Adair, en zijn blauwe ogen werden plotseling hard. 'Dat bevalt me niet, vrouwe. Het besluit over je huwelijk, gravin van Stanton, is niet aan jou. Jasper Tudor wenst een van mijn dochters voor een van zijn zoons.'

'Een van zijn bastaards,' zei Adair scherp.

'Dan is het dus gepast dat een van mijn bastaards met een bastaard van Jasper Tudor trouwt,' antwoordde de koning wreed, terwijl hij haar een kille blik schonk. 'Denk eraan dat ik zowel je vader als je koning ben, gravin van Stanton.'

'U mag me dan bij mijn moeder hebben verwekt, uwe hoogheid, maar u bent nooit mijn vader geweest. John Radcliffe, God behoede zijn goede ziel, was mijn vader. Ik draag zijn naam. Hij heeft me als dochter erkend. U mag me geen bastaard noemen vanwege uw onbeteugelde lusten.' Ze staarde de koning boos aan en weigerde haar ogen voor hem neer te slaan.

'Wel allemachtig, je bent desondanks van mijn bloed!' zei Edward van York kwaad. 'Ik heb je de afgelopen tien jaar onderdak en bescherming geboden. Je bent in mijn huis nooit slecht behandeld. Ik ben je wettige voogd, en je bent me verplichtingen schuldig, Adair Radcliffe. Je zult trouwen met de man die ik voor je heb gekozen. En ik heb Llywelyn FitzTudor als je echtgenoot gekozen. Er zal geen verdere discussie over deze kwestie zijn. Begrijp je me, gravin van Stanton? Het is tijd dat je een man krijgt die je je plaats leert. Je zult met Llywelyn Fitz-Tudor trouwen, en hoe sneller hoe beter, denk ik zo!'

'Nee, dat zal ik niet!' schreeuwde Adair tegen de koning. En na die woorden rende ze het vertrek uit.

Edward keek haar na, terwijl er een glimlachje rond zijn lippen speelde. Als haar moeder de geestkracht en vurigheid van dit koninklijke kind had gehad, dacht hij, dan had ik haar nooit moeten laten gaan. Hij riep om zijn page. 'Laat de graaf van Pembroke bij me komen, mijn jongen,' zei hij tegen de page.

De page haastte zich weg, en keerde bijna een uur later terug met Jasper Tudor op zijn hielen.

'Geef hem wat wijn,' droeg de koning de page op. Daarna wendde hij zich tot de graaf van Pembroke en zei zonder verdere plichtplegingen: 'Ik zal je mijn natuurlijke dochter, Adair Radcliffe, de gravin van Stanton geven, voor je natuurlijke zoon Llywelyn.'

Het gezicht van de graaf van Pembroke toonde geen enkele reactie. 'Ik had gehoopt op een van de dochters van de koningin,' zei hij rustig.

'Adairs bruidsschat is omvangrijk,' antwoordde de koning.

'En je zoon zal door zijn huwelijk met haar graaf van Stanton worden, want ze is zelf gravin. Ik wil iemand in het noorden hebben die ik kan vertrouwen. Iemand die een oogje op de Nevilles en de Percy's voor me zal houden. Ik geef Adair niet lichtvaardig weg, milord.'

'Vertel me hoeveel ze waard is, milord,' zei Pembroke langs zijn neus weg.

'Een groot stenen huis dat goed is hersteld. Veel weidegronden. Een dorpsgemeenschap die in de afgelopen tien jaar is herbouwd, met een eigen kerk, houtzagerij en hoefsmederij. Ze zal honderd goudstukken van me krijgen, zoals ik de Radcliffes bij haar geboorte heb beloofd. Ze heeft sieraden, kledingstukken, linnengoed, en vele andere zaken die te talrijk zijn om allemaal op te noemen, en een bediende,' zei de koning. 'Ze is een erfgename, en een maagd met een goede reputatie.'

'Heeft ze ook vee?' vroeg Pembroke scherp.

'Dat is verdreven door de Schotten en de buren van de Radcliffes,' gaf de koning toe. 'Maar je zoon zal ook iets voor dit huwelijk moeten inbrengen, milord.'

Jasper Tudor lachte, maar het was een koud geluid. Toen knikte hij. 'Ik zal betalen voor een nieuwe kudde vee,' zei hij.

'Plus een jonge stier,' onderhandelde de koning.

'Milord!' protesteerde de graaf van Pembroke. 'Dat zal me een fortuin kosten.'

'Ik geef je een koningsdochter voor je bastaard,' hielp Edward van York de graaf herinneren. 'Ongeacht de manier waarop ze is verwekt, is ze mijn bloed, en opgevoed alsof ze een prinses is. Wat moet je met een kudde koeien zonder een stier? En de kudde moet uit minstens honderd stuks vee bestaan. Jonge dieren. Heifers. En ik zal het laten controleren.'

'Wilt u me dan armlastig maken, milord?' protesteerde de graaf van Pembroke weer. 'Vijftig stuks vee is het beste wat ik kan doen, want het is in deze tijden moeilijk om aan gezonde heifers te komen.'

'Zeventig, of ik zal elders op zoek moeten gaan naar een schoonzoon,' zei de koning onvermurwbaar. 'Het is een goede overeenkomst, Jasper, en dat weet je.' Edward van York stak zijn hand uit naar de graaf van Pembroke.

Jasper Tudor aarzelde niet. Hij stak zijn eigen hand naar vo-

47

ren en pakte de hand van de koning aan. 'Afgesproken!' zei hij met een lachje. 'Het is een goede overeenkomst. Wanneer zullen we het huwelijk laten plaatsvinden, milord?'

'Zo snel als het kan worden geregeld,' zei de koning, en beantwoordde zijn glimlach.

3

Adair rende door het kasteel op zoek naar Elsbeth. Ze vond haar bij het vuur in de kinderkamer met Beiste aan haar voeten. 'We vertrekken hier zo snel mogelijk,' vertelde ze haar kindermeid. 'En niemand mag het weten. Zelfs oom Dickon niet.'

'Wat is er gebeurd, mijn liefje?' vroeg Elsbeth haar jonge meesteres. 'Kom even bij me zitten, kind, je ziet zo wit als een doek.'

'Ze willen dat ik ga trouwen,' zei Adair, die bleef staan.

'Natuurlijk zul je op een dag trouwen,' antwoordde Elsbeth mild.

'Nee! Ze willen dat ik nu trouw! Met een van Jasper Tudors bastaards. De koning heeft andere plannen voor mijn halfzusters. Bessie zal op een dag koningin van Frankrijk worden. Ze zullen Cicely aan Mags' zoon, Henry Tudor, geven, want Mary is niet sterk genoeg voor een huwelijk. En ik word overgedragen aan Jasper Tudors zoon. Ik wil het niet, Elsbeth! We gaan terug naar Stanton. Oom Dickon heeft me verteld dat het bewoonbaar is. Zijn mensen hebben het dak gerepareerd, en de dorpelingen die aan de Lancastrianen zijn ontsnapt hebben de gemeenschap weer opgebouwd. Als ik weg ben dan zal de koning andere plannen voor die Llywelyn FitzTudor moeten maken. Hij zal niet de moeite nemen om mensen achter me aan te sturen naar Noord-Humbrië. Daar ben ik niet belangrijk genoeg voor. Sta op, Juffie! Ik wil nu gaan voordat ze me kunnen tegenhouden.' Adair trok aan Elsbeths arm. 'Schiet op.'

Elsbeth kwam overeind. 'Als jij wilt vertrekken, dan zul je vertrekken,' zei ze rustig. 'Maar niemand zal dergelijk gedrag van de gravin van Stanton verwachten. Je weet dat de reis lang is, en je wilt toch zeker je bezittingen niet achterlaten, mijn liefje? Ik heb wat tijd nodig om voor ons in te pakken.'

'Nee, laat alles achter. Ik wil niets hebben!' riep Adair.

'We zullen in ieder geval geld nodig hebben,' zei Elsbeth.

'Ik heb genoeg geld voor ons om naar het noorden te komen. Mijn kleine fortuin is bij de Jood op Goldsmith's Lane gebracht. We kunnen dus overal geld opnemen,' antwoordde Adair.

'De halve dag is al voorbij,' zei Elsbeth. 'Laten we morgen gaan.'

'Het is net twaalf uur geweest. Het is juni, dus nog lang licht. Ik wil nu gaan, Juffie. Nu!' riep Adair.

'Heel goed,' zei Elsbeth. 'Vertel me maar wat ik moet doen.'

'Ga jij naar de stallen en laat onze paarden zadelen, en ik zal onze mantels en de munten van de plek halen waar ik ze heb verborgen,' zei Adair. Daarna draaide ze zich om en haastte zich de kamer uit.

Elsbeth slaakte een zucht. Dit was een dwaze actie van Adair, dacht ze. Maar ze was Stanton haar loyaliteit verschuldigd, en Adair was de Radcliffe van Stanton. Daarna bedacht ze dat ze de volgende dag zeker door de mannen van de koning zouden worden opgepakt. 'Kom mee, Beiste,' zei ze tegen de hond bij het vuur. 'We gaan naar huis.'

In de kleine kamer die ze met Elizabeth deelde, begaf Adair zich naar de haard die in deze tijd van het jaar niet brandde, reikte met haar hand naar binnen, trok een kleine steen uit de achtermuur en zette die op de vloer. Uit de holte haalde ze een geldbuidel te voorschijn. Ze trok haar rokken omhoog en bond de koorden van de buidel aan haar hemd vast. Daarna plaatste ze de steen weer terug, pakte hun mantels en rende de kamer weer uit.

Elsbeth en Beiste stonden voor de stal bij hun paarden te wachten. 'Hebben we een rijknecht nodig om met ons mee te gaan, milady?' vroeg Elsbeth onschuldig.

'Nee, we rijden alleen maar naar de stad,' zei Adair, terwijl de staljongen haar in het zadel hielp.

'Er is vandaag kermis in Windsor, milady. Pas op voor de zigeuners,' waarschuwde de staljongen.

'O, dank je, dat zullen we doen,' antwoordde Adair.

De twee vrouwen reden weg van Windsor Castle, en de grote wolfshond sprong naast hen mee. Uit het zicht van de bewakers draaiden ze de weg op die naar het noorden voerde en dreven hun paarden aan tot galop. Adair keek niet één keer om, en voor het eerst in tien jaar besefte ze dat ze volkomen gelukkig was. Gelukkig en vrij van het koninklijk huis. Vrij van de nauwelijks verhulde verachting van bepaalde hovelingen. Niet dat iemand onaardig tegen haar was geweest. Dat was niet zo. Ze had de koning slechts zelden gezien. Het maakte de koningin gelukkig om de koning kinderen te schenken, maar verder ging haar belangstelling voor hem niet.

Adairs wereld had bestaan uit lady Margaret Beaufort, Elsbeth en haar halfbloedverwanten. Ze hadden een ordelijk en rustig leven geleid. De jongens werden voorbereid om te regeren, en de meisjes om te trouwen. Maar het was naar Adairs zin te snel gekomen. Waarom moest ze eerder getrouwd zijn dan Elizabeth, die slechts zes maanden ouder was dan zij? En nog wel met iemand die ze helemaal niet kende, en over wie ze tot vandaag zelfs nog nooit iets had gehoord? Nee! Ze zou niet met Llywelyn FitzTudor trouwen. En wanneer ze tot de ontdekking kwamen dat ze weg was, dan zou dat het einde ervan betekenen.

Maar lady Margaret lag geveld door griep in bed. En de prinsessen Elizabeth, Mary en Cicely waren op bezoek bij hun grootmoeder van vaderskant, Cicely Neville. En omdat Elsbeth voor Adair zorgde, was er niemand die opmerkte dat de gravin van Stanton niet meer in het kasteel was. Het duurde verscheidene dagen voordat iemand het besefte en het onder de aandacht van lady Margaret bracht.

Lady Margaret verliet haar ziekbed en ging op zoek naar de koningin. 'Uwe hoogheid, Adair Radcliffe wordt vermist,' zei ze.

Elizabeth Woodville keek boos toen ze dit nieuws kreeg. 'Vermist?' zei ze. 'Wat bedoel je met vermist?'

'Ze is al verscheidene dagen niet gezien; en datzelfde geldt voor haar bediende, Elsbeth. Ze zijn nergens in het kasteel te vinden, uwe hoogheid,' antwoordde lady Margaret.

De koningin keek nog bozer. Tot nu toe was het een heerlijke zomer geweest. Haar drie oudste dochters waren op bezoek bij hun grootmoeder, die er geen geheim van maakte dat ze haar schoondochter niet mocht, wat haar van haar gebruikelijke plicht om de moeder van de koning te amuseren, ontlastte. Ze wilde niet met dit probleem worden lastiggevallen, en het was zeker een groot probleem als Adair Radcliffe er met een of andere landjonker vandoor was gegaan, wat zeker het geval was. 'Ik zal de koning laten halen,' kondigde de koningin aan. 'Hij moet van dit dilemma op de hoogte worden gesteld, en hij moet beslissen wat er moet worden gedaan.' Ze wenkte haar persoonlijke page. 'Ga je meester halen, mijn jongen. Zeg hem dat het dringend is.'

De page repte zich weg, en de twee vrouwen bleven in stilte zitten wachten. Het duurde bijna een uur voordat de koning in het gezelschap van zijn broer, Richard, verscheen. De koningin keek nors. Ze mocht Richard van Gloucester niet, en hij mocht haar niet.

'Wat is er zo dringend dat je me uit de raadsvergadering hebt laten halen?' vroeg Edward aan zijn vrouw. 'Ik heb een vergadering die moet worden voortgezet, afgebroken.'

'Adair Radcliffe wordt vermist. Haar bediende ook,' zei de koningin. 'Mags kan je meer vertellen, want ik weet er niets van.' Haar blauwe ogen weerspiegelden al verveling.

De koning keek lady Margaret Beaufort aan. 'Vrouwe?' vroeg hij.

'Ik ben ziek geweest, milord, en ik was me er tot vandaag niet van bewust dat zowel Adair als haar bediende, Elsbeth, nergens te vinden zijn,' zei lady Margaret. 'Haar gebruikelijke metgezellen zijn naar je moeder gegaan, en pas deze ochtend merkte een dienstmeisje op dat haar bed verscheidene dagen niet is beslapen. We hebben het kasteel doorzocht, maar ze is nergens te vinden, hoewel al haar bezittingen in haar kamer zijn.'

'En waar is die grote hond van haar?' wilde de koning weten.

Lady Margaret dacht een ogenblik na en zei toen opgewonden: 'Je hebt gelijk, milord! De hond is ook weg.'

'Adair is weggelopen,' verkondigde Richard van Gloucester.

'Wat bedoel je verdomme met "ze is weggelopen"?' vroeg de koning.

'Heb je haar verteld dat ze met Jasper Tudors bastaard moest trouwen, Edward?' vroeg de hertog aan zijn oudere broer.

'Ja, dat heb ik gedaan,' antwoordde de koning. 'Hoe eerder hoe beter.'

'En wat was haar reactie toen ze dat nieuws kreeg?' drong de hertog aan.

'Ze zei dat ze nog niet wilde trouwen. Dat ze naar huis, naar Stanton Hall wilde om weer bij haar landerijen en haar mensen te zijn,' zei de koning.

'Een redelijk verzoek,' mompelde de hertog, 'maar jou kennende, Edward, heb je Adair je wil opgelegd. Jammer genoeg heeft Adair jouw temperament.' Hij grinnikte. 'Jij wilt je zin doordrijven, maar zij ook.'

'Adair is mijn kind, en ze zou dankbaar moeten zijn dat we haar onderdak hebben gegeven toen haar familie was afgeslacht,' bitste de koning. 'Ze is bijna zestien jaar en rijp voor een man. Het is tijd voor haar om te trouwen, Richard. En het is tijd dat ze haar schuld aan mij terugbetaalt door een man van mijn keuze te nemen, om me te helpen alle Yorks en Lancasters te verenigen.'

'Ik ben het wel met je eens, Edward, maar een tikje meer diplomatie had je beter gediend dan je ijzeren vastbeslotenheid om te worden gehoorzaamd. Je weet weinig meer van Adair dan dat je haar uit lust bij Jane Radcliffe hebt verwekt. Het meisje is intelligent en ze is het huis van York toegewijd. Het enige wat ze van het huis van Lancaster weet, is dat enkelen van hen haar moeder en pleegvader hebben vermoord, en dat ze op jonge leeftijd uit haar huis werd verdreven. Desondanks kies je als man voor haar een van de belangrijkste mannen van Lancaster. Hoewel ik je redenering wel begrijp, heeft Adair het niet begrepen. Je hebt niets gedaan om haar hierop voor te bereiden. Als je haar een klein deel had uitgelegd, zou ze je wellicht hebben geholpen de twee strijdende huizen te verenigen. Ze is erg op lady Margaret gesteld. Ze bewondert haar. Als je met Mags had gesproken en haar je plan had verteld, had zij je kunnen helpen om Adair op dit huwelijk voor te bereiden. Je hebt je dochter niet met het respect behandeld dat ze verdient, en nu is ze weggelopen. Het feit dat ze niets van haar bezittingen heeft meegenomen, behalve de hond, was haar manier om jou te vertellen dat ze niets meer met je te maken wil hebben,' concludeerde de hertog. 'Wil je dat ik achter haar aan ga?'

'Nee!' blafte de koning. De woorden van zijn jongere broer hadden diep gestoken. Adair had het recht niet te proberen haar koning voor te schrijven wat ze wel of niet zou doen. 'Ze zal met die FitzTudor trouwen, en ik heb haar aanwezigheid niet nodig om die verbintenis tot stand te brengen,' zei de koning. 'Ik ben Adairs wettelijke voogd. Ik heb ingestemd met de verbintenis, en het huwelijk zal bij volmacht worden voltrokken. Een van mijn dochters kan voor de bruid invallen.'

Richard van Gloucester schudde zijn hoofd. 'Edward, doe dit niet,' adviseerde hij zijn oudere broer. 'Je kunt bereiken wat je wilt als je gewoon een tijdje wacht en mij ondertussen met Adair laat praten. Waarom moet je deze vereniging overhaasten?'

'Omdat ik Jasper Tudor ervan wil overtuigen dat de Lancasters en Yorks op vreedzame wijze met elkaar kunnen leven, Richard,' zei de koning. 'Een vereniging tussen onze huizen zal dat bereiken. Ik heb mijn besluit genomen!' Daarna draaide hij zich om en stormde het verblijf van de koningin uit.

'Zie ik het verkeerd?' vroeg de hertog van Gloucester aan lady Margaret Beaufort.

'Nee, maar de koning ook niet,' antwoordde ze hem. 'Mijn zwager is een ongeduldig man, milord. Hij wil een huwelijk, en hij wil het nu. Hij zal niet blij zijn met een huwelijk bij volmacht. Ik zal hem vertellen dat de gravin van Stanton naar het noorden is gegaan om haar langverlaten Stanton Hall voor te bereiden op de komst van haar bruidegom,' zei lady Margaret, waarbij haar blauwe ogen twinkelden.

De hertog van Gloucester lachte onwillekeurig. 'Nou, vrouwe, je bent een ware belofte als diplomaat. Ik kan nu maar het beste naar het noorden rijden zodat mijn nicht niet van haar lot op de hoogte wordt gebracht voordat het op haar stoep verschijnt. Hoe oud is de bruidegom?'

'Veertien,' zei lady Margaret zacht.

'Allemachtig,' vloekte de hertog zacht. 'Ze zal hem levend opeten, Mags. Geen enkele jongen, zelfs niet Jasper Tudors zoon, zal in staat zijn Adair onder de duim te houden. Ze heeft een volwassen man nodig.' Hij zuchtte. 'Ik denk dat ik haar maar niet vertel dat hij zo jong is. Laat haar dat zelf maar ontdekken.'

'Ik ben geneigd in te stemmen met je besluit, milord,' zei lady Margaret.

'Zou je je zwager ervan kunnen overtuigen dat hij op deze verbintenis moet wachten?' vroeg de hertog zich hardop af.

'Hij is net zo koppig als de koning,' antwoordde ze. 'Hij weet wat hij wil.'

'Jullie bezorgen me allebei hoofdpijn,' kondigde de koningin aan. 'Mijn heer gemaal heeft zijn besluit genomen. Jullie zullen hem beiden helpen ervoor te zorgen dat zijn wens wordt uitgevoerd.' Ze gebaarde hen ongeduldig haar verblijf te verlaten.

De hertog van Gloucester begaf zich met zijn vrouwelijke metgezel naar buiten, waar ze in een van de kleinere tuinen van het kasteel op zachte en vertrouwelijke toon met elkaar praatten.

'Ik zal doen wat binnen mijn vermogen ligt om mijn zwager nog een poosje te laten wachten,' zei lady Margaret. 'Er moet toch over de grootte van Adairs bruidsschat worden onderhandeld. En haar achtergelaten bezittingen moeten natuurlijk naar Stanton worden gebracht, en ze moet een kleine uitzet hebben.'

'En hoewel het huwelijk beter vroeg dan laat kan worden voltrokken, zou de winter wel eens kunnen invallen voordat de jonge FitzTudor het noorden kan bereiken,' merkte de hertog op. 'Hij kan misschien pas tegen het voorjaar, wanneer de sneeuw gesmolten is, op Stanton arriveren.'

'Dat zijn allemaal mogelijkheden,' zei lady Margaret met een samenzweerderig lachje.

'Hebben wij dus een akkoord, vrouwe? We zullen beiden doen wat we kunnen om de gravin van Stanton voorzichtig in de richting van een huwelijk met die jonge knaap, die haar verwekker voor haar wenst, te manoeuvreren.'

'Afgesproken, milord, we hebben een overeenkomst,' antwoordde lady Margaret.

In de weken die volgden, ging de zomer over in de herfst. Ondanks het feit dat de koning een snel huwelijk wilde, werd het huwelijkscontract pas tegen die tijd ondertekend. De koning zou zijn natuurlijke dochter Adair Radcliffe aan Llywelyn Fitz-Tudor, zoon van Jasper Tudor, geven. FitzTudor zou de achternaam Radcliffe krijgen, zoals de koning lang geleden aan John Radcliffe had beloofd. Het was een heikel punt dat de verbintenis uitstelde, omdat zowel Jasper als zijn zoon ertegen waren, maar uiteindelijk stemden ze ermee in.

De bruid zou een bruidsschat van honderd goudstukken krijgen; twaalf zilveren lepels, twee zilveren kommen; een hutkoffer met linnengoed voor tafel en bed; drie nieuwe jurken; drie rollen stof; nieuwe leren schoenen; een gouden ketting en twee gouden ringen, de een met een parel, de ander met een robijn. Er zouden ook twee zilveren kandelaars bij zijn, een cadeau van de koningin; en van de koning twee paarden, een rijpaard voor de bruid, een hengst voor de bruidegom.

En terwijl er zonder haar aanwezigheid over haar lot werd beslist, had Adair binnen veertien dagen Stanton bereikt. Het was een wonder dat de twee vrouwen de hele afstand zonder incidenten hadden afgelegd. Ze reden haar dorp binnen, en zodra Elsbeth door de dorpelingen werd herkend, stroomden ze hun huisjes uit om hen te begroeten. Sommigen van hen snikten.

'Wat is er, mama?' vroeg een jongetje aan zijn moeder. 'Waarom huil je?'

'Het is de jonge meesteres die weer thuis is gekomen,' vertelde de vrouw hem. 'Er is weer een Radcliffe op het land. Prijs de Heer en zijn gezegende Moeder!'

Een oudere man maakte een buiging voor Adair. 'Welkom thuis, milady. Ik ben Albert. Mijn vader was de hofmeester van uw vader. Het verheugt me te kunnen zeggen dat het huis inmiddels weer bewoonbaar is. De goede hertog Richard is verscheidene jaren geleden hierheen gekomen en heeft ons verteld over uw wonderbaarlijke ontsnapping. Zijn mannen hebben het dak gerepareerd, en wij hebben opgeruimd en schoon gehouden.'

'Dank je, Albert,' zei Adair vanuit haar zadel. 'Dank jullie allemaal voor jullie welkom. Leeft je vader nog steeds, en zou hij zijn werkzaamheden kunnen hervatten?'

'Helaas, milady, mijn vader is strijdend aan de zijde van de graaf ten onder gegaan,' antwoordde Albert.

'God hebbe hun beider ziel,' zei Adair zacht. 'Wil jij dan je vaders plaats innemen?'

'Ik ben vereerd door uw vraag, milady, en ik zal u met alle plezier dienen. We zijn veel meubels kwijtgeraakt door de brand, en met uw instemming zal ik de handwerkslieden opdracht geven nieuwe voor u te maken. En ik zal personeel aannemen. Die verschrikkelijke dag zijn er velen omgebracht, maar er zijn ook velen die het hebben overleefd. Nu de winter voor de deur staat, zullen er meer helpende handen zijn voordat het tijd is ons op het voorjaar voor te bereiden.'

'Loop met me mee,' zei Adair, terwijl ze haar paard naar voren dreef. 'Hebben we nog vee, of is alles die dag verloren gegaan?'

'Wat niet verloren is gegaan, is uiteindelijk door onze buren gestolen, zowel door de Schotten als de Engelsen,' zei Albert.

Adair knikte. 'We zullen ze het komend voorjaar vervangen. Het heeft geen zin ze nu te kopen, omdat we ze dan gedurende de winter moeten voeden,' redeneerde ze.

'Milady, als ik zo brutaal mag zijn,' zei Albert, 'hoe is het u en Elsbeth gelukt om de slachtpartij te ontvluchten? Ik zou u niet hebben herkend, maar de gelijkenis met uw lieve moeder is zo groot. En is dat arme, vermoeide beest een van uw vaders honden?'

'Er is een vluchttunnel onder het huis. Mijn ouders hebben Elsbeth en mij die dag samen met Beiste naar de andere kant ervan geleid. We zijn daar gebleven tot de plunderaars weg waren. Ik werd naar koning Edward gestuurd, omdat hij bij mijn vader in het krijt stond. De afgelopen tien jaar ben ik in zijn hofhouding opgenomen geweest. Onderweg heeft hertog Richard van Gloucester ons gevonden, en hij heeft ons door twee van zijn mannen naar Westminster laten brengen,' legde Adair uit.

'Toen de goede hertog hierheen kwam en ons vertelde dat u in leven was, vonden we het een wonder. Hij beloofde ons dat u op een dag zou terugkeren, milady,' zei Albert. 'En nu bent u hier.'

'Om te beginnen wil ik hier alles in orde maken,' zei Adair. 'Je moet me vertellen wie er nog leeft, wat er over is, en daarna zullen we beslissen hoe we verdergaan.'

Ze bereikten het huis en betraden de binnenplaats, die keurig was aangeveegd, maar verder leeg was, bemerkte Adair. De rozen en andere planten die haar moeder zo liefdevol had verzorgd, waren kennelijk allang verdwenen. In het voorjaar zouden ze worden herplant, want nu was het te laat in het seizoen.

Albert haalde een sleutel uit zijn broekzak en stak hem in de deur van het stenen gebouw. De sleutel draaide soepel om, en de deur zwaaide open.

Ze stapten naar binnen, waar het koud en vochtig was. Het zwakke ochtendzonlicht viel door enkele ramen die niet gebroken waren, en waar geen luiken voor waren. Adair liep verder door de gang, die zoals ze wist naar de grote zaal leidde, waar ze vroeger graag speelde en zich voor Juffie verstopte. Hij was hetzelfde, en toch ook weer niet. Het was zo stil in huis. Er was helemaal geen levendigheid, maar er waren ook geen geesten van degenen die hier op die verschrikkelijke dag lang geleden waren vermoord.

'Kunnen de dorpelingen wat hout missen, Albert? We moeten enige warmte in huis zien te brengen voordat de avond valt,' zei Adair. Ze keek rond in de zaal, die praktisch leeg was op twee oude stoelen na, en een gammele tafel bij de grote haard. Er lagen geen houtblokken in de haard. De wandkleden aan de muren waren weg.

'Het dak en het interieur zijn verbrand,' verklaarde Albert. 'De muren stonden nog overeind, en daarom waren we in staat het huis te redden, milady.'

'Is de inhoud van alle vertrekken verbrand of geroofd?' wilde ze weten.

'Alles, behalve de keukens onder de grote zaal, milady. De bovenste verdiepingen en de zaal zijn verbrand. De vrouwen die overleefden zijn teruggekomen en hebben alles in de kasten opgeborgen voor het moment dat de familie zou terugkeren. We wisten dat u op een dag naar ons toe zou komen.'

Elsbeth had tot nu toe gezwegen, maar nu scheen ze hersteld van de schok die ze bij de aanblik van het huis had gekregen. 'Haal het hout,' zei ze tegen Albert. 'En kijk of iemand zo vriendelijk wil zijn om ons stromatrassen te lenen, en graag zonder vlooien, alsjeblieft. De lady zal tijdelijk in de grote zaal slapen tot er nieuwe meubels zijn gemaakt. En we hebben personeel nodig. Alles wat weg of kapot is, moet worden vervangen of gerepareerd, want de winter zal ons niet welgezind zijn.'

'Inderdaad, meesteres Elsbeth,' zei Albert. 'Het is ook goed jou weer thuis te zien. Je zult wel mooie verhalen te vertellen hebben.'

'Ik vertel nooit verhaaltjes,' antwoordde Elsbeth.

'O, Juffie,' zei Adair, 'ik weet zeker dat Albert en de andere mensen van Stanton het heerlijk zouden vinden om je verhalen over de koning en het hof te horen. Daar steekt geen kwaad in.'

'Als je het goed vindt, milady, dan kan ik misschien wel een paar dingen vertellen die de mensen zouden amuseren, maar ik roddel niet!' zei Elsbeth.

Albert grinnikte naar Elsbeth. Hij was een magere man van middelbare lengte, met milde blauwe ogen en bruinachtig haar. 'Ik verheug me erop,' zei hij met een ondeugende knipoog.

'Let op je manieren,' berispte Elsbeth hem. Toen verzachtte haar toon. 'Hoe is het met je moeder? Ik herinner me haar zo goed.'

'Ze is ook aan het bloedbad ontsnapt. Ze hadden geen belangstelling voor een oude vrouw,' zei hij. 'Ze zal blij zijn je weer te zien, Elsbeth.'

'En je vrouw? Je hebt toch zeker wel een vrouw genomen, Albert?' vroeg Adair.

'Nee. Er was geen tijd voor. Om te beginnen waren er na de slachting slechts een paar oude mannen en vrouwen en enkele jonge mannen over. Ik was gewond geraakt en voor dood achtergelaten. Toen er na verloop van enkele maanden een handjevol jonge vrouwen terugkeerde, hadden velen een dikke buik. Daarna zijn we met man en macht aan de slag gegaan om de dorpgemeenschap weer op te bouwen, de Hall te herstellen en het land te bewerken. Ik moest als sheriff en rechter optreden, milady. We waren vergeten hier in Stanton tot de hertog verscheen. Ik ben mijn autoriteit te buiten gegaan, milady, ik hoop dat u me dat wilt vergeven,' eindigde Albert zijn relaas.

'Natuurlijk. Je hebt je nobel gedragen, Albert, en je hebt mijn eeuwige dankbaarheid verdiend voor je loyaliteit aan Stanton. Nu kun je het beste dat hout en onze stromatrassen gaan halen terwijl ik een rondgang door mijn huis maak om de kennismaking ermee te hernieuwen.' Met een knikje verliet ze de zaal.

'Ze lijkt op haar moeder,' zei Albert.

Elsbeth knikte. 'Ja, zeker. Maar ze is koppig. Ze is weggelopen uit de hofhouding van de koning, en het is beter dat je dat weet. Ze denkt dat ze niet achter haar aan zullen komen, maar ik denk er anders over. Ze heeft waarde voor de koning.'

'Is ze weggelopen? Waarom?' vroeg hij.

Elsbeth gebaarde naar een stoel. 'Ga even zitten, dan zal ik het je vertellen.'

'Laat me eerst het hout halen en een vuur in de zaal aanleggen. Daarna zullen we praten,' opperde Albert.

Ze knikte. 'Ga maar.' Ze ging zitten terwijl hij naar buiten liep. Het leek of hij maar even weg was geweest, maar toen hij terugkeerde, had hij verscheidene mannen en vrouwen bij zich die allerlei voorwerpen droegen. Genoeg hout voor enkele dagen werd bij de haard opgestapeld. De gammele tafel werd weggehaald en vervangen voor een goede.

'Waar komt die vandaan?' wilde Elsbeth weten.

'Hij is van hier,' vertelde Albert haar. 'Hij was erg verschroeid door de brand, maar toen begon het te regenen. We konden hem dus redden en herstellen. Hij heeft in een schuur op de binnenplaats gestaan. Ik was hem vergeten, tot de oude Wat me eraan herinnerde.'

Elsbeth knikte. Ze liep naar de grote tafel en haalde haar hand er langzaam overheen, terwijl er een glimlach rond haar lippen speelde. Daarna wendde ze zich tot de dorpelingen. 'Ik weet dat ze jullie voor dit alles zal bedanken. Het zal een hele troost voor haar zijn om aan dezelfde tafel te zitten waaraan haar vader en moeder hebben gezeten.'

De vrouwen stonden glimlachend bij elkaar. En toen begonnen ze het meegebrachte voedsel op de tafel te zetten. Iemand haalde een zilveren bokaal onder haar rokken vandaan en zette hem op tafel waar Adair dadelijk zou plaatsnemen.

'We hebben verschillende dingen gered die niet waren gestolen,' zei Albert rustig.

Na hun plicht te hebben gedaan, verlieten de dorpelingen de zaal. Elsbeth zag dat er twee dikke stromatrassen bij het vuur waren gelegd, met een schaapsvacht erop die als deken diende. Het was niet geweldig, maar ze zouden het warm en droog hebben, en voor het eerst comfortabel sinds ze Windsor hadden verlaten.

'Kom, meisje, vertel me nu maar wat ik moet weten,' zei Albert, terwijl hij Elsbeth naar het vuur wenkte.

Elsbeth ging met een zucht zitten. 'De koning wil haar uithuwelijken. Zij wil nog niet trouwen. En bovendien was ze het niet eens met zijn keuze, want de koning heeft een bastaard van een belangrijke Lancastriaan voor haar op het oog. Hij wil namelijk vrede tussen de twee partijen bewerkstelligen. Hij heeft genoeg dochters, maar met hen heeft hij andere plannen. En aangezien de Lancastrianen haar ouders hebben vermoord, is ze niet van plan met een van hen te trouwen. Ze wil helemaal niet trouwen. Ze wilde naar huis, en dat heeft ze gedaan, Albert. Ze denkt dat de koning haar zal vergeten en een ander meisje zal zoeken om met de Tudor-bastaard te trouwen. Maar dat zal hij niet doen,' vertelde ze.

'De koning is een koppige man, en hij regeert met een glimlach en een ijzeren vuist in een zijden handschoen,' zei ze vervolgens. 'Bedienden weten meer dan hun meesters, zoals je heel goed begrijpt, Albert. Milady heeft de afgelopen tien jaar met de kinderen van de koning in de kinderkamer afgeschermd geleefd. Ze wisten weinig van wat er daarbuiten gebeurde. Koning Edward is een charmante man, en hij is geliefd bij zijn mensen. Maar hij is ook een man die gehoorzaamd wil worden. Dus als hij zegt dat Adair gaat trouwen, dan zal ze trouwen. Ik ben eerlijk gezegd verbaasd dat er na onze vlucht niemand achter ons aan is gekomen.'

'En ik ben verbaasd dat jullie hier zonder begeleiding veilig en wel zijn aangekomen,' merkte Albert hoofdschuddend op.

'Toen we naar het zuiden reden, hebben we er meer dan een maand over gedaan, omdat ik de bevelen van de graaf opvolgde om de grote wegen te mijden. Het platteland was zo ontwricht dat iedereen zich snel weer met zijn eigen zaken bezighield. De terugweg was echter een heel andere kwestie. We hebben hard gereden, en soms tilde milady de hond op en legde hem voor zich over het zadel omdat hij ons niet kon bijhouden. Ze houdt zoveel van dat beest, maar hij is oud, en ik denk dat hij nu we thuis zijn niet meer zo heel lang zal leven,' zei Elsbeth.

'Hoe wist milady zo zeker dat Stanton nog steeds bestond?' vroeg Albert. 'Veel families die eens huizen en land langs de grenzen hadden zijn allang weg.'

'De hertog van Gloucester heeft het haar verteld. Hij heeft ons op de heenweg naar Londen gevonden. Milady noemt hem oom Dickon, zoals alle kinderen van de koning doen. Ze adoreert hem, en zij is zijn favoriet. Hij is een man die van kinderen houdt,' zei Elsbeth.

'Ja, dat heb ik gemerkt tijdens de keren dat hij hier was,' beaamde Albert. 'Hij bracht altijd suikergoed voor de kleintjes mee.'

'Er is boven absoluut niets meer over,' verkondigde Adair toen ze terugkwam in de zaal. 'Geen enkel meubelstuk, geen vloerkleed of wandkleed.'

Albert stond snel op. 'Het brandende dak is ingestort waardoor alles werd verwoest,' verklaarde hij. 'De vloeren die van steen zijn, hebben de kamers beneden beschermd. Het weinige wat niet was verbrand, hebben we verborgen. De Schotten waren in die tijd namelijk op rooftocht, en wij wilden zoveel mogelijk redden.' Hij maakte een buiging naar Adair. 'Als milady het goed vindt, zal ik nu gaan. Er staat voedsel op tafel. We hebben mannen bij de deur van de hal geposteerd die u tegen elk kwaad zullen beschermen. Morgenochtend zullen we de dingen die we gered hebben hierheen brengen.'

'Ik hoop dat er bedden bij zijn,' zei Adair wrang.

Albert grinnikte. 'Goedenacht, milady. Jij ook, Elsbeth.'

'Kom wat eten, liefje,' zei Elsbeth, terwijl ze Adair meevoerde naar de tafel. 'De vrouwen van het dorp hebben het voedsel gebracht, en het is nog warm.' Ze liet Adair plaatsnemen en serveerde haar gestoofd konijn met brood. Vervolgens schonk ze cider uit een aardewerken kan in de zilveren bokaal.

'Ga ook zitten,' zei Adair, en klopte op de stoel naast de hare.

'Het is niet gepast dat ik aan tafel zit,' antwoordde Elsbeth.

'We zijn slechts met ons tweeën,' zei Adair.

'Desondanks zullen we de etiquette in acht nemen, milady. Je bent de gravin van Stanton, en dit is jouw tafel. Ik eet later wel.'

'Dit was de bokaal van mijn moeder,' merkte Adair op. 'Waar komt die in vredesnaam vandaan?'

'Onze mensen hebben de dingen die niet werden verbrand of geroofd verborgen tot de dag dat er een Radcliffe op Stanton zou terugkeren,' legde Elsbeth uit.

Adair voelde de tranen in haar ogen opwellen. 'Het is goed om weer thuis te zijn.'

Binnen de kortste keren begon Stanton Hall weer tot leven te komen. De handwerkslieden maakten nieuwe meubels, bedden, tafels en kasten. Elsbeth ontdekte een cederhouten kast in een ruimte in een van de kelders waar Jane Radcliffe haar stoffen had bewaard. De stoffen waren niet beschimmeld omdat ze beschermd waren geweest door het cederhout.

De meeste keukenspullen waren ook nog intact. Stanton Hall werd ingericht met nieuwe meubels, en er werden nieuwe luiken voor de ramen vervaardigd. In een cederhouten hutkoffer in dezelfde ruimte waar de kast stond, vond Adair wol en andere materialen om nieuwe wandkleden van te maken.

Elke dag werden er bezittingen naar het huis teruggebracht. Adair had nieuwe mensen uit het dorp in dienst genomen. Albert koos jonge mannen die door zijn neef, die bekendstond als Dark Walter, getraind zouden worden om met wapens te leren omgaan. Het gerucht ging dat Dark Walter Moors bloed had, maar niemand wist het zeker. Elsbeth runde samen met Albert het huishouden. En toen Kerstmis naderde, en Stanton Hall versierd werd met dennentakken en hulst, leek het bijna als vanouds.

Adair organiseerde twee jachtpartijen, en samen met de dorpelingen slaagde ze erin drie herten en een jong zwijn te slachten. Het vlees werd in stukken verdeeld in de koude provisiekamer gehangen. Adair gaf een van de herten aan de dorpsgemeenschap. Ze gaf toestemming om eens per maand op konijnen en vogels te jagen en tweemaal per maand te vissen. Het graan dat aan het eind van de zomer en in de herfst was geoogst, werd opgeslagen in een graanschuur. Elk gezin kreeg twee keer per maand een bepaalde hoeveelheid die door de molenaar tot meel voor brood werd gemalen. Appels en peren waren geoogst en opgeslagen, evenals wortels en uien. Elsbeth had de moestuin van Jane Radcliffe tegen de beschutting van de keukenmuur nieuw leven ingeblazen, evenals de kruidentuin bij de keukendeur, waarin nu onder andere rozemarijn, peterselie, tijm en sjalotten stonden.

Adair had tegen het einde van de herfst kaarsen en zeep gemaakt. Ze liet een kuiper uit een ander dorp komen om een eiken tobbe te maken. De kuiper keerde naar zijn eigen dorp terug om de anderen te vertellen dat de jonge gravin van Stanton naar huis was teruggekeerd en dat Stanton weer tot leven was gekomen. De meester van de kuiper, de oude lord Humphrey Lynbridge, was blij met dit nieuws. Hij had zijn oog op de landerijen van Stanton laten vallen, en had gehoopt ze voor zijn familie te kunnen verwerven.

'Heeft ze een man?' vroeg lord Humphrey aan de kuiper.

'Dat weet ik niet, milord, maar de enige man die daar iets te zeggen heeft, is haar hofmeester, Albert. En ik heb geen van de dienstmeisjes over een andere meester horen roddelen.'

'Ga aan je werk,' zei zijn meester, en wuifde hem weg.

'Waar denk je aan, grootvader?' vroeg Robert Lynbridge, die bij het gesprek aanwezig was. Hij was de erfgenaam van zijn grootvader, aangezien zijn vader dood was.

'Als het meisje ongehuwd is, zouden we haar aan je broer kunnen koppelen. Als jij niet getrouwd was, zou ze misschien geschikt voor jou zijn geweest, en dan zouden de landerijen van Radcliffe van ons zijn. Maar als je broer ze krijgt, is het bijna net zo goed.'

'Hoe oud kan het meisje zijn, grootvader? Vijftien, zestien misschien? Ik kan niet geloven dat haar eventuele voogden haar toestemming hebben gegeven om alleen naar Stanton terug te keren. Er moet een echtgenoot zijn,' zei Robert Lynbridge. 'Trouwens, Andrew wil niet trouwen. Waarom zou hij ook?'

'Omdat ik het zeg,' bitste de oude man. 'Ik wil de landerijen van Radcliffe. Wil je soms dat ze in handen van vreemden vallen, Rob?' Hij staarde zijn oudste kleinzoon aan, zijn blauwe ogen weerspiegelden ergernis.

'Als je ze wilt hebben, dan zul je ze krijgen,' zei Robert glimlachend. Hij wist wel beter dan tegen zijn grootvader in te gaan. De witharige man was een felle vechter. 'Maar ik denk dat we eerst moeten uitzoeken of het meisje getrouwd of beloofd is.'

'Het doet er niet toe, jongen. Als ze getrouwd is, kan haar man een ongeluk krijgen. Als ze niet getrouwd is, dan is er niets verkeerds aan om een bruidje te stelen.'

Robert Lynbridge lachte hardop. Zijn knappe vrouw, Allis, die naast hem zat, schudde alleen vermoeid haar hoofd. 'Laten we bij het begin beginnen, milord,' stelde Robert voor. 'Ik zal voor de winter invalt naar Stanton Hall rijden en Andrew meenemen. Daar zullen we de situatie eens goed bekijken om te zien of het meisje al dan niet getrouwd is.'

'Goed, goed!' zei zijn grootvader. 'Prijs de Heer dat je een verstandig man bent, Robert, en niet zo koppig als je broer.'

'Hij lijkt nou eenmaal precies op jou,' zei Robert lachend.

'Verdomme! Hij lijkt helemaal niet op mij,' protesteerde de oude man.

'Wie lijkt niet op jou?' Andrew Lynbridge was de hal binnengekomen. In tegenstelling tot zijn oudere broer, die van middelbare lengte was en blauwe ogen en blond haar had, was Andrew lang, met koolzwart haar en grijze ogen met gouden vlekjes erin. Hij leek meer op zijn Schotse moeder, terwijl Robert op hun vader leek.

'Jij!' blafte zijn grootvader.

'We lijken helemaal niet op elkaar,' beaamde Andrew.

'Jullie hebben hetzelfde temperament,' verklaarde Robert. 'En grootvader is van plan je uit te huwelijken.'

'Absoluut niet! Ik zal mijn eigen vrouw kiezen als ik eraan toe ben om te trouwen,' zei Andrew.

'Het meisje van Radcliffe is terug van waar ze onderdak heeft gekregen nadat Stanton Hall was aangevallen. Verdraaide John Radcliffe om de banier van York zichtbaar voor iedereen uit te hangen.'

'Toch regeren de Yorks over Engeland,' mompelde Andrew zacht.

'Dat heb ik gehoord, jongen. Ja, ze regeren, en we hebben eindelijk vrede. Maar dat is het punt niet. Ik heb de landerijen van Radcliffe altijd willen hebben. Hun weidegronden zijn de beste in de omgeving, maar ze hebben nu natuurlijk geen vee. De Schotten hebben alles geroofd,' zei de oude man.

'Ik kan me herinneren dat er ook een paar stuks vee onze kant op zijn gekomen,' plaagde Andrew zijn grootvader.

De oude man grinnikte. 'Misschien wel,' gaf hij toe. 'Hoe dan ook, het meisje Radcliffe is terug. Ze zal een man nodig hebben. Rob heeft een vrouw, en ik moet zeggen dat Allis haar best heeft gedaan. Tweelingjongens, en haar buik is weer vol. We moeten afwachten of ze het volgende kraambed overleeft, maar ze is altijd een sterke, gezonde meid geweest.'

'Grootvader!' Robert keek geschokt.

'Heel erg bedankt, milord,' zei Allis droogjes vanaf haar plaats bij het vuur waar ze zat te naaien en naar hen luisterde.

Lord Humphrey negeerde hen beiden. 'Het is dus aan jou, Andrew, om het meisje het hof te maken. Daarna zullen haar landerijen van ons zijn.'

'Als ik van plan zou zijn om te trouwen, en als ik met dit meisje zou trouwen, dan zouden de landerijen van mij zijn,' zei Andrew rustig. 'Maar ik ben niet van plan om te trouwen. En ik herhaal, als ik trouw, zal ik mijn eigen bruid kiezen.'

'Hou toch op! In het donker zijn alle katten grauw,' zei zijn grootvader. 'Trouwens, wie zegt dat ze lelijk is? Heb je haar gezien? Haar moeder was een schoonheid. Daarbij wordt het tijd dat je een vrouw neemt. Je loopt al tegen de dertig.'

'Nee, ik heb het meisje niet gezien, en ik ben achtentwintig,' zei Andrew.

'Wat houdt jou en je broer dan tegen om morgen eens naar Stanton Hall te rijden en het meisje te bezoeken? Het is slechts een halve dag rijden. Binnenkort zal de sneeuw invallen en dan zal er tot het voorjaar geen gelegenheid meer zijn. Zodra het bekend wordt dat ze terug is, zullen alle Nevilles en Percy's haar gaan bezoeken in een poging haar te verwerven en haar landerijen in te pikken. Waarom zouden zij alle rijkdom in deze omgeving moeten bemachtigen?' vroeg de oude man zich hardop af. 'Ze zijn allemaal hielenlikkers van de Lancasters.'

Andrew lachte. 'Goed, oude man, als het je gelukkig maakt dan zullen we naar Stanton Hall rijden en het meisje met een bezoek vereren.'

De volgende ochtend verlieten Robert en Andrew Lynbridge hun huis en reden richting Stanton. Het was de laatste dag van november. De lucht was fris, maar er was geen wind. Een waterig zonnetje bescheen de kale heuvels.

'Ik denk eigenlijk ook dat ik zou moeten trouwen,' zei Andrew tegen zijn oudere broer.

'Op Hillview Court zal altijd een bed en voedsel voor je zijn, broertje, maar wil je inderdaad niet liever je eigen huis en je eigen vrouw?' zei Robert. 'Dat meisje van Radcliffe zou wel eens de oplossing voor je kunnen zijn. Onze families zouden dicht bij elkaar wonen, en je zou je eigen landerijen hebben. Ik hoop echt dat je uiteindelijk zult trouwen. Vroeg of laat zal er een boze vader naar Hillview komen om te eisen dat je met zijn dikbuikige dochter trouwt en je verantwoordelijkheden neemt,' voegde hij er grinnikend aan toe.

Andrew grijnsde. 'Ik heb mijn activiteiten op dat gebied aan de andere kant van de grens gehouden, broer. En niemand weet mijn achternaam.'

'Ik heb gehoord dat je Amoureuze Andrew wordt genoemd,' zei Robert lachend, maar vervolgens werd hij serieus. 'Laat je niet door een of andere boerenmeid naar het altaar dwingen. Als je toch moet trouwen, doe dat dan tenminste met iemand die jou en onze familie tot voordeel strekt.'

'Niet uit liefde?' plaagde Andrew zijn broer.

'Liefde kan later komen, zoals tussen Allis en mij is gebeurd. Haar ouders zijn van adel, en hoewel ze de jongste van veertien was, kreeg ze een goede bruidsschat mee; een kudde van vierentwintig gezonde heifers en een jonge stier. Maar ik mocht haar vanaf het begin en ze toonde onmiddellijk respect voor me. Ze is een plichtsgetrouwe vrouw,' zei Robert.

'Ze is een lieve vrouw, maar te saai naar mijn smaak,' merkte Andrew op.

'Lief en saai is een troost voor een man wanneer hij dagelijks met belangrijke zaken te maken heeft. Grootvader zit in de grote zaal en blaft zijn bevelen, maar de verantwoordelijkheid voor Hillview ligt bij mij, en dat is al bijna tien jaar het geval.'

'Desalniettemin zou ik een vrouw met meer pit dan jouw goede Allis willen hebben,' merkte Andrew op. 'Ik wil een vrouw die me met een enkele blik in vuur en vlam zet.'

'Je denkt met je pik en niet met je hoofd,' zei Robert grinnikend.

Andrew lachte weer. 'Ja, misschien doe ik dat. Is dat Stanton Hall?' Hij wees.

'Ja,' antwoordde Robert. 'Het ziet er niet uit alsof het ooit gedeeltelijk verwoest is geweest.'

De twee broers reden de heuvel af tot in de beschutte vallei waar Stanton Hall stond. De velden waren goed verzorgd, zag Robert. Het dorp was keurig, de daken van de huisjes waren rietgedekt, de muren witgekalkt. Er stond een kerkje aan de ene kant van het dorpje, en een molen aan de andere kant.

De twee broer volgden de weg naar Stanton Hall, en dreven hun paarden naar de binnenplaats van het grote stenen huis. Staljongens renden naar buiten om hun paarden over te nemen. De deur van het huis ging open, en een magere man bleef in de opening staan.

'Welkom op Stanton, heren,' zei hij. 'Ik ben Albert, de hofmeester van milady. Heeft u zaken met haar te doen?' Hij was beleefd, maar hij week geen centimeter van zijn plaats.

'Ik ben Robert Lynbridge, erfgenaam van lord Humphrey, en dit is mijn broer, Andrew. We zijn gekomen om de lady te begroeten.'

Een glimlach brak door op Alberts gezicht, en hij stapte opzij om de twee binnen te laten. 'Milady is in de grote zaal,' zei hij. 'Als u hier even wilt wachten, heren, dan zal ik haar vertellen dat u er bent.' Hij repte zich weg.

'Het huis heeft de overval goed doorstaan,' merkte Andrew op.

'Hertog Richard is hierheen gekomen en heeft reparaties laten uitvoeren,' vertelde Robert hem.

'Vanwaar zijn belangstelling voor haar?' wilde Andrew weten.

Robert kreeg echter geen kans om hier op in te gaan, want Albert keerde terug.

'Heren, als u deze kant op wilt komen. Milady is bereid u te begroeten.' Hij draaide zich om en ging hen voor naar de grote zaal waar Adair stond te wachten om haar bezoekers te ontvangen.

Beiden werden verrast door haar schoonheid. Ze bogen, en Robert kuste galant haar hand. 'Milady, ik ben Robert Lynbridge van Hillview. Ik breng je de groeten van mijn grootvader, lord Humfrey. Hij heeft je ouders gekend.'

'Ik herinner me je grootvader. Hij is eens op Stanton geweest toen ik nog een kind was.'

'Mag ik je mijn broer, Andrew Lynbridge, voorstellen?' zei Robert.

Andrew keek Adair recht aan, en tot zijn verbazing sloeg ze haar ogen niet neer. Hij kuste haar hand, maar hij bleef haar aankijken. 'Milady,' was het enige dat hij zei terwijl hij een buiging maakte.

Adair trok haar hand terug. 'Kom bij het vuur zitten, heren. Albert, haal wijn voor onze gasten.' Ze wendde zich tot Robert. 'Hoe is het met je grootvader?'

'Knorrig, zoals altijd,' antwoordde Robert met een lachje. 'Hij zal verheugd zijn dat je je hem herinnert.'

'Ik herinner me jou ook,' zei Adair tot zijn verbazing. 'Maar je was veel te volwassen om aandacht te besteden aan een klein meisje van vijf jaar. Het was op de zomerkermis van het jaar voordat de moeilijkheden begonnen. Maar ik kan me je broer niet herinneren.'

'Ik heb Hillview op mijn zestiende verlaten om me bij de mannen van hertog Richard te voegen,' zei Andrew.

'Ah!' Adairs gezicht klaarde op. 'Heb je met oom Dickon gevochten?'

'En ik ben ook met hem naar Frankrijk geweest. Waarom noem je de hertog oom Dickon, als ik zo vrij mag zijn, milady?'

'Nadat mijn ouders waren vermoord, ben ik in de kinderkamer van de koning opgevoed,' verklaarde Adair. 'De graaf van Gloucester is daar erg geliefd bij de kinderen. Toen mijn kindermeisje en ik Londen bijna hadden bereikt, vond hij ons op de weg ernaartoe. Hij heeft ervoor gezorgd dat we naar de koningin in Westminster werden gebracht. Hij heeft me verzocht hem oom te noemen.'

'Ah, dus daar ben je al die jaren in veiligheid geweest,' zei Robert.

'Ja, ik was bij de koninklijke familie,' zei Adair.

'Waarom ben je nu naar Stanton gekomen?' informeerde Robert.

'Ik vond dat het mijn tijd was, en oom Dickon vertelde me dat het huis weer bewoonbaar was gemaakt.'

'En wanneer zal je echtgenoot zich bij je voegen?' vroeg Robert opgewekt. 'Hij zal ongetwijfeld verheugd zijn over de prachtige restauratie van je huis. We verheugen ons erop jullie beiden in het voorjaar op Hillview te ontvangen. Ik weet dat je er grootvader een groot plezier mee zult doen.'

Adair bloosde, haalde vervolgens diep adem en zei: 'Ik heb geen echtgenoot.'

'Ik had nooit gedacht dat de koning een meisje van jouw jonge leeftijd alleen naar haar huis zou laten terugkeren,' zei Andrew zacht, terwijl hij Adair aandachtig gadesloeg. Praten over een echtgenoot had zijn serene gastvrouw enigszins uit haar doen gebracht.

'Ik ben zestien jaar, sir, en heel goed in staat mijn eigen huishouding te runnen. Albert houdt alles in de gaten, en ik heb

Dark Walter aangesteld als kapitein van mijn gewapende mannen. Ik heb bewakers in de heuvels.'

'Heel verstandig,' zei Robert.

'Jullie moeten voor de nacht hier blijven. Het wordt al vroeg donker en er is geen maan om jullie naar huis te leiden.' Ze wendde zich tot Albert die zich op de achtergrond had gehouden. 'Zeg tegen de kokkin dat we gasten hebben.'

'Ja, milady,' zei Albert, en daarna haastte hij zich weg.

'Dank je voor je gastvrijheid,' zei Robert.

'Hebben jullie in de jaren dat ik weg was beiden een vrouw genomen en kinderen gekregen? Ik weet zeker dat je grootvader er blij mee zou zijn.'

'Ik heb een vrouw,' vertelde Robert haar. 'Ze heeft me tweelingzoons gegeven, en aan het eind van de winter zal er weer een kind geboren worden.'

'Ik heb nog geen vrouw gevonden die me genoeg interesseert,' zei Andrew.

Elsbeth kwam de hal binnen. 'Albert zei dat we gasten hebben.'

'Robert en Andrew Lynbridge, de kleinzoons van lord Humphrey van Hillview,' zei Adair. 'Heren, dit is mijn kindermeisje en lieve metgezel, Elsbeth.'

De mannen knikten, en mompelden een begroeting.

'Ik heb hun gevraagd vannacht hier te blijven,' vervolgde Adair, 'wil je ervoor zorgen dat er een kamer gereed wordt gemaakt, Elsbeth?'

'In de grote zaal zal het comfortabeler en warmer zijn,' antwoordde Elsbeth, terwijl ze de jonge mannen achterdochtig bekeek. 'Slaapt Brenna nog steeds met jullie grootvader?'

'Hoofdzakelijk om de oude man warm te houden,' antwoordde Andrew. 'Ken je Brenna, vrouwe Elsbeth?'

'We zijn familie, hoewel ik dat zelden toegeef, want Brenna is van lichte zeden.'

Andrew lachte. 'Ze is ondeugend, maar ze heeft een vriendelijk hart, en ze is goed voor de oude man. Ze zal altijd een plaats op Hillview hebben.'

'Absoluut!' beaamde Robert.

Elsbeth verliet de zaal om beddengoed voor de mannen te regelen zodat ze in de grote hal konden slapen. Geen van beiden zou vannacht naar boven kunnen komen, besloot ze. Adair moest haar reputatie beschermen.

In de zaal onderhield Adair haar gasten met verhalen over het hofleven, en was zich er totaal niet van bewust dat Andrew haar met zeer geoefende ogen bestudeerde. Het meisje was inderdaad een schoonheid, dacht hij. Misschien werd het tijd om zich te settelen.

En terwijl Andrew hun gastvrouw gadesloeg, hield Robert zijn broer in de gaten, terwijl er een lachje rond zijn lippen speelde. Het meisje was precies het soort vrouw met wie zijn broer zou moeten trouwen. Ze was mooi, en ze had pit. Zijn grootvader zou verheugd zijn over het succes van dit bezoek, dacht Robert.

Vervolgens kwam Albert binnen om aan te kondigen dat het eten kon worden opgediend, waarna ze zich rond de tafel schaarden. Na de maaltijd gingen ze bij het vuur zitten.

'Waar is je vee?' vroeg Robert. 'Ik heb nergens vee zien grazen toen we over je landerijen reden.'

'Ik heb geen vee. De Schotten hebben het geroofd, maar in het voorjaar zal ik nieuwe dieren aanschaffen. Mijn ouders hebben me een kleine erfenis nagelaten, en ik weet dat ze zouden willen dat ik Stanton in zijn oude glorie herstel. Nu wens ik jullie een goede nacht. Elsbeth heeft jullie bedden aan weerskanten van de haard opgemaakt. Jullie zullen het dus warm genoeg hebben.' Adair maakte een buiging en verliet de hal.

'Ze is niet lelijk,' zei Robert zacht tegen zijn broer.

'Nee, bepaald niet.'

'Ga je haar in het voorjaar het hof maken?'

'Ik ga haar deze winter het hof maken,' zei Andrew. 'Niemand zal haar krijgen, behalve ik.'

'Grootvader zal verheugd zijn,' merkte Robert op.

Andrew lachte. 'Ja, inderdaad, de oude duivel. Maar de landerijen van Stanton zullen van mij zijn. Ik zal ze niet met grootvader delen, je weet hoe hebzuchtig hij kan zijn.'

'Ja, maar eerst moet je ervoor zorgen dat het meisje je accepteert, broertje.'

'Daar zal ik wel voor zorgen. Vrouwen komen over het algemeen wel over de brug als je ze behoorlijk behandelt en op de juiste manier van ze houdt,' zei Andrew.

'Je bent meedogenloos, net als grootvader.'

'Misschien wel, maar mijn God, ze is een schoonheid! Ik moet haar hebben!'

'En ze heeft pit,' voegde Robert eraan toe. 'Behandel haar vriendelijk en je zou haar voor je kunnen winnen. Maar als je haar te ruw het hof maakt, zal ze zich tegen je verzetten.'

'Ik hou van een uitdaging,' zei zijn broer met een ondeugende grijns.

'Ik vermoed dat je die hebt gevonden,' antwoordde Robert grijnzend.

4

$\mathcal{D}$e volgende ochtend brak helder aan, maar er hing sneeuw in de lucht. Als goede burchtvrouw stond Adair eerder op dan haar gasten. Ze zag dat de bedienden hun warm water brachten waarin ze konden baden, en even later werd er een ontbijt op tafel uitgestald.

Adair voegde zich bij de broers. Versgebakken brood stond naast een halve kaas. Kommen werden met cider gevuld.

'Je serveert goed voedsel, vrouwe Adair,' complimenteerde Robert Lynbridge zijn gastvrouw. 'In het voorjaar hoop ik je weer te bezoeken, en misschien breng ik mijn vrouw mee als ze hersteld is van haar kraambed.'

'Ik zal jullie beiden verwelkomen,' antwoordde Adair beleefd.

'Ik zal voor het voorjaar komen,' zei Andrew.

'Waarom?' vroeg Adair verbaasd.

'Ik wil je toestemming vragen om je het hof te maken,' antwoordde hij.

'Ik wil niet dat iemand me het hof maakt,' reageerde Adair. 'Ik ben net thuisgekomen na tien jaar afwezigheid. Denk je dat ik mijn eigen waarde niet ken? Elke man die zegt dat hij me het hof wil maken, is het om mijn landerijen te doen. Maar ik ben nog niet bereid mijn pas verworven vrijheid op te geven voor het huwelijksbed en kinderen.'

'Desalniettemin zal ik je het hof komen maken,' zei Andrew, 'of je het wilt of niet, Adair Radcliffe, en ik zal niet de enige man op je stoep zijn die je om je land wil hebben. Maar ik ben de enige man die jou waard is.'

'Werkelijk? Je hebt een hoge dunk van jezelf. Ik kan me slechts afvragen wat anderen over je te zeggen hebben. Maar daar zal ik zeker naar vragen.'

'Onze families zijn al vele jaren buren,' zei Robert Lynbridge rustig. 'Het zou zowel mijn grootvader als mij verheugen als je de hofmakerij van mijn broer wilt accepteren.'

Adair glimlachte naar beide broers. 'Ik voel me gevleid, maar ik heb nu wat tijd voor mezelf nodig voordat ik welk huwelijksaanzoek dan ook in overweging zal nemen. En ik zou oom Dickons advies en zegen voor een mogelijke verbintenis willen hebben,' zei Adair.

Robert knikte. 'Daar heb ik natuurlijk begrip voor. Ik weet dat mijn broer de beslissing van de hertog betreffende deze kwestie absoluut zou accepteren.' Hij stond op. 'Het is een ongewoon mooie dag voor de tijd van het jaar, en ik denk dat het verstandig is dat mijn broer en ik zo vroeg mogelijk naar huis terugrijden.' Hij knikte naar zijn jongere broer, die eveneens overeind kwam.

Adair stond ook op. 'Elsbeth, haal een pot pruimen die ik in september heb ingemaakt.' Ze wendde zich tot de twee mannen. 'Voor jullie grootvader, heren. Als ik het me goed herinner was hij dol op de pruimen die mijn moeder inmaakte, en ik heb haar recept gebruikt.'

Andrew grinnikte. 'Hij is nog steeds dol op zoetigheid, liefje, en ik zal hem vertellen dat je ze hem met een kus toestuurt.'

Adair barstte in lachen uit. 'Hoe komt het dat twee broers zo verschillend zijn? Je bent nogal ondeugend, sir.'

'Maar jij vindt het leuk,' zei hij, terwijl Elsbeth dichterbij kwam en hem een pot overhandigde.

Adair begeleidde haar gasten naar de binnenplaats waar hun paarden op hen stonden te wachten. Plotseling weerklonk er hoorngeschal en het geluid van dreunende paardenhoeven, maar voordat ze de kans kregen om zich af te vragen wat er gebeurde, draafde een grote groep ruiters onder leiding van hertog Richard de binnenplaats op.

Adairs gezicht lichtte op toen ze hem zag. 'Oom Dickon! Welkom op Stanton.'

De hertog van Gloucester kuste zijn nicht op beide wangen. 'Je bent een hele stoute meid, liefje. De koning was hoogst verontrust nadat je het hof zo heimelijk had verlaten.'

'Je weet waarom ik ben weggegaan,' zei Adair zacht.

De hertog knikte, en liet zijn blik toen over de twee jonge mannen dwalen. 'Andrew Lynbridge,' zei hij. 'En jij moet zijn oudere broer zijn.'

'Milord,' zei Andrew. 'Het is goed je weer te zien. En ja, dit is mijn oudere broer, Robert Lynbridge, de erfgenaam van onze grootvader.'

'Je broer was een van mijn beste kapiteins, sir,' zei de hertog tegen Robert. 'Wat brengt jullie beiden naar Stanton Hall?'

'We zijn buren, en onze grootvader heeft ons gevraagd vrouwe Adair te gaan begroeten,' antwoordde Robert.

'Goede buren zijn een zegen,' zei de hertog.

'Hebben jullie de nacht hier doorgebracht?' vroeg een rijk geklede jonge man die naast de hertog stond.

'Ja, we zijn hier gebleven,' antwoordde Robert.

De jonge man wendde zich tot de hertog. 'Dit is ongehoord, milord! Dat mijn vrouw met twee mannen alleen in haar huis is geweest. Is ze misschien onkuis, en is ze daarom van het hof weggestuurd? Mijn vader geloofde dat verhaal van lady Margaret, die hem vertelde dat de bruid naar het noorden was gegaan om haar huis op mijn komst voor te bereiden, totaal niet.'

'Vrouw?' zei Andrew Lynbridge zacht. Zijn blik flitste naar Adair, die stomverbaasd keek door de opmerking van de pronkerige jonge man.

'Ja, mijn vrouw, lady Adair Radcliffe,' antwoordde hij. 'Ik ben Llywelyn, geboren FitzTudor, nu Radcliffe, de graaf van Stanton.'

'Ik heb geen echtgenoot!' riep Adair woedend tegen de jonge man. Haar hart bonsde van razernij. 'Hoe durf je zo'n leugen uit te spreken!'

'Misschien, liefje, moeten we allemaal naar de grote zaal gaan, waar ik je alles zal vertellen wat je moet weten,' zei de hertog rustig. 'Ik weet zeker dat lord Humphrey alles over je huwelijk wil horen.'

'Ik ben niet getrouwd!' schreeuwde Adair.

'Ik ben bang van wel, liefje,' zei de hertog. Hij steeg van zijn paard, pakte haar arm en leidde haar terug naar de zaal, terwijl de anderen hen volgden.

'Ik ben niet getrouwd,' protesteerde ze boos. Ze keek naar de jonge man die met de hertog was meegekomen. Hij was nog praktisch een kind, besefte ze, in elk geval jonger dan zij.

'Je bent een getrouwde vrouw, liefje,' vertelde de hertog haar onomwonden. 'Je wist dat de koning je met de zoon van de graaf van Pembroke wilde laten trouwen.'

'De bastaard van de graaf van Pembroke!' bitste ze.

'Een passende verbintenis voor een bastaard van de koning,' sneerde de jonge man. Hij was minstens drie centimeter kleiner dan Adair, en hij droeg protserige, rijkversierde kleding.

De gebroeders Lynbridge keken elkaar aan, verbaasd, want ze begrepen de betekenis achter de woorden van de jonge man.

'Ik heb niet ingestemd met een huwelijk, oom Dickon, en ik ben zeker niet aanwezig geweest bij de huwelijksceremonie,' zei Adair. Haar hart ging als een razende tekeer, en plotseling voelde ze zich als een rat in een val.

'Je instemming was niet nodig. Het was het besluit van de koning,' hielp de hertog haar herinneren. 'De ceremonie is bij volmacht voltrokken. Prinses Mary heeft jouw plaats ingenomen,' verklaarde hij. 'Llywelyn heeft jouw familienaam aangenomen, aangezien John Radcliffe, je vader, dat jaren geleden aan de koning heeft gevraagd. Mijn broer is geen man die op zijn woorden terugkomt, Adair. Ik heb je lang geleden al verteld dat je vanwege je titel en je land van waarde bent. De graaf van Pembroke is verheugd over deze verbintenis, evenals de koning.'

'En nu, vrouwe, zul je me fatsoenlijk op Stanton verwelkomen,' zei Llywelyn. 'Ik zal je je verbazing en onwetendheid vergeven, want je bent slechts een zwakke vrouw.' Hij stak zijn hand naar haar uit, wachtend tot ze deze zou kussen.

Adair keek hem aan alsof hij gek was geworden. Ze sloeg zijn hand weg. Vervolgens draaide ze zich om en rende de hal uit. Ze zouden haar niet zien huilen. En ze had tijd nodig om te bedenken hoe ze uit deze nachtmerrie kon ontsnappen.

Maar Elsbeth bleef in de schaduwen staan, want zij moest meer weten. Ze luisterde terwijl de gebroeders Lynbridge afscheid namen van de hertog en zijn gezelschap.

Toen ze de zaal verlieten, mompelde Andrew Lynbridge zacht tegen Elsbeth: 'Laat ons halen als ze ons nodig heeft, vrouwe. Deze knaap kan niet blijven.'

Elsbeth knikte, haar ogen maakten vluchtig contact met de zijne. Daarna draaide ze zich om en luisterde terwijl de hertog probeerde de woede van de jongen over Adairs gedrag te sussen.

'Er was me verteld dat ze me zou verwelkomen,' klaagde Llywelyn, terwijl Elsbeth hem een bokaal wijn gaf. 'Mijn vader vond het vreemd dat de bruid een gevolmachtigde had, maar de koning verzekerde hem dat alles in orde was. Maar hoe, na dagen op de weg, word ik begroet? Met geschreeuw, woede en slechte manieren! Mijn vader zal niet blij zijn als ik hem dit schrijf. De bruid is een helleveeg! Ik zal haar moeten slaan tot ze me gehoorzaamt.'

'Ik denk, milord, dat je haar eerder voor je wint als je haar vriendelijk benadert,' zei de hertog. 'Adair kreeg te horen dat ze moest trouwen, maar ze wil nog niet trouwen. Ze wilde na tien jaar naar huis terugkeren. De nacht dat haar ouders werden gedood, slaagde ze er net op tijd in om aan de slachtpartij te ontkomen. Ze is een goede meid, en je zult wat geduld met haar moeten hebben. Ik zal vannacht hier blijven, zodat jullie elkaar een beetje kunnen leren kennen in aanwezigheid van een vriend van jullie beiden.'

Llywelyn hield zijn bokaal op om hem opnieuw te laten vullen. 'Ik hoop dat je gelijk hebt, milord.'

Zijn stemming verbeterde echter niet toen Adair weigerde die avond naar de zaal terug te keren. Hij werd door Albert naar een vertrek aan het eind van de gang gebracht, waar de slaapkamers waren gelegen. En in plaats van de huwelijksnacht die hij had verwacht, sliep hij alleen in een koud bed.

De volgende ochtend probeerde de hertog met Adair te praten. Hij besefte plotseling hoe mooi ze was, en hoe volwassen ze was geworden in de paar maanden dat ze weg was van het hof.

'Als je was gebleven, hadden we dit misschien kunnen vermijden,' zei hij tegen haar. 'We hadden met de koning kunnen praten, en het huwelijk misschien kunnen uitstellen tot je aan het idee gewend was.'

'Hoe oud is hij?' wilde Adair weten.

'Veertien jaar,' antwoordde de hertog naar waarheid.

'Hij is twee jaar jonger dan ik. Hij heeft een pokdalig gezicht. Hij vindt zichzelf nogal belangrijk, oom Dickon, en ik vermoed dat hij absoluut niet weet hoe hij een landgoed zoals het mijne zou moeten runnen. Toch is hij niet verstandig genoeg om mij toestemming te geven het te doen, en als hij de kans krijgt, zal hij Stanton ruïneren.'

De hertog zuchtte. 'Je hebt waarschijnlijk gelijk. En dus zul je een manier buiten hem om moeten vinden om Stanton welvarend te houden.'

Nu slaakte Adair een zucht. 'Ik weet het. Binnenkort zal het gaan sneeuwen, en ik moet de winter doorbrengen met deze pompeuze jongen, maar het komende voorjaar zal ik hem terugsturen naar zijn vader en het huwelijk nietig laten verklaren, oom Dickon.'

'Adair, je weigert het te begrijpen. De koning wil dit huwelijk, omdat het de Tudors en het huis van York met elkaar verbindt,' legde de hertog uit.

'De Tudors zullen het huis van York nooit echt trouw zijn,' zei Adair. 'Hoe kon de koning zo onaardig zijn om me aan de mensen te geven die mijn ouders hebben gedood? Als ik die rat niet zelf afslacht, zal het een wonder zijn.'

De hertog moest onwillekeurig lachen. 'Liefje, doe niets overhaast,' smeekte hij. 'Misschien ga je de jongen nog aardig vinden.'

Adair keek hem schuins aan. 'Dat lijkt me niet waarschijnlijk. Hoe komt het toch dat niemand me begrijpt? Ik wil tijd voor mezelf hebben.'

'Adellijke lieden hebben die luxe niet, liefje. 'We hebben verantwoordelijkheden tegenover ons land, onze mensen en onze regeerders. Mijn broer heeft zijn verantwoordelijkheid jegens jou genomen nadat je ouders waren gedood. Hij is echter niet alleen je verwekker maar ook je koning, en nu ben je hem je toewijding en gehoorzaamheid verschuldigd, liefje,' legde de hertog uit.

'Als jij koning was, zou je me nooit tot een dergelijk huwelijk hebben gedwongen, oom Dickon.'

'Nee, dat zou ik niet zo hebben gedaan. Als ik koning was en ik zou dit huwelijk willen, dan zou ik jullie de tijd hebben gegeven om elkaar te leren kennen. Maar ik ben je koning niet. Ik ben de broer van de koning, en mijn eerste loyaliteit is altijd voor Edward en zijn wensen geweest. Ik heb hem nooit bedrogen, en dat zal ik ook nooit doen. De koning wil dit huwelijk, Adair, en daarom moet je zijn wensen accepteren, zelfs wanneer je ze niet wilt accepteren.' De hertog boog zich naar haar toe en drukte een kus op haar wang. 'Wanneer je een kind van de koning bent, dan zijn er vrees ik maar weinig keuzes te maken.'

Er rolde een traan over Adairs wang. 'Ik wil wel doen wat je zegt, oom Dickon, maar ik kan niet met deze jongen trouwen. Hij is arrogant, en daar is denk ik weinig aan te veranderen. Heb je gezien hoe hij gisteravond probeerde over iedereen de baas te spelen? Als ik kon, zou ik hem morgen wegsturen.' Ze veegde de traan ongeduldig van haar wang.

'Er is dus niets wat ik kan zeggen om je over te halen?' vroeg de hertog.

'Ik denk dat je vandaag het beste naar Middleham kunt terugkeren. Het weer zal zeker omslaan na zo'n onverwacht prachtige dag. Ik vrees dat we sneeuw kunnen verwachten. Ik zal op mijn eigen manier met deze jongen afrekenen, en het lijkt me beter dat je daar niet bij bent, oom Dickon.'

'Je kunt hem niet vermoorden,' zei de hertog kalm.

'Dat zal ik niet doen. Maar ik zal ook niet zijn vrouw worden of hem de baas over mij en mijn landgoed laten spelen. Ik zal hem onderdak verlenen, te eten geven, maar verder niets. Wie was zijn moeder, en hoe is hij opgevoed, oom?'

'Zijn moeder was een meisje van wie wordt gezegd dat ze van de grote Llywelyn zelf afstamt. Ze was een arme, verweesde nicht in dienst van een van Jaspers vrouwen. Ze trok zijn aandacht, zoals zo velen hebben gedaan, en stierf bij de geboorte van zijn zoon. Maar de Tudor is een fatsoenlijk man, en de jongen werd in het huis van zijn vader opgevoed, waar hij goed en met respect werd behandeld. Om een of andere reden kan ik niet begrijpen waarom de jongen een favoriet van Jasper Tudor is,' zei de hertog.

'Hij is me niet waard, oom. Ik ben door een koning verwekt. Hij die zich mijn vader noemde, was een graaf. Mijn afkomst is beter dan die van deze jongen,' zei Adair trots. 'Ik zal het hem zonder aarzelen vertellen.' Ze stond op. 'Doe mijn hartelijke groeten aan lady Anne en de kleine Neddie. Als je in het voorjaar thuis bent, en de sneeuw is weg, dan kom ik jullie bezoeken, oom,' zei ze, waarmee ze de hertog van Gloucester wegstuurde.

Hij kwam glimlachend overeind. 'Kom mee naar de binnenplaats om me uit te zwaaien, liefje,' zei hij, en samen verlieten ze de grote zaal van het huis. Buiten riep de hertog zijn mannen bijeen, en even later zat iedereen te paard. 'Tot ziens, liefje,' zei Richard van Gloucester, en gaf haar een snelle kus op haar wang voordat hij zelf opsteeg.

'Tot ziens, lieve oom Dickon,' antwoordde Adair, en maakte een lichte buiging. Daarna keek ze de hertog en zijn mannen na die de weg naar het zuiden namen die naar Middleham Castle leidde.

Eenmaal terug in het huis begon Adair aan haar dagelijkse taken. Ze was niet verbaasd toen Albert op een gegeven moment naar haar toe kwam terwijl ze met de boekhouding bezig was.

Hij bleef respectvol staan wachten tot ze opkeek en naar hem knikte. 'Milady,' begon hij traag. 'Wat gaan we met de jonge graaf doen?'

'Wie?' Adair was een ogenblik in verwarring.

'Uw echtgenoot, milady,' zei Albert.

'O, die. Jullie gaan niets doen. Behandel hem met respect, en de bedienden moeten zijn eenvoudige bevelen, zoals vragen om voedsel en drinken, uitvoeren. Maar als hij iets anders verlangt of eist moet het eerst aan mij worden gevraagd. Je voert geen opdrachten uit die hij je misschien zal geven, noch een van de andere bedienden. Ga niet met hem in discussie. Zeg alleen: "Heel goed, milord," en daarna kom je naar mij. Ik ben van plan hem in het voorjaar terug te sturen naar de koning.'

'Milady, neem me niet kwalijk, maar we hebben gisteravond in de zaal het een en ander opgevangen. De bedienden stellen me vragen die ik niet kan beantwoorden.' Albert schuifelde nerveus heen en weer.

Adair bloosde, maar toen haalde ze diep adem, en zei: 'Mijn afkomst is niet iets dat ik ooit had willen bespreken, Albert, maar de hertog en deze jongen die zichzelf mijn echtgenoot noemt, hebben in het bijzijn van iedereen te openlijk gesproken. Hier komt de waarheid: John Radcliffe heeft me niet verwekt, maar koning Edward. Hij begeerde mijn moeder, en hij bood degene die ik vader noemde het graafdom aan in ruil voor mijn moeders kuisheid. Ik werd geboren uit het zaad van de koning en mijn moeders buik.'

'Milady!' De arme Albert kreeg nu een knalrood gezicht.

'De koning heeft me als zijn eigen kind, zijn bloed, erkend, en heeft me op een dag een bruidsschat toegezegd. Dit is de hele waarheid, Albert,' zei Adair tegen haar hofmeester. 'Vertel het de anderen zodat ze ophouden met gissen en speculeren. Maar vertel ze eerst wat ik jou over die jongen vertelde. Hij is een arrogante knaap, maar als het hem aan niets ontbreekt, denk ik dat ik hem gemakkelijk onder controle kan houden.'

'Ja, milady,' zei Albert. Hij draaide zich om en botste tegelijkertijd tegen Elsbeth op. 'Neem me niet kwalijk,' zei hij, en haastte zich weg.

'De bedienden waren aan het roddelen. Ik heb Albert de waarheid verteld, en hij gaat het nu aan de anderen vertellen,' zei Adair.

Elsbeth knikte. 'Het is nu beter dat de kat uit de zak is,' beaamde ze. 'Wat is er nog meer? Ik ken je goed, meisje. Er is meer.'

Adair lachte. 'Je kent me te goed,' zei ze. Daarna bracht ze Elsbeth op de hoogte van de plannen die ze voor Llywelyn had.

'Denk je dat het verstandig is die jongen op die manier te behandelen?' vroeg Elsbeth langzaam. 'Hij zal vroeg of laat verwachten dat hij zijn huwelijkse rechten kan opeisen.'

'Nou, die zal hij van mij niet krijgen,' zei Adair vastberaden. 'Ik zal niet toestaan dat die jongen probeert met me naar bed te gaan. Hij is pokdalig en hij stinkt, ondanks zijn fraaie kleren,' merkte ze op. 'Nee, in het voorjaar gaat hij terug naar zijn vader. Had hij gisteren toen hij aankwam eigenlijk bedienden bij zich? Ik heb alleen de mannen van de hertog gezien.'

'Er is er een. Een kleine, donkere Welshman die zich Anfri noemt. Hij probeerde gisteravond met onze bedienden te praten in een poging ze over ons uit te horen,' zei Elsbeth.

'Waarschuw Albert om het tegen de anderen te zeggen. De man moet worden getolereerd, maar er mag hem niets worden verteld wat misschien van waarde voor hem is,' zei Adair. 'Als hij een goede bediende is, zal hij proberen informatie in te winnen die zijn meester tegen ons kan gebruiken. Dat zal niet gebeuren.'

'Albert ging net naar de keukens toen ik naar boven kwam,' zei Elsbeth.

'Goed. En is de jongen al in de zaal?' wilde Adair weten.

'Nee, ik heb hem nog niet gezien,' antwoordde Elsbeth.

'Hij is dus ook nog een luiaard,' merkte Adair op. 'Nou, zoveel te beter. Dan loopt hij ons niet voor de voeten.'

Llywelyn kwam in het begin van de middag naar de zaal. Hij vond er Adair die aan haar wandkleed zat te weven. Het stuk was halfklaar, en de afbeelding was een goede weergave van Stanton Hall op zijn heuvel.

'Ik ben blij je bezig te zien met vrouwelijke taken,' zei hij. Hij droeg een prachtig wambuis van groengoud brokaat met lange mouwen, een groene broek en de zware gouden ketting, die ze de dag ervoor had gezien, om zijn nek. Zijn muisachtige bruine haar was halflang. Hij was niet onaantrekkelijk, maar ook niet aantrekkelijk.

'Ga zitten, milord,' zei Adair, en negeerde zijn opmerking over vrouwelijke taken. 'Heb je vandaag al gegeten?' Ze nam niet de moeite hem aan te kijken, maar concentreerde zich in plaats daarvan op haar wandkleed.

'Ja, mijn bediende Anfri heeft me voedsel gebracht, vrouwe. We moeten nu ons huwelijk bespreken,' zei hij.

'Er is niets te bespreken, milord. De koning en jouw vader hebben deze verbintenis zonder mijn toestemming tot stand gebracht. Als ik erbij was geweest, zou ik mijn toestemming nooit hebben gegeven. Ter wille van de koning mag je hier gedurende de winter blijven, want er is nu geen tijd meer om naar het zuiden terug te keren. De eerste sneeuw is namelijk al gevallen toen jij vanochtend nog in je bed lag.'

'Of je het wilt of niet, vrouwe,' zei FitzTudor, 'je bent nu mijn vrouw, en ik zal mijn rechten opeisen. Het is de wens van de koning en van mijn vader. Ons huwelijk is bedoeld om onze families, Lancaster en York, te verenigen.'

'Arrogante knul!' bitste Adair. 'Geloof je nou werkelijk dat de verbintenis van twee bastaards zoals wij een dergelijk hoog doel kan bewerkstelligen? Onzin! Wij zijn niet belangrijk genoeg, en tegen de tijd dat ik je naar huis terugstuur, zullen de juiste verbintenissen tot stand worden gebracht. Je vader zal een rijke erfgename voor je zoeken, en ik zal op een dag met iemand van mijn eigen keuze trouwen.'

'Ik betwijfel of mijn vader een andere gravin voor me zal zoeken,' zei hij sarcastisch. 'Wat jou zo begerenswaardig voor mijn vader maakte, vrouwe, afgezien van je afkomst, was het graafdom dat je je echtgenoot zou brengen.'

Ze was verbaasd. Hij was niet zo stom als ze had verondersteld. 'Je bent twee jaar jonger dan ik,' zei Adair, die eindelijk opkeek van haar wandkleed. 'Wat weet je over het runnen van een landgoed, milord?'

'Niets,' zei hij openlijk. 'Het is niet aan mij om een landgoed te runnen. Daar heb je bedienden voor, vrouwe.'

'Bedienden, zelfs de besten onder hen, zullen stelen wanneer ze niet behoorlijk in de gaten worden gehouden. Het is een grote verleiding voor hen, milord. Weet je hoe je aan vee moet komen?' vroeg ze.

'Waarom zou ik dat moeten weten?'

'Al het vee van deze velden werd gestolen toen mijn ouders waren gedood. In het voorjaar zal ik nieuwe dieren moeten aanschaffen.'

'Je bent al verscheidene maanden thuis,' antwoordde hij. 'Waarom heb je dat nog niet gedaan?'

'Omdat er slechts weinig mensen zijn, waren ze niet in staat genoeg graan te kweken om een grote kudde tijdens de winter te voeden. Het voorjaar is dus de beste tijd om vee aan te schaffen.'

'O,' antwoordde hij. 'Mijn vader stuurt ons een kudde heifers en een jonge stier. Ik heb alleen niet gevraagd wanneer ze zouden komen.'

'De mensen van je vader zullen het begrijpen en de dieren pas in het voorjaar sturen. Tegen die tijd zul je terug zijn bij de graaf van Pembroke, en dan zal hij ze niet meer hierheen sturen. Ik zal zijn vee niet onder valse voorwendselen aannemen.'

'Je bent mijn vrouw!' zei de jongen boos.

'Tijdelijk, en alleen in naam,' antwoordde Adair kalm. Ze verwachtte bijna dat hij zou gaan stampvoeten.

Llywelyn sprong op uit de stoel bij het vuur. Hij trok Adair overeind, sloeg zijn armen om haar heen en probeerde haar te kussen 'Je bent nu van mij!' raasde hij.

Hij was niet alleen kleiner dan zij, maar ook mager. Adair duwde hem krachtig van zich af. 'Waag het niet me ooit nog eens op die manier aan te spreken,' sneerde ze. 'Je wekt mijn walging, milord!'

FitzTudor wankelde op zijn voeten en deed weer een sprong in haar richting, maar plotseling stond hij tegenover een grote wolfshond die zijn gelige, maar nog steeds scherpe tanden naar hem ontblootte, waarna hij schreeuwend van angst achteruitdeinsde.

Adair wachtte tot haar zogenaamde echtgenoot half snikkend in een stoel werd geduwd. 'Genoeg, Beiste. Zoals je ziet, milord, heb ik bescherming tegen zo'n aanval als je net hebt gepleegd. Raak me nog eens aan en ik zal de hond het bevel geven je keel open te rijten. Ben ik duidelijk?'

'Kreng!' vloekte hij.

Adair lachte hem uit. 'Jongen,' tartte ze hem.

Ze keek door het raam naar buiten en zag dat het inmiddels echt was gaan sneeuwen. De kou buiten paste bij de kou in het huis. Tegen Kerstmis was het land bedekt door een dikke witte deken. Adair gaf haar bedienden en dorpelingen cadeautjes, maar FitzTudor kreeg niets.

Januari ging voorbij, en februari bracht een sneeuwstorm die de sneeuw tot aan de dakranden van de huisjes opstuwde. De mensen van Stanton waren druk in de weer om de weg tussen het dorp en het grote huis open te houden. Tot Adairs verrassing en verrukking had Beiste bij een van de andere honden pups verwekt. Ze werden in het begin van de maand geboren. Hij zat bijna grijnzend naast zijn teefje, maar bleef over Adair waken, en zijn ruige nekhaar ging overeind staan zodra FitzTudor de grote zaal binnenkwam.

Llywelyn was niet blij met de situatie, en hij klaagde erover tegen zijn bediende, Anfri. 'Ik ben hier de meester, en toch ook weer niet.'

'Uw wensen worden toch ingewilligd, milord?' zei Anfri.

'Ja, maar de mensen van Stanton behandelen me meer alsof ik een gast ben in plaats van hun lord. En ik kan Adair niet benaderen vanwege die verdraaide hond.'

'Als u in de buurt van uw vrouw zou kunnen komen, wat zou u dan doen?' vroeg Anfri brutaal.

'Ik zou haar op haar rug leggen en haar neuken tot ik een baby in haar buik had geplant,' antwoordde FitzTudor. 'Dan zou ze me niet meer kunnen wegsturen. Maar zolang ze haar maagdelijke status behoudt, heeft ze een reden om het huwelijk te laten ontbinden. Ik wil in het huis van mijn vader niet worden uitgelachen. Ze is een schoonheid, vind je niet, Anfri? Mijn pik wordt al hard als ik aan haar denk. In het huis van mijn vader had ik tenminste vrouwen die mijn lusten bevredigden, maar hier dus niet. Die zijn nu al maanden opgekropt.'

'Dan is uw zaad nu natuurlijk op zijn sterkst, milord,' zei Anfri. 'U zou de lady moeten grijpen wanneer de hond zijn teefje bewaakt. Dan is ze kwetsbaar. Ik denk dat haar angst om haar maagdelijkheid te verliezen een deel van dit dilemma is. Als u iets van die angst zou kunnen sussen, dan zou ze handelbaarder voor u zijn, milord.' Zijn zwarte ogen glinsterden terwijl hij tegen zijn meester sprak.

'En hoe zou ik dat volgens jou moeten doen?' vroeg Fitz-Tudor.

'Door uw pik in haar liefdesschacht te duwen, milord. Niets kan de schrik voor het onbekende zo genezen als 'haar bekend te maken met haar angsten,' antwoordde Anfri.

'Je hebt me iets gegeven om over na te denken,' zei FitzTudor peinzend, en daarna begon hij Adair beter in de gaten te houden. Zodoende zag hij op een dag dat ze na de hoofdmaaltijd alleen naar haar kamer ging. Om zich heen kijkend ontdekte hij dat de oude hond naast zijn teefje en haar pups voor het vuur lag te snurken. Gesterkt door verscheidene bokalen wijn volgde Llywelyn zijn vrouw naar boven, sloeg haar gade terwijl ze haar kamer binnenging. Hij luisterde aandachtig, maar hij hoorde geen sleutel in het slot omdraaien. Langzaam sloop hij door de vaag verlichte gang. Hij legde zijn hand op de deurkruk en duwde. De deur ging open. Verbaasd bleef hij een ogenblik in de deuropening staan, en daarna stapte hij snel de slaapkamer binnen, waarna hij de deur achter zich sloot en de sleutel in het slot omdraaide.

Adair hoorde de deur opengaan, en in de veronderstelling dat het Elsbeth was, vroeg ze: 'Wat is er, Juffie? Kan het niet wachten tot ik van deze afschuwelijke hoofdpijn af ben?'

'Ik denk dat ik lang genoeg gewacht heb, vrouwe, om mijn rechten te laten gelden,' zei Llywelyn FitzTudor. Zijn jonge stem sloeg over door de opwinding, en hij proefde bijna zijn overwinning terwijl hij door de kamer liep.

Adair schoot in een mum van tijd overeind en glipte uit haar

85

bed. 'Hoe durf je zonder mijn toestemming mijn kamer binnen te komen, jongen!' Ze had geen schoenen aan. 'Wat wil je?'

'Het is de hoogste tijd dat je in alle opzichten mijn vrouw wordt,' antwoordde hij, en hij begon zijn broek en wambuis los te maken.

'Ga mijn kamer uit!' riep Adair met een kille, harde stem.

'Nee! Ik zal je maagdelijkheid krijgen, vrouwe, en niemand zal zeggen dat ik niet mans genoeg was om de daad uit te voeren,' zei hij koppig. Hij gooide zijn bovenkleding opzij.

'Jij zult helemaal niets van me krijgen,' zei Adair woedend. 'Niet mijn landerijen, niet de titel en zeker niet mijn maagdelijkheid, milord! Zodra de sneeuw weg is, zul je vertrekken! En nu ga je mijn kamer uit of ik zal om hulp schreeuwen.'

'De deur is op slot, en het is mijn recht je te krijgen,' verklaarde hij. Hij liep om het bed heen in een poging haar klem te zetten.

'Ga weg!' waarschuwde Adair hem. 'Ga weg en neem je kleren mee. Zo niet, dan zal ik me moeten verdedigen.'

Hij lachte hardop. 'Je bent maar een meisje,' sneerde hij. 'Een zwakkeling van een vrouw.'

Adair zei niets meer. Ze stak haar hand uit en greep een aardewerken kan van de tafel naast haar bed en sloeg hem er zo hard mogelijk mee op zijn hoofd. Zijn benen begaven het en hij begon te wankelen, waarna hij viel. Adair liep om FitzTudor heen, begaf zich naar de deur, opende die en riep: 'Beiste! Kom hier! Kom hier!' De hond kwam grommend de trap op rennen. 'Breng hem weg,' beval ze de hond.

Beiste liep naar FitzTudor, die ineengedoken op de vloer lag. Hij snuffelde aan de jongen op het moment dat deze zijn ogen opendeed, en toen hij het grote, dreigende beest zag, ontsnapte er een gesmoord, jammerlijk geluid aan zijn keel. Beiste gromde weer. Daarna opende hij zijn bek en zette vervolgens zijn tanden behoedzaam in de gelaarsde voet van de jongen. FitzTudor viel flauw, zijn ogen draaiden weg in zijn hoofd, en Beiste sleurde hem van Adairs slaapkamer naar de gang.

'Brave hond!' prees Adair het beest. 'Ga nu terug naar Anice en de pups.' Ze deed de deur dicht en op slot. Het voorjaar kon wat haar betrof niet snel genoeg komen. Wat had FitzTudor in hemelsnaam bezield om een poging te wagen haar aan te vallen? Ze nam zich voor hem een slaapruimte in de grote zaal te geven en hem elke nacht door een gewapende man te laten bewaken. Elsbeth zou op het rolbed in haar kamer slapen tot ze de jongen naar zijn familie had teruggestuurd.

Ze zou bij oom Dickon bepleiten dat hij de koning moest overhalen haar huwelijk nietig te verklaren, en als de graaf van Pembroke er bezwaar tegen maakte, zou ze dreigen iedereen in het koninkrijk te vertellen dat deze bastaard niet in staat was een vrouw te bestijgen en zijn plicht bij een vrouw te doen. Het zou haar woord tegen dat van de jongen zijn. En ze durfde er wat onder te verwedden dat Jasper Tudor niet wilde dat zijn familie openlijk in verlegenheid werd gebracht door het gerucht dat zijn zoon impotent zou zijn. Adair glimlachte, tevreden over zichzelf en haar plan.

Februari ging voorbij, en het werd maart. FitzTudor klaagde over het feit dat hij in de grote zaal moest slapen, en ging tekeer tegen Anfri over diens slechte advies. Het werd april, en toen de wegen begaanbaar waren, arriveerde Andrew Lynbridge aan het begin van een ochtend op Stanton Hall. Hij trof Adair in de grote zaal en begroette haar.

'Er wordt vandaag een vroege veemarkt in Brockton gehouden. Zou je daarheen willen gaan? De beesten zullen een beetje mager zijn, maar de boeren die ze gedurende de winter op stal hebben gehouden, willen ze niet nog langer voeren, aangezien er een tekort aan voedsel is,' vertelde hij haar.

'Albert, hebben we voedsel voor de dieren? En hoeveel kunnen we er nemen?' vroeg Adair aan haar hofmeester. 'En hoelang duurt het tot de weiden kunnen worden begraasd?'

'Nog een paar weken voordat het zover is, milady, maar we hebben voedsel genoeg. De mensen van Stanton zullen blij zijn om weer vee in de weiden te zien. We kunnen er makkelijk vierentwintig hebben.'

Adair knikte. 'Ja, ik zou graag met je meegaan, Andrew.'

'Waar ga je naartoe?' vroeg FitzTudor, die vanuit zijn slaapplaats te voorschijn kwam.

'Naar Brockton,' zei Adair ongeduldig.

'Ik kan niet toestaan dat mijn vrouw zonder mij in het gezelschap van een andere man reist,' zei de jongen.

'Ik ben je vrouw niet,' weerlegde Adair vermoeid. 'Waarom blijf je toch aan die fantasie vasthouden? De sneeuw is weg, de wegen zijn begaanbaar. Deze week zal ik jou en je bediende naar het zuiden sturen.'

'Je zult Stanton Hall niet zonder mij verlaten,' hield Fitz-Tudor voet bij stuk.

'Ga dan met ons mee, milord,' zei Andrew Lynbridge joviaal. 'We zullen alle handen die we kunnen krijgen nodig hebben om het vee van Brockton naar hier te drijven.'

'Heel goed, als je erop staat mee te gaan, ga dan maar mee,' herhaalde Adair Andrews woorden, 'maar in hemelsnaam, Fitz-Tudor, draag niet een van je fraaie kledingstukken. Niemand zal ervan onder de indruk raken, en de handelaren zullen proberen me meer geld te vragen dan nodig is om voor het vee te betalen.' Ze wendde zich tot Andrew. 'Cider, sir? En wat brood en kaas voordat we vertrekken?'

Ze reisden naar Brockton in het gezelschap van Dark Walter en een tiental van zijn mannen. Die zouden nodig zijn om het vee terug te drijven naar Stanton Hall. FitzTudor had haar raad daadwerkelijk ter harte genomen, want hij droeg een leren jasje in plaats van een fluwelen of zijdebrokaten wambuis. Op de markt fluisterde Andrew Lynbridge zijn adviezen in Adairs oor, en ze kocht dertig magere, maar gezonde beesten die het begin van de nieuwe veestapel van Stanton zouden vormen. Het was vroeg in de middag toen ze aan de terugtocht begonnen waarbij ze de dieren met zich mee naar Stanton Hall voerden. De dieren waren mak en liepen goed mee, maar toen ze na enkele kilometers bijna in het zicht van Stanton waren, verscheen er een groep ruiters op de top van een van de heuvels.

'Jezus!' vloekte Andrew Lynbridge zacht. 'Schotten.'

'Wat willen ze?' vroeg FitzTudor.

'Het vee, jij domkop!' zei Adair. 'Ze willen het vee.'

'We hebben evenveel mannen als zij, milady,' zei Dark Walter.

'Ja, misschien besluiten ze dat een gevecht geen zin heeft. Bovendien zijn de dieren erg mager.' Maar Adair begon te twijfelen toen de Schotten langzaam vanaf de heuvel in hun richting naar beneden kwamen. 'Door blijven lopen, mannen,' maande ze.

'Bescherm eerst je lady,' zei Andrew tegen Dark Walter. 'Het vee kan worden vervangen, maar haar mag geen kwaad worden gedaan.'

'Ik ben best in staat mijn eigen vrouw te beschermen,' zei FitzTudor geïrriteerd.

Adair keek verbaasd naar hem en begon toen te lachen. 'Jij, jongen? Ik denk het niet, maar wees niet bang. Dark Walter zal ervoor zorgen dat ons beiden niets overkomt.'

De twee groepen naderden elkaar, stopten uiteindelijk, en versperden elkaar de weg. Het vee dromde loeiend om hen heen.

'Dat is een mooie kudde die jullie hebben,' zei de leider van de Schotten traag.

'Die arme uitgehongerde beesten?' zei Andrew kalmpjes.

'Ja, ze zijn wel mager,' beaamde de Schot. 'Maar over een paar weken, als ze zich rond hebben gegeten aan ons goede Schotse gras, zullen ze een smakelijke maaltijd voor onze mensen zijn.' Hij glimlachte naar hen, en toonde daarbij enkele gebroken tanden.

'Jullie doen er beter aan te wachten tot ze dikker zijn geworden door goed Stanton gras,' merkte Adair op. 'Jullie hebben mijn vee al eerder gehad, heb ik gehoord, sir.'

De Schot lachte. 'Dat klopt, milady, maar dat was jaren geleden. Nu, om uw vertrouwen te tonen, wil ik dat u ons een paar van deze beesten geeft. Dan komen we de rest over een paar weken halen, dat beloof ik u.'

'Nee, beste man, dat kan ik niet doen,' zei Adair. 'Ik moet een nieuwe kudde vee vormen, te beginnen met deze koeien. Als u me slechts een jaar of twee geeft dan beloof ik u dat het wachten de moeite waard zal zijn.' Ze grijnsde ondeugend naar hem.

'U bent een dappere meid,' zei de Schot. 'Ik denk dat u de moeite waard bent. Misschien zal ik u meenemen en de koeien met rust laten.' Hij beantwoordde haar grijns.

'Hoe durf je, jij Schotse schurk! Hoe durf je op een dergelijke manier tegen mijn vrouw te praten!' zei FitzTudor, terwijl hij zijn paard tot vlak voor de Schot dreef.

'Jezus!' mompelde Dark Walter zacht.

'Ik ben de graaf van Stanton,' vervolgde FitzTudor, 'en als jullie niet onmiddellijk uit de weg gaan, dan zal ik de mannen van de hertog achter jullie aan sturen en jullie laten arresteren voor jullie arrogantie.' Hij staarde naar de Schot en zijn mannen.

Ze barstten allemaal in lachen uit. 'Is deze bantammer haan uw echtgenoot, lady?'

'Nee, dat is hij niet. De koning heeft hem naar me toe gestuurd, maar ik wil hem niet hebben,' verklaarde Adair.

'Heeft de koning hem gestuurd? En waarom bemoeit de koning zich met een kleine grensmeid zoals u?' wilde de Schot weten.

Voordat Adair iets kon zeggen, nam FitzTudor weer het woord. 'Waarom? Omdat de gravin van Stanton zijn natuurlijke dochter is, daarom! En nu opzij zodat we er langs kunnen met ons vee.'

'Misschien bent u meer waard dan uw vee, milady,' zei de Schot langzaam en peinzend.

'Nee, sir, dat ben ik niet. En ik vrees dat ik ook niet bij de koning in de gunst sta. En ik zal nog minder in de gratie zijn als ik deze pompeuze jongen naar hem terugstuur en om een nietigverklaring van ons huwelijk verzoek,' zei Adair luchtig. 'Hij is volkomen nutteloos.'

De Schotten barstten wederom in lachen uit, en daarna zei hun leider: 'Het is een tragedie als een man nutteloos voor u is, milady. Maar goed, we zullen nu zes stuks vee nemen, en voor het eind van de zomer terugkomen.' Hij knikte naar zijn mannen om aan te geven dat ze de dieren uit de kudde moesten halen.

Dark Walter keek Andrew aan, die zwijgend knikte. Op een teken van Adairs kapitein trokken de mannen van Stanton hun wapens, en er ontstond een kort gevecht tussen de Engelsen en de Schotten, terwijl de koeien naar een nabijgelegen weiland vluchtten en begonnen te grazen. Zwaarden kletterden tegen elkaar. Paarden hinnikten van angst, hun hoeven trapten het stof van de smalle weg op terwijl de korte schermutseling voortwoedde. Beseffend dat ze aan de verliezende hand waren, besloot de Schotse leider er het beste van te maken. Hij stak zijn hand uit en greep Adairs teugels. Ze haalde met haar dolk naar hem uit terwijl ze worstelde om in haar zadel te blijven.

Toen schoot Llywelyn haar tot haar verbazing te hulp, hij had zijn zwaard getrokken, maar hij was geen soldaat. De Schot pareerde zijn tegenstander. FitzTudor hield even stand, hij verwondde de arm van de Schot, die begon te bloeden. De Schot vloekte woedend en stak zijn zwaard recht in de borst van de jongen. Hij trok het er langzaam uit toen FitzTudor met een blik van uiterste verbazing op zijn jonge gezicht voorover over de nek van zijn paard viel. Met een kreet naar zijn resterende mannen galoppeerde de Schot weg. Er waren geen mannen van Stanton gedood, maar enkele Schotten hadden het leven gelaten.

Llywelyn viel langzaam van zijn paard op de grond. Adair was onmiddellijk naast hem en legde zijn hoofd op haar schoot. 'Nou, jongen, dat was erg dwaas van je. Galant, maar dwaas,' berispte ze hem vriendelijk. Ze voelde de tranen achter haar oogleden prikken, want ze zag dat de wond die hem was toegebracht dodelijk was.

'Ik had... van je... kunnen houden,' fluisterde Llywelyn met zijn laatste adem, en toen werden zijn blauwe ogen glazig. Hij was dood.

Adair staarde geschokt op hem neer. Ze had deze man die de koning haar had opgedrongen niet gemogen. Ze was van plan geweest hem terug te sturen naar zijn familie. Ze was helemaal niet aardig tegen hem geweest; en hij was evenmin aardig tegen haar geweest. Hij had zelfs geprobeerd haar te verkrachten. Maar desondanks had hij haar willen verdedigen toen hij dacht dat ze in gevaar verkeerde. 'Hij is dapper gestorven,' zei ze zacht. 'Ik zal zijn vader vertellen dat hij dapper is gestorven in een poging mij te verdedigen, maar als hij er niet op had gestaan om vandaag met me mee te gaan, dan zou hij nog in leven zijn. Wat vreemd hoe een vluchtig besluit tot de dood kan leiden. Als hij op Stanton Hall was gebleven, zou hij nu nog leven.'

'Ja, hij heeft zich indrukwekkend gedragen,' zei Dark Walter. 'Ik had het niet van hem verwacht, milady, vergeef me dat ik het zeg.' De kapitein steeg van zijn paard en boog zich voorover. 'Laat mij hem meenemen, milady.'

Adair keek op, haar gezicht was nu betraand. 'Ja.' Ze knikte. 'We zullen hem een mooie begrafenis geven en hem bij mijn ouders op de heuvel begraven.'

Dark Walter tilde FitzTudors lichaam op en zwaaide het over de rug van diens paard. Andrew Lynbridge steeg nu ook af en hielp Adair overeind van de grond waar ze had gezeten. Ze wankelde een ogenblik tegen hem aan, en toen gleden zijn armen stevig om haar heen voordat hij haar op haar paard hielp.

'Kun je alleen rijden?' vroeg hij zacht. 'Het is geen schande als het je niet lukt.'

'Als ik daar nu aan toegeef,' zei ze, 'dan zal ik niet in staat zijn te doen wat gedaan moet worden. Hoewel ik hem niet wilde, en hoewel het huwelijk in geen enkel opzicht een echt huwelijk was, was hij wel mijn wettige echtgenoot. We hebben elkaar in leven niet goed behandeld, maar ik zal hem in de dood de eer geven die hem toekomt als de graaf van Stanton Hall. Ik zal alleen rijden, Andrew.'

Hij hielp haar op haar paard, zijn hart trok samen, want ze had hem voor het eerst bij zijn voornaam genoemd. Nu hij die op haar lippen had gehoord, voelde hij zijn polsslag versnellen en zijn bloed in zijn oren kloppen. Zodra ze stevig in haar zadel zat, steeg hij op zijn eigen paard. De gewapende mannen van Stanton waren druk bezig het vee bijeen te drijven uit het veld waar ze in paniek naartoe waren gevlucht toen het gevecht begon. Kort daarna waren ze weer op weg.

Toen ze Stanton Hall bereikten, kwamen de bedienden naar buiten en bij de aanblik van de jongen op de paardenrug, keken ze Adair verbaasd aan.

'We werden onderweg naar huis aangesproken door Schotten, waarna er een gevecht ontstond,' zei ze. 'De jonge graaf werd gedood. Breng de jongen naar de grote zaal. Waar is zijn bediende, Anfri?'

De kleine donkere Welshman glipte tussen de andere bedienden vandaan. 'Heeft u hem gedood?' jammerde hij. 'Ik zal mijn meester, de graaf van Pembroke, vertellen over uw onvriendelijkheid jegens zijn geliefde zoon. Ik zal hem alles vertellen!'

'Let op je woorden,' zei Dark Walter grimmig terwijl hij van zijn paard sprong. 'Milady heeft hem niet vermoord. De jonge graaf werd gedood terwijl hij zijn vrouw verdedigde toen we door Schotse grensbewoners werden aangevallen. Ze probeerden het vee te stelen dat we vandaag hebben gekocht.' Hij draaide zich om en tilde het lichaam van de jongen behoedzaam van het paard. 'Kom met me mee, kleine man. Je moet de vrouwen helpen om het lichaam van de jongen klaar te maken. We leggen hem in de grote zaal.'

Met een duistere blik naar Adair schuifelde Anfri achter Dark Walter aan.

'Je kunt het beste iemand naar hertog Richard sturen om hem te vragen je met deze kwestie te helpen,' zei Andrew tegen Adair. 'Ik voorzie dat de Welshman van plan is je moeilijkheden te bezorgen. Je moet jezelf tegen zijn roddels beschermen. Schrijf een boodschap en ik zal hem persoonlijk naar Middleham brengen. Kun je eigenlijk wel schrijven?'

'Natuurlijk kan ik schrijven,' zei Adair geërgerd. 'En lezen, en nog een paar andere vaardigheden. Het is al laat. Ga alsjeblieft niet voor morgenochtend.'

'Ik zal blijven,' beloofde hij.

'Dank je,' zei ze zacht. Daarna draaide ze zich om en ging naar binnen.

Andrew overhandigde de teugels van zijn paard aan een staljongen, en volgde haar naar de hal.

'Nou, dat is nog eens een goede man,' zei Elsbeth tegen Albert, die naast haar stond. 'Hij zou een geschikte graaf zijn, denk je niet?'

'Ja,' beaamde Albert.

'Ze zal een gepaste rouwperiode aanhouden,' zei Elsbeth.

'Laten we hopen dat de koning geen andere bruidegom naar haar toe stuurt,' merkte Albert op.

'Ik denk dat de hertog haar zal helpen die val te vermijden,' zei Elsbeth. 'Trouwens, ze is nu van weinig belang voor de koning. Hij heeft andere zaken die belangrijker zijn dan het welzijn van zijn bastaarddochter, om in overweging te nemen. Milady heeft het koninklijke doel gediend. Het was verstandig van haar om naar huis te komen. Koning Edward moet de strijd met de Tudors aangaan, denk ik. Zij zullen niet gemakkelijk te overtuigen zijn. Vrede, heb ik aan het hof geleerd, is allemaal goed en wel. Maar met mensen van een hogere stand draait het allemaal om macht.'

5

⁓

$\mathcal{M}$iddleham Castle was in 1170 gebouwd. Het was een van de grootste burchten op de zuidelijke heuvels in Noord-Yorkshire. De grijze slottorens staken boven het dorpje Wensleydale en het nabijgelegen stadje Leyburn uit. Andrew Lynbridge zag de wimpel van de hertog van Gloucester hoog in de frisse voorjaarswind wapperen. Aangezien de dag ten einde liep, spoorde hij zijn paard aan naar de veilige haven van het kasteel. Hij was vermoeid en hij had honger. Binnen de muren van Middleham en onder oude vrienden zou hij edelmoedige gastvrijheid aantreffen. Zodra hij op de brug over de slotgracht reed, werd hij herkend door de gewapende mannen die lachend naar hem zwaaiden. Op de binnenhof werd zijn paard meegenomen, waarna hij het kasteel via de grote hal binnenging.

Andrew hield een bediende staande. 'Wil je tegen je meester gaan zeggen dat Andrew Lynbridge hier is met een boodschap van de gravin van Stanton?' vroeg hij.

De bediende knikte en haastte zich weg. Andrew keek hem na en zag dat hij bij de stoel van de hertog bleef staan en hem iets in het oor fluisterde. Richard van Gloucester keek op en om zich heen. Andrew stapte uit de schaduwen, en de hertog wenkte hem naderbij. Andrew gaf gehoor aan het bevel en knielde beleefd naast de stoel van de hertog. Nadat hij de hem toegestoken hand had gekust, kwam hij overeind en haalde het opgevouwen perkament onder zijn wambuis vandaan.

'Weet je wat erin staat?' vroeg de hertog terwijl hij het perkament aanpakte.

'Ja, dat weet ik, milord,' antwoordde Andrew.

Richard verbrak het zegel, vouwde het perkament snel open en las de inhoud. Toen hij daarmee klaar was, vouwde hij de brief weer op, legde hem terzijde, en vroeg: 'Was het een ongeluk? Of heeft ze hem gedood?' De geschrokken blik op Andrews gezicht gaf hem het antwoord voordat de man zijn mond had opengedaan.

'We waren op de terugweg van een veemarkt bij Stanton,' zei Andrew. 'Een groep Schotse grensbewoners viel ons aan, ze probeerden de dieren te stellen. FitzTudor schoot zijn vrouw te hulp toen de leider verkondigde dat hij haar wilde meenemen. Eerlijk gezegd had ik niet gedacht dat hij het lef zou hebben, milord, maar dat had hij wel. Helaas was hij geen soldaat. Heeft zijn vader hem nooit beter geleerd? De Schot sloeg hem moeiteloos neer.'

'Hij kon niet worden gered?' vroeg de hertog.

'Milord, de wond was dodelijk. De Schot had hem recht in zijn hart gestoken. De lady sprong van haar paard en troostte haar echtgenoot, maar hij stierf in haar armen,' vertelde Andrew.

'Mijn nicht had zich dus verzoend met het huwelijk?' wilde de hertog weten.

'Nee, milord, dat niet. Ze verachtte hem, en hij dacht weinig beter over haar. Maar hij was er trots op dat hij de graaf van Stanton was, en hij deed zijn uiterste best haar te domineren, en meester van Stanton te worden, maar dat stond ze niet toe.'

'Denk je dat er misschien een kind geboren zal worden?' vroeg de hertog.

'Dat zou je aan de vrouw zelf moeten vragen, maar ik durf er wat om te verwedden dat hij het bed nooit met haar heeft gedeeld, milord,' antwoordde Andrew Lynbridge.

De hertog knikte en slaakte vervolgens een zucht. 'Ik ben niet bang om mijn broer dit nieuws te vertellen, maar de graaf van Pembroke is een ander verhaal. Jasper Tudor was dol op de jongen, hoewel ik nooit goed heb begrepen waarom dat zo was. De jongen was onwetend en trots, hij had weinig wat in zijn voordeel sprak. Ik heb geprobeerd de koning op andere gedachten te brengen, hem deze verbintenis uit het hoofd te praten, maar mijn broer wilde niet luisteren.'

'Misschien was de graaf van Pembroke bijzonder gesteld op de moeder van de knaap,' opperde Andrew.

De hertog knikte. 'Dat zou heel goed het geval kunnen zijn,' beaamde hij. 'Ze stierf bij de geboorte van haar zoon. En een dode maîtresse, heb ik altijd gehoord, heeft een warmere plek in iemands geheugen dan een afgewezen maîtresse. Hoe dan ook, de jongen is dood, en er is een eind aan gekomen. Misschien wacht ik nog een tijdje voordat ik de koning op de hoogte breng van deze ongelukkige gebeurtenissen.'

'Dat zou ik niet doen, milord,' zei Andrew. 'De bediende van de jongen, een Welshman genaamd Anfri, gelooft dat de gravin de dood van haar echtgenoot heeft veroorzaakt. Hij heeft dat hardop gezegd, en op de ochtend nadat de jongen was gedood, was hij verdwenen. Ik vermoed dat hij is gevlucht om Jasper Tudor zijn versie te vertellen van wat er is gebeurd. Aangezien hij er niet bij was, heeft hij slechts zijn verdenkingen en afkeer van de gravin aan de graaf van Pembroke over te brengen. Dat zou de gravin grote moeilijkheden kunnen bezorgen.'

'En dat zou jij niet prettig vinden,' zei de hertog sluw.

Andrew Lynbridge grinnikte. 'Ik wil best toegeven dat ik voordat ik hoorde dat ze de gravin van Stanton was, en niet alleen maar de lady van de Hall, overwoog haar het hof te maken. En voordat de koning haar een echtgenoot stuurde. Mijn grootvader was buitengewoon ontstemd toen hij dat hoorde. Hij heeft de landerijen van Stanton altijd in bezit willen hebben.'

'En zou de lady je toestaan haar het hof te maken?' wilde de hertog weten.

'Ik heb er geen idee van, milord,' antwoordde Andrew eerlijk. 'Zodra ik wist dat ze getrouwd was, heb ik het niet meer in overweging genomen.'

'Je bent de zoon van een baron,' zei de hertog. 'Jouw bloed is net zo goed als het bloed van een Radcliffe. John Radcliffe was een baron die een hogere titel verwierf door mijn broer met zijn mooie vrouw te laten slapen. Jane heeft de koningin gediend, en hoewel Edward achter haar aan zat, wilde ze niets met hem te maken hebben. Dus trof mijn broer een regeling met Radcliffe, en Radcliffe vertelde zijn vrouw dat ze Edward gewillig moest zijn. Ze zijn geen familie van hoge afkomst.'

'Maar de lady heeft het bloed van de koning,' zei Andrew.

'Als je om haar geeft, maak haar dan het hof voordat mijn broer besluit haar weer aan de een of andere gunsteling uit te huwelijken teneinde iets te verkrijgen wat hij wil hebben,' adviseerde de hertog. 'Ik zou er gelukkig mee zijn een loyale bondgenoot op Stanton Hall te hebben. Adair is sterk voor een vrouw, maar ik zie haar niet haar huis tegen de Schotten verdedigen. Er zijn de laatste tijd weer ongeregeldheden bij de grens. Nu het bekend is dat ze terug is, een jonge, mooie en eenzame weduwe en rijp voor de pluk, is ze in gevaar. Verwanten van mijn vrouw, de Nevilles, zullen geïnteresseerd zijn, evenals alle Percy's. Ik ben Adairs oom, en ik zou een verbintenis tussen jullie goedkeuren,' zei Richard van Gloucester met een glimlach. 'Ik kan mijn broer ervan verzekeren dat je uiterst loyaal bent.'

'Ze zal eerst een rouwperiode in acht willen nemen, al is het maar vanwege de goede etiquette,' zei Andrew. 'Ze is trots op haar naam, milord. En iemand die met haar trouwt, moet die naam aannemen, want dat heeft de koning aan John Radcliffe beloofd.'

'Jij zou de graaf van Stanton kunnen worden,' daagde de hertog hem uit. 'Zes maanden rouw om een jongen die je niet kende, en die nog minder lang bij je is geweest, lijkt me genoeg. We moeten de grens beschermen, en als een van mijn voormalige kapiteins dat op Stanton doet, dan zou ik me daarover verheugen.'

'Ik weet niet eens zeker of ze me wel mag,' zei Andrew traag.

'Ze mocht die FitzTudor niet, maar als hij een man was geweest, dan zou hij tussen haar benen zijn gekomen, en daarna zou haar houding mogelijk zijn veranderd. Ik ken Adair sinds ze een kleine meid was. Ze heeft in de eerste plaats een man nodig die ze kan respecteren. Win haar respect en je kunt haar hart veroveren,' zei Richard van Gloucester rustig.

'Misschien,' zei Andrew, 'wanneer ik met jouw condoleancebericht terugkeer naar Stanton Hall, zou je de lady kunnen vertellen dat je wenst dat ik daar blijf om toezicht te houden op de verdediging van haar huis, aangezien de Schotten de laatste tijd weer moeilijkheden veroorzaken. Ze heeft een goede kapitein voor haar gewapende mannen, Dark Walter, maar hij is niet zo ervaren als nodig zou zijn. Ik weet dat ze van je houdt, milord, en als je haar zou schrijven dat je wilt dat ik daar blijf, dan zou ze instemmen, daar ben ik van overtuigd,' besloot hij.

De hertog grinnikte. 'Een goed en slim plan, Andrew. Ga nu mijn vrouw begroeten. Voordat je morgen vertrekt, zullen we nog met elkaar praten.'

Andrew boog beleefd en verliet de hertog. Hij ging op zoek en vond lady Anne in het solarium met haar hofdames.

De hertogin van Gloucester keek met een lieve glimlach op toen hij binnenkwam. 'Andrew, wat leuk je te zien. Wat brengt je naar Middleham?' Ze was een knappe jonge vrouw met lichtblauwe ogen, en haar lange blonde vlechten waren rond haar hoofd gewonden. Ze had geen sterk lichaam, maar Richard van Gloucester adoreerde haar.

Andrew kuste haar tere, blauwgeaderde hand, en ging vervolgens op haar uitnodiging naast haar zitten om zijn verhaal te vertellen.

Ze luisterde aandachtig. 'Arme, kleine Adair,' zei ze, toen hij haar alles had verteld. 'Ik weet dat ze nu nog geen echtgenoot wilde, maar om hem op zo'n manier te verliezen, moet vreselijk voor haar zijn. Natuurlijk zal Jasper Tudor niet blij zijn met al deze gebeurtenissen.'

'De jongen was dapper,' zei Andrew.

'Hield ze helemaal niet van hem?' vroeg de hertogin zich af.

'Ik geloof dat ze niet van hem hield, milady.'

'Ze zal nu alleen zijn,' merkte de hertogin op. 'Maar zou ze nu wel alleen moeten zijn? We moeten haar uitnodigen om Middleham te bezoeken. Kleine Neddie is dol op haar.'

'De hertog heeft me gevraagd terug te keren naar Stanton en de leiding over de verdediging op me te nemen,' vertelde Andrew.

'Ah, dat is verstandig,' beaamde lady Anne. 'Ik heb een nicht, Rowena Neville, die getrouwd is met baron Greyfaire. Hun burcht, die erg op Adairs huis lijkt, ligt aan de grens. Onlangs schreef mijn nicht dat de Schotten weer regelmatig op rooftocht zijn. Een jong meisje alleen zou als gemakkelijke prooi voor de grenslords worden beschouwd.'

'Ik zal mijn best doen om Stanton Hall te beschermen,' beloofde hij galant, en de hertogin glimlachte naar hem.

'Weet je, Adair kan soms een beetje prikkelbaar zijn, maar je hebt charme, Andrew, en ik weet zeker dat je haar medewerking gemakkelijk zult verkrijgen,' zei ze vervolgens.

Andrew Lynbridge werd enkele dagen later aan Anne Nevilles woorden herinnerd toen hij terugkeerde naar Stanton Hall om

Adair te vertellen wat de hertog van Gloucester hem had verzocht te doen. Onderweg was hij eerst bij Hillview Court gestopt om zijn broer en grootvader te vertellen wat de hertog van hem verlangde.

Zijn grootvader had geknikt. 'Dan zul je weer in dienst van de hertog zijn,' zei hij. 'Ik hoop dat hij je daarvoor goed betaalt. We hebben in deze familie altijd geld nodig.'

'Hij heeft me zijn zegen gegeven als ik de lady kan overhalen met me te trouwen, en ik denk dat dat meer dan genoeg is, grootvader,' antwoordde Andrew.

'Hij had je geld moeten geven,' bromde de oude man.

'Ik kan niet blijven,' zei Andrew. 'Ik wil Stanton bereiken voor de avond invalt.'

'Hij heeft je geld gegeven,' zei Robert terwijl hij zijn broer naar de binnenhof begeleidde waar diens paard stond te wachten.

'Inderdaad, maar dat heb ik misschien zelf nodig.'

'Je hebt gelijk,' zei zijn broer. 'De oude man heeft het niet nodig. Hij is gewoon een hebzuchtige kerel.' Robert grinnikte. 'Denk je dat het meisje met je zal trouwen als je het haar vraagt?'

'Mijn eerste opdracht is dat ik erop moet toezien dat Stanton behoorlijk wordt beschermd. Ik ken het meisje nauwelijks, en zij kent mij ook niet. Goede huwelijken, zoals ik heb gezien, ontstaan wanneer vrienden met vrienden trouwen, zoals jij en Allis hebben gedaan.'

'Je zult een graaf worden als je met haar trouwt,' merkte zijn broer op.

'En daarmee zal ik een Radcliffe worden, want een man die met Adair trouwt, moet haar achternaam aannemen. Daar zal grootvader niet blij mee zijn.' Andrew grinnikte en besteeg zijn paard. 'Vaarwel, Robert.'

'Vaarwel, milord,' plaagde Robert vriendelijk.

En nu stond hij tegenover Adair Radcliffe terwijl ze het bericht van de hertog van Gloucester las. Hij zag dat haar voorhoofd donker werd van boosheid. Toen keek ze hem aan. 'Weet je wat er in deze brief staat?'

'Ja, milady,' zei Andrew beleefd.

'Het bevalt me niet,' zei Adair, waarbij ze hem recht aankeek.

'Nee, dat kan ik me voorstellen,' beaamde hij opgewekt. 'Desalniettemin wil de hertog van Gloucester dat Stanton Hall beter wordt beveiligd aangezien de Schotten langs de grens steeds actiever worden. Als Stanton Hall in de tijd van je ouders beter versterkt was, dan was het misschien niet nodig geweest. De hertog vindt het belangrijk dat alle grote huizen in dit gebied beter worden beschermd. Hij verlangt bovenal je veiligheid, milady.'

'Hoe gaat het met hem?' vroeg Adair op zachtere toon.

'Goed, evenals met lady Anne. Hij is er tevreden mee dat hij hier in het noorden de stem van zijn broer is. Hij houdt zijn eigen hof op Middleham.'

'Heb je gegeten?' vroeg Adair, en toen hij ontkennend antwoordde, gaf ze een bediende de opdracht voedsel te brengen en leidde hem naar de tafel. Ze praatten geruime tijd over de hertog van Gloucester. 'Mijn oom Dickon houdt niet van de koningin noch van haar familie,' zei Adair op een gegeven moment. 'En hoewel hij veel om de koning geeft, heeft hij sinds hun broer George vier jaar geleden werd gedood, het hof bijna geheel vermeden. Wist je trouwens dat George toen lady Anne weduwe werd van haar eerste man, prins Edward van Lancaster, heeft geprobeerd te voorkomen dat oom Dickon met haar trouwde? George was met haar oudere zuster Isabel getrouwd en hij wilde de erfenis van Warwick, die tussen de twee zusters was verdeeld, niet delen. Maar oom Dickon en lady Anne waren sinds hun jeugd verliefd op elkaar geweest, en alleen omdat haar vader erop stond dat ze met de zoon van Henry VI trouwde, werden ze gescheiden. Pas nadat hij was overleden, konden ze hun liefde laten zegevieren. Hoelang ben je eigenlijk in dienst van mijn oom geweest?' wilde ze vervolgens weten.

'Vele jaren, en nu schijn ik dat weer te zijn,' antwoordde Andrew.

'Dark Walter heeft zijn gewapende mannen goed getraind,' zei Adair. 'We kunnen ons tegen de Schotten verdedigen. Heb je dat de hertog niet verteld?'

'Roep Dark Walter en Albert hier, milady,' zei Andrew, 'dan zal ik jullie precies uitleggen wat de hertog wil. Daarna wil ik horen wat zij erover te zeggen hebben.'

'Dat lijkt me redelijk,' beaamde ze, en liet de beide mannen halen.

Andrew Lynbridge viel aan op de stoofschotel van konijn die voor hem was neergezet. Omdat hij gewend was onderweg snel te eten, was hij klaar tegen de tijd dat Dark Walter en Albert de grote zaal binnenkwamen. Hij leunde achterover en luisterde terwijl Adair uitlegde wat haar oom Dickon wilde.

'De hertog denkt dat we versterking nodig hebben tegen de Schotten,' zei ze.

'Ja!' onderbrak Dark Walter haar. 'Dat hebben we. En ik hoop dat hij de middelen heeft gestuurd om dat te doen, milady.'

'Dat heeft hij,' antwoordde Andrew in Adairs plaats. 'Hij wil dat er muren worden gebouwd. De Hall is geen kasteel, maar hoge muren rondom het huis zouden kunnen helpen om een aanval af te weren.'

'Dat is zeker waar,' beaamde Dark Walter, en Albert knikte.

'Ik dacht dat die beslissing aan mij was,' zei Adair scherp.

'De hertog dacht dat je de wijsheid van zijn plan zou inzien wanneer ik het je had uitgelegd,' zei Andrew. 'Hij wil niet dat je net zo wordt afgeslacht als je arme moeder, milady. Hij wil alleen je veiligheid garanderen.'

'Waar komen de stenen vandaan?' vroeg ze.

'De eerste wagens zullen over een dag of twee hier zijn,' antwoordde Andrew.

'Hij wil dat zijn man blijft om op onze veiligheid te letten,' zei Adair tegen Albert en Dark Walter. 'Zou jij dat niet kunnen doen, Dark Walter? Is het nodig dat Andrew Lynbridge hier blijft?'

Dark Walter knikte. 'Het is nodig dat hij blijft, milady. Ik heb op het gebied van verdediging niet de ervaring die hij heeft. Kapitein Lynbridge is een vaardig man, en hij heeft het vertrouwen van de hertog. Het is een eer, kapitein,' zei hij, en maakte beleefd een lichte buiging in zijn richting. 'Ik weet dat hij vele jaren met de hertog heeft doorgebracht. Hij heeft de autoriteit die u vereist voor iemand in zijn positie, milady. En ik ben blij met zijn hulp, en heet hem welkom.'

'Dank je,' zei Andrew rustig. 'Maar jij bent hier de kapitein van de gewapende mannen, en dat zul je blijven. Ik ben niet op verzoek van de hertog gekomen om jou te vervangen, Dark Walter. Ik ben alleen gekomen om te helpen, leiding te geven en jou en je mannen te onderrichten.'

De oudere man maakte een buiging, en de twee mannen keken elkaar veelbetekenend aan, want ze begrepen elkaar volkomen.

'Als Dark Walter mijn kapitein blijft, hoe moeten we jou dan noemen?' vroeg ze kortaf aan Andrew.

'Andrew?' opperde hij, en er verscheen een twinkeling in zijn ogen. 'Dat is tenslotte mijn naam.'

Albert en Dark Walter grinnikten, en Adair moest onwillekeurig lachen.

'Heel goed,' stemde ze in, 'dan noemen we je Andrew.'

Elsbeth bepaalde dat Andrew Lynbridge in de zaal zou slapen. 'Het is niet gepast dat hij naar boven gaat,' zei ze. 'Je bent een meisje alleen, en je moet aan je reputatie denken als je op een dag met een fatsoenlijke man wilt trouwen,' hielp ze Adair herinneren.

'Ik weet dat je het me aangenaam zult maken, vrouwe Elsbeth,' zei Andrew, 'en ik ben het met je eens dat de goede naam van de lady niet bezoedeld mag worden.'

'Nou, dan heeft u meer gezond verstand dan de meeste mannen,' zei Elsbeth scherp.

'Je zult erachter komen dat ik dat heb,' beaamde hij ernstig, en Elsbeth wist niet zeker of hij haar bespotte, maar zijn knappe gezicht bleef uitdrukkingsloos.

Verscheidene dagen later arriveerden de eerste wagens met stenen waarvan een muur rondom Stanton zou worden gebouwd, samen met een metselaar, die binnen korte tijd enkele mannen uit het dorp instrueerde. Om de paar dagen, terwijl de wagens werden geleegd, werden er meer stenen aangevoerd. Adair kwam er nooit precies achter hoe de werklieden wisten dat ze genoeg hadden, maar op een dag arriveerden er geen wagens meer. En enkele dagen daarna was de muur voltooid. De oude gracht rondom het huis was weer uitgegraven, en een kanaal uit de buurt van Stanton Water was geopend zodat de gracht kon vollopen. De smid had een valhek gemaakt voor de hoofdingang tussen de muren, en er werden zware dubbele eiken deuren, die versterkt waren met ijzeren banden, geplaatst. Over de gracht was een houten brug gebouwd.

'Waarom is de brug niet van steen?' wilde Adair weten.

'Het kost te veel inspanning om een stenen brug te vernietigen,' zei Andrew. 'Als de muren worden verwoest, kunnen we de houten brug in brand steken en de indringers langer afhouden, omdat ze ons zonder brug niet zo gemakkelijk kunnen bereiken. En de gracht voorkomt dat de vijand ladders tegen het huis zet.'

'Het lijkt nu meer een kasteel,' merkte ze op.

'Niet echt. Je hebt geen kantelen. En je zou koninklijke toestemming nodig hebben om een kasteel te bouwen, maar die heb je niet nodig om je huis te versterken zodat het beter te verdedigen is.'

Het had het hele voorjaar en de helft van de zomer gekost om de nieuwe verdedigingswerken te bouwen. Nu zag Adair dat er binnen de stenen muur nieuwe schuren werden gebouwd. Het vee dat Adair vroeg in het voorjaar had gekocht, was dikker geworden door het weelderige gras dat op de landerijen van Stanton groeide. Verscheidene jonge heifers vertoonden tekenen dat ze drachtig waren. Adair was zeer verheugd.

Toen augustus ten einde liep, ontving Adair een uitnodiging van hertogin Anne om haar op Middleham Castle te bezoeken. Ze wilde liever niet gaan, omdat er voor de winter nog zoveel te doen was, maar Elsbeth en Albert stonden erop dat ze ging.

'Het is een zwaar jaar voor je geweest, kuikentje,' zei Elsbeth. 'Een bezoek aan de hertogin is precies wat je nodig hebt om je aan je stand te helpen herinneren. En je weet dat de hertog blij zal zijn je weer te zien, en jij hem.'

'En ik zal je escorteren,' zei Andrew Lynbridge. 'De hertog zal een verslag willen van wat we hier op Stanton allemaal hebben gedaan.'

'Misschien hoef je daarna niet mee terug te gaan,' zei Adair zorgeloos. Onder de goede leiding van lady Margaret Beaufort had ze geleerd hoe ze haar landgoed moest bestieren, en ze nam aanstoot aan de bemoeienissen van Andrew. Haar bedienden dachten er anders over, zelfs Albert. En Dark Walter adoreerde hem met een slaafse devotie die op Adairs zenuwen werkte.

'Misschien,' beaamde hij opgewekt. In de afgelopen maanden

had hij geprobeerd dichter bij de lady van Stanton te komen, haar gunst te winnen, haar vriendschap. Maar de waarheid was dat hij zo druk bezig was geweest met de muren dat er weinig tijd voor pleziertjes was overgebleven. En Adair had het net zo druk gehad met toezicht houden op het planten, het hooien, haar moestuin, kaarsen en zeep maken, vlees en vis zouten, en andere voedselvoorraden aanleggen voor de winter. Aan het eind van de dag waren ze beiden zo moe geweest dat er weinig tijd was om plezier te maken, hoewel ze soms een spelletje schaak hadden gespeeld.

Ze reisden naar het zuiden en bereikten Middleham op een vroege septemberdag. Het weer was aangenaam, zoals gewoonlijk in die tijd van het jaar.

De hertogin verwelkomde Adair hartelijk. 'Ik heb me al weken op je komst verheugd,' zei ze, en haakte haar arm door die van Adair terwijl ze de hal binnengingen. 'Wat zie je er mooi uit. Oranjebruin staat je goed. Zag ik je nou schrijlings rijden?'

'Dat is makkelijker voor me,' gaf Adair toe. 'Een beetje jongensachtig, zou lady Margaret hebben gezegd, vrees ik.' Ze glimlachte. 'Jij ziet er ook goed uit.'

'Ik heb een fijn jaar gehad,' gaf de hertogin toe. 'De lucht hier in het noorden is goed voor me, behalve in de winter wanneer ik binnen moet blijven. Hoe bevalt het je nu je al meer dan een jaar terug bent?'

De twee vrouwen gingen bij een van de grote haarden in de grote zaal zitten.

'Ik heb het nog nooit in mijn leven zo druk gehad,' bekende Adair. 'Het lot van Stanton en zijn mensen ligt nu op mijn schouders. Maar ik ben gelukkiger dan ooit.'

'Toch is het jammer dat je echtgenoot werd gedood,' zei de hertogin.

'FitzTudor? Hij was alleen in naam mijn man,' antwoordde Adair. 'En door zijn trots was hij meer een last dan een hulp. Hij had geen enkele nuttige vaardigheid en ik was van plan hem terug te sturen naar de koning, maar toen werd hij gedood. Ik ben geschokt dat hij niet beter was onderricht of getraind. Zijn dood is zijn eigen schuld.'

'Ja, dat was een galant gebaar,' zei de hertogin zacht.

'Galant? Ja, maar dwaas. Hij had geen vaardigheid met een zwaard, de arme jongen,' antwoordde Adair. 'Maar hij heeft in de dood gekregen wat hij in leven niet kon krijgen. Ik heb hem naast mijn ouders begraven, en op zijn grafsteen staat dat hij de graaf van Stanton was.'

'Toch moet je een echtgenoot hebben, Adair. Hoe oud ben je nu? Zeventien inmiddels, als ik het me goed herinner, en nog steeds maagd.'

Adair bloosde.

'Ik was veertien toen ik met prins Edward trouwde, en zestien toen ik met mijn Dickon trouwde. Onze Neddie werd geboren toen ik zeventien was. Net als ik heb je je eerste man op tragische wijze verloren. Je moet hertrouwen, meisje.'

'Waarom?' vroeg Adair.

'Je moet een erfgenaam voor Stanton hebben, liefje.'

'Maar wie zou er met mij willen trouwen?' vroeg Adair zich hardop af.

'Je kent Andrew Lynbridge,' zei de hertogin. 'Hij is bijzonder aantrekkelijk. Ik weet niet of je hem aardig vindt, maar je respecteert hem zeker.'

'Andrew? Heeft oom Dickon hem daarom naar Stanton gestuurd? Wat slim van hem.' Ze lachte.

'Ja, dat was het,' beaamde de hertogin. 'Andrew is de kleinzoon van de oude sir Humphrey. Jouw bloed is iets beter door je afkomst, maar verder zijn de Lynbridges gelijk aan de Radcliffes. Andrew is een goede man, Adair.'

Adair zuchtte. 'Ik veronderstel dat je gelijk hebt. Ik hou er echter niet van om mijn verantwoordelijkheden aan een ander over te dragen. En ik ben nou eenmaal de gravin van Stanton,' zei Adair trots.

'Dat ben je inderdaad, liefje. Maar de gravin moet desondanks een man hebben. Toen je man gedood was, heeft Dickon bij de koning om de voogdij over jou gevraagd. Edward was meer dan bereid dat toe te zeggen. De graaf van Pembroke was erg bedroefd door de dood van zijn zoon, maar dankbaar voor je respect voor de jongen.'

'Hij heeft me geen condoleancebericht gestuurd,' zei Adair. 'Misschien heeft FitzTudors bediende, Anfri, giftige woorden in Jasper Tudors oor gefluisterd.'

'Als Anfri naar het zuiden is gegaan, heeft hij de graaf nooit gezien,' zei de hertogin. 'Dat weet ik, want Dickon heeft ernaar gevraagd.'

'Wat vreemd,' zei Adair, 'dat niemand hem na zijn vertrek van Stanton heeft gezien.'

'Je hebt me nog steeds geen antwoord gegeven,' zei de hertogin. 'Is er iemand met wie je zou willen trouwen?'

'Nee,' zei Adair hoofdschuddend.

'Zou je dan de wens van de hertog willen accepteren om met Andrew Lynbridge te trouwen?'

'Ik vermoed dat de duivel die je kent beter is dan een duivel die je niet kent,' zei Adair. 'Maar hij moet de naam Radcliffe aannemen. Dat was de wens van graaf John, en de koning heeft erin toegestemd. Ik vraag me af of Andrews familie het daarmee eens zou zijn. En ik heb een beetje tijd nodig om aan oom Dickons besluit te wennen. Heeft iemand er al met Andrew over gesproken? Misschien stemt hij er niet mee in.'

'Hij zal ermee instemmen,' ze de hertogin. 'Hij heeft de hertog nog nooit teleurgesteld.'

Adair lachte zacht. 'Je laat het klinken als een militaire campagne die oom Dickon plant, en Andrew uitvoert.'

Lady Anne lachte ook. 'Zo is het ook, bij wijze van spreken. Ik weet dat Dickon erg verheugd zou zijn met je instemming. De meesten van ons trouwen nou eenmaal niet uit liefde.'

'Jij wel,' zei Adair.

'Ja, maar ook pas bij de tweede keer. We hebben er lang genoeg op moeten wachten. Mijn eerste man, de prins, wilde me niet als vrouw hebben. We kenden elkaar ook helemaal niet. Maar desondanks zijn we vanwege de politieke redenen getrouwd. Het was geen gelukkige tijd. En jij hebt nu het voordeel dat je Andrew al kent. Hij ziet er aantrekkelijk uit, en hij lijkt vriendelijk. Denk er aan dat Stanton erfgenamen nodig heeft,' hielp ze haar nog eens voorzichtig herinneren.

Adair dacht na over de woorden van de hertogin. 'Ja, hij ziet er aantrekkelijk uit, en ik heb hem nog nooit onvriendelijk meegemaakt. En hij was de kapitein van de hertog. Als we trouwen, zal hij de graaf van Stanton worden. Zal hij dan nog steeds vriendelijk zijn?'

'Dat is een risico dat alle vrouwen nemen wanneer ze trouwen,' antwoordde de hertogin. 'De ram kan een schaap in wolfskleren blijken te zijn. Maar vrouwen kunnen dat gewoonlijk wel aan, Adair.'

'En als ze slim zijn, weten ze ook de teugels in handen te houden,' zei Adair ondeugend.

De hertogin glimlachte. 'Zal ik mijn man dus maar vertellen dat je bereid bent met Andrew Lynbridge te trouwen?'

'Als Andrew instemt dan doe ik het ook,' antwoordde Adair. 'Voor Stanton en de toekomst van Stanton.'

En terwijl de hertogin met Adair sprak, praatte haar man met Andrew over hetzelfde onderwerp.

'Met de lady trouwen?' zei hij verbaasd.

'Ze staat nu onder mijn toezicht,' antwoordde Richard van Gloucester. 'Ze heeft een echtgenoot nodig om Stanton in stand te houden voor de koning. Ik geef de voorkeur aan een man op wiens loyaliteit ik kan rekenen.'

'Mijn vader zou zich erover verheugen,' zei Andrew langzaam.

'Er is echter een schaduwzijde aan een huwelijk met Adair,' zei de hertog. 'Door haar afkomst heeft de koning besloten dat haar man de achternaam Radcliffe moet dragen. Ik weet dat lord Humphrey daar niet blij mee zou zijn, en jij ook niet. Maar zou je die voorwaarde kunnen accepteren?'

'Dan zou ik dus de graaf van Stanton zijn, is het niet?' vroeg Andrew.

'Ja,' antwoordde de hertog.

'En ik zou alle rechten hebben die een echtgenoot over het bezit van zijn vrouw heeft?' wilde hij vervolgens weten.

Richard van Gloucester knikte instemmend. 'Die zou je hebben.'

Andrew grinnikte. 'Toen mijn grootvader duidelijk maakte dat hij de landerijen van Radcliffe wilde hebben, zei ik dat ze van mij zouden zijn als Adair in een huwelijk met mij zou toestemmen, en niet van hem. En zou dat niet nog meer zo zijn als ik de achternaam Radcliffe aanneem, milord?'

De hertog zag de humor van de situatie in en lachte. 'Inderdaad, dat klopt, Andrew.'

'Dan doe ik het,' zei Andrew.

'Je moet vriendelijk tegen Adair zijn, en haar respecteren,' waarschuwde de hertog de jongere man. 'Ik ben bijzonder op haar gesteld. Dat ben ik al sinds ik haar op de weg vond toen ze haar toevlucht bij de koning ging zoeken nadat haar ouders waren vermoord. Ze is echter een fraaie, maar wilde jonge merrie. Je moet haar met vriendelijkheid temmen. En daar zul je geen spijt van krijgen. Adair weet wat loyaliteit is.'

'Deze kwestie kan voor de winter invalt worden geregeld,' zei Andrew.

'Dat moet ook,' antwoordde de hertog. 'Ik zal het huwelijks-contract laten opmaken, en als mijn nicht bereid is, zullen we jullie verbintenis voor jullie terugkeer naar Stanton vieren. Ga nu, en vind haar. Sluit vrede met haar.'

Andrew verliet het vertrek van de hertog en begaf zich naar de grote hal. Daar vond hij Adair bij het vuur waar ze op hem had zitten wachten. Er was niemand anders in de buurt. 'Mag ik bij je komen zitten?' vroeg hij. 'Ik heb met de hertog gesproken. Hij wenst een huwelijk tussen ons,' zei hij zonder verdere plichtplegingen. 'Zou jij dat ook willen?'

Ze wenkte hem om naast haar plaats te nemen. 'Ik heb met de hertogin gesproken. Ik zal toestemmen in een huwelijk tussen ons. Een jaar geleden wilde ik nog niet trouwen omdat ik tijd wilde hebben om mijn huis weer te leren kennen, waar ik zo lang niet was geweest. Ik wilde ook niet met een vreemde trouwen, vooral niet met een zoon van de Lancasters. Ik kan hen nooit vergeven dat ze mijn ouders hebben vermoord. Het spijt me dat de koning dat niet in overweging nam toen hij me aan Pembrokes zoon verbond en dat huwelijk zonder mijn aan-wezigheid bij volmacht liet voltrekken. Alles was voor zijn voordeel gedaan, niet voor het mijne. Nu zal ik echter toestem-men in een verbintenis tussen ons, want ik ben niet in staat Stanton in mijn eentje te verdedigen. Ik ken je, Andrew Lyn-bridge, en je lijkt me een goede man.'

'Ik ben een goede man,' zei hij ernstig. 'Ik zal voor je zorgen, en ik zal Stanton verdedigen,' zei hij, en pakte Adairs hand. Hij hief hem naar zijn lippen en drukte er een kus op. 'Ik zal noch de hertog, noch jou teleurstellen, Adair. Ik geef je mijn woord.'

'En zul je de achternaam Radcliffe accepteren in plaats van Lynbridge?' vroeg ze.

'Dat doe ik,' antwoordde hij. 'Je begrijpt echter wel dat dit huwelijk echt zal zijn, en niet alleen in naam. Je bent inmiddels een volwassen vrouw, en ik ben een man. Ik wil zowel een bedgenote als een echtgenote. En ik wil erfgenamen.'

Adair voelde haar wangen warm worden. Het bed met Andrew delen was wel het laatste waar ze aan had gedacht. Ze zou dit voor Stanton doen. Maar Stanton had inderdaad erfgenamen nodig, zoals de hertogin al voorzichtig had opgemerkt. En je kreeg geen erfgenamen door ze alleen maar te wensen. 'Ik begrijp het,' zei ze, en knikte.

'Ben je nog maagd?' vroeg hij, en keek haar onderzoekend aan om te zien of ze de waarheid zou spreken. Het deed er niet echt toe, maar hij wilde het weten.

Adairs blanke huid werd vuurrood. 'Natuurlijk ben ik nog maagd!' Haar stem klonk schril. 'Denk je soms dat ik een wellusteling ben?'

'Je bent getrouwd geweest,' hielp hij haar nuchter herinneren.

'Geloof je werkelijk dat ik heb toegestaan dat die pompeuze jongen me aanraakte?' vroeg ze hem. 'Ik zou liever in het klooster zijn gegaan, sir!'

'Andrew,' zei hij rustig. 'Mijn naam is Andrew, en ik verwacht dat je me bij mijn voornaam noemt als we samen zijn, Adair.'

'Er bestaat geen twijfel over dat ik nog maagd ben, Andrew,' zei Adair. Dacht hij soms dat ze haar emoties niet kon beheersen, zoals de man die haar had verwekt?

Met een vinger hief hij haar kin en kuste haar vriendelijk. 'Goed,' zei hij. Haar mond was zacht onder de zijne. Haar lippen werden nog zachter toen zijn kus zich verdiepte en hij zijn armen om haar heen sloeg. Hij voelde haar vrouwelijke rondingen tegen zijn borst drukken, en plotseling besefte hij hoe graag hij haar in de afgelopen maanden had willen kussen.

Adairs hart klopte heftig van opwinding toen hij haar kuste. Ze was nog nooit eerder op deze manier gekust. FitzTudor had slechts één keer zijn vochtige mond op de hare gedrukt, en haar met afschuw vervuld. Maar dit was opwindend en teder tegelijk. Ze kuste Andrew terug en voelde haar tepels hard worden terwijl er verrukkelijke huiveringen door haar lichaam trokken.

Ten slotte hield hij op, maar zijn armen bleven om haar heen, en zijn warme, grijze ogen keken glimlachend in haar violette kijkers. 'Als je me zo blijft kussen, zal ik meer willen dan ik op dit moment zou moeten krijgen, Adair.'

'Ik denk dat ik ook meer wil,' zei ze brutaal.

'Dan zullen we de hertog gaan vertellen dat we het eens zijn geworden, en dat we zo snel mogelijk zullen trouwen. Kun je daarmee instemmen?' vroeg hij.

'Ja, dat lijkt me het beste,' beaamde ze. 'We moeten terug naar Stanton voordat de winter invalt, Andrew.'

'Zou je liever op Stanton willen trouwen?' vroeg hij peinzend.

Adairs gezicht lichtte op. 'O, ja! Denk je dat we daar toestemming voor zouden krijgen, Andrew? Denk je dat oom Dickon het zou toestaan?'

'Als de huwelijkspapieren allemaal door beide partijen zijn getekend, en door de hertog en zijn priester, dan zie ik niet in waarom hij het niet zou toestaan,' zei Andrew.

'De mensen van Stanton zouden zich erover verheugen,' zei Adair. 'Ze zijn me zo trouw geweest, en ik weet zeker dat ze jou ook trouw zullen zijn, Andrew.'

'Dan zal ik het met de hertog bespreken, liefje,' zei hij, en dat deed hij.

De hertog vond het een uitstekend idee dat Adair op Stanton zou trouwen, in haar eigen huis met haar eigen mensen om haar heen. Het zou hen allemaal nog meer verbinden. Hij had de papieren laten opstellen. Zowel Adair als Andrew las de overeenkomst die hen als man en vrouw zou verbinden. Daarna las de priester het contract en keurde het goed.

Tegen het eind van oktober werden ze op een vroege ochtend in de kapel van Middleham in de echt verbonden. De zon was nog niet eens op, maar het beloofde een stralende dag te worden. De priester zegende Adair en Andrew, en hoewel de huwelijksceremonie op Stanton zou plaatsvinden, waren ze nu in alle opzichten man en vrouw.

Er werd een mis gehouden, en daarna genoten ze van een maaltijd die bestond uit gepocheerde eieren in roomsaus, dunne plakken ham en versgebakken brood dat nog warm was van de ovens. Verder stonden er nog verscheidene schalen met heerlijkheden, verse boter en bokalen zoete cider op tafel. Nadat ze hadden gegeten, werden Adair en Andrew door de hertog en hertogin naar de binnenhof geleid om aan hun reis naar Stanton te beginnen. Ze zouden begeleid worden door een groep gewapende mannen van de hertog. Richard van Gloucester wilde niet het risico lopen dat zijn nicht en haar echtgenoot onderweg kwaad zou worden aangedaan.

Adair knielde voor de hertog neer om zijn zegen te krijgen, die hij haar gaf, en vervolgens kuste hij haar op haar wangen en voorhoofd. 'Ik geloof dat deze echtgenoot je gelukkig zal maken,' zei hij met een glimlach.

'Dank je dat je hebt gezien wat ik niet kon zien, oom Dickon. Let goed op jezelf, ik zal voor je bidden, want je maakt je veel te veel zorgen.'

De hertog knikte instemmend en gaf haar een duwtje in de richting van zijn vrouw.

De twee vrouwen omhelsden elkaar.

'Zeg tegen Neddie dat het me spijt dat hij vandaag in bed moest blijven, en geef hem een kus van me,' zei Adair tegen Anne.

'Dat zal ik doen,' zei de hertogin. 'Hij heeft last van zijn longen, en toch wil hij blijven paardrijden, hoewel het weer te koud voor hem is. Je zult op een gegeven moment zelf ontdekken dat een moeder niet zoveel over haar zoons te zeggen heeft, Adair,' zei ze met een lachje. 'Wees zo gelukkig met je Andrew als ik met Dickon.' De hertogin kuste Adair zoals haar man had gedaan. 'God zegene jullie beiden,' zei ze.

Adair en Andrew stegen op hun paard en daarna, omringd door de mannen van Middleham, reden ze in de richting van Stanton. Hun reis duurde enkele dagen, zodat ze onderweg bij verscheidene kloosters moesten overnachten. Maar ten slotte kwam Stanton in zicht, en niet in staat zich te beheersen, zette Adair tot verbazing van Andrew en de mannen, haar paard aan tot galop en reed zo snel mogelijk naar huis. Toen ze eenmaal over hun verbazing heen waren, volgden de anderen haar in gestrekte draf.

De mensen van Stanton die op de velden aan het werk waren, zagen haar en zwaaiden verheugd naar haar. Adair zwaaide terug, wenkte hen naderbij te komen en haar te volgen naar de Hall. En daar, op de binnenhof, sprak ze hen vanaf haar paard toe, nadat Andrew zich bij haar had gevoegd en naast haar stond.

'Mijn beste mensen, ik ben naar jullie teruggekeerd met een nieuwe graaf,' verkondigde ze. 'Andrew, geboren Lynbridge, heeft de naam Radcliffe aangenomen zoals mijn vader, graaf John, en koning Edward dat wensten. Morgen zullen we trouwen in de grote zaal, en jullie zijn allemaal uitgenodigd. Verwelkom Andrew Radcliffe, graaf van Stanton, in zijn huis.'

En de mensen van Stanton juichten, verheugd en tevreden over deze gebeurtenis. Ze kenden Andrew. Ze respecteerden hem en mochten hem graag. En het was hoog tijd dat de lady een echtgenoot had, en dat Stanton weer een echte graaf had.

6

'Mijn kleintje gaat trouwen,' zei Elsbeth verrukt. 'Het zal tijd worden. Toen je moeder zo oud was als jij nu, had ze jou al. Andrew is een geweldige man. Niet de knapste man die ik ooit heb gezien, maar wel erg aantrekkelijk. Je mag van geluk spreken.'

'Ik doe het voor Stanton, Juffie,' zei Adair. 'Als ik niet trouw kan de koning me wel weer zo iemand als die arme FitzTudor sturen, of erger!'

'Ik weet dat je voor Stanton trouwt,' antwoordde Elsbeth. 'Je moet wel om erfgenamen voor het landgoed te krijgen. Maar als je een man in je bed moet nemen – en dat moet – dan kan het geen kwaad om een aantrekkelijke man naast je te hebben, meisje. Ik heb horen vertellen dat hij een goede bedgenoot is,' voegde ze er met een veelbetekenende knipoog aan toe.

'Wie heb je dat horen zeggen?' vroeg Adair zacht. 'Ik wil het niet opnemen tegen een maîtresse van mijn man!'

'Ik heb het in de omgeving gehoord,' zei Elsbeth. 'Maar je man is op het gebied van vrouwen een dwaallicht. Hij heeft geen favorieten aan elke kant van de grens, voor zover ik weet, maar de meisjes glimlachen en knikken waneer zijn naam wordt uitgesproken.'

'Elke kant van de grens?' Adair trok een wenkbrauw op.

'Ja, er is geen lijn tussen de heuvels getrokken. Een man kan gaan en staan waar hij wil. Als hij een aardig meisje ziet dat hij wil hebben, maakt het niet uit aan welke kant van de grens hij zich bevindt. Alle mannen uit deze omgeving zijn zo. De nieuwe graaf is niet anders.'

'Ik moet met Andrew praten,' zei Adair fel. 'Ik wil geen onzin met andere vrouwen, of bastaards in de hele omgeving.'

'Rustig nou, liefje,' waarschuwde Elsbeth. 'Ik geloof niet dat de graaf iets zou doen dat jou zou kwetsen of je te schande maken. Breng hem nou niet in verlegenheid door eisen te stellen die niet nodig zijn.'

'Ik wil geen echtgenoot die voortdurend in andermans bed ligt,' zei Adair stijfjes.

'Zorg er dan voor dat hij tevreden is in zijn eigen bed,' antwoordde Elsbeth.

Adair bloosde. 'Je weet heel goed dat ik nog nooit met een man in bed heb gelegen,' zei ze.

'Nou, vanavond zal dat gebeuren, en in het besef dat je nog maagd bent, zal hij het je wel leren,' zei Elsbeth. 'Passie kan met de juiste man iets geweldigs zijn, meisje.'

'En als hij nou niet de juiste man is?' wilde Adair weten.

'Pure lust is plezierig, ongeacht wat de Kerk erover zegt.' Elsbeth giechelde. 'Kom nou maar, milady,' zei ze vervolgens, 'je bad is bijna klaar. Niets windt een man zo op als een heerlijk geurende vrouw. Ik heb wat van dat lekkere geurtje dat lady Margaret je eens heeft gegeven in het badwater gedaan.'

Ze begaven zich naar de kleine kamer naast de slaapkamer waar een eiken tobbe stond. Adairs moeder had een aparte badruimte willen hebben, en haar liefhebbende man was maar al te bereid geweest aan haar wens tegemoet te komen.

Twee stevige vrouwen waren bezig de tobbe met ketels heet water te vullen. Toen ze weg waren, stapte Adair in het bad en waste haar haren. Daarna zeepte ze zich in en nam de tijd om zich af te spoelen. Buiten was het nog steeds donker. De priester zou hen na de eerste ochtendmis zegenen. Adair had de mensen van Stanton vandaag een vrije dag gegeven, en ze waren voor het feest in de grote zaal uitgenodigd. Adair had geen idee welke dag van de week het was. Ze wist alleen dat het november was, en de rest deed er niet toe. Ze had een echtgenoot, en haar leven zou rond het landgoed draaien. En er zouden kinderen komen. Het was een ontstellende gedachte, maar dat was nou eenmaal de reden waarom je een echtgenoot nam, toch? Om erfgenamen te krijgen. En ze wilde erfgenamen voor Stanton hebben.

Ze stapte uit de tobbe, en Elsbeth wikkelde haar in een grote droogdoek, waarna ze haar naar het vuur in de slaapkamer leidde. Adairs lange haar droogde langzaam, tot het weer zijdeachtig en zacht was. 'Ik zal het los dragen,' zei ze. 'Want ik ben nog steeds maagd.'

'Ik heb gisteravond je violette damasten jurk uitgekozen,' zei Elsbeth, wijzend naar het kledingstuk dat nu uitgespreid op het bed lag.

Adair liet haar hand eroverheen glijden. De jurk was een cadeau van de koning geweest. 'Het is het mooiste dat hij me ooit heeft gegeven,' zei ze zacht, terwijl ze een schoon hemdje aantrok, en vervolgens haar jurk.

'Mis je het hof?' vroeg Elsbeth zich hardop af.

'Nee, helemaal niet. Ik geef de voorkeur aan Stanton, en mijn eigen gezelschap,' antwoordde Adair. 'Ik vraag me af of mijn zusters aan me denken. Ik moet Bessie vandaag een brief schrijven. Misschien kan ik hem voor de sneeuw naar het zuiden laten brengen. Ik zal hem eerst naar Middleham laten brengen. Oom Dickon zal zijn eigen kerstcorrespondentie ook willen versturen.' Ze trok de halslijn van de jurk recht. 'Geef me mijn versierde haarband aan, Juffie. Die met de parels en paarse edelstenen.' Ze stak haar hand uit en Elsbeth plaatste het verlangde voorwerp op haar handpalm. Adair schoof de band om haar hoofd.

'Je ziet er prachtig uit, milady,' zei Elsbeth. 'Je ouders zouden hun goedkeuring aan lord Andrew geven. Hij zal een goede graaf voor ons zijn.'

Zou hij dat zijn, vroeg Adair zich af. Ze kende de man nauwelijks die nu haar echtgenoot al was, aangezien ze de papieren enkele dagen terug op Middleham hadden getekend. En de man die vandaag hun huwelijk zou bezegelen, kende ze ook niet. Hij was in haar jeugd nooit op Stanton geweest. Vader Gilbert, werd hij genoemd, en ze wist niet of hij van de Engelse of Schotse kant van de grens was.

'Tijd om naar beneden te gaan,' onderbrak Elsbeth haar overpeinzingen.

'Kun je me niets over vanavond vertellen, Juffie,' vroeg Adair.

'Het is niet aan mij je te onderwijzen, milady. Dat zal je echtgenoot doen. Het zou anders zijn als je moeder, God hebbe haar ziel, nog leefde, maar ze is er niet, en het is niet mijn taak. Ik heb gezegd wat ik kon, en ik zal niets meer zeggen.'

'En als de baby's komen, Juffie? Kun je dan helpen?' vroeg Adair.

'Dan kan ik helpen,' zei Elsbeth met een vage glimlach. 'Zo, de bruidegom verwacht je, milady. Je wilt hem niet laten denken dat je onwillig bent. Je hebt voor God, hertog Richard en zijn goede hertogin ingestemd met dit huwelijk.'

'Dat heb ik gedaan,' beaamde Adair. 'Laten we gaan.' Ze schrok toen er op de deur werd geklopt.

Elsbeth haastte zich om open te doen, en het volgende moment stond ze oog in oog met de nieuwe graaf.

'Mag ik een ogenblik binnenkomen?' informeerde hij beleefd. 'Elsbeth mag erbij blijven.'

Adair wenkte hem binnen. 'Ben je zo ongeduldig, milord, of ben je bang dat ik me bedenk?'

'Je kunt het huwelijk niet herroepen. Wettelijk gezien zijn we al getrouwd, maar ik ben niet bang dat je van me weg zult lopen zoals je bij het hof bent weggelopen, Adair. Voordat we Middleham verlieten, heb ik een boodschap naar mijn grootvader en broer gestuurd om ze op de hoogte te brengen van de verbintenis die de hertog tussen ons tot stand heeft gebracht. Ik wil je laten weten dat ik ze niet heb uitgenodigd, omdat ik eerst wat tijd als man en vrouw met je wilde doorbrengen, maar desondanks zijn ze gearriveerd. Mijn grootvader is een harde, oude man, en hij zal ongetwijfeld iets te zeggen hebben over het feit dat ik nu de naam Radcliffe ga dragen. Hoe het hem is gelukt hierheen te komen, weet ik niet, want hij is tamelijk hulpbehoevend door zijn leeftijd. Zul je geduldig met hem zijn?'

'Zul jij dat zijn?' vroeg Adair.

'Waarschijnlijk niet,' bekende Andrew. 'Mijn oudere broer, Rob, heb je ontmoet.'

'Als ze hier zijn, dan zijn ze hier, en we kunnen niets anders doen dan hen als verwanten begroeten,' zei Adair. 'Vertel me hoe je schoonzuster is.'

'Allis is geduldig en verstandig. Ze tolereert mijn grootvader,' antwoordde Andrew.

'Ik kan niet beloven dat ik geduldig zal zijn, en ik weet niet of ik verstandig ben, maar ik zal je grootvader tolereren terwijl hij in ons huis is en omdat hij jouw bloed heeft, Andrew. Ik ben je gaan respecteren in de tijd dat je nu op Stanton bent.'

Andrew pakte haar beide handen en drukte er een kus op. 'Dank je,' zei hij zacht.

Adair bloosde aantrekkelijk. 'Als lord Humphrey en je broer hier zijn, dan moeten we ze maar gaan begroeten, milord.'

Hij knikte, en met Elsbeth achter hen aan daalden ze de trap af naar de grote zaal. Daar troffen ze lord Humphrey languit in een grote stoel bij het vuur. Het was duidelijk dat de lange ochtendrit hem behoorlijk had uitgeput. Robert Lynbrige stond naast hem. Zijn milde blauwe ogen lichtten op toen hij Andrew en Adair de hal zag binnenkomen, en hij glimlachte warm.

Zodra Adair zag in wat voor toestand haar gast verkeerde, snelde ze naar hem toe. 'Milord, wat heeft u in hemelsnaam bezield om zo'n reis te ondernemen? Ik had begrepen dat u niet meer in staat was te rijden.'

'De dag dat ze me niet meer op een paard kunnen krijgen, zal de dag zijn dat ze me in mijn doodskist leggen,' bromde lord Humphrey. 'Nou, kom dichterbij, meisje, en laat me je eens bekijken. Ja, je lijkt op je moeder, hoewel ik niets van de Radcliffes in je zie. Wat is dat trouwens voor dwaasheid dat mijn kleinzoon de naam Radcliffe moet aannemen?'

'Het was de wens van mijn vader toen hij graaf van Stanton werd. De koning was het ermee eens. Zoiets komt wel vaker voor, milord,' zei Adair rustig.

'Hij is een Lynbridge,' bitste de oude man.

'Hij is de graaf van Stanton, milord, en de graven van Stanton zijn Radcliffes, hetzij door keuze, hetzij door geboorte,' antwoordde Adair.

'Waarom heeft de koning ermee ingestemd?' vroeg lord Lynbridge.

'Omdat hij mijn natuurlijke vader is, milord. De man die ik vader noemde, heeft me niet verwekt. Dat deed Edward van York. Niet dat hij een vader voor me was. John Radcliffe hield van me alsof ik zijn eigen vlees en bloed was, en hij was de vader die ik kende.'

'Ben je een bastaard van de koning? Allemachtig, ik heb me altijd afgevraagd wat voor grote dienst John Radcliffe de koning heeft bewezen. Maar het was je vader helemaal niet. Het was je lieve moeder, Jane, die de koning een dienst heeft bewezen. Hoelang wist je dit al van je afkomst, meisje?'

'U moet me met meer hoffelijkheid bejegenen, milord,' zei Adair koud. 'Ik ben geen meisje of meid, ik ben hare ladyship de gravin van Stanton. U mag me zo aanspreken, of met Adair, aangezien ik met uw kleinzoon ben getrouwd. Maar u mag me in de toekomst niet meer aanspreken alsof ik een of andere bediende ben.'

De mond van de oude man viel open van verbazing, terwijl Robert Lynbridge zijn lachen probeerde in te houden. Hij keek zijn jongere broer aan, die zelf worstelde om zijn gezicht in de plooi te houden. 'Nou, de hemel sta me bij, je hebt wel een eigen mening, milady,' zei de oude man.

'Inderdaad, milord,' beaamde ze vrolijk.

'Dus mijn Andrew wordt een Radcliffe en zal niet langer een Lynbridge zijn,' zei hij.

'Ja, maar bij de naam hoort het graafdom, milord, en dat is de naam toch zeker wel waard?' Ze keek de oude man recht aan.

'Misschien,' zei deze langzaam. 'Onze families zijn al eeuwen onderling getrouwd, wist je dat? John Radcliffes grootmoeder was een Lynbridge. Andrew zal binnenkort, vanwege die naamsverandering, zonen bij je verwekken, milady. Dat heeft Fitz-Tudor niet gedaan.'

'Het was FitzTudor niet toegestaan het bed met me te delen, milord,' vertelde Adair hem rustig.

'Maar mijn kleinzoon wel.'

'Ja,' beaamde Adair. 'Hij wel. Andrew en ik hebben elkaar leren kennen. Ik kende FitzTudor niet, en bovendien was hij een dwaas. Dat is uw kleinzoon niet.'

'Het kwam goed uit dat hij is gestorven,' zei de oude man sluw.

'Zijn dood was tragisch en dwaas,' antwoordde Adair. 'Ik heb hem niet vermoord. Maar ik was van plan hem naar zijn vader terug te sturen en het huwelijk nietig te laten verklaren. De koning had het recht niet me een echtgenoot te sturen terwijl ik al nee had gezegd.'

'De koning heeft het nodig dat de grenzen worden bewaakt,' zei lord Lynbridge.

'Dat had FitzTudor niet kunnen doen, en we hebben trouwens vrede,' zei Adair.

'In de grensgebieden is nooit echt sprake van vrede,' zei de oude man.

'Zijne lordship, de graaf van Stanton, zal zijn land weten te behouden,' zei Adair.

'Ja, milady, dat zal hij doen,' beaamde lord Lynbridge. 'Als er één ding is dat mijn kleinzoon goed kan, dan is het vechten. Er is geen betere man in een strijd dan Andrew Lynbridge.'

'Andrew Radcliffe,' verbeterde Adair hem.

Hij knikte. 'Ja, Andrew Radcliffe.' Toen keek hij haar aan, en zei: 'Robert vertelde me dat je een goede maaltijd serveert, milady. Ik ben uitgehongerd. Moet ik hier soms blijven zitten en de hongerdood sterven?'

'U krijgt een maaltijd na de mis, milord. Terwijl wij hier praten zijn vader Gilbert en twee jongens bezig het altaar in gereedheid te brengen. Hoewel we het huwelijkscontract op Middleham hebben getekend, zal onze verbintenis vanochtend in de aanwezigheid van mijn mensen op Stanton worden ingezegend. Het is een gelukkig toeval dat u nu bent gekomen. Ik ben blij dat Andrews familie getuige zal zijn van onze huwelijksceremonie.' Ze wenkte naar Albert en zei zacht: 'Laat twee sterke mannen komen om de oude man in zijn stoel voor het altaar te zetten zodat hij aan de ceremonie kan deelnemen.'

'Ja, milady,' zei Albert, en ging weg om aan haar verzoek te voldoen.

'Het is fijn je weer te zien, milady,' zei Robert Lynbridge met een buiging.

'Alsjeblieft, Rob, noem me bij mijn voornaam. Je bent nu mijn broer, en ik heb altijd een oudere broer willen hebben.' Ze reikte hem haar hand en hij drukte er een kus op.

'Je hebt de oude man goed behandeld,' mompelde Andrew zacht. 'Hij is een bullebak als hij de kans krijgt.'

'Ik heb me nog nooit door een man laten afblaffen, zelfs niet door de koning,' zei Adair liefjes.

Rob lachte. 'Kan het zijn dat je je gelijke hebt ontmoet, broertje?' plaagde hij.

'Misschien heeft Adair de hare ontmoet,' antwoordde Andrew grinnikend.

'Dat zullen we nog wel eens zien, milord,' zei Adair.

Inmiddels was het altaar aan de andere kant van de grote zaal in gereedheid gebracht. De oude man werd naar voren gedragen zodat hij alles goed kon zien. De mis begon. De kaarsen flakkerden terwijl de priester de dienst leidde. En toen hij de mis had voorgedragen, kwamen Adair en Andrew naar voren en knielden voor hem neer. Vader Gilbert zegende hun verbintenis die formeel al bijna twee weken ervoor was vastgelegd. Daarna mocht het paar opstaan en zich omdraaien naar de mensen van Stanton, die hartelijk juichten, wat de bruid en bruidegom deed glimlachen.

De kaarsen op het altaar werden gedoofd, en de bedienden haastten zich om schalen met voedsel op de grote tafel te zetten. Lord Lynbridge werd er in zijn stoel naartoe gedragen, en aan de linkerkant van de bruid gezet. Hij zei weinig, maar zijn gemompel en smakkende lippen maakten duidelijk dat hij de maaltijd die voor hem was opgediend, wist te waarderen. Na de maaltijd verklaarde hij dat Robert hem diezelfde dag naar huis zou brengen, maar Adair wilde dat hij nog even bij het vuur bleef zitten. Daar viel hij prompt in slaap.

'Het was te veel voor hem,' zei Adair. 'Jij en je grootvader moeten de nacht hier doorbrengen, Rob. Tenzij je dringende zaken hebt die vereisen dat je eerder vertrekt, denk ik dat het beter is om tot morgenochtend te wachten. Hoelang is het rijden naar het hof?'

'Verscheidene uren,' antwoordde Robert.

'Lieve hemel, hoe laat zijn jullie vanochtend dan wel niet vertrokken?' riep ze uit, want ze hadden voor zonsopkomst al voor haar deur gestaan. 'Hoe oud is jullie grootvader?'

'Hij zegt dat hij drieënzeventig is,' antwoordde Robert. 'En we zijn even na twee uur vanochtend van het hof vertrokken.'

'Waarom was hij zo vastbesloten vandaag hierheen te komen?' vroeg Adair.

'Ik geloof dat hij dacht dat je inmiddels terug zou zijn. Hij was van streek omdat Andrew jouw naam zou aannemen en de onze afleggen,' antwoordde hij openhartig.

'Het was beter dat ik dat deed,' zei de nieuwe graaf. 'Op deze manier kan grootvader niet de illusie koesteren dat de landerijen van Racliffe nu de landerijen van Lynbridge zijn. Je weet dat hij het grondgebied van Stanton altijd heeft willen hebben. Nu moet hij die gedachte uit zijn hoofd zetten.'

Adair stond op. 'Ik moet de kokkin gaan vertellen dat onze gasten tot morgen blijven,' zei ze. Daarna haastte ze zich weg.

'Ze is lieflijk,' merkte Robert op. 'En ze heeft een sterke wil. Heb je gezien hoe ze grootvader aanpakte? En hij liet zich niet door haar van zijn stuk brengen.'

'Ik heb geen idee wat het is om getrouwd te zijn, Rob,' zei Andrew plotseling.

'Geen enkele man weet dat in het begin, en zelfs na verscheidene jaren is het nog steeds verwarrend, broertje. Het huwelijk is een spel, maar het is je vrouw die de regels van het spel bepaalt. Die regels zullen telkens veranderen, maar jij zult niet altijd op de hoogte worden gebracht van die veranderingen, hoewel er van je wordt verwacht dat je ze allemaal kent.' Robert grinnikte. 'Onthoud alleen dat het huis en de bedienden van haar zijn. En de kinderen, als ze komen. De rest is aan jou om te regelen.'

'Ik verwacht dat Adair de rest ook wil hebben,' zei Andrew. 'Ze houdt van Stanton, en ze is zowel de landerijen als de mensen toegewijd.'

'Deel het dan met haar tot ze bereid is het aan jou over te dragen,' adviseerde Rob hem verstandig. 'Dat zal uiteindelijk gebeuren. Jezus, Andrew, je bent een graaf! Mijn broer, de graaf van Stanton! Ben je al met haar naar bed geweest?'

'We zijn gisteren teruggekeerd van Middleham. Ik wilde er niet op aandringen tot de Kerk onze verbintenis had gezegend.'

'Dus vanavond zal je huwelijksnacht zijn,' constateerde Robert.

'Adair is nog maagd. Ik zal wachten tot jij en grootvader zijn vertrokken, Rob,' zei Andrew.

'Je moet wel gesteld zijn op die kleine heks,' merkte Robert op. 'Ik heb nooit geweten dat je zo teder met de gevoelens van een vrouw kon omgaan.'

'Ik moet met haar leven, Rob, en ik geef de voorkeur aan een vredig huishouden. Ik heb al genoeg oorlog meegemaakt in mijn leven,' antwoordde Andrew.

Maar tot zijn verbazing excuseerde Adair zich die avond van tafel en mompelde in zijn oor: 'Als ik slaap wanneer je naar boven komt, milord, maak me dan wakker. We hebben vandaag nog een plicht voor Stanton te doen.'

Zijn verbazing verbergend, knikte hij. Wilde ze hem vanavond in haar bed? Nou, dat voorspelde veel goeds, nietwaar? Hij onderdrukte een glimlach. 'Weet je het zeker?' vroeg hij.

'Milord,' was het enige wat ze zei voordat ze zich tot zijn grootvader wendde. 'Elsbeth heeft een comfortabele slaapplaats voor u in de zaal klaargemaakt. Er zal de hele nacht een bediende tot uw beschikking staan voor het geval u iets nodig heeft.' Ze maakte een buiging. 'Ik zeg u nu welterusten.' Daarna draaide ze zich om en verliet de hal.

Lord Lynbridge keek haar na. 'Ze mag dan uiterlijk op haar moeder lijken, maar ze heeft het lef en de ruggengraat van haar verwekker. Ik zie, Andrew, dat je vrouw iemand is die de betekenis van plicht kent. Ga nu maar naar haar toe, kleinzoon. Ik ben trots op je.' Hij dronk zijn bokaal wijn leeg en sloeg daarna met zijn hand op de eiken tafel om aan te geven dat hij meer wilde hebben. 'Je vrouw dient een goede maaltijd op en ze heeft een goede kelder.' Daarna nam hij een slok uit zijn bijgevulde bokaal.

'U zult het bij het vuur warmer hebben, milord,' mompelde Albert in het oor van de oude man. Voordat hij ja of nee kon zeggen werd hij met stoel en al opgetild en naar het vuur gedragen, terwijl hij zijn bokaal stevig omklemde.

'Haar bedienden zijn goed getraind,' merkte Robert op. 'Je bent in een goed geregeld huishouden terechtgekomen, broertje.'

Andrew knikte bevestigend met zijn hoofd. 'Inderdaad.' Hij stond op. 'Welterusten, Rob. Ik zie je morgen voordat jij en grootvader vertrekken.' De nieuwe graaf liep de hal uit en beklom de trap naar de eerste verdieping waar zijn bruid op hem zou wachten. Toen hij de slaapkamerdeur bereikte, trof hij echter Elsbeth aan die daar op hem wachtte. 'Is Adair klaar om me te ontvangen?' vroeg hij.

'Wanneer heeft u voor het laatst gebaad?' vroeg Elsbeth.

'Gebaad?' Hij keek verbaasd door haar woorden. 'Waarom?'

'Mijn meesteres heeft een delicate neus, milord. Ze baadt regelmatig. Ze heeft gezegd dat u moet baden voordat u bij haar in bed komt. De kamers van de meester en meesteres delen een kleine badkamer, die de moeder van milady heeft laten bouwen. U heeft geen eigen bediende, maar Albert zal een geschikte jongen voor u vinden. Vanavond zal ik echter doen wat er gedaan moet worden,' zei Elsbeth.

'Ik ben best in staat mezelf te wassen,' protesteerde Andrew.

'Milady heeft gezegd dat ik het moet doen. Komt u mee, milord.'

Ze leidde hem naar de kleine badkamer waar een grote tobbe stond. Andrew was zo gefascineerd door de accommodatie dat hij aanvankelijk niet merkte dat Elsbeth zijn kleren begon uit te trekken. Hij ging zitten om haar de laarzen van zijn voeten te laten rukken, en hij bloosde toen ze wat over hun conditie begon te sputteren. 'U zult nieuwe laarzen nodig hebben, milord,' zei ze. 'Ik zal het tegen Albert zeggen, en dan zal de schoenmaker komen om uw voeten op te meten.'

Hij klom in het hete badwater. 'Jezus, vrouw! Wil je mijn huid verschroeien!' riep hij geschrokken uit.

Maar tot zijn verbazing besteedde Elsbeth geen aandacht aan zijn uitroep. Haar stevige vingers bewerkten zijn schedel met water en zeep. 'Geen neten,' mompelde ze op een gegeven moment tevreden, en daarna overhandigde ze hem een kleine ruwe doek. 'U doet de delen die u moet doen en ik zal voor de rest zorgen,' zei ze.

'Heb je FitzTudor ook in bad gedaan?' vroeg hij.

'Dat kind had zijn eigen bediende die hij uit het zuiden had meegebracht. Ik wilde niets met hem te maken hebben. Hij was eerder rijkelijk geparfumeerd dan gewassen,' antwoordde Elsbeth. 'En helemaal toen ze eenmaal de stand van zaken inzagen,' voegde ze eraan toe.

'En hoe stelden ze die stand van zaken vast?' vroeg Andrew, terwijl hij zijn nek en schouders boende.

'FitzTudor sloop op een avond naar haar kamer en probeerde zich aan haar op te dringen. Ze sloeg hem met een aardewerken kan op het hoofd. Hij viel op de vloer, en daarna riep ze Beiste, die de jongen aan zijn broekspijp uit haar kamer sleurde.' Elsbeth giechelde toen ze het incident weer voor zich zag. 'Daarna bleef hij bij haar uit de buurt. Ze is nog maagd, en dat is vast het antwoord dat u met al uw vragen heeft willen verkrijgen, milord. Behandel haar alstublieft met zachtheid.'

'Heb je haar uitgelegd wat er bij komt kijken wanneer een man en een vrouw paren?' vroeg hij aan de oudere vrouw.

'Dat is niet mijn taak, milord,' zei Elsbeth. 'Ze heeft geen moeder, en dus moet u, als haar man, haar langs het pad der liefde leiden. Heeft u de delen gewassen die ik niet met name kan noemen? Als dat zo is, dan bent u klaar, milord. Ik zal u alleen laten zodat u zich kunt afdrogen. Die deur,' ze wees naar een kleine ingang, 'leidt naar de slaapkamer van mijn meesteres.' Ze maakte een buiging. 'Goedenacht, milord.'

Hij bleef in de tobbe, genietend van het hete water, tot hij besefte dat het begon af te koelen. Dus de knaap had geprobeerd haar te krijgen en was ruw afgewezen. Nou, hij kon het de jongen niet eens kwalijk nemen. Adair was een smakelijk hapje. Ze had gezegd dat ze nog maagd was. Haar bediende had hetzelfde gezegd. Hij slaakte een zucht. Een *maagd*. Hoe moest je in vredesnaam een maagd benaderen? En hoe moest je dat doen als ze ook nog je vrouw was? Hij had verwacht dat hij pas over enkele dagen het bed met haar zou delen. Tot die tijd was hij van plan geweest haar voor zich te winnen met kussen en strelingen die steeds brutaler zouden worden tot ze nieuwsgierig genoeg was, en daardoor bereid, om verder te gaan. Maar toen ze de grote zaal had verlaten nadat ze hem had toegefluisterd dat ze nog aan een plicht moesten voldoen, was hij verbaasd geweest. Ja, het was belangrijk dat er een nieuwe erfgenaam voor Stanton zou komen, maar hij wilde een bedgenote die ervan zou genieten om bij hem te zijn.

Andrew besefte plotseling dat hij het koud kreeg. Hij stapte dus uit de tobbe, reikte naar een droogdoek die op een rek hing en begon zijn lichaam en haar droog te wrijven. Hij keek om zich heen en zag geen kledingstuk dat hij kon aantrekken. Hoofdschuddend greep hij de hendel van de verbindingsdeur en opende hem. Hij stapte de slaapkamer van zijn vrouw binnen en trok de deur achter zich dicht. Er brandde een vuur in de haard, en de gordijnen voor de ramen waren dichtgetrokken. Hij trok de gordijnen die het grote eiken bed omsloten opzij, en zag Adair rechtop tegen de kussens op hem zitten wachten. Haar ogen werden groot bij de aanblik van zijn naakte lichaam, maar ze zei niets. Hij zag dat zij ook zonder kleren was, want haar schouders en armen waren naakt terwijl ze het laken tegen haar borsten geklemd hield.

'We hoeven dit niet vanavond te doen,' zei hij rustig. Ze was bang. Hij zag de angst in haar violette ogen. Hij wilde niet dat ze bang was.

'Ja, we doen het wel,' fluisterde ze. 'Je grootvader zal morgenochtend bloed op het laken willen zien. Als we hem niets kunnen tonen, dan zal hij aannemen dat ik geen maagd meer was. En als je hem vertelt dat je me niet hebt ontmaagd, zal hij je in de grote zaal voor lafaard uitmaken. Ik zal niet toestaan dat hij ons in het bijzijn van de mensen van Stanton te schande maakt, Andrew. Het zou onze autoriteit ondermijnen. Kom in bed, milord, voordat je kouvat.' Ze trok het laken weg.

Hij kroop naast haar en trok het laken weer over hen heen. 'Geef me je hand,' zei hij tegen haar, en ze liet haar hand in de zijne glijden. 'Het spijt me te moeten zeggen dat je gelijk hebt, Adair. Mijn grootvader kan nogal een bullebak zijn. Je kracht van vanavond heeft zijn diepe respect gewekt. En je begrip van onze situatie is goed doordacht. Als mijn grootvader vandaag niet was gekomen, zouden we misschien de tijd hebben gehad die we nodig hebben om elkaar echt te leren kennen. Maar die tijd hebben we dus niet. Laat me je echter iets voorstellen. Zullen we elkaar eerst knuffelen tot je je dapper genoeg voelt om te paren? We hebben tot de dageraad om te doen wat we moeten doen. Het hoeft niet onmiddellijk te gebeuren, Adair.' Onder het laken gleed hij iets naar beneden en trok haar met zich mee. Hij sloeg zijn sterke armen om haar heen. 'Zo. Is dat beter, vrouw?' Zijn lippen wreven over haar voorhoofd, en de bloemengeur van zijn bad rees uit zijn donkere haar. 'Ik had niet verwacht ooit te trouwen,' zei hij. 'Ik heb een vrouw niets te bieden.' Het gevoel van haar jonge, soepele lichaam tegen het zijne wond hem op. Andrew worstelde om zijn zelfbeheersing te bewaren. Hij kon niet toestaan dat zijn wellustige lichaam over zijn gezonde verstand regeerde. Dit meisje was de vrouw met wie hij voor de rest van zijn leven getrouwd zou zijn.

'Te oordelen naar wat ik zojuist heb gezien, milord, heb je een vrouw meer dan genoeg te bieden,' zei Adair, waarbij ze ondeugend giechelde. Ze had hem goed bekeken voordat hij in haar bed stapte. Hij was de eerste naakte volwassen man die ze ooit in haar leven had gezien. Ze had niet veel ervaring nodig om te weten dat hij goed gebouwd was.

Andrew grinnikte. 'Ik wist niet dat je me in het gedempte licht zo goed zou kunnen bekijken.'

'Het licht was helder genoeg om je attributen in ogenschouw te nemen, milord,' zei ze. 'Ik heb natuurlijk niets om ze mee te vergelijken, maar ik vermoed dat ze bij meerdere lady's in de smaak zijn gevallen. Ik geloof dat ik veilig kan zeggen dat ik vanavond de enige maagd in dit bed ben.' Haar wangen werden warm en rood bij haar brutale woorden.

'Ja, jij bent hier de enige maagd,' beaamde hij. 'Ik heb mijn maagdelijkheid verloren toen ik veertien jaar was, en sindsdien heb ik verscheidene vrouwen gekend. Maar ik ben niet zorgeloos met mijn genegenheid. Ben je altijd zo openhartig in je taalgebruik, Adair? Ik heb nooit een vrouw gekend die haar gedachten zo openlijk uitspreekt.'

'Lady Margaret heeft me altijd aangeraden voorzichtiger te zijn met wat ik zeg. Ze zei dat degenen die me niet kenden, zouden kunnen denken dat ik brutaal ben – of erger, lichtzinnig. Maar ik heb altijd gezegd wat ik denk. Aan het hof was ik er nooit goed in hun spelletjes mee te spelen,' merkte Adair op. 'Ik ben te eerlijk, vermoed ik.'

Zijn lichaam was stevig, en er school een zekere troost in het feit dat zijn armen haar omsloten. Ze voelde zich veilig, en dat was voor het eerst sinds ze een kind was. En zijn huid was glad en rook lekker. Ze vroeg zich af wat Elsbeth in zijn badwater had gedaan. Ze moest eraan denken het haar te vragen.

'Waarom ben je zo lang aan het hof gebleven?' wilde hij weten.

'Milord, ik was nog slechts zes jaar toen de Lancastrianen mijn ouders vermoordden. Ik had niemand anders behalve de koning naar wie ik toe kon gaan. Mijn verwekker heeft grote charmes, zoals je ongetwijfeld hebt gehoord. De meesten die in zijn nabijheid komen, zijn verrukt over hem. Zijn manieren zijn onberispelijk, en zijn geheugen voor gezichten en namen is ongelooflijk. Hij kan vreemden het gevoel geven dat ze welkom zijn en zelfs laten denken dat ze hechte vrienden zijn. En hij begrijpt zijn plicht als koning van zijn koninkrijk.' Ze wachtte even.

'Maar ik kon hem of de koningin niet echt aardig vinden. Beiden zijn volkomen op zichzelf gericht. De koning staat zichzelf schaamteloos toe van vrouwen en zijn rijke leven te genieten. De interesses van de koningin zijn erop gericht de leden van haar familie vooruit te helpen. Ze brengen hun kinderen groot als een nest puppy's, en daarna verwaarlozen ze hen omdat ze geloven dat ze hun plicht hebben gedaan. Als lady Margaret Beaufort zich niet om ons had bekommerd, dan waren wij kinderen verloren geweest. Zij was degene die ons een gestructureerd leven bezorgde. Zij heeft ons manieren bijgebracht, ons geloof en ons zedelijke gedrag. Zij zag erop toe dat we werden opgevoed om ons naar onze stand te gedragen. En ze heeft me nooit lelijk of anders behandeld dan mijn halfzusjes. Ze is een goede vrouw, Andrew.'

'Toch ben je van het hof weggelopen,' zei hij. 'Waarom?'

'Ik heb altijd het gevoel gehad dat mijn verplichting bij de koning lag, maar mijn tweede verplichting was Stanton. Ik wilde niet als bezit van de koning worden behandeld om daarna door hem te worden uitgehuwelijkt. En zo heeft hij me behandeld. Ik heb geprobeerd hem tot rede te brengen, maar hij wilde niet luisteren. De Lancasters wilden een koningsdochter voor een van hun zoons, en ik ben de dochter van de koning. Maar aangezien ik een bastaard ben en als onbelangrijk word beschouwd, werd ik voor FitzTudor gekozen, die ook aan de verkeerde kant van de deken werd geboren, maar zijn vader hield heel veel van hem. En omdat ik mijn echtgenoot een titel zou brengen, kon de graaf van Pembroke zich niet beledigd of ontevreden voelen. Het was slim bedacht door de koning, op één ding na: niemand had erover nagedacht hoe ik het zou vinden om met een man te worden opgezadeld die ik niet wilde.'

'Desondanks worden huwelijken in onze stand op deze manier geregeld, Adair. Rijkdom en voordelen voor beide partijen zijn beslissende factoren om verbintenissen tot stand te brengen. De hertog heeft onze verbintenis uiteindelijk ook geregeld, en toch heb je ermee ingestemd. Waarom?'

'Omdat ik weet dat ik een echtgenoot moet hebben, want ik ben niet zo dwaas om te denken dat ik Stanton in mijn eentje tegen de Schotten zou kunnen verdedigen,' vertelde ze hem openhartig. 'En zoals je grootvader opmerkte, onze families hebben al eerder onderling huwelijken gesloten, en we zijn buren. Daarbij komt dat ik je ken, Andrew, en jij kent mij. Je was bereid met me te trouwen, toch? En niet alleen omdat oom Dickon het aan je vroeg.'

Hij glimlachte voor zich heen in het gedimde licht. 'Je weet dat ik van plan was je het hof te komen maken, Adair,' zei hij zacht, waarna hij haar voorhoofd kuste. 'Toen ik je voor het eerst ontmoette wist ik niet dat je de gravin van Stanton was, en dat je man de graaf zou worden. Maar je was het mooiste meisje dat ik ooit had ontmoet, en ik wilde je hebben. Dat wil ik nog steeds. Maar als dat niet zo was geweest, dan had ik toch ingestemd met het verzoek van de hertog, want ik ben hem mijn loyaliteit schuldig omdat ik hem eerder heb gediend. Je moet begrijpen dat ik een man ben die doet wat gedaan moet worden.'

Ze bleef zwijgen.

Het vuur in de haard knetterde, en door de gesloten gordijnen rond het bed was de wind vaag te horen. Hij verplaatste hun lichamen zodat ze nu op haar rug kwam te liggen. Hij hief zich op een elleboog overeind en trok het laken weg, zodat hij haar naaktheid onthulde. Ze had volmaakte ronde borsten met een kersrode tepel. Andrew haalde diep adem en voelde zijn kruis verstrakken. Haar middel was smal en haar heupen en dijen goedgevormd. Haar venusheuvel was glad en roze, want een lady van het hof, wist hij, had geleerd de haren eruit te trekken, zoals de mode was. Ze had kleine, slanke voeten met een hoge wreef. Haar lichaam was in elk opzicht net zo mooi als haar gezicht, en Andrew vond het moeilijk om weg te kijken.

'Beval ik je?' vroeg ze zacht.

'Ja, je bevalt me helemaal,' antwoordde hij.

'Ik heb gehoord dat mannen het prettig vinden om vrouwenborsten aan te raken,' zei Adair. 'Zou je het prettig vinden om de mijne aan te raken?'

'Ja.' Hij knikte, hief zijn hand en omvatte de zachte ronding. Hij streelde haar borst en hoorde dat ze haar adem inhield. Zijn duim streek over de tepel, en hij zag Adairs ogen groot worden. 'Mijn aanraking zou je genot moeten geven,' zei hij, en boog zijn donkere hoofd om haar tepel te kussen.

'O ja!' antwoordde Adair ademloos toen zijn mond zich over haar tepel sloot en er zacht aan begon te zuigen. 'Ja!'

Vervolgens hief hij zijn hoofd, en zei zacht: 'Ik verlang er zo naar om je te kussen, Adair,' waarna zijn mond de hare bedekte. Haar lippen waren zacht, en ze werden nog zachter toen ze probeerde zijn leiding te volgen. Zijn tong glipte in haar mond en hij nodigde haar uit zijn tong te liefkozen. Terwijl ze dat deed, huiverde ze. En toen hij vond dat ze genoeg had gehad, trok hij haar weer in zijn armen en hield haar dicht tegen zich aan.

'Waarom klim je niet boven op me en maak je het af?' vroeg Adair.

'Heb je niet van het kussen genoten?'

'Ja, maar je hebt mijn vraag niet beantwoord,' zei ze.

'Dieren beklimmen elkaar wanneer ze paren. Daar komt geen emotie bij kijken. Hun behoefte om het te doen is puur instinctmatig,' begon hij. 'Maar wij zijn geen dieren, Adair. Ik wil eerst van je genieten, en ik wil dat jij er ook van geniet. Daarom bereiden we elkaar voor met kussen en strelingen.'

'O,' antwoordde ze. 'Mag ik je dan aanraken?'

'Ja,' zei hij. 'Dat zou ik heel prettig vinden.' Hij rolde op zijn rug.

Nu hief Adair zich op. Ze stak haar kleine hand uit om zijn borst aan te raken. 'Je bent glad,' merkte ze op. 'Op de velden heb ik mannen met een behaarde borst gezien. Dit bevalt me beter.' Haar hand gleed over zijn huid. 'En je hebt ook tepels, maar de mijne zijn mooier, denk ik, en ik zal er onze kinderen aan laten zuigen.' Haar kleine hand bewoog zich naar zijn buik. 'Je bent daar plat.' Haar hand ging verder naar zijn gespierde dijbeen. 'Wat is dit?' vroeg ze, terwijl haar vinger over een litteken streek.

'Een oude wond die ik tijdens mijn eerste strijd heb opgelopen,' antwoordde hij.

'Hier heb je veel haar,' zei ze, terwijl haar vingers door de zwarte krulletjes rond zijn mannelijkheid woelden. 'Waarom trek je ze er niet uit?'

Andrew knarsetandde. 'Dat doen mannen niet,' antwoordde hij langzaam. Jezus! Wist ze dan helemaal niets van een mannenlichaam? Hij worstelde om zich te beheersen, maar hij kon het niet, en toen haar vingers zich om hem sloten, kreunde hij.

Snel trok ze haar hand terug. 'Heb ik je pijn gedaan? Dat was niet mijn bedoeling. Dit is de roede, is het niet? Hij leek eerder van gemiddelde grootte, maar nu lijkt hij veel groter te worden.'

'Houd hem in je hand,' wist hij schor uit te brengen.

Adair wikkelde haar vingers rond zijn roede. Zijn huid was warm en ze dacht een vaag kloppen te bespeuren.

'Je doet me geen pijn, liefje. Je geeft me juist genot,' vertelde hij haar.

'Ik heb gehoord dat de roede in het lichaam van een vrouw wordt gestoken,' zei ze. 'Hoe wordt dat gedaan? Ga je dat dadelijk doen?'

'Ga weer op je rug liggen,' antwoordde hij, en toen ze aan zijn verzoek had voldaan, streelde hij haar buik en liet zijn hand een ogenblik op haar geslacht liggen. Hij voelde de uitstralende hitte ervan. Adair was te onschuldig om te beseffen dat ze opgewonden raakte en dat haar lichaam zich voorbereidde op het genot dat ze weldra zouden delen. Hij streek met een vinger langs de spleet en duwde zacht tegen haar schaamlippen. Hij glimlachte toen hij voelde dat ze al vochtig werd.

'W-wat doe je?' vroeg ze met trillende stem.

'Je het antwoord geven dat je zoekt,' zei hij, en het volgende moment vond zijn vinger dat kleine knopje van vlees, dat bekendstond als de kiem van begeerte. Hij wreef erover, en ze snakte verrast naar adem toen er een plotselinge hunkering door haar heen schoot die ze nooit eerder had ervaren. Zijn vinger bleef strelen en wrijven tot ze jammerde van verlangen. Maar een verlangen waarnaar? Ze wist het niet, en ze begreep het niet. Maar ze wilde het. Haar huid tintelde, en plotseling voelde het alsof er iets tot uitbarsting kwam, en verlichting stroomde door haar heen terwijl ze een diepe zucht slaakte.

Andrew lachte. 'Vond je dat lekker?' vroeg hij.

'Ja,' slaagde ze er ten slotte in te antwoorden. 'Maar je hebt nog steeds mijn vraag niet beantwoord, milord.'

Als antwoord bewoog hij zijn vinger over de kiem van begeerte en begon hem langzaam in haar vrouwelijke schede te duwen. 'Hier,' mompelde hij tegen haar geurige haar. 'De roede gaat hierin, Adair.' Hij bewoog zijn vinger sensueel heen en weer, en constateerde verheugd dat haar maagdenvlies intact was. Zijn bruid was inderdaad nog maagd.

'Je bent te groot om daarin te gaan,' antwoordde ze zwakjes.

Andrew kuste haar op de lippen. 'Nee, ik ben niet te groot voor je, liefje, zoals je spoedig zult merken. Open jezelf nu voor me.' Hij wachtte niet, maar duwde zacht en tegelijk vastberaden haar dijbenen uiteen waarna hij ertussen schoof. Zijn mannelijkheid was zo hard als staal, en zijn hart klopte snel en luid in zijn oren terwijl hij zich tegen haar aan begon te duwen. Adair had gedacht dat ze niet bang zou zijn, maar dat was ze wel. Met grote ogen sloeg ze hem gade terwijl hij zijn dikke roede van vlees langzaam in haar begon te steken. Hoe kon zoiets haar nou genot geven, vroeg ze zich af. Haar lichaam werd overvallen en open gewrongen om zijn lust te bevredigen. Hij drong dieper in haar door, en tot haar verbazing merkte Adair dat haar lichaam zich verder opende om hem te herbergen. Daarna snakte ze naar adem en schreeuwde het uit van pijn toen zijn mannelijkheid tegen iets binnen in haar begon te drukken. 'Alsjeblieft, stop!' smeekte ze. 'O, alsjeblieft, stop nou! Het doet pijn! Het doet echt pijn!'

Hij trok zich tot haar opluchting terug, maar vervolgens stootte zijn mannelijkheid voorwaarts, en Adair schreeuwde toen hij haar leek te vullen. 'De pijn zal minder worden! De pijn zal heus afnemen,' verzekerde hij haar. 'Het was je maagdenvlies, liefje. Het spijt me. Er is alleen de eerste keer pijn. Ik zweer het.' Daarna begon hij weer te bewegen.

Adair snikte terwijl hij dat deed. Maar het brandende gevoel nam net zo snel af als het was begonnen. Haar man kreunde terwijl zijn lichaam zwoegde. En daarna schreeuwde hij het uit, en ze voelde zijn mannelijkheid huiveren toen zijn sappen in haar vloeiden. Vervolgens plofte hij boven op haar neer, en ze sloeg instinctief met een troostend gebaar haar armen om hem heen. Hij bleef verscheidene minuten op haar liggen, voordat hij zwaar hijgend van haar af rolde.

'Waarom heb je me niet gezegd dat het pijn zou doen?' vroeg ze.

'Je zou nog banger zijn geworden dan je al was,' antwoordde hij.

'Ik was niet bang!' zei Adair heftig.

'Ja, dat was je wel. Maar de daad moest worden verricht, en nu zal mijn grootvader Stanton met een tevreden gevoel verlaten.'

'Er was geen genot,' zei ze. 'Je hebt me genot beloofd.'

'Dat zul je de volgende keer ervaren,' beloofde hij haar. 'Je was angstig, en je ontmaagding was pijnlijk. Het zou ongebruikelijk zijn geweest als je tijdens onze eerste paring genot had ervaren, Adair.'

'Wanneer zullen we het weer doen?' wilde ze weten.

Hij grinnikte. 'Dus je bent dapper genoeg om het nog een keer te proberen?' Hij keek op haar neer en streek een haarlok uit haar gezicht.

'Ja, dat ben ik,' zei ze.

'Niet vanavond,' zei hij. 'Je zou weer pijn ervaren, maar Elsbeth zal weten hoe ze je morgenochtend moet verzorgen. En wanneer je me zegt dat je bereid bent, zullen we weer paren, Adair. En de volgende keer zal ik ernaar streven je ervan te laten genieten. Ga nu maar slapen, liefje. We zullen de oude man snel genoeg onder ogen moeten zien.'

'Ik denk dat ik gelukkig met je zal worden, milord,' zei Adair, waarna hij haar zacht op de lippen kuste.

'Ja, ik geloof ook dat we gelukkig met elkaar zullen zijn,' beaamde hij. En daarna deed hij zijn ogen dicht.

De volgende ochtend kwam Elsbeth hen wakker maken. Andrew ging naar zijn eigen slaapkamer, en trof daar een man van middelbare leeftijd aan die op hem wachtte.

'Goedemorgen, milord. Ik ben Chilton, en het zal mijn plicht zijn u te dienen.'

'Ik moet me aankleden,' zei Andrew. 'Mijn grootvader en broer zullen vanochtend vertrekken, en dat kunnen ze niet voordat de lady en ik afscheid van hen hebben genomen.'

'Ik heb het water klaar, milord,' antwoordde Chilton. Hij was middelgroot, met bruine ogen en een kale schedel.

De jonge graaf wist meteen dat Albert een goede keuze had gemaakt.

In de kamer ernaast werd Adair verzorgd door de trouwe Elsbeth, en daarna trokken de twee vrouwen het laken van het bed. Adair was geschokt bij het zien van de grote bloedvlek, maar Elsbeth glimlachte trots.

'Nou,' zei ze, 'dat moet de oude draak beslist plezier doen! Zijn kleinzoon heeft zijn werk goed gedaan, en je onschuld moet voor iedereen zichtbaar zijn.'

'Ik geloof dat ik niet kan lopen,' klaagde Adair. 'Het doet zo'n pijn.'

'Onzin!' zei Elsbeth.

Een discreet klopje weerklonk op de deur die de twee slaapkamers met elkaar verbond, en Chiltons hoofd verscheen om de hoek. 'Als hare ladyship klaar is, is zijne lordship bereid naar de grote zaal te gaan.'

'Ze is klaar,' zei Elsbeth, en ze greep het laken dat ze aan Adair overhandigde. 'Jij moet het dragen,' zei ze. 'En breng het meteen naar de oude man zodat hij het kan inspecteren.'

Adair en Andrew ontmoetten elkaar in de gang voor de slaapkamers, en samen gingen ze naar beneden. Eenmaal in de grote zaal liep Adair rechtstreeks naar Humphrey Lynbridge, die voor de grote haard stond. Ze vouwde het laken voor hem open en keek hem met een uitdagende blik aan.

'Zo, milord! U zult tevreden zijn,' zei ze.

De oude man keek naar de grote bruinachtige bloedvlek op het laken. Daarna wendde hij zich tot zijn kleinzoon. 'Je hebt net zo'n grote roede als ik,' zei hij. 'De vlek op het laken van Allis en Robert was slechts half zo groot. Heeft ze geschreeuwd?'

'Ja,' zei de graaf gespannen.

'Goed! Nu zal ze niet vergeten wie de meester in dit huis is,' merkte de oude lord op. Hij draaide zich weer om naar Adair. 'Ik ben blij te zien dat mijn kleinzoon zijn plicht heeft gedaan, en jij de jouwe. God zegene jullie beiden!'

Adair was volkomen sprakeloos na zijn woorden. Ten slotte gebaarde ze naar Albert om het ontbijt naar de zaal te brengen. Nadat ze hadden gegeten, namen zij en Andrew afscheid van hun gasten. Toen ze uiteindelijk alleen waren, begonnen de pasgehuwden aan hun leven samen. Andrew ging naar de veeschuren, en Adair liet haar schrijfdoos brengen. Ze had veel aan haar halfzuster, Bessie, te schrijven. Ze vroeg zich af of ze haar alles zou vertellen, want op een dag zou Bessie ook een bruidegom onder ogen moeten zien. Het was onwaarschijnlijk dat de koningin haar het nodige zou uitleggen. Maar toen bedacht Adair dat lady Margaret haar nooit zou toestaan onvoorbereid in het huwelijksbed te stappen. Zodra ze haar schrijfdoos had, begon ze aan een brief om haar halfzuster te vertellen dat ze nu getrouwd was, en dat ze geloofde dat ze eindelijk het geluk had gevonden.

7

*H*un leven settelde zich in een aangenaam patroon dat rond Stanton draaide. De winter was een rustige tijd voor het landgoed. Na Kerstmis had de sneeuw het reizen uiteindelijk onmogelijk gemaakt, wat ook betekende dat er aan beide kanten van de grens geen schermutselingen plaatsvonden. Het vee in de schuren werd dik terwijl de graanvoorraden langzaam afslonken tot het tijd werd dat de dieren in het voorjaar naar hun weiden konden terugkeren.

Andrew was verbaasd over Adairs vermogen om Stanton te besturen. Maar tot zijn verrassing was ze meer dan bereid haar verantwoordelijkheden te delen, en ze leerde hem alles wat ze wist. Hij besefte dat ze hem volkomen vertrouwde, en dat deed hem plezier. Toen hij erover begon, zei Adair dat het landgoed het domein van een man was. Het huis, de bedienden en de kinderen waren haar afdeling.

'Ik heb gedaan wat ik heb gedaan omdat dat moest,' zei ze. 'Ik ben blij die verplichtingen aan jou te kunnen overdragen, milord. Het is me duidelijk geworden dat je van Stanton bent gaan houden, en ervoor wilt zorgen.'

Ze hoorden niets van de koning. Hij had zijn dochter geen geschenk gestuurd om haar huwelijk te gedenken. Aan de ene kant was Adair kwaad over deze nalatigheid. Aan de andere kant was ze opgelucht. De hertog had voordat de sneeuw inviel een verzilverd zoutschaaltje voor op hun tafel gestuurd. Daarbij had hij Adair een gouden ketting met een robijnen hartje geschonken, met een briefje waarin hij had geschreven: *Mijn lieve kind, je oom is zeer verheugd over je. Moge Jezus en zijn gezegende Moeder Maria je altijd in veiligheid houden. Oom Dickon.* Adair huilde toen ze de korte boodschap las.

'Hij is altijd zo zorgzaam geweest.' Ze snufte tegen Andrews schouder.

'Hij is de eerbaarste man die ik ooit heb gekend,' zei Andrew. En terwijl de winter langzaam voorbijging, begon de intimiteit die ze deelden zich te verdiepen. Andrew was een zachtaardige en attente minnaar voor zijn jonge vrouw. Adair werd brutaler in haar liefdesuitingen. De bedienden merkten dat ze bijna elke avond vroeg naar bed gingen. Ze knikten en glimlachten naar elkaar, en Elsbeth voorspelde dat Stanton niet al te lang op een erfgenaam zou hoeven wachten. Toch vertoonde Adair geen tekenen van zwangerschap, en het verontrustte haar, want ze vond dat het haar voornaamste plicht als de lady van Stanton was om de volgende graaf te produceren. En ze dacht dat het haar schuld was dat het nog niet zover was.

Ze hield niet van haar man, maar ze was op hem gesteld. En ze respecteerde hem. En na die eerste moeilijke nacht had ze geleerd te genieten van de intieme momenten die ze deelden. Vooral wanneer ze in zijn armen lag. Ze vond het heerlijk hem diep in zich te voelen in het besef dat haar lichaam hem zwak van verlangen maakte. Maar ze voelde niet de diepe begeerte voor hem zoals Anne Neville voor haar hertog voelde. Je kon het aan hen zien wanneer ze samen waren. De lucht knetterde bijna door de passie die ze voor elkaar voelden. Adair zuchtte. Een dergelijke liefde tussen een man en een vrouw was iets zeldzaams. Ze vroeg zich af of Andrew van haar hield. Hij had het niet gezegd, maar ze verlangde ernaar te weten of het zo was.

Ze waren om verschillende redenen in dit huwelijk verenigd, maar geen ervan had iets met liefde te maken. Adair veronderstelde dat ze het geluk had dat ze haar man graag mocht, en dat ze genoot van zijn hunkering naar haar lichaam en die wellust kon beantwoorden. Hij was tenminste totaal anders dan die pompeuze FitzTudor. Ze beefde bij de gedachte dat hij haar lichaam zou hebben bezeten.

'Je bent rusteloos vanavond,' zei Andrew, haar gedachtestroom onderbrekend.

'Het komt door de wind die rondom de schoorstenen giert, en de regen die genadeloos tegen de luiken klettert. Het voorjaar is in aantocht,' antwoordde Adair.

'Dat zal het zijn,' beaamde hij. 'Ik voel mijn lusten rijzen als het sap in een boom.'

Ze giechelde. 'Je wilt neuken,' zei ze.

'Ja, ik wil neuken,' bekende hij. Zijn hand glipte onder haar nachtjapon en schoof langzaam langs haar benen omhoog. Toen ze voor hem uiteengingen, streelden zijn vingers de binnenkant van haar dijbeen en vervolgens gleed hij verder omhoog.

'Je aanraking is altijd zo zacht,' zei ze.

'Ik wil teder voor je zijn, Adair.'

'Waarom?' wilde ze weten.

'Omdat ik om je geef,' antwoordde hij. Zijn handen schoven over haar buik naar haar romp.

'Wacht,' zei ze, en nadat ze rechtop was gaan zitten, trok ze haar nachtjapon uit. Daarna, terwijl ze zijn gezicht met haar handen omsloot, trok ze hem tegen haar borsten aan. 'Is dit niet wat je wilt?' vroeg ze.

'Onder andere, liefje,' zei hij, aan een tepel likkend, waarna hij haar weer achterover legde. 'Ik wil alles wat je me te geven hebt, Adair. Ik wil je helemaal!'

'Waarom?' vroeg ze weer.

'Ik geloof dat ik van je ben gaan houden,' antwoordde hij. 'Zou je dat onaangenaam vinden?' Hij keek neer in haar gezicht.

Ze voelde haar wangen warm worden door zijn onverwachte bekentenis. 'Nee,' zei ze. 'Ik zou het niet onaangenaam vinden,' fluisterde ze. 'Ik zou het juist prettig vinden als ik je hart had.'

'Heb ik het jouwe?' wilde hij weten.

'Ja, dat heb je,' antwoordde ze, en zodra ze het had gezegd, besefte ze dat het waar was. Langzamerhand was ze van hem gaan houden, als liefde betekende dat ze blij en tevreden was in zijn armen, zoals ze vanaf de eerste nacht was geweest. Wat wilde ze nog meer? Ze was een kleine dwaas geweest, dacht ze, en daarna ontmoetten zijn lippen de hare in een zoete kus.

'Ik houd van je,' mompelde hij tegen haar mond, en zij herhaalde zijn woorden toen hij zich in haar drong.

'O, Andrew!' verzuchtte ze. Ze hield van het gevoel van zijn harde roede die haar vulde.

'O, liefje,' kreunde hij in haar haren.

Ze hielden van elkaar! Natuurlijk zou daar een kind van komen. Maar dat gebeurde niet. Toch nam hij het haar niet kwalijk. En toen arriveerde er in het voorjaar een boodschapper van het hof met een brief voor Adair van haar halfzuster Elizabeth. De koning had kougevat en was in de nacht van 9 april plotseling gestorven. Haar halfbroer, Edward, zou de nieuwe koning worden, en de hertog van Gloucester was aan het sterfbed van de koning benoemd tot zijn beschermer, tot grote woede van de koningin. De priesters hadden het gehoord, en het bevestigd. *Mama is furieus,* schreef Elizabeth.

Je weet dat er tussen haar en oom Dickon altijd wrijving is geweest. Ze verzamelt zowel de Woodvilles als de rest van haar aanhangers om zich heen, en ze hebben onze broer laten halen, die onder toezicht van mijn oom, graaf Rivers, is geweest, en ze hebben ook de schatkist veilig gesteld. Ik weet niet hoe dit zal eindigen, maar mama treft voorbereidingen om onze jongere broer, Dickie, mijn zusters en mij in het heiligdom op Westminster onder te brengen. De onderhandelingen over mijn verbintenis met de dauphin zijn gestaakt. Mama en lady Margaret keren terug naar de mogelijkheid van een huwelijk tussen mij en haar zoon, Henry van Lancaster. Ik geloof dat ik liever een Engelse echtgenoot zou hebben, Adair, en in Engeland blijven. Ik zal natuurlijk trouwen wanneer me wordt gezegd dat ik moet trouwen. Oom Dickon kwam begin december om papa te spreken. Hij vertelde ons dat hij een geschikte partner voor je had gevonden, en dat je tevreden bent. Daar ben ik blij om. Schrijf me wanneer je kunt, liefje. Ik blijf je meest toegewijde en liefhebbende zuster, Bess.

Adair liet de brief aan Andrew lezen. 'We moeten iemand naar Middleham sturen om te zien of we oom Dickon op een of andere manier kunnen helpen,' zei ze. 'Wat typerend voor de koningin om haar zin door te drijven. Zij en haar afschuwelijke familie zullen via mijn broertje regeren.'

'Ik zal zelf naar Middleham gaan,' stelde Andrew voor. 'Maar de hertog zal wel weten dat zijn broer dood is, en hij is vast al naar het zuiden gereden om zijn belangen te beschermen, evenals die van de jonge koning.'

'Volg hem,' zei Adair. 'Hij zal alle goede kapiteins nodig hebben. Ik kan Stanton blijven besturen.' Haar lieflijke gezicht stond bezorgd. 'De koningin zou zelfs een burgeroorlog veroorzaken als het betekende dat ze in deze kwestie haar zin kan krijgen.'

De graaf van Stanton knikte. 'Ja, je hebt gelijk. Ik zal gaan omdat ik weet dat je Stanton tijdens mijn afwezigheid veilig kunt houden, maar ik zal je missen, liefje.'

Andrew Radcliffe vertrok de volgende ochtend. Hij reed met slechts zes bedienden richting Middleham. Daar aangekomen hoorde hij dat de hertog inderdaad in grote haast naar het zuiden was gegaan. De graaf reed achter hem aan, zoals zijn vrouw had gevraagd. Toen hij de hertog van Gloucester had ingehaald, werd hij verwelkomd. Het nieuws dat hij toen te horen kreeg, was niet goed.

Prins Edward was slechts twee dagen na de dood van zijn vader uitgeroepen tot koning Edward V. Er werden al voorbereidingen getroffen voor de kroning van de jongen. De koningin had iemand naar haar broer, lord Rivers, gestuurd om de jonge Edward in grote haast te laten halen.

'Ja, de jonge prinses heeft hetzelfde aan Adair geschreven,' vertelde Andrew aan de hertog.

Richard van Gloucester glimlachte. 'Bess is een verstandig kind. Ze begrijpt het gevaar waarin Engeland door toedoen van haar moeder wordt gebracht. Mijn nicht kent haar plicht, en die zal ze altijd doen. Vind je het niet interessant dat in deze tijd van crisis een boodschapper in grote haast naar Stanton werd gestuurd? Vergeef het me, Andrew, maar noch jij noch Adair is in dit geval echt belangrijk.'

De graaf van Stanton lachte. 'Nee, milord, we zijn niet belangrijk. En ik geloof dat ik ook voor mijn vrouw mag spreken wanneer ik je vertel dat we daar heel gelukkig mee zijn. Maar mijn loyaliteit ligt in deze kwestie bij jou, en Adair beaamt dat ik met je andere vrienden aan je zijde moet zijn tot de zaak is geregeld.'

'Vrienden,' zei de hertog peinzend. 'Om je de waarheid te zeggen, Andrew, heb ik maar weinig mannen zoals jij die ik tot mijn vrienden kan rekenen. Ik ga niet met mensen om zoals mijn broer dat deed, en ik zou niet willen zijn zoals hij. Onze eerste taak zal zijn dat we de jonge Edward veilig stellen voordat zijn moeder met haar manipulaties nog meer kwaad kan veroorzaken. We moeten lord Rivers zo snel mogelijk bereiken voordat hij de koningin bereikt.'

In de eerste week van mei arriveerde de hertog met zijn gevolg in Londen. De koninklijke raadsman, het parlement en de mensen in Londen erkenden zijn plaats als beschermer van de jonge koning. De koningin bleef in het heiligdom met haar andere kinderen, en was nog niet bereid het op te geven. Een maand later werd er een samenzwering ontdekt die als doel had Richard van Gloucester als beschermer van zijn neef te vervangen. Op verzoek van de hertog arriveerden extra troepen uit York om hem te helpen de situatie veilig te stellen. De aanhangers van de koningin werden gearresteerd, onder wie tot Richards verdriet, lord Hastings, die hem eerst te hulp was gekomen. Hij, lord Rivers en verscheidene anderen werden – bij wijze van waarschuwing – ter dood gebracht.

De jonge Edward smeekte zijn moeder om zijn broer naar hem toe te sturen, en ze was genoodzaakt aan dat verzoek te voldoen. Beide jongens werden in de appartementen van de Tower ondergebracht. Richard liet hen daar in het geheim weghalen en stuurde ze naar Middleham om bij hun neef te zijn. De machtigen begrepen nu de gevaren van een kindkoning met een ambitieuze moeder. Ze zochten naar een manier om de jonge Edward af te zetten, en die vonden ze gemakkelijk met de hulp van de Kerk.

Het bleek dat wijlen de koning een huwelijkscontract met lady Eleanor Butler had ondertekend. Het contract was niet nietig verklaard, en de lady was nog steeds in leven toen Edward IV was weggelopen en met Elizabeth Woodville was getrouwd. Daardoor was het huwelijk van de koning niet wettig geweest, en zijn kinderen waren eveneens onwettig. Zijn zoons kwamen daarom niet in aanmerking om te erven.

Tegen het eind van juni kwam het parlement bijeen en verzocht de hertog van Gloucester de troon te bestijgen. In haar heiligdom krijste Elizabeth Woodville haar woede uit, maar ze had haar greep op de macht verloren.

Op 6 juli werd Richard III gekroond tijdens een ceremonie en in aanwezigheid van de hele adelstand, onder wie lady Margaret Beaufort.

Andrew sloeg de koninklijke processie gade vanaf de zijkant van de kerk. Hij wilde alles nauwkeurig aan Adair vertellen. De nieuwe koning had hem genadig uit zijn dienst ontslagen, en toen Richard tot de wettige regeerder van Engeland was verklaard, steeg de graaf van Stanton op zijn paard en reed in noordelijke richting terug naar huis. Toen hij aankwam, zag hij weelderige groene velden. Zijn vee was dik, en het hooien was al aan de gang. De hartelijke begroeting die hij van zijn vrouw kreeg, overtuigde hem ervan dat ze hem had gemist. Ze kusten elkaar uitgelaten onder de verheugde blikken van hun bedienden.

Het paard van de graaf werd naar de stallen gebracht, en Adair leidde haar man de grote zaal binnen en gaf bevelen om voedsel en wijn naar hem toe te brengen. Adair wachtte geduldig op zijn nieuws tot hij had gegeten. Toen hij eindelijk klaar was, leunde hij achterover en slaakte een diepe zucht van genot.

'Ik heb niet meer zo lekker gegeten sinds ik Stanton in april heb verlaten, liefje,' zei hij. 'Ik vermoed dat je graag alles wilt weten wat er is gebeurd,' voegde hij eraan toe.

'Plaag me niet,' smeekte Adair.

Zijn ogen werden warm. 'Maar het is zo leuk om jou te plagen,' zei hij veelbetekenend.

'Dát zal niet gebeuren, milord, tot ik alles heb gehoord,' dreigde ze ondeugend. Het puntje van haar tong gleed een ogenblik langs haar bovenlip terwijl hun ogen elkaar ontmoetten.

'Jezus, wat ben je toch een heks,' zei hij zacht, waarbij hij een tinteling in zijn kruis voelde.

'Vertel, milord!' beval ze hem. 'En praat hardop, zodat iedereen je avonturen kan horen. Kom dichterbij, mensen van Stanton,' zei ze in het algemeen tegen de bedienden en anderen in de zaal.

'Richard, voormalig hertog van Gloucester, is tot koning gekroond, de derde koning met die naam,' begon de graaf, en de toehoorders slaakten gemeenschappelijk een zucht van verbazing. Andrew legde vervolgens precies uit hoe dat zo was gelopen.

'Waarom was dat eerdere contract niet ter sprake gebracht toen koning Edward met zijn koningin trouwde, en voordat zij al haar kinderen kreeg?' vroeg Albert.

De graaf haalde zijn schouders op. 'Ik ben niet op de hoogte van de redenering van de Kerk,' antwoordde hij.

'Waar zijn kleine Edward en Dickie?' vroeg Adair.

'Koning Richard heeft ze naar Middleham gestuurd, hoewel dat niet algemeen bekend is. Hij vond het veiliger voor ze. Niemand wil een burgeroorlog, maar Elizabeth Woodville en haar aanhangers zien niet in dat het ervan zal komen als ze doorgaat met haar pogingen om de teugels van macht via haar zoon in handen te krijgen. Ik durf te wedden dat ze doorgaat met haar plannen om een complot te beramen.'

'Richard is een sterke en eerbare man die geen onzin duldt,' merkte Albert op. 'Dat zal voor ons allemaal goed zijn, milord.'

De graaf van Stanton nam de draad van zijn verhaal weer op. 'Ik ben zo lang gebleven om te zien hoe de kroon op Richards hoofd werd gezet,' vertelde hij ten slotte. 'Daarna ben ik met mijn mannen naar Stanton teruggekeerd. Dus nu moeten jullie allemaal koning Richard de Derde toejuichen,' besloot hij. Drie hoeraatjes weerklonken door de hal. Er bestond geen twijfel over dat Stanton achter de nieuwe koning stond.

Adairs violette ogen glansden. 'Oom Dickon zal een goede koning zijn,' stelde ze vast.

'Ik vrees dat hij nog veel te overwinnen heeft,' antwoordde Andrew. 'Elizabeth Woodville haat de koning met elke vezel van haar lichaam. Ze zal doorgaan met moeilijkheden veroorzaken, en ze zal niet rusten tot een van hen dood is. En hij is te veel heer om ervoor te zorgen dat het mens wordt gedood.'

'Ik zou haar vergiftigen,' zei Adair. 'Maar vertel eens, was de nieuwe koningin ook in Londen? En hoe zit het met de kleine Neddie?'

'Ze was er, en ze is samen met hem gekroond,' antwoordde de graaf. 'De kleine prins verblijft echter op Middleham. Je weet hoe zwak zijn gezondheid sinds zijn geboorte is geweest, het arme kind.'

Adairs ogen vulden zich met tranen. 'Ik vraag me af of hij ooit volwassen zal worden. En arme lady Anne heeft nooit meer een kind gekregen. Oom Dickon zal misschien op een dag Henry van Lancaster of een van mijn halfbroers tot zijn erfgenaam moeten benoemen, want hij zal geen andere keus hebben.'

'Genoeg gepraat, liefje, dat zijn allemaal zaken die ons niet echt aangaan,' zei de graaf. 'Ik zou mijn vrouw graag mee naar bed willen nemen na deze lange afwezigheid,' voegde hij eraan toe.

'Je hebt eerst een bad nodig, milord,' zei Adair. 'Ik weet dat je sinds je Stanton hebt verlaten geen bad meer hebt genomen. Laat me je baden, en daarna zullen we naar bed gaan.'

'Alleen als je me eigenhandig met je kleine handjes wast,' zei hij, waarbij zijn ogen wellustig twinkelden. 'Elsbeth is veel te ruw voor me.'

Adair giechelde. 'Het is mijn plicht op alle mogelijke manieren voor je te zorgen, milord.' Ze stond van tafel op. 'Voordat we de zaal verlaten, zal ik opdracht geven om de tobbe met heet water te vullen.' Met een verleidelijke glimlach en na een buiging haastte ze zich weg.

Hij keek naar haar licht wiegende heupen terwijl ze wegliep, en bedacht dat hij een gelukkig man was omdat hem zo'n vrouw was gegeven. En hij zou haar zelfs hebben genomen zonder dat ze hem de titel had gebracht. Hij hief zijn bokaal naar een bediende en liet zich nog eens van bier voorzien. Hij nipte er langzaam van, wachtend op haar terugkomst, maar in plaats daarvan kwam Elsbeth naar hem toe en fluisterde hem iets in zijn oor.

'Mijn meesteres verwacht u in de badkamer, milord,' zei ze.

Zonder een woord stond Andrew op en verliet de zaal. Hij beklom de trap en aangekomen op de eerste verdieping opende hij de deur naar de badkamer, waar hij door geurige stoom werd begroet. Het vuur in de haard laaide op door zijn binnenkomst. Snel sloot hij de deur achter zich. 'Adair?' riep hij.

'Ik ben hier,' antwoordde ze.

Hij tuurde door de stoom. 'Waar ben je dan, liefje?'

'Hier.' Ze giechelde. 'In de tobbe. Als je niet snel je kleren uittrekt, milord, zal het water koud worden. Ik kan je nauwelijks met mijn eigen kleine handjes wassen als ik niet bij je in de tobbe zit. Heb je daar niet aan gedacht?'

Het was de enige aanmoediging die hij nodig had. Hij rukte zijn kleren uit, zijn laarzen volgden, en hij wierp ze achteloos terzijde. Vervolgens liep hij naar de eiken tobbe, beklom de treetjes en stapte bij haar in het hete water waarna hij tegenover haar ging zitten.

'Zo,' zei ze. 'Is dat niet aangenaam, milord?' Ze pakte een zeespons vol met zeep en begon hem te wassen. Toen haar handen naar zijn mannelijkheid afgleden, glimlachte ze ondeugend, want zijn liefdesroede was al stijf van verlangen naar haar. 'Nog even, milord. Je haar moet worden verzorgd voordat je in mijn bed mag klimmen.' Snel waste ze zijn donkere lokken, en hij gromde dat ze nog erger was dan Elsbeth. Adair spoelde lachend de zeepresten uit zijn haar, waarbij hij probeerde het water uit zijn ogen te wrijven. Daarna klom ze uit de tobbe. 'Kom mee, milord, blijf niet talmen.'

Toen hij weer kon zien, keek hij zoekend om zich heen. 'Waar ben je nu, liefje?' wilde hij weten.

'Ik wacht hier om je af te drogen,' mompelde ze verleidelijk.

Hij verliet de tobbe, en zijn verlangen naar haar was duidelijk zichtbaar. 'Nog niet,' bromde hij, terwijl hij haar pols greep en haar terugtrok naar de tobbe, waar hij haar tegen de wand drukte. 'Eerst, vrouw, moet je mijn wellust blussen. Sla je armen om mijn nek.' En terwijl ze dat deed, omvatten zijn grote handen haar billen en tilde hij haar op.

Adair gilde van verbazing, maar ze spreidde instinctief haar benen en sloeg ze om zijn lichaam heen. Hij was zo hard, en ze hijgde van genot toen hij met een krachtig, snel ritme in haar pompte. 'O God, Andrew!' Haar eigen hartstocht groeide en overspoelde haar. 'Niet stoppen. Als je stopt, vermoord ik je!'

Hij lachte zacht. 'Dit is nog maar het begin, Adair. Ik heb je meer gemist dan ik mezelf wilde bekennen.' Zijn lendenen beukten telkens tegen haar aan. 'Ik ben van plan dit de hele nacht met je te doen.' Zijn lippen vonden de hare in een verzengende kus.

Hun tongen kronkelden wild en liefkozend om elkaar heen tot Adairs hoofd tolde, en ze het gevoel had de beheersing over haar lichaam volkomen kwijt te zijn. Ze kreunde diep in haar keel terwijl elk gevoel werd verhevigd door hun natte lichamen die zich tegen elkaar wreven en drukten. En toen kon ze haar verlangens op geen enkele manier meer beteugelen. Ze wierp haar hoofd achterover en schreeuwde op het moment dat ze beiden hun hoogtepunt bereikten. Samen zakten ze op de vloer van de badkamer, hun ademhaling kwam in scherpe, snelle stoten, die heel langzaam regelmatiger werden.

Hij vond als eerste zijn stem terug. 'Ik ben voor een paar minuten verzadigd,' zei hij bij wijze van grapje.

Adair lachte zwakjes. 'Mag ik je nu afdrogen, milord?' informeerde ze ondeugend. 'Als ik tenminste nog op mijn benen kan staan.'

Hij krabbelde overeind en trok haar naast zich omhoog. 'Verzorg me, vrouw,' zei hij, waarbij hij haar ondersteunend rechtop hield.

Gedurende een ogenblik hing ze tegen hem aan, maar zodra ze haar krachten enigszins had herwonnen, pakte ze een kleine, natte doek en waste zijn mannelijkheid, waarna ze hem afdroogde. Daarna nam ze een grote doek van het rek en begon zijn lichaam zorgvuldig af te drogen. Toen ze klaar was, zei ze: 'Ga naar bed, Andrew. Ik wil niet dat je kouvat. Ik zal bij je komen zodra ik mezelf heb verzorgd.' Ze gaf hem een snelle kus op zijn lippen en duwde hem vriendelijk naar de tussendeur die naar de slaapkamer leidde. En nadat ze haar eigen geslacht had gewassen en afgedroogd, haastte ze zich naar hem toe.

Hij lag op hun bed, zijn mannelijkheid rustte slap op zijn dijbeen. Hij stak zijn armen naar Adair uit en ze voegde zich snel bij hem. Er werden geruime tijd geen woorden tussen hen gewisseld. Die waren ook niet echt nodig. Ze lagen bij elkaar, verkenden loom en tot hun beider genot elkaars lichaam. Zijn afwezigheid had iets tussen hen veranderd, besefte Adair. Hun huwelijk dat enkele maanden geleden om praktische redenen was gesloten, was tot liefde opgebloeid. Misschien, dacht ze, was het niet de wilde hartstocht die de nieuwe koning en zijn koningin deelden, maar een andere, speciale liefde tussen Andrew en haar.

Ze streek met een vinger over zijn borst, boog zich over hem heen en kuste hem. 'Ik geloof dat ik in alle eerlijkheid kan zeggen dat ik jou ook heb gemist, man.'

'Zei ik dat ik je heb gemist?' plaagde hij. 'Een moment van zwakte, liefje.'

'Gemenerik!' Ze rukte aan zijn donkere bos haar.

'Heks!' Hij trok haar weer in zijn armen en kuste haar stevig. En met elke verhitte kus laaide hun verlangen naar elkaar weer op. Andrew begroef zijn gezicht in haar geurige haar. 'God sta me bij, Adair, maar ik heb nog nooit zo naar een vrouw verlangd als ik nu naar jou verlang!' Hij legde haar onder zich, en zijn mond verlustigde zich aan haar zachte huid. Zijn lippen sloten zich om beurten rond haar tepels, waarbij hij ze likte en eraan zoog en er ten slotte zachtjes zijn tanden in zette. Vervolgens kuste hij loom haar lichaam.

Adairs vingers kneedden zijn schouders en rug. Zijn liefkozingen zetten haar in vuur en vlam van verlangen. Toen hij uiteindelijk zijn mannelijkheid in haar liefdesschacht duwde, slaakte ze een diepe zucht. Haar ogen vielen dicht terwijl ze zichzelf toestond onder te gaan in de pure sensatie van zijn heftige passie. Ze zweefde en vloog toen de hunkering tussen hen groeide en ten slotte explodeerde in een hevige uitbarsting waarna ze beiden naar adem snakten. En zoals hij had beloofd, vrijde Andrew die nacht verscheidene keren met Adair, tot ze net als hij verzadigd was. Daarna waarschuwde ze hem dat ze nodig moesten gaan slapen om de volgende dag hun plichten te kunnen uitvoeren. Ze viel in slaap, tevreden met het leven dat ze nu had, vol vertrouwen over de dagen die zich voor haar uitstrekten. Er zou uiteindelijk een kind komen. Hoe kon er geen kind voortkomen uit de liefde die nu tussen hen was opgebloeid?

In de herfst kwam er een bericht van Adairs halfzuster, Elizabeth, die nog steeds in het heiligdom verbleef, dat er in Dorset, Devon en Kent kleine opstanden tegen koning Richard waren geweest. *Maar die zijn op niets uitgelopen, en mama is nogal teleurgesteld,* schreef Bess. *Ze beraamt onverminderd plannen, en er is nu bijna een verbintenis tussen mij en lady Margarets zoon, Henry van Lancaster, tot stand gebracht, hoewel ik niet kan zeggen wat voor goeds daaruit zal voortkomen, want als ik Westminster verlaat, zal oom Dickon zich zeker over me ontfermen, en in zijn voogdij zal ik geen toestemming krijgen om met de erfgenaam van Lancaster te trouwen.*

'Arme Bess,' zei Adair terwijl ze de brief opzij legde. 'Natuurlijk zal ze geen toestemming krijgen om met Henry Tudor te trouwen, als oom Dickon er iets over te zeggen heeft. De erfgenaam van York die met een Lancaster trouwt? Het zou een bedreiging voor oom Dickons autoriteit veroorzaken. En het zou de Woodville vrouw niet bevallen.'

'Maar de koning heeft slechts één erfgenaam,' merkte Andrew op, 'en de kleine Neddie is erg zwak. Evenals de koningin.'

Adair zuchtte. 'Ik weet het. Als zij zouden sterven – wat God verhoede – dan moet oom Dickon weer trouwen voor zowel zijn welzijn als dat van Engeland. Hij houdt zo intens veel van de koningin dat ik niet weet of hij dat zou kunnen opbrengen.'

Er brak een kleine epidemie uit in het dorp van Stanton. Verscheidene kinderen en enkele volwassenen kregen hoge koorts, en hun wangen waren een tijdlang opgezwollen, maar er waren geen doden te betreuren. Adair had die ziekte nog nooit eerder gezien, maar Andrew verzekerde haar dat het allemaal goed zou komen. 'Ik heb die vreemde zwellingziekte als kind gehad,' zei hij, 'en zoals je kunt zien, ben ik tegenwoordig volkomen gezond.'

Maar Elsbeth werd bleek toen ze hoorde wat de graaf tegen zijn vrouw had gezegd. Ze nam Adair apart en zei: 'Er wordt gezegd dat mannen die deze ziekte ooit een keer hebben gehad niet in staat zijn daarna kinderen te verwekken. Ik geloof dat dit misschien de reden is waarom je nog niet zwanger bent, mijn kind.' Haar ogen vulden zich met tranen.

'Zeg dat niet!' riep Adair, en daarna begon ze te huilen. 'We moeten een kind voor Stanton krijgen. Het ligt aan mij, Juffie. Ik hield niet van Andrew toen we trouwden, maar nu houd ik van hem. Kinderen worden uit liefde geschapen.'

Elsbeth trok de jonge vrouw in haar armen en troostte haar zo goed mogelijk. Ze zei niet dat Adairs grootmoeder van moederskant elf kinderen had gekregen, en dat de twee zusters van haar moeder net zo'n talrijk nageslacht hadden geproduceerd. Jane Radcliffe zou beslist een huis vol kinderen hebben gehad als haar man in staat was geweest ze bij haar te verwekken. En gezien de tijd die Adair en Andrew in hun bed doorbrachten, zou Adair allang zwanger moeten zijn. Maar dat was ze niet. En ook in de maanden die volgden, bleef haar buik plat.

Eind april kwam het verschrikkelijke nieuws dat koning Richards zoontje, prins Edward, was overleden. Nu werd er om de twee neven van de koning geschreeuwd, die al in vele maanden niet waren gezien. Slechts weinigen wisten dat de jongens op Middleham waren. Het gerucht ging dat de koning ze de vorige zomer had gedood, maar Adair wist dat Richard intens veel van de kinderen van zijn broer hield. De boodschapper die Stanton het laatste nieuws kwam brengen, had ook een brief van Adairs halfzuster, Elizabeth, bij zich.

Ik ben verloofd, schreef Elizabeth.

De onderhandelingen tussen mama en Mags werden aan het eind van de herfst afgerond. Met Kerstmis is mijn Henry in processie naar de kathedraal in Rennes gegaan en verklaarde zowel voor God als de mensheid dat hij me als zijn vrouw wilde hebben. Velen geloven niet dat ons huwelijk ooit zal plaatsvinden, maar ik weet dat het zal gebeuren. Door met mij te trouwen versterkt hij de claim van de Tudors op de troon van Engeland. We hebben net gehoord dat onze neef, Neddie, op Middleham is overleden. Koningin Anne is gebroken van verdriet, en het hele hof rouwt. Het gerucht gaat dat de koning de zoon van zijn zuster Elizabeth, John de la Pole, de graaf van Lincoln, als zijn opvolger zal aanwijzen nu Neddie is gestorven. De koningin is te zwak om nog een kind te krijgen. Mijn broers worden, vrees ik, overgeslagen.

Op Stanton was een nieuw seizoen aangebroken, en overal bloeide nieuw leven op, behalve in Adairs schoot. Ze begon zich af te vragen of het waar was wat Elsbeth haar had verteld. Was Andrew door de ziekte die hij in zijn jeugd had gehad niet meer in staat kinderen te verwekken? Iedereen in het dorp was goed hersteld, maar Adair bemerkte dat de vrouw van een man die erg ziek was geweest, en die daarvoor elk jaar een kind had gekregen, nu geen kind meer kreeg. En dat gebeurde ook niet in de maanden die volgden.

Engeland bleef gedurende de zomer in vrede. Adair vertrouwde op Elizabeth voor al het laatste nieuws, en haar halfzuster stelde haar niet teleur. Haar brieven waren voor een groot deel gevuld met gedetailleerde beschrijvingen van haar dagelijkse bezigheden, maar af en toe schreef ze over een bepaalde gebeurtenis, nieuws dat Noord-Humbrië al of niet zou bereiken. Aan het eind van de zomer schreef Elizabeth boos:

*Mijn Henry houdt zich in Bretagne verborgen. De koning
had met de hertog geregeld dat de Tudor deze zomer aan hem
zou worden overgedragen. Er wordt nu gezegd dat hij van
plan was hem wegens verraad aan te klagen! Gelukkig was
mijn Henry op tijd gewaarschuwd en wist hij naar Frankrijk
te vluchten, waar koning Charles VIII hem hoffelijk onderdak heeft aangeboden.*

Adair lachte toen ze dit aan Andrew voorlas. 'Natuurlijk zullen
de Fransen hem, Henry Tudor, onderdak geven,' zei ze. 'Ze
doen alles wat ze kunnen om Engeland dwars te zitten.'
Inmiddels was het november geworden en waren ze al twee
jaar getrouwd. Noch zij, noch Andrew was in staat over hun
kinderloosheid te beginnen. De winter kwam en ging, en in
april toen de sneeuw weg was en de wegen naar het zuiden weer
open waren, ontving Adair voor het eerst sinds maanden weer
een brief van Elizabeth.

*De koningin is dood.
Ze is op zestien maart op Westminster Palace gestorven. De
koning is verpletterd en gebroken door smart. In minder dan
een jaar tijd heeft hij zowel zijn vrouw als zijn enige kind verloren. De koningin is eigenlijk nooit over de dood van Neddie heen gekomen. Haar gezondheid was altijd al zwak, maar
ze leek elke dag zwakker te worden. God hebbe haar goede
ziel. En nu doet het smerige bericht de ronde dat de koning
zelf met me wil trouwen. Hij was zo geschokt toen hij dat
hoorde dat hij mama kwam bezoeken om haar te bezweren
dat het niet waar was. Die twee hebben min of meer vrede gesloten. Maar het afschuwelijke resultaat van dit walgelijke
gerucht is dat onze oom mijn zusters en mij niet meer wil
ontmoeten om te voorkomen dat de roddel weer wordt aan-
gewakkerd. Trotse Cis, onze grootmoeder, is furieus dat er
zoiets over haar favoriete zoon zou worden gezegd.*

Adair schudde haar hoofd. Waarom zouden mensen toch zulke
lelijke dingen over de koning rondbazuinen?
Op de vijftiende dag van augustus, toen de oogst werd binnengehaald, arriveerde er weer een brief van Bess.

Mijn Henry is in Milford Haven aangekomen. De Lancastrianen scharen zich weer om hem heen, en ik weet niet wat er hierna zal gebeuren. Bid voor Engeland.

'Is de brief gedateerd?' vroeg Andrew aan zijn vrouw.

'Ja, de tiende,' antwoordde Adair. 'Je moet naar hem toe gaan,' voegde ze eraan toe.

'Ik weet het,' zei de graaf. 'Ik zal dertig man meenemen, en er twintig bij jou achterlaten, liefje.' Hij stond op uit zijn stoel bij de haard waar ze bij elkaar zaten. 'Ik moet gaan en Dark Walter vinden. Ik wil morgen voor zonsopkomst vertrekken.'

Adair knikte, maar plotseling was ze voor het eerst sinds lange tijd bang. Ze zette het gevoel van zich af. Stanton zou opnieuw in haar handen zijn, en ze moest zich op het ergste voorbereiden. Wat moest ze beginnen als de Schotten een inval kwamen doen? Haar deel van de grens was de laatste tijd relatief rustig geweest, maar ze wist dat zodra het nieuws van een burgeroorlog tot Schotland door zou dringen, hun grensbewoners de gelegenheid zouden nemen om te komen plunderen. Zij wisten dat de plaatselijke Engelse autoriteiten helemaal de kluts kwijt zouden raken als de troon in moeilijkheden was. En veel van de kleine kastelen en landgoederen zouden niet voldoende beschermd zijn.

'Verdorie!' vloekte ze binnensmonds. Eindelijk was Stanton welvarend geworden en nu veroorzaakten de Lancastrianen weer moeilijkheden. Ze verwenste ze in stilte allemaal naar de hel. Maar als Bess niet had geschreven, dan zouden ze nooit hebben geweten dat de koning hun hulp nodig had. Adair hoopte dat haar oom deze keer die verdraaide verraders voorgoed zou verdrijven.

Andrew kwam laat naar bed, maar Adair lag op hem te wachten. Hij wilde alleen maar slapen. 'Ik zal de komende weken weinig slaap krijgen,' zei hij. 'Wanneer ik terugkom zullen we een mooie zoon maken, liefje.' Daarna kuste hij haar, rolde zich op zijn zij en lag binnen de kortste keren te snurken.

Adair lag nog geruime tijd wakker en viel pas tegen zonsopkomst in slaap. Maar zodra hij uit hun bed stapte, was ze meteen klaarwakker. Ze kleedden zich allebei aan en liepen de trap af naar de grote zaal, waar de mannen al pap zaten te eten. Andrew at haastig, en daarna, met geschraap van banken en gestamp van laarzen, begaf iedereen zich naar de binnenhof, waar de gezadelde paarden op hen stonden te wachten. Andrew boog zich vanaf zijn paard naar Adair toe en trok haar omhoog om haar gretig te kussen.

'Tot gauw, liefje, en houd Stanton veilig tot mijn terugkomst,' zei hij tegen haar. Hierna zette hij haar weer op de grond. Hij hief zijn gehandschoende hand en wenkte zijn groep mannen voorwaarts. Dark Walter was naast hem toen ze wegreden.

Adair bleef kijken terwijl de stofwolk die door de paarden werd opgeworpen dikker werd en daarna dunner toen ze eenmaal voorbij waren en de graaf van Stanton en zijn mannen niet langer zichtbaar waren. Ze draaide zich om en liep het huis weer binnen. Hoelang zou hij weg zijn? Ze miste hem nu al. Maar ze had een plicht te vervullen, en ze zou het doen. Ze had Stanton of zijn mensen nog nooit teleurgesteld. En nu zou ze hen ook niet teleurstellen.

Er gingen twee weken voorbij, en toen arriveerde er op een ochtend een duidelijk uitgeputte jongen op Stanton Hall die de lady te spreken vroeg. Adair ontving hem in de hal, en herkende hem onmiddellijk als de page die eerst de hertog van Gloucester had gediend, en later de koning. Toen hij haar zag, knielde hij neer.

'Lady, ik smeek u om onderdak en bescherming,' zei hij.

'Ik ken je,' antwoordde Adair. 'Maar ik herinner me je naam niet meer.'

'Ik ben Anthony Tolliver,' antwoordde de jongen.

'Je was toch op Middleham?' informeerde ze.

'Ja. Toen mijn meester koning werd, heeft hij me de verantwoordelijkheid gegeven om zijn twee neven, prins Edward en prins Richard, te dienen. Ik ben op Middleham gebleven.'

'Dan zijn mijn broers dus in leven en veilig!' riep ze uit.

'Niet meer, milady,' was het verschrikkelijke antwoord, waarna de knaap begon te huilen. 'Wat kon ik doen, milady? Ik was alleen, en ik was bang.'

Adair wenkte naar Albert. 'Breng wijn,' zei ze, en leidde Anthony vervolgens naar het vuur. 'Ga zitten,' beval ze hem, waarna ze tegenover hem plaatsnam in haar eigen stoel. 'Vertel me alles en laat geen enkel detail weg,' moedigde ze hem aan.

De jongen nam de bokaal aan die Albert hem overhandigde en dronk er gretig een paar flinke teugen van. Daarna haalde hij diep adem en begon te vertellen. 'Enkele dagen geleden kwam een van de mannen van de koning naar het kasteel om ons te vertellen dat koning Richard en zijn strijdmachten bij Market Bosworth waren verslagen. De koning had kunnen ontsnappen, maar hij wilde het niet. "Ik zal geen voet verzetten," zei hij. "Ik zal sterven als koning van Engeland." Hij werd van zijn paard gesleurd en gedood. Ze ontnamen hem zijn wapenrusting en vervoerden hem naar Leicester, waar hij in de Grey Friars Abbey werd begraven. Toen de kroon van zijn helm viel, heeft lord Stanley hem opgepakt en op het hoofd van Henry Tudor geplaatst, die nu tot koning van Engeland is uitgeroepen.'

'Lord Stanley is de echtgenoot van lady Margaret Beaufort,' vertelde Adair haar bedienden, die zich om hen heen hadden verzameld om naar Anthony Tolliver te luisteren. 'Henry Tudor is zijn stiefzoon. Ga verder.'

'De strijd duurde slechts twee uur, maar velen sneuvelden, en de lords die niet waren gesneuveld, werden bijeengebracht en ter plekke geëxecuteerd,' zei Anthony.

Adair voelde een koude rilling over haar rug lopen, en ze hoorde dat iedereen de adem inhield, want men wist zonder enige twijfel, net als zij, dat de graaf van Stanton zich onder de doden bevond.

'Koning Henry beval onmiddellijk zijn grootste rivaal, de zoon van Clarence, de graaf van Warwick, te arresteren. Henry trekt nu naar Londen, waar hij zal worden gezalfd en gekroond. Nadat de boodschapper zijn nieuws had overgebracht, zijn velen van de bedienden van Middleham gevlucht. Maar anderen zijn gebleven. Enkele nachten geleden, terwijl ik in de kamer van mijn meester lag te slapen, werd de deur heimelijk geopend. Er waren twee mannen, en ze droegen de insignes van de graaf van Pembroke. Ik zag ze duidelijk toen ze zich omdraaiden om te vertrekken. De kamer zelf was donker, maar er kwam licht uit het aangrenzende vertrek. Ze kwamen doelgericht binnen, en samen smoorden ze de prinsen in hun beddengoed. Daarna verwijderden ze de lichamen van de jongens uit hun kamer.'

'Waarom zagen ze jou niet, en hebben ze je niet gedood om- dat je er ten slotte getuige van was?' wilde Adair weten.

'De prinsen waren bang om alleen te slapen, maar ze waren ook te trots om dat toe te geven. Koning Richard wist er echter van, en dus was het zo geregeld dat ik elke nacht in een donkere hoek in hun kamer sliep. Weinigen waren ervan op de hoogte, en het licht uit het aangrenzende vertrek drong niet tot in die hoek door. Maar zodra ik er zeker van was dat deze moorde- naars weg waren, ben ik uit de kamer van de jongens geslopen en naar de stallen gegaan. Ik heb mijn paard gezadeld en heb Middleham via een achterpoort verlaten. Ik weet niet of de moordenaars in de buurt van het kasteel zijn gebleven, maar ik kon niet het risico nemen dat iemand die wist waar ik elke nacht sliep daarover zou gaan praten.' Hij wachtte even.

'Ik herinnerde me dat u enkele dagen rijden van Middleham woonde en dat u de nicht van de koning bent. Ik dacht dat u zou willen weten wat er was gebeurd, en dat u misschien een plekje in uw huishouding voor me zou hebben, milady. Ik ben een wees, en heb verder niemand meer.'

Adair knikte. 'Je mag blijven,' zei ze. 'Albert, neem Anthony mee naar de keukens en zorg ervoor dat hij te eten krijgt. Zo te zien heeft hij verscheidene dagen niets gegeten.'

De jongen sprong van zijn stoel op en morste daarbij bijna de rest van de wijn over de rand van zijn bokaal. Hij pakte haar hand en kuste deze heftig. 'Dank u, milady! Dank u!'

Adair glimlachte even en zei vervolgens tegen Albert: 'Kom terug wanneer je voor hem hebt gezorgd.'

'Ja, milady,' antwoordde Albert.

Nu was ze weer weduwe. Oom Dickon was dood en begra- ven. Maar het afschuwelijkste van alles was dat de Lancastria- nen haar twee jonge halfbroers hadden vermoord. En Adair wist waarom. Zowel Edward als Richard vormde een bedrei- ging voor Henry Tudors ambities. Hun aanspraak op de troon was veel sterker dan de zijne. Zijn aanspraak kon alleen via zijn moeder worden gedaan, een afstammeling van John Gaunt, de zoon van koning Edward III. Het was waar dat Henry's groot- moeder van vaderskant, Catharine van Valois, de weduwe was geweest van koning Henry V, maar toen zij was hertrouwd, was dat uit liefde geweest, en ze had een Welshe ridder, Owen Tudor, gekozen, die helemaal geen koninklijke connecties had. De aanspraak van de aanhanger van het huis York op de troon van Engeland was veel sterker, en dus moesten de twee prinsen die op Middeleham in veiligheid waren gehouden, worden uitgeschakeld. Adair vroeg zich verbitterd af of Bess het wist. En als ze het wist, zou ze dan nog steeds zo graag met Henry Tudor willen trouwen? Daarna lachte ze om haar eigen dwaasheid. Natuurlijk zou Bess met Henry willen trouwen, en ze zou het zonder bezwaren doen, want ze had geen andere keus. Bovendien zou ze koningin van Engeland worden.

En toen werd Adair ineens overvallen door verdriet en rouw, waartegen ze zich tot nu toe had verzet, en barstte in tranen uit. Andrew was dood. En met hem waarschijnlijk alle mannen van Stanton die hij had meegenomen. Ze vroeg zich af of iemand de moeite zou hebben genomen om het Robert Lynbridge en zijn grootvader te vertellen. Ze had geen van beiden in de afgelopen maanden gezien, maar ze zou uit beleefdheid morgen een boodschapper naar hen toe sturen. Haar schouders schokten van verdriet. Andrew was dood. Oom Dickon was dood, en de gehate Lancastrianen zouden binnenkort op de troon zitten. Het zou niet mogen gebeuren! Ze had geen echtgenoot. Ze had geen kind. Ze was helemaal alleen. Ze snikte steeds harder.

Elsbeth kwam binnen en trok een stoel naast die van Adair, waarna ze haar hand pakte en die begon te strelen. 'O, mijn lammetje toch. Rustig maar. We hebben ergere dingen doorstaan, en desondanks gaat het ons voorspoedig. We zullen ook hier overheen komen, mijn kuikentje,' troostte ze haar.

'Hij wilde niet meer met me vrijen voordat hij vertrok,' snikte Adair. 'Hij zei dat we een mooie zoon zouden maken wanneer hij terugkeerde. Nu zal er geen zoon voor Stanton komen.'

'Onzin!' zei Elsbeth. 'Wanneer je rouwperiode voorbij is, ga je op zoek naar een andere man, en dan trouw je weer.'

'Ik heb zijn lichaam niet eens begraven,' zei Adair, nog steeds in tranen.

'We zullen een gedenkteken op de heuvel bij je ouders en de jonge FitzTudor laten plaatsen,' stelde Elsbeth voor. 'Vele lords zijn in een strijd gestorven en begraven waar ze waren gevallen. Daar is niets ongewoons aan. Voor de weduwe is dat natuurlijk moeilijk, mijn kuikentje. Maar er is niets meer aan te doen.'

'Ik kan niet weer opnieuw beginnen,' jammerde Adair. 'Ik heb er zo genoeg van, Juffie. Ik kan niet nog meer tragedie in mijn leven verdragen.'

'Kom nou maar mee,' zei Elsbeth, terwijl ze opstond en haar meesteres overeind hielp. 'Ik zal je naar bed brengen, en morgenochtend zal alles er anders uitzien.' Ze leidde Adair de zaal uit en vervolgens naar boven.

'Niets zal ooit nog hetzelfde zijn,' zei Adair. 'Niets! Ik zal morgenochtend wakker worden en Andrew zal nog steeds weg zijn, en ik zal nog steeds geen kind voor Stanton te bemoederen hebben. Ik zeg je dat ik niet meer kan verdragen!'

8

$\mathcal{S}$tanton was weer zonder meester. De mannen die met Andrew bij Market Bosworth hadden gevochten, waren geen van allen teruggekeerd, en vermoedelijk dood. Adair was niet de enige die treurde, maar ze kon haar wanhoop niet openlijk laten blijken. Als ze de winter wilden overleven, dan moesten er dingen worden gedaan. Het vee werd door de koeherders en hun honden van de hoger gelegen weiden gehaald. Waar nodig werden reparaties aan de gebouwen uitgevoerd. Het graan werd geoogst, gedorst en in de graanschuren opgeslagen. Adair gaf de mensen van Stanton toestemming om de laatste restjes voor eigen gebruik van de velden te halen. Haar kleine boomgaard had een grote hoeveelheid appels opgeleverd. Met St. Maarten deelde ze de vruchten uit onder haar dorpelingen, en ze hield een kleine hoeveelheid voor zichzelf. Wanneer de winter eenmaal was ingevallen, zouden er geen bezoekers meer naar Stanton komen. Ze hoefde dus geen rekening te houden met gastvrijheid.

Voor het slechte weer inviel, reed Adair naar Hillview Court. Ze wist dat haar zwager en zijn grootvader waarschijnlijk nog niet op de hoogte waren van het overlijden van de koning en het feit dat Andrew het leven had gelaten. Bij haar binnenkomst in de hal van het huis werd ze begroet door Robert Lynbridge. De oude lord Humphrey was nergens te bekennen.

Zodra hij haar gezicht zag, vroeg Robert: 'Wat is er gebeurd?'

'Waar is je grootvader?' antwoordde Adair. 'Ik kan dit slechts één keer vertellen.'

'Op zijn doodsbed, vrees ik,' zei Robert.

'Des te beter, in dit geval. Hij hoeft het niet te weten. Koning Richard is gesneuveld, en Henry Tudor regeert over Engeland, Rob. Er was een strijd bij Market Bosworth. Andrew, Dark Walter en dertig mannen van Stanton hebben het niet overleefd,' vertelde Adair hem.

'Verdomme!' vloekte Rob zacht. 'Ja, het is beter dat de oude man het niet weet.' Daarna sloeg hij zijn armen om haar heen. 'Mijn God, Adair, je bent weer alleen. Wat ga je doen?'

'Wat ik altijd heb gedaan, Rob. Overleven,' antwoordde ze, waarbij ze zich terugtrok uit zijn troostende armen. Ze zou gaan huilen als ze dat niet deed, en Adair wist dat ze als ze begon te huilen voorlopig niet zou ophouden. 'Ik moet voor mijn mensen van Stanton zorgen, en dat zal ik doen.'

'Dark Walter en dertig mannen dood? Hoe moeten jullie je beschermen wanneer de Schotten op bezoek komen? Er gaan de laatste tijd geruchten over plunderingen.'

'Stanton heeft de reputatie dat het sterk is, dankzij Dark Walter, God hebbe zijn goede ziel,' zei Adair. 'Hopelijk zullen ze ons met rust laten, omdat ze nog niet op de hoogte zijn van onze plotselinge kwetsbaarheid. Tegen het voorjaar kan ik genoeg mannen en jongens hebben die getraind zijn, en die de mannen kunnen vervangen die we zijn kwijtgeraakt. Wat kan ik anders doen, Rob? Ik zal mijn mensen van Stanton niet alleen en onbeschermd achterlaten. Op dit moment hebben we twintig goede mannen.'

Hij knikte goedkeurend, maar zag er nog steeds bezorgd uit. Een grote groep overvallers zou haar kleine verdedigingswerken moeiteloos wegvagen. Toch had ze gelijk. Ze had geen andere keus. Stanton was haar geboorterecht, en zijn mensen waren haar verantwoordelijkheid. 'Je blijft vannacht hier,' zei hij. 'Allis zal je willen spreken.'

'Ligt de oude zuurpruim werkelijk op sterven?' informeerde Adair, terwijl ze een bokaal wijn van een bediende aanpakte.

'Ja, het is waar,' zei Rob.

'Dan is het denk ik beter dat ik hem niet zie. Laat hem in vrede gaan,' zei ze met een zucht. 'Hij zal spoedig genoeg weten dat mijn Andrew voor hem is gegaan.'

Robert knikte instemmend. 'Ja,' zei hij gespannen. 'Ja.'

Toen Allis Lynbridge de hal binnenkwam en ze allen aan de tafel waren gezeten, vertelde Adair in detail wat ze van de jonge Anthony Tolliver had gehoord. Ze vertelde hun echter niet wat de jonge page haar over de moord op de prinsen had verteld. Die informatie was veel te gevaarlijk, want Adair wist niet of de nieuwe koning de opdracht had gegeven om de zoons van Edward IV te doden. Ze betwijfelde het sterk, want zijn eigen moeder oefende grote invloed op hem uit, en lady Margaret Beaufort zou dergelijk gedrag nooit hebben geduld. Van Jasper Tudor was ze niet zeker, noch van lord Stanley. Desondanks nam ze in deze kwestie geen enkel risico. Ze verklaarde Anthony's komst door te zeggen dat hij al een jaar de persoonlijke boodschapper van haar oom Dickon was. Toen het bericht over de dood van de koning Middleham bereikte, was hij naar haar toe gereden om het haar te vertellen, en zij had hem gevraagd te blijven voor zijn eigen veiligheid, aangezien hij geen familie had.

Ze verliet Hillview Court toen de late herfstzon net boven de horizon zichtbaar werd, en keerde met haar twee begeleiders terug naar Stanton. Het weer werd kouder, en enkele dagen later viel er een lichte sneeuwbui die de grond net bedekte. Kijkend uit haar slaapkamerraam zag Adair dat het bijna volle maan was die zich weerspiegelde op het helder verlichte besneeuwde landschap. Ze slaakte een zucht. Het was zo mooi, maar het zou nog veel mooier zijn geweest als Andrew hier bij haar had gestaan om het te delen. Wat vreemd eigenlijk. Nu hij dood was, hield ze meer van hem dan toen hij nog leefde.

December kwam en ging zonder dat er op Stanton al te veel feestelijkheden werden gevierd. Hun verdriet was hevig, en duurde de hele winter. Ze had al vele maanden niets van haar halfzuster gehoord. Niet sinds de strijd waarbij Richard van Gloucester was omgebracht, en waardoor Henry van Lancaster en Elizabeth van York op de troon van Engeland waren gekomen. Maar op een heldere voorjaarsdag arriveerde er een groep ruiters op Stanton Hall.

'Ik heb een boodschap voor je meesteres van milady koningin Elizabeth,' zei de kapitein tegen Albert, die hem begroette.

'Mijn meesteres is in de nabijgelegen velden de kalveren aan het tellen,' zei Albert. 'Ik zal onmiddellijk iemand naar haar toe sturen.' En hij beval een bediende om Adair te halen.

Toen ze de grote zaal binnenkwam, sprong de kapitein op uit de stoel bij het vuur, waar hij met een beker bier had zitten wachten. Hij maakte een buiging voor haar.

'Ik ben de gravin van Stanton,' zei ze tegen hem. 'U heeft een boodschap voor me van milady de koningin?' Ze stak haar hand uit.

'De boodschap die ik heb, is een verbale, vrouwe. Ik heb de opdracht gekregen u met grote haast naar de koningin op Windsor te begeleiden,' zei de kapitein.

'Het zal mijn bediende enkele dagen kosten om in te pakken,' antwoordde Adair.

'Nee, vrouwe.' De kapitein keek ongemakkelijk. 'We moeten morgen vertrekken, en u kunt niemand meenemen. Een vrouw van de hofhouding van de koningin is met ons meegereisd om u te dienen.'

'Is de koningin in orde?' vroeg Adair ongerust.

'Ja, vrouwe, haar gezondheid is uitstekend. De koningin is zwanger, of althans, dat wordt gefluisterd,' zei de kapitein.

'Prijs de Heer en zijn lieve Moeder voor die zegen!' zei Adair. 'Albert zal voor uw mannen zorgen, kapitein. Bij zonsopkomst zal ik klaar zijn om te vertrekken. Wilt u de bediende naar me toe sturen die met u mee is gereisd?'

Elsbeth was er bepaald niet over te spreken dat ze niet met haar meesteres mee op reis mocht. 'Hoezeer ik die lange dagen op de weg ook verafschuw, het bevalt me helemaal niet dat je alleen met die vreemdelingen weggaat,' bromde ze. 'Ik zou wel eens willen weten waarom je zonder mij moet reizen.'

'Ik denk dat de koningin hare ladyship zo spoedig mogelijk wenst te spreken,' zei de bediende die was meegekomen om Adair te escorteren. Haar naam was Clara, en ze was een beetje afstandelijk. 'Hare hoogheid heeft me haar redenen niet medegedeeld.'

'Nou, ik hoop dat je goed voor mijn meesteres zorgt,' zei Elsbeth. 'Ik heb haar al sinds haar geboorte onder mijn hoede.'

Clara kreeg voedsel en een slaapruimte voor de nacht.

'Ik mag haar niet,' mopperde Elsbeth. 'Ik begrijp niet waarom lady Elizabeth niet wilde dat je met je eigen bediende reist. Ze kent me.'

'Misschien herinnert ze zich dat je zo'n hekel aan reizen hebt,' opperde Adair. 'Elizabeth heeft oog voor detail, en ze is altijd attent voor anderen geweest.'

'Hmm,' zei Elsbeth. 'Ik heb een hutkoffer voor je ingepakt.'

Adair schudde haar hoofd. 'We moeten snel reizen, heeft de

kapitein gezegd. Ik zal zelf rijden, en er zal geen plaats voor een hutkoffer zijn. We kunnen twee zadeltassen inpakken met wat ik nodig heb. Ik zal schrijlings rijden, en een broek dragen. Geef me twee schone hemden en twee eenvoudige jurken, mijn haarlint met de robijn en de zwarte muiltjes mee. Ik zal een warme cape over mijn broek, hemd en wambuis dragen, en mijn laarzen.'

'Dat is niet bepaald waarin milady de gravin van Stanton op Windsor wil worden gezien,' mompelde Elsbeth. 'Wat kan er aan de hand zijn?'

'Als Bess me nu wenst te spreken, dan zal ik me zo snel mogelijk naar haar toe haasten,' antwoordde Adair. 'Als dit een sociaal bezoek zou zijn, dan zou de koningin me een boodschap hebben gestuurd en me de tijd hebben gegeven om in te pakken. Dit is iets anders, hoewel ik niet kan bedenken wat ze van me wil. Maar ze is nu de koningin, en we hebben een bloedband. Ik zal zo snel mogelijk vertrekken, Elsbeth. Ik betwijfel of ik voor een lang bezoek ben uitgenodigd. Maar als ik het mis heb, dan zal Bess ervoor zorgen dat ik fatsoenlijke kleding krijg.'

'Ik zou met je mee moeten gaan,' mompelde Elsbeth.

De trip naar het zuiden ging snel. De kapitein van de koningin was verheugd over het feit dat Adair schrijlings kon rijden, want het gaf hem de gelegenheid per dag veel meer kilometers af te leggen. De bediende, Clara, hees haar rokken op en reed eveneens schrijlings. Toen ze Windsor ten slotte bereikten, werd Adair naar het slaapgebouw voor de bedienden gebracht, waar ze volgens haar nog nooit was geweest. Clara verschafte Adair een bak met warm water en een doek. Adair waste het ergste vuil van haar gezicht, nek en handen. Ze verlangde naar een bad.

Ze opende een van haar zadeltassen en haalde haar oranjerode fluwelen jurk te voorschijn en ontvouwde deze zorgvuldig. Hij vertoonde nauwelijks een kreukeltje, want Elsbeth had een speciale manier van inpakken. Adair schudde het fluweel uit, trok een schoon hemd aan en liet de jurk over haar hoofd glijden.

Haar haren waren stoffig, maar ze borstelde haar lokken uit tot ze glansden en bond er het lint omheen. Ze wenste dat ze een spiegel had om het resultaat te controleren. Ze pakte haar muiltjes en liet haar voeten erin glijden. Het was bijna twaalf uur, en Adair had sinds het ontbijt, dat uit pap had bestaan, niets meer gegeten. Ze was hongerig, maar Clara drong erop aan dat ze zich naar de wachtkamer naast de koninklijke verblijven moesten begeven.

'Breng je me niet naar milady de koningin?' vroeg Adair aan de vrouw.

'Ik moest u naar de kamer brengen waar ik u nu naartoe breng,' zei Clara.

Zodra ze daar waren, ging Clara weg, en liet Adair achter te midden van een menigte vreemden. Adair wist dat ze zou worden ontvangen wanneer ze gewenst was, maar desondanks ging ze naar de hofmeester bij de deur en zei: 'Ik ben de gravin van Stanton. De koningin heeft me laten halen.'

De hofmeester knikte, en Adair stapte bij hem vandaan. Ze vond een discreet hoekje met een bank en ging daarop zitten wachten. Om haar heen stond de menigte te wachten en te roddelen. Ze herkende niemand van haar tijd aan het hof.

'Nou,' hoorde ze een stem dichtbij zeggen, 'ik heb uit de meest betrouwbare bron gehoord dat hij ze hoogstpersoonlijk heeft vermoord.'

'Nee! Wie heeft je dat verteld?' vroeg een tweede stem.

'Dat kan ik niet zeggen, want dan zou ik iemands vertrouwen beschamen, milord. Maar hij heeft die twee arme onschuldige prinsen met zijn eigen handen gewurgd.'

'Het monster! Waar werd het gedaan?'

'In de Tower, nog voordat hij de kroon op zijn hoofd had.'

'Maar ik heb gehoord dat hij hen naar Middleham had laten brengen.'

'O ja? Niet volgens mijn bronnen, sir.' De stem klonk ongelovig.

'Heb je gehoord dat hij heeft geprobeerd met zijn eigen nicht naar bed te gaan, niet onze koningin, in een poging zijn troon te redden? En ik heb gehoord dat hij heeft geprobeerd op zijn eigen zoon zijn nogal wellustige perversiteiten bot te vieren, en dat het kind daardoor is gestorven.'

'Nou, we zijn Richard de overweldiger nu tenminste kwijt. Hij was duidelijk een duivelse man, en hij brandt vanwege zijn goddeloosheid vast al in het hellevuur,' zei de eerste stem. 'Heb je het gerucht al gehoord dat de jonge koningin zwanger is?'

Adair was geschokt door het nieuws dat ze zojuist had gehoord. Ze wilde opspringen en de smerige leugens ontkennen die de mannen over Richard van Gloucester rondbazuinden. Maar in plaats daarvan beet ze op haar tong en bleef ze zitten. Ze had lang genoeg aan het hof gewoond om te weten wanneer je een strijd moest aangaan en wanneer niet. Het deed er niet toe wat deze onbelangrijke mensen dachten. Ze wist immers wat voor soort man haar oom Dickon was geweest. Hij was eervol, fatsoenlijk en vriendelijk. En hoewel ze niet wist wie die mannen naar Middleham had gestuurd om haar halfbroers te doden, wist ze zeker dat het oom Dickon niet was geweest, want hij was al dood op het moment dat de prinsen werden vermoord.

De dag liep ten einde, en ten slotte verkondigde de hofmeester: 'Hare majesteit zal vandaag niemand meer ontvangen. Kom morgen maar terug.'

De kamer begon leeg te lopen, maar Adair bleef waar ze was. Bess zou vast wel iemand sturen om haar te halen. De lichten in de wachtkamer werden gedimd, en de hofmeester kwam zeggen dat ze niet kon blijven. Adair stond op en liep langzaam de kamer uit. Ze had er geen idee van waar ze naartoe moest gaan. Toen ze hier op Windsor woonde, had ze deel uitgemaakt van de koninklijke kinderkamer, en ze had haar eigen verblijven met een kleine tuin gehad. Adair wist absoluut niet waar ze nu was.

Ze was vermoeid en hongerig, en ze voelde zich verward. Waarom had Bess haar laten halen om haar alleen maar te negeren?

'Milady?'

Ze draaide zich om naar de bediende. 'Ja?' antwoordde ze.

'Bent u de gravin van Stanton?' vroeg het meisje. 'Ik dacht dat ik u herkende.'

'Ja, dat ben ik,' antwoordde Adair. 'Kun je me helpen? Ik weet niet waar ik ben, of wat voor regelingen er zijn getroffen om de nacht door te brengen. De koningin heeft me van Stanton laten overkomen.'

'Natuurlijk, milady. Komt u maar met me mee, en dan zoeken we iemand die hier meer van weet,' zei het meisje. 'De koningin is altijd buitengewoon attent voor haar gasten.'

Maar niemand wist waar Adair naartoe moest. Er was geen kamer voor haar in gereedheid gebracht.

'Ik heb mijn bezittingen in het slaapgebouw voor de bedienden,' zei Adair tegen de jonge dienstmeid. 'Breng me daarheen, en wil je daarna zo vriendelijk zijn aan lady Margaret Beaufort te gaan vragen waar ik naartoe moet?'

'Natuurlijk, milady,' antwoordde ze. Het meisje bracht Adair terug naar de ruimte waar ze zich had verkleed en haastte zich vervolgens weg. Toen ze terugkeerde, durfde ze Adair bijna niet aan te kijken. 'De hofdame van lady Margaret zegt dat u vannacht hier moet blijven, milady.' Het meisje bloosde van verlegenheid.

Adair was verbaasd. Wat was er mis? Ze was opgehaald, en niet onuitgenodigd gekomen. Ze haalde diep adem. Misschien had de koningin haar niet al zo gauw verwacht, en was er nu geen tijd om een kamer voor haar halfzuster klaar te maken. Goed, dacht Adair. Ze zou hier blijven als dat was wat Mags wilde. Ze keek naar het meisje, dat duidelijk gespannen was. 'Ik heb de hele dag nog niet gegeten,' zei ze. 'Zou het mogelijk voor je zijn om me iets te eten te brengen?'

'O ja, milady, ik zal iets voor u halen,' zei het meisje, kennelijk opgelucht omdat ze aan een lastige situatie kon ontsnappen. Ze draaide zich om en rende weg.

Adair ging op het smalle bed zitten. Het was niets voor Bess om dingen over het hoofd te zien. Er was iets heel erg mis, maar ze zou niet weten wat dat was voordat ze haar halfzuster had gesproken. De bediende keerde terug met een kom groentesoep voor Adair, die haar bedankte en begon te eten waar ze zat. Ze at het allemaal op. 'Wil je me morgenochtend ook iets te eten brengen? Ik zal naar de wachtkamer moeten terugkeren en wachten tot de koningin me kan ontvangen.'

'Ik zal u morgenochtend helpen,' antwoordde het meisje, en daarna haastte ze zich weer weg.

Adair deed haar jurk uit en ging liggen, waarna ze haar cape over zich heen trok. Ze sliep niet, maar lag te luisteren naar de bedienden die binnenkwamen en weggingen als hun dienst begon en eindigde. Het meisje dat haar had geholpen kwam binnen en ging op het bed naast het hare liggen. Adair deed net of ze sliep, want ze wist dat het meisje zich afvroeg waarom de koningin haar halfzuster op deze manier behandelde. Zoals ze zich dat zelf ook afvroeg. Ten slotte, toen het grauwe ochtendlicht door de smalle ramen van het slaapgebouw naar binnen piepte, stond Adair op en kleedde zich aan. Het meisje bracht haar pap, en weer at Adair het allemaal op omdat ze wist dat het onwaarschijnlijk was dat ze weer iets te eten zou krijgen voordat ze de koningin had gesproken.

'Ik zal u terugbrengen naar de wachtkamer,' zei de bediende, en ze leidde Adair terug door het kasteel.

Toen ze daar aankwamen, tastte Adair in haar buidel en haalde er een halve penny uit die ze het meisje gaf. 'Je bent meer dan vriendelijk geweest,' zei ze. 'Ik weet niet eens hoe je heet.' Ze drukte de munt in de hand van het meisje.

'Ik heet Mary, milady, en u bent te gul. Ik was blij dat ik u kon helpen, want ik herinner me u van toen ik hier voor het eerst kwam dienen. U was altijd vriendelijk en zei altijd dank je wel. Dat doen maar weinigen.' Hierna maakte Mary een buiging en liep weg door de gang.

Adair stapte de wachtkamer binnen die zich al begon te vullen. Ze liep weer naar de hofmeester. 'Ik ben de gravin van Stanton. De koningin heeft me laten halen,' zei ze.

'Ja, milady, ik herinner me u,' antwoordde hij. 'U moet wachten. U stond gisteren niet op de lijst, en ik zie uw naam er vandaag ook niet op staan, maar ik zal een page sturen om de koningin te zeggen dat u zit te wachten.'

'Dank u,' antwoordde Adair. Ze begaf zich weer naar het bankje in de hoek en ging zitten. Er waren verscheidene belangrijk uitziende mannen en slechts een paar vrouwen die haar voorgingen, maar uiteindelijk riep de hofmeester haar naam af. Adair liep door de wachtkamer en begaf zich naar de dubbele deuren die openzwaaiden. Ze liep langzaam door het vertrek in de richting van de troon. Elizabeth zat links van de koning, haar stoel was slechts iets lager dan die van haar echtgenoot. Adair glimlachte aarzelend, maar Elizabeth keek niet eens naar haar. Wat raar, dacht Adair. Toen zag ze de moeder van de koning, haar oude gouvernante, naast de koningin zitten. Wat zag ze er elegant uit, flitste het door haar heen. Vlak voor de troon maakte ze een diepe buiging en wachtte tot haar werd gezegd dat ze overeind mocht komen.

'Kniel voor me neer, milady gravin van Stanton,' hoorde ze de koning bevelen. 'Kniel voor me neer en smeek om vergiffenis voor uw verraad.'

Ze was verbaasd en zelfs geschrokken door zijn woorden, maar ze knielde voor Henry Tudor neer, en zei: 'Maar hoogheid, ik heb geen verraad tegen u gepleegd. U bent mijn koning, en ik vereer u. Ik beloof u hierbij plechtig mijn trouw.'

'Is uw echtgenoot, de graaf van Stanton, de overweldiger Richard niet met een groep mannen van Stanton te hulp geschoten, madam?' vroeg de koning kil.

'Stanton heeft altijd de regeerder van Engeland gesteund, hoogheid, en koning Richard regeerde in die tijd,' legde Adair uit. 'Mijn echtgenoot en zijn mannen hebben hun leven bij Bosworth verloren.'

'Terwijl ze een overweldiger verdedigden,' antwoordde de koning. 'Er moet een voorbeeld worden gesteld voor degenen die hun land zouden verraden. En Stanton zal de prijs betalen voor de verdediging van de overweldiger. Omdat uw echtgenoot is gedood, kan ik hem niet straffen. God zal hem veroordelen. U bent de enige die nog kan boeten, en dus ontneem ik u uw landerijen en titel, vrouwe. De titel zal niet meer van kracht zijn, en de landerijen zullen aan iemand worden gegeven die mij en Engeland trouw is.'

'Maar Stanton was niet van mijn echtgenoot,' riep Adair uit. 'Stanton is mijn geboorterecht als koning Edwards natuurlijke dochter, hoogheid. Alstublieft, ik smeek u, neem het me niet af!' Adair wendde zich tot de jonge koningin. 'Bess, je bent van mijn bloed! We zijn al bevriend vanaf het moment dat ik op Westminster arriveerde. Doe een goed woordje voor me, ik smeek het je?'

Elizabeth van York bleef zwijgen. Ze keek Adair niet eens aan.

De tranen stroomden nu over Adairs wangen. 'Lady Margaret, ik smeek u me te helpen,' bepleitte ze bij haar oude gouvernante, de moeder van de koning.

Maar ook zij bleef zwijgen, en draaide haar hoofd van Adair af.

'Laat deze vrouw een voorbeeld zijn voor allen die hun koning zouden verraden,' zei Henry Tudor. 'Ik ben de regeerder van Engeland, en dat zal ik tot mijn dood blijven. Het conflict tussen Lancaster en York is nu voorbij en afgehandeld. We zullen er niet meer over spreken.'

'Ik heb u niet verraden, hoogheid,' zei Adair. 'Net zomin als mijn mensen. Het is onjuist om ons te straffen. Heeft Engeland in de loop der jaren al niet genoeg geleden door de oorlog tussen Lancaster en York? Ja, u bent de nieuwe koning van Engeland, maar dat betekent niet dat degenen die de oude koning van Engeland volgden nu uw verraders zijn. Dit huwelijk tussen mijn koninklijke halfzuster en uwe majesteit regelt de kwestie tussen uw families, en brengt Engeland eindelijk vrede.'

De koning staarde haar kil aan.

Adair stond op. 'Gisteren, hoogheid, zat ik in uw wachtkamer te wachten tot mijn halfzuster me zou ontvangen. Ik hoorde de smerigste roddels over koning Richard, en ik heb gezwegen. Waarom staat u toe dat er zulke gemene dingen over uw voorganger worden gezegd? Hij was de oom van uw eigen geliefde vrouw. Dat is u onwaardig, want ik ken de moeder die u heeft opgevoed, hoogheid. Ze heeft mij ook opgevoed.'

'Zou u dan een moordenaar van kinderen verdedigen, madam?' vroeg de koning.

'Onze oom hield van alle kinderen! Bess, hoe kun je dit van oom Dickon geloven? Je weet dat hij geen kind kwaad zou doen. Hij heeft mijn halfbroers veilig op Middleham ondergebracht. Pas na zijn dood –' Adair huilde, maar hield op onder de dreigende blik van de koning.

'U vergeet wie u bent, vrouwe, en u vergeet tegen wie u spreekt,' zei Henry Tudor op afgemeten toon. 'U zult ons verlaten en nooit meer terugkomen. U bent van het hof verbannen. U zult niet meer naar onze connecties verwijzen. U bent als bastaard geboren, vrouwe, en op deze dag heeft u me uw ware en verraderlijke aard getoond, ondanks de vele voordelen die u waren gegeven.' De koning knikte naar twee van zijn gewapende mannen. 'Escorteer deze vrouw het kasteel uit. Ze mag meenemen wat ze bij zich had.'

'Hoogheid,' zei Adair weer, 'als u me Stanton afpakt, wat moet ik dan doen? Waar moet ik naartoe?'

'Het kan ons niet schelen waar u naartoe gaat, vrouwe. En wat u zou moeten doen is hoereren voor uw brood, zoals uw moeder voor u heeft gedaan,' zei de koning bot.

De twee gewapende mannen stapten naar voren en namen Adair tussen hen in. Na een elegante buiging, want ze wilde niet dat ze zouden zeggen dat ze geen manieren had, draaide ze zich om en verliet de kamer. 'Mijn bezittingen zijn in het slaapgebouw voor de bedienden,' zei Adair tegen de mannen. 'En mijn paard is in de stal.'

Ze escorteerden haar naar het slaapgebouw, en wachtten buiten zodat Adair haar rijkleding weer kon aantrekken. Het maakte haar niet uit wat de koning had gezegd: ze ging terug naar Stanton. Het was het enige wat ze kende. En hoewel ze misschien niet langer de gravin van Stanton was, was Stanton wel haar huis. De koning zou niet weten waar ze naartoe was gegaan, en het zou hem ook niets kunnen schelen. Haar landerijen zouden aan iemand worden gegeven die bij Henry Tudor in de gunst stond, maar die zou er waarschijnlijk nooit naar omkijken, alleen genieten van het bezit ervan. Ze tilde haar zadeltassen op en verliet de kamer om zich bij haar bewakers te voegen. Maar ze waren weg, en in plaats daarvan vond ze een dienstmeid.

'U moet met mij mee, milady,' zei de vrouw.

Adair ging er niet tegenin, maar volgde de bediende door verscheidene gedempt verlichte gangen tot ze een deur bereikten die toegang gaf tot een kleine kamer waar lady Margaret Beaufort wachtte. 'Mags!' Adair maakte een buiging. 'Vergeef het me, vrouwe. Ik ben alleen zo blij u te zien.'

'Kom binnen, Adair,' zei lady Margaret. 'Het spijt me van je moeilijkheden.'

'Als u maar een goed woordje voor me zou willen doen, milady. De titel kan me niet schelen, maar Stanton betekent zoveel voor me. U weet dat ik trouw ben.'

'Ga zitten,' antwoordde lady Margaret. Ze overhandigde Adair een bokaal. 'Drink iets. Ik denk dat het je zenuwen zal kalmeren.' Ze wendde zich tot de bediende. 'Wacht buiten, en daarna zorgen we ervoor dat vrouwe Radcliffe naar de stallen wordt gebracht waar haar paard op haar wacht.' Toen de bediende weg was, keek lady Margaret haar weer aan. 'Vertel me eens, liefje, wat bedoelde je toen je zei dat de prinsen na Bosworth op Middleham in leven waren. Hoe kun jij dat weten?'

'Oom Dickon heeft mijn halfbroers na zijn kroning uit de Tower weggehaald omdat hij de atmosfeer daar niet gezond voor hen vond, en ze naar Middleham laten brengen. Een jonge bediende die in een donkere hoek in hun kamer sliep, is afgelopen herfst naar me toe gekomen. Hij heeft me verteld dat er twee mannen het slaapvertrek binnendrongen, waarna ze de jongens smoorden. Hij durfde ze niet te hulp te schieten, want hij vreesde voor zijn eigen leven. Nadat de mannen waren vertrokken, met de lichamen van mijn halfbroertjes, is hij het kasteel ontvlucht en naar Stanton gereden, waar hij me om onderdak en bescherming smeekte.'

'Heeft hij gezien of die mannen dienstinsignes droegen?' wilde lady Margaret weten.

Adair schudde haar hoofd. 'Dat weet ik niet, hij heeft er in ieder geval niets over gezegd, vrouwe,' loog ze. Het was beter voor haar eigen veiligheid dat ze erover zweeg.

'Jammer,' zei lady Margaret. 'Ik heb nooit gedacht dat Richard die jongens had vermoord, of er zelfs maar opdracht voor had gegeven. Maar nu zullen we nooit weten wie het wel heeft gedaan.' Ze stond op. 'Je moet nu gaan. Dank je dat je met me hebt willen praten.'

Adair stond ook op. 'Kunt u bij de koning een goed woordje voor me doen, milady?' vroeg ze zacht. 'Laat me Stanton houden. Het kan voor de koning van geen enkel nut zijn, en wie van zijn gunstelingen zou een bezit in de noordwestelijke hoek van Noord-Humbrië willen hebben, milady?'

'Mijn zoon is op dit moment boos,' antwoordde lady Margaret, 'en hij heeft het gevoel dat hij het nodig heeft om in het openbaar een voorbeeld te stellen om zijn positie te versterken. Waarom heb je zo tegen hem gesproken? Zo heb ik je dat niet geleerd; je was een van mijn beste leerlingen. Maar Henry is niet wreed of onredelijk. Ga naar huis, Adair, en ik zal zien of ik het op een gegeven moment met hem kan bespreken, maar ondertussen zal ik ervoor zorgen dat Stanton niet aan iemand anders wordt gegeven. Je titel kan ik je echter niet teruggeven. Het spijt me.'

'De titel betekent heel weinig voor me, milady. Die geef ik

graag op als ik Stanton mag behouden. Krijg ik een escorte naar huis? Ik ben een vrouw en ik kan niet alleen reizen.'

'Het is barbaars, ik geef het toe, maar ik durf je tegen de regels van mijn zoon in geen escorte toe te zeggen. Je moet, vrees ik, zelf naar huis zien te komen. God zij met je, mijn kind.'

Adair maakte een buiging. 'Dank u, lady Margaret. Wilt u tegen mijn zuster, Elizabeth, zeggen dat ik voor haar bid dat ze een gezonde zoon krijgt? Ze is zwanger, heb ik gehoord.'

'Dat klopt. En ik zal haar je goede wensen doorgeven. Denk niet te hard over Bess. Ze werd opgevoed om haar plicht te doen. Ze zal altijd eerst trouw zijn aan mijn zoon. Ik geloof zelfs dat ze echt op elkaar gesteld raken. Je zult waarschijnlijk nooit meer iets van haar horen.'

Adair knikte. 'Zeg haar dat ik het begrijp.' En na nog een buiging verliet ze het kleine vertrek, en trof de dienstmeid die op haar wachtte.

'Ik zal u naar de stallen brengen, vrouwe,' zei ze.

Adair volgde de vrouw door een aantal gangen tot ze uiteindelijk naar buiten stapten.

'Heb je het paard van vrouwe Radcliffe klaarstaan?' riep ze naar een staljongen, waarna Adairs gezadelde paard naar haar toe werd geleid. De dienstmeid kwam dichter bij Adair staan en zei zacht: 'Mijn meesteres heeft me gezegd dat ik u moet aanraden uw haar onder uw hoed te verbergen, vrouwe. Vanaf een afstand kunt u dan voor een jongen doorgaan. Ze zegt dat u bij kloosters onderdak kunt vinden, en ze heeft me deze zak munten gegeven.' De bediende drukte een buideltje in Adairs hand. Daarna haastte ze zich weg.

'Dank je,' riep Adair haar achterna. Ze borg het buideltje in haar broekzak en stopte haar lokken onder haar hoed. Vervolgens bevestigde ze de zadeltassen aan het zadel, beklom haar paard en reed weg. Het was halverwege de middag, en ze wist dat ze, als ze in een stevig tempo doorreed, het klooster kon bereiken waar ze op de heenweg naar Windsor ook had overnacht.

De volgende ochtend voegde ze zich bij een groep pelgrims die naar York reisde. Ze gaf de leider van de pelgrims een zilveren munt. Eenmaal in York trof Adair een konvooi van kooplieden die naar Newcastle gingen. Ze sloot zich bij hen aan maar hield zich zo afzijdig mogelijk, en verliet de kooplieden vlak voordat ze de stad bereikten.

Gedurende de volgende paar dagen reed ze dwars door Noord-Humbrië naar Stanton. Ze overnachtte meestal in religieuze huizen, maar twee nachten was ze gedwongen om onderdak in een schuur te aanvaarden. Maar ten slotte herkende ze tot haar opluchting haar eigen landerijen, om vervolgens te ontdekken dat Stanton Hall verwoest was. Er stond geen steen meer overeind, ook de verdedigingsmuren niet, maar het dorp was er nog wel, en daar vond ze Albert, Elsbeth en de huisbedienden.

Elsbeth was woedend toen ze hoorde dat haar meesteres op een dergelijke manier naar huis was gestuurd. 'Je had aangevallen kunnen worden, of beroofd of zelfs gedood,' zei ze furieus. 'Welke koning stuurt een hulpeloze jonge vrouw in haar eentje over zo'n lange afstand op reis?'

'Ik sta niet in de gunst bij deze koning,' zei Adair droog. 'Ik ben mijn titel kwijt en mijn landerijen, hoewel Mags zei dat ze zal proberen de koning te vermurwen. Maar wat is er met Stanton Hall gebeurd?'

'De Lancastrianen hebben afgemaakt wat ze waren begonnen toen ze je ouders afslachtten,' zei Elsbeth verbitterd. 'Kort nadat je was vertrokken, arriveerde er een grote groep mannen. Ze hadden bevelen, zeiden ze, om de Hall te vernietigen, en dat hebben ze gedaan. Albert kreeg hen zover dat ze ons een beetje tijd gaven om onze persoonlijke bezittingen in te pakken voordat ze met hun verwoesting begonnen, en toen dat was gebeurd, hebben ze de boel in brand gestoken.'

'Waarom hebben ze het gedaan, milady?' vroeg Albert.

'Deze nieuwe koning heeft Stanton gestraft vanwege onze steun aan koning Richard,' verklaarde Adair.

'Wat moeten we nu doen, milady?' wilde Albert angstig weten.

'We zullen doorgaan zoals we altijd hebben gedaan,' zei Adair.

'Maar er is geen huis voor u,' zei hij.

'Waar woont Elsbeth? Ik zal in het huisje wonen waar zij woont, maar als daar al een andere familie woont, dan zal ik een nieuw huisje voor mij laten bouwen voordat de winter invalt. Ik ben nu gewoon vrouwe Radcliffe, en ik zal tevreden zijn met een gewoon onderkomen.'

'U bent de lady van Stanton, en vergeet dat niet,' bitste Elsbeth, en Albert knikte instemmend.

'We wonen allemaal bij onze familie in het dorp,' zei Albert. 'Nu u terug bent, zullen we een huisje voor u bouwen, milady.'

'Ik zal er tevreden mee zijn,' zei Adair nogmaals. 'We willen ook niet de aandacht van die mannen trekken die waren gekomen om Stanton Hall te verwoesten, is het wel?'

'Tot het klaar is, zult u bij mij en mijn zuster wonen,' zei Elsbeth. 'Ze is nu weduwe, en haar dochters zijn getrouwd. Er is genoeg ruimte, milady.'

'Dat is dan geregeld,' zei Adair opgewekt. 'Nu ga ik even een stuk over mijn landerijen lopen. Breng mijn arme paard naar de stal.' Ze liep bij hen vandaan, maakte hier en daar een praatje, en liet ten slotte het dorp achter zich. Hoewel het goed was om weer thuis te zijn, dacht ze erover na hoe ze haar mensen van Stanton kon helpen deze laatste klap te boven te komen. De Hall was weg, maar de mannen van de koning hadden de rest tenminste intact gelaten. En ze had onderdak. Ze ging op een lage stenen muur zitten om een ogenblik uit te rusten. Een koude neus drukte tegen haar hand.

'Beiste!' Ze stak haar hand uit en aaide de oude wolfshond. 'Arme lieverd. Je bent je warme haard kwijt, is het niet? Maar we zullen een nieuwe hebben voordat de vorst invalt. O, Beiste, ik ben zo verdrietig. Andrew is dood. Ons huis is weg. Ik heb er zo genoeg van om weer opnieuw te beginnen, alleen om me het weer te laten ontnemen.' Adair begon zacht te huilen, en de hond legde zijn grote kop op haar schoot. Adairs vingers kriebelden Beistes oren, en ze veegde de tranen weg die op zijn vacht drupten. 'Ik moet dapper zijn voor de anderen, weet je,' vervolgde Adair. 'Ze zouden niet weten wat ze zonder mij moesten doen. Ik weet zelf niet wat ik nu moet doen. Wat als de koning Stanton niet aan me terug wil geven? Nou, ik veronderstel eigenlijk dat als er iemand komt om het land op te eisen, ik er op kan blijven wonen. Iemand moet toch voor de mensen van Stanton zorgen?'

De hond bromde, alsof hij instemde met wat zijn meesteres zei.

Adair grinnikte beverig. 'Jij weet altijd het juiste te zeggen.' Ze stond op. 'Kom, we gaan terug. We logeren bij Elsbeth en haar zuster, Margery. Als kind was ik altijd bang voor haar, vanwege haar scherpe tong.'

'Hebben jij en de hond het geregeld?' vroeg Elsbeth toen Adair het huisje binnenkwam.

'Hoe weet je dat ik met de hond heb gepraat?' vroeg Adair.

Elsbeth giechelde. 'Dat doe je al sinds je een meisje was.'

Adair moest onwillekeurig lachen. 'Jij ziet ook altijd alles, Juffie!'

'Zo is het,' zei Elsbeth. 'Nou, wat heb je besloten?'

Adair nam de stoel bij het vuur. 'We gaan door zoals altijd. Ik weet niets anders te doen. Het is halverwege de zomer. De velden zijn groen en het vee is in de hoge weiden. We zullen zeep maken en groenten inmaken.'

'Je bent een verstandige vrouw, milady,' zei Margery, die het vertrek binnenkwam. 'De mensen van Stanton moeten het gevoel hebben dat er voor hen niets veranderd is. We zijn immers een eenvoudig volk. Het doet er niet toe of je een gravin bent of niet. Zo, heb je honger? Ik heb een lekkere konijnenstoofpot op het vuur.'

Adair ontdekte tot haar verbazing dat ze genoot van het simpele leven van de dorpelingen. De zomer vorderde, evenals haar nieuwe huisje. Het viel haar op dat het groter werd dan de andere huisjes in het dorp, maar ze zei er niets van.

Het graan rijpte op de velden, en het werd binnengehaald en gedorst. Het had deze zomer iets vaker geregend dan gewoonlijk, en dus was het graan niet zo vol als Adair zou hebben gewild. Maar er was desondanks genoeg voor iedereen om de winter mee door te komen. Haar geboortedag kwam en ging. Ze was nu eenentwintig jaar.

Robert Lynbridge kwam van Hillview gereden om haar te vertellen dat er een boodschap was gekomen om bekend te maken dat de koningin een zoon had gekregen, die Arthur was gedoopt. Hoewel Adair hem over haar veranderde omstandigheden had geschreven, was hij toch ontdaan toen hij de plek zag waar de Hall eens had gestaan. En hij was bedroefd toen hij het huisje zag waar ze nu in woonde.

'Ga mee terug naar Hillview,' smeekte hij haar. 'Allis zou blij zijn met je gezelschap. Nu grootvader dood is, is er bovendien niemand meer om je kwaad te maken.'

'Dank je voor het aanbod, Robert,' antwoordde ze. 'Maar ik woon op het moment heel comfortabel. Mijn eigen nieuwe huisje is bijna klaar. Dit zijn mijn mensen, ik ben hun lady, of ik nou de gravin van Stanton ben of niet. Mijn plaats is hier,' zei ze vastberaden.

'De Schotten zullen inmiddels hebben ontdekt dat je kwetsbaar bent,' zei hij.

'Wat is het ergste wat ze kunnen doen, Robert? Vee stelen? Laat ze. Ik zal Stanton nooit meer verlaten,' zei Adair koppig.

'Beloof me dan in ieder geval dat je erover zult nadenken,' zei hij. 'En stuur iemand naar me toe wanneer je je bedreigd voelt. Ik zal zo snel mogelijk met mijn mannen komen en je beschermen.'

Nadat hij was vertrokken, zei Elsbeth: 'Je zou voor de wintermaanden naar Hillview kunnen gaan, milady, en niemand zou het je kwalijk nemen.'

'Ik verlaat Stanton niet,' zei Adair rustig. 'De Schotten werden aangetrokken tot de Hall. Ze zullen voor een dorpje als dit nauwelijks enige interesse tonen.'

Maar Adair had haar buren verkeerd ingeschat, en op een ochtend in september kwam er een grote groep Schotse grensbewoners over de heuvels naar beneden en ze trokken het dorp in. Er waren hoofdzakelijk vrouwen, kinderen en oudere mensen aanwezig, want de mannen waren bezig met het vee op de velden of met de oogst in de appelboomgaarden. De dorpelingen werden naar het plein gedreven, en de Schotten deelden ze snel en vakkundig in. De ouderen en zieken kregen de opdracht de kleine kinderen met zich mee te nemen.

Adair stapte naar voren. 'Wie heeft hier de leiding?' vroeg ze.

'En wie wil dat weten, liefje?' vroeg een forse grensbewoner.

'De lady van Stanton!' antwoordde Elsbeth in Adairs plaats.

'Nou, jij bent heetgebakerd,' zei de man grinnikend. 'Jij zou een man in een koude winternacht wel bezig weten te houden.'

'Heb jij de leiding?' vroeg Adair hem.

'Ja,' antwoordde de man. 'Ik ben William Douglas. En wie ben jij?'

'Ik ben Adair Radcliffe, de lady van Stanton. Ik neem aan dat jullie voor mijn vee zijn gekomen. Neem de dieren mee en laat ons alsjeblieft verder met rust.'

'Je vee, je graan, dat je nu zo mooi hebt binnengehaald en gedorst, en gevangenen, lady,' antwoordde William Douglas opgewekt. 'Waar is je man?'

'Dood,' zei ze. 'Nog maar kort geleden.'

'En je kinderen?'

'We waren niet lang genoeg getrouwd,' antwoordde ze.

'Je ouders?'

'Op de heuvel, begraven.'

'En je verwanten?'

'Helaas heb ik geen levende verwanten meer, sir,' antwoordde ze.

'Heb je ergens goud begraven waarmee je je vrijheid kunt kopen?' informeerde hij beleefd.

'Als ik goud had begraven, sir, en dat heb ik niet, wat zou mijn garantie dan zijn dat u ons met rust zou laten?' vroeg ze hem.

'Ik ben een man van mijn woord, lady. Maar als je geen goud begraven hebt, dan heb ik geen andere keus dan jullie mee te nemen en op de herfstmarkt te verkopen. Ik ben een arme grensbewoner, en ik moet geld verdienen waar en wanneer ik kan.'

'Sir, ik smeek je, laat ons met rust,' zei Adair zacht.

William Douglas glimlachte vriendelijk naar haar. Zijn gezicht was, in tegenstelling tot zijn witte haar, jongensachtig. Hij hief haar kin en keek haar aan. 'Vrouwe,' zei hij, 'het spijt me dat ik iemand zo mooi als jij iets moet weigeren, maar het kan niet anders.' Zijn blauwe ogen waren zo koud als ijs. Hij draaide zich om en zei tegen een andere man: 'Jock, zijn we klaar om te gaan?'

'Ja, milord, we zijn klaar,' antwoordde Jock. 'Ik zal de wagens laten halen. We hebben een goede vangst van sterke vrouwen en jongelingen. Je zult een goede winst maken.'

Terwijl ze de grensbewoners hoorde praten, dacht Adair: waarom sta ik hier en laat ik dit gebeuren? Plotseling sprong ze bij de groep vandaan en snelde een straat in. 'Rennen!' riep ze naar haar mensen van Stanton. 'Rennen!'

Achter zich hoorde ze de anderen weghollen, de Schotten vloekten en daarna weerklonk er gegil. Waar waren de mannen, vroeg ze zich af. Waarom waren ze haar niet te hulp gekomen? Ze hoorde hoefgekletter achter zich toen ze het huisje van Margery bereikte. Ze schreeuwde toen ze werd opgetild en voor William Douglas in het zadel werd gezet.

Daarna schoot Beiste grommend uit het huisje. Hij sprong naar de hals van het paard, maar hij was oud en sprong mis. Desondanks probeerde hij nogmaals om Adair te redden. Maar William sloeg Beistes kop met een enkele klap van zijn zwaard van zijn romp. Adair ving nog een glimp op van haar dode hond die op straat achterbleef, terwijl William met haar terugreed naar de plek waar de drie wagens stonden, die nu gevuld werden met snikkende vrouwen en kinderen. Zonder omhaal dumpte William haar in een wagen, en plotseling begon Adair, tot verbazing van de mensen van Stanton, te huilen. Stomverbaasd konden ze niets anders doen dan haar aangapen, zonder deze enorme uitbarsting van haar grote verdriet te begrijpen.

Ze zouden niet kunnen begrijpen dat Adair niet huilde om wat er nu met hen allemaal gebeurde. Ze huilde om alles wat er de afgelopen vijftien jaar was gebeurd. Om haar vader en moeder die zo wreed waren vermoord, en een jeugd die veel te kort had geduurd. Om Richard van Gloucester, haar geliefde oom Dickon, die van haar had gehouden. Om Andrew, de echtgenoot die ze had geaccepteerd en van wie ze was gaan houden. Ja, en zelfs om de arme FitzTudor, wiens jonge leven door deze verdraaide Schotten was afgekapt. En om Beiste, haar geliefde wolfshond, die niet bij een warme haard in zijn slaap was gestorven, zoals hij had verdiend, maar in een dappere poging om haar te redden.

De wagens begonnen een voor een weg te rijden van Stanton. Voor hen was een grote stofwolk. De kudden werden gevolgd door verscheidene wagens met graan, gestolen uit de graanschuren van Stanton. De inval was goed uitgedacht en gepland. Terwijl ze de boomgaard passeerden, ging er een kreet op onder de vrouwen. De mannen van Stanton waren gedood en lagen tussen de bomen waar ze waren neergevallen.

Elsbeth drukte haar hand tegen haar mond om te voorkomen dat ze ging schreeuwen toen ze Alberts lichaam bij een mand appels zag liggen. Ze kon niet instorten. Ze moest nu sterk zijn voor Adair, die eindelijk deed wat ze jaren geleden had moeten doen – huilen om het verlies van haar geliefden.

Elsbeth sloeg troostend een arm om haar meesteres heen. 'Zo, meisje, huil maar,' zei ze zacht. 'Alleen God weet wat er nu met ons gaat gebeuren.'

9

$\mathcal{C}$onal Bruce, de landheer van Cleit, keek naar het bord dat voor hem op tafel stond. 'Wat is dit in vredesnaam?' wilde hij weten. Hij duwde met zijn lepel in de grijze massa.

'Ik denk dat het pap is,' zei zijn oudere halfbroer, Duncan Armstrong.

'Het is ook nog aangebrand,' zei Murdoc, de jongere broer van de landheer.

'Wie kookt er vandaag?' vroeg Conal.

'Ik geloof Sim,' zei Murdoc.

'Conal, we hebben een kokkin nodig,' merkte Duncan op. 'We kunnen niet zo doorgaan, alleen omdat jij geen andere vrouw in de keukens wilt hebben.'

'Elke keer dat ik een vrouw naar de burcht haal, maakt een van de mannen haar zwanger. Daarna gaat ze weg met het kind en in de meeste gevallen loopt de man haar nog achterna ook. We kunnen verdomme niet nog meer gewapende mannen kwijtraken!' Zijn grijze ogen spuwden vuur van kwaadheid.

'Er is een eenvoudige oplossing voor het probleem,' zei Duncan. 'Zoek een oudere vrouw. Eentje met een gezond verstand die niet op zoek is naar een man. Willie Douglas biedt morgen op de herfstmarkt een groep Engelse slaven te koop aan. Willie is een voorzichtige man. De slaven die hij onlangs heeft verkregen zijn sterk en gezond.'

De landheer slaakte een zucht. 'Nou ja, we kunnen op zijn minst een kijkje gaan nemen,' stemde hij in. 'Ik heb er genoeg van om steeds honger te hebben. En als ik voor een maaltijd bij het huisje van Agnes Carr kom, zal ze weer proberen vastigheid bij me te krijgen.'

'Agnes is een goede en vriendelijke vrouw,' zei Duncan.

'Ja, een beetje te vriendelijk,' merkte de landheer op. 'Als ik trouw, wil ik een eerlijke vrouw die ik kan vertrouwen. Een vrouw die alleen van mij is. Is er onder de grensbewoners een man die geen ritje tussen Agnes' lekkere, mollige dijen heeft gemaakt?'

Zijn metgezellen lachten en knikten instemmend.

'Een beetje room bij de pap maakt hem misschien smakelijker, maar in ieder geval voedzamer,' opperde Murdoc. 'Dit is het enige wat Sim als avondmaal heeft bereid, ik denk dat de mannen proberen ons iets te vertellen, Conal.'

'Dan kunnen ze beter ophouden met de kokkin een dikke buik te bezorgen,' zei de landheer korzelig.

'We hebben brood en boter, en er is ook nog een beetje jam van onze moeder over,' zei Duncan opgewekt. 'En er is bier.'

'We kunnen de pap het beste opeten voordat het zo hard als een steen wordt, en daarna naar bed gaan als we van plan zijn morgenochtend vroeg naar de markt te rijden,' zei Conal Bruce, en hij goot een dikke klodder room over zijn pap. Hij proefde ervan en trok een gezicht. 'Het helpt niet, vrees ik, maar het is het enige wat we hebben. Doe wat boter op dat brood voor me, Duncan. Met een beetje geluk vinden we morgen een slavin die zo lelijk is als een pad met wratten, maar die kan koken als een engel. Vergeet vanavond niet jullie gebeden te zeggen, broers, om God te verzoeken ons dat wonder te schenken.'

Duncan en Murdoc grinnikten.

De volgende ochtend verlieten de drie mannen de stenen burcht van de landheer en begaven zich naar de markt die elk jaar in een zonnig dal bij het dorp Craigsmur werd gehouden. Het was eind september, en hoewel de zon wat later opkwam, was het overdag nog helder en warm. Terwijl ze het dal naderden, zagen ze de wimpels aan de kramen wapperen. De herfstmarkt was een tijd om bij te praten met je buren, vee te kopen en te verkopen, evenals voedsel en drinken en misschien voor een jaar een meisje op te duikelen. De drie broers, allen bekend in het gebied, werden begroet en verwelkomd toen ze aankwamen. Ze hadden dezelfde moeder, die inmiddels was overleden. Duncan Armstrong was de jongste zoon uit het eerste huwelijk van zijn moeder. Hij was met haar naar Cleit gekomen toen ze met James Bruce trouwde, zijn stiefvader. Hij was net twee jaar ouder dan zijn halfbroer, Conal Bruce, de landheer van Cleit, en zeven jaar ouder dan Murdoc Bruce, de jongste broer. James Bruce was omgekomen bij een grensgevecht. Hun moeder was een jaar geleden gestorven.

De drie broers kluisterden hun paarden en gingen op zoek naar William Douglas. Ze vonden hem in het midden van de markt waar hij met een groep slaven onder een luifel stond. 'Conal Bruce, het is goed je te zien,' begroette William de landheer enthousiast. Hij knikte naar Duncan en Murdoc. 'Zijn jullie voor iets speciaals op de markt? Ik heb vandaag goed vee van over de grens.'

'Ik heb een kokkin nodig, Willie,' zei de landheer. 'Een verstandige, oudere vrouw die niet voor elke man in de burcht haar benen spreidt om met een bolle buik te eindigen.'

'Ik heb precies wat je nodig hebt,' zei William Douglas. 'Eigenlijk heb ik twee van zulke vrouwen. Ik zal je de een goedkoop overdoen. De andere houd ik om aan mijn vrouw te geven. Ik heb ze genomen omdat ze gezond en sterk zijn. Elsbeth, sta op zodat de landheer je eens goed kan bekijken.'

Conal stapte naar de vrouw toe. Ze had een kwade uitdrukking op haar gezicht.

'Kun je koken zonder de pap te laten aanbranden?' vroeg hij haar.

'Dat kan ik,' zei ze gespannen.

'Waar ben je buitgemaakt?'

'Stanton. Ik heb haar hele leven voor de gravin van Stanton gezorgd,' antwoordde Elsbeth.

'Heb je een man?'

'Dood, dankzij de grensbewoners,' zei Elsbeth.

'Kun je behalve pap nog iets anders koken?' wilde de landheer weten.

'Ik kan alles koken wat u wilt, sir,' antwoordde ze. Deze man zag er fatsoenlijk uit, dacht ze.

'Er zijn geen andere vrouwen in mijn burcht,' zei de landheer. 'Onze moeder is gestorven, en sindsdien is elke kokkin die we hebben gehad erin geslaagd met een dikke buik te eindigen. Kun jij je afzijdig houden van de mannen, Elsbeth?'

'Ik wil na mijn Albert geen andere man,' zei Elsbeth scherp. 'Ik zou iedereen doden die probeerde me te krijgen, sir. Ik zal hard voor u werken.'

'Ik neem haar,' zei Conal tegen William Douglas. 'Wat wil je voor haar hebben? Ze lijkt een goede vrouw die haar plicht doet en gehoorzaam is.'

'Een zilveren vierstuiverstuk is genoeg,' antwoordde hij.

'De helft, want je vraagt te veel. God weet hoelang de vrouw blijft leven.'

William dacht even na. 'Goed, de helft.'

'Ik kan niet met hem meegaan,' zei Elsbeth tegen William, en wendde zich vervolgens tot de landheer. 'U lijkt me een redelijke man, sir. Ik weet zeker dat u een goede meester zou zijn, maar ik kan niet zonder milady met u meegaan. Sinds haar geboorte ben ik nauwelijks van haar zijde geweken, en ik zal haar nu ook niet verlaten.' Ze stond kaarsrecht en keek hem met haar handen op haar heupen recht aan. 'Alstublieft, sir, koop mijn meesteres ook.'

'Waarom zou ik nog een vrouw op de burcht nodig hebben?' wilde de landheer weten.

'Nou sir, als er geen andere vrouw in de burcht is, wie heeft de boel dan schoon gehouden? Wie heeft de was gedaan? Ik zie aan uw hemd dat het in lange tijd niet behoorlijk is gewassen. Wie maakt uw zeep, uw kaarsen, uw inmaak? Wie maakt de zalven, de smeersels, de siropen en de andere medicijnen die nodig zijn om u en uw mensen gezond te houden? En een andere vrouw zou bovendien gezelschap voor mij betekenen, sir. Een eenzame vrouw kan gemakkelijk vallen voor verleidingen,' voegde ze eraan toe.

De landheer en zijn broers lachten om deze niet al te subtiele dreiging.

'Ze heeft gelijk, Conal,' zei Duncan. 'De burcht is een zwijnenstal, en als Elsbeth haar tijd in de keukens doorbrengt met voor ons te koken, dan zouden we echt wel iemand kunnen gebruiken die schoonmaakt en de was doet, en alle andere dingen die ze heeft genoemd.'

'Heel goed,' zei de landheer. 'Ik zal de andere vrouw ook kopen. Willie, wat wil je voor haar hebben?'

William Douglas dacht weer een ogenblik na. Daarna reikte hij tussen de andere gevangenen en trok een vrouw te voorschijn. Ze was net zo vuil als de anderen, haar haren waren geklit, haar gezicht was gezwollen en gekneusd, en ze had kettingen rond haar enkels. 'Ze heet Adair, en ik vervloek de dag dat ik haar meenam,' zei hij. 'Sinds dat moment heeft ze me niets dan last bezorgd. Ze heeft al drie keer geprobeerd weg te lopen, daarom is ze geketend.'

'Wat is er met haar gebeurd?' vroeg de landheer. Het meisje had blauwe plekken op haar armen, benen en gezicht. Ze was kennelijk slecht behandeld, maar zo op het oog had ze niets gebroken.

'Ik moest haar slaan,' zei William. 'Het was de enige manier om haar in toom te houden. Ze is een heetgebakerde meid.'

'Hij heeft milady niet met respect behandeld,' zei Elsbeth. 'En hij heeft geprobeerd met haar naar bed te gaan. Stel je voor! Een grensbewoner die probeert mijn geliefde kind, met haar adelijke bloed, te pakken te krijgen!'

Duncan en Murdoc grinnikten.

'De oude teef liegt!' zei William boos. 'Geef me een half vierstuiverstuk en een zilveren penny, Conal. Dan heb je ze allebei, en veel plezier, zou ik zeggen.'

'Ik ben geen slavin, sir,' zei Adair. 'Ik ben hare ladyship de gravin van Stanton, halfzuster van de Engelse koningin. Ik wil zo snel mogelijk naar mijn huis in Stanton terugkeren.'

Conal Bruce stak zijn hand uit en deed een greep naar Adairs donkere haren en trok haar naar zich toe. 'Zwijg, vrouwe,' mompelde hij tegen haar lippen. 'Of Douglas zal je aan iemand verkopen waar je het geen week uithoudt.' Hij draaide zich om. 'Maak haar kettingen los, Willie. Ik neem dit stel, hoewel ik vermoed dat ik te veel betaal. Maar ik heb verdomme een kokkin nodig, en als het meisje haar gelukkig maakt, dan moet het maar.' Hij overhandigde Willie de munten.

William Douglas beet in elke munt en taxeerde het gewicht ervan op zijn handpalm. 'Je hebt een koopje, Conal, en dat weten we beiden. Het meisje zal je bed deze winter warm houden, en de oude vrouw zal je buik gevuld houden.' Hij stak de munten in zijn zak, spuwde in zijn hand en stak hem de landheer toe. 'Verkocht.'

Conal spuwde in zijn eigen hand en greep die van de grensbewoner. 'Verkocht. Nou, maak die kettingen los, Willie, en we zijn weg. Ik wil vanavond een fatsoenlijk maal, en de keuken zal eerst moeten worden schoongemaakt.'

William haalde een sleutel van zijn riem en stak hem in het slot van de ketting rond Adairs enkels. Toen Adair bevrijd was, sprong hij naar achteren om een schop die Adair naar hem richtte te ontwijken. 'Ga mee met je nieuwe meester, teef,' beet hij haar boos toe.

Adair voelde een hand op haar bovenarm. Ze draaide zich geschrokken naar Conal om. 'Ik zal niet weglopen, sir,' zei ze. 'Mijn Elsbeth zou me niet kunnen bijhouden, en waar zouden we naartoe moeten? In de afgelopen dagen ben ik elk richtinggevoel kwijtgeraakt.'

De landheer verslapte zijn greep. 'Ik wil desondanks geen risico nemen. Elsbeth, kom mee!'

Elsbeth omhelsde haar zuster Margery en volgde daarna Conal en zijn broers naar de plek waar ze hun paarden hadden gekluisterd. Toen ze langs een luifel liepen waaronder eenden, ganzen en kuikens bijeen drongen, trok Elsbeth aan de jas van de landheer. 'Koop een gans, sir, en ik bereid hem voor uw avondeten.'

Hij gaf geen antwoord, maar kocht een grote vogel, die al geplukt was en klaar om te braden. Hij gaf hem aan haar. 'Wat nog meer?' vroeg hij.

'Ik zal eerst uw keuken moeten bekijken, sir, maar als u geen brood heeft, moeten we er misschien een paar kopen, en wat appels en peren.'

Hij knikte en kocht de verlangde waren, die hij haar eveneens gaf, en hij gaf ook het een en ander aan Adair. Tegen de tijd dat ze hun paarden bereikten, waren ze allen beladen. 'Duncan, neem jij Elsbeth achter je in het zadel. Murdoc vervoer jij de etenswaren.' Hij klom op zijn paard, en reikte naar beneden om Adair achter zich in het zadel te tillen. 'De rit is niet lang,' zei hij. 'Twee uur, niet meer.'

Adair zei niets. Ze was al bezig om voor zichzelf en Elsbeth een ontsnapping te beramen. Als ze aan de koning van Engeland kon ontvluchten, als ze het hele eind in haar eentje van Windsor naar Stanton kon rijden, dan moest ze toch zeker ook aan deze Schotse gevangenschap kunnen ontsnappen. Ze moest er achter zien te komen waar ze was – en snel ook. Het was al eind september. Volgende maand zou het koude weer kunnen invallen, en daarna de sneeuw. En ze moest weten hoe groot de afstand naar Stanton was. Niet iedereen was weggevoerd of gedood. Er was nog een kudde vee in de hoger gelegen weiden die niet naar beneden was gehaald. Ze kon – ze moest – weer opnieuw beginnen. Ze merkte nauwelijks hoelang ze reden, maar ze lette goed op de ruige heuvels om haar heen en de enkele huizen in het landschap die als herkenningspunten konden dienen.

'Daar is Cleit,' zei Conal Bruce ten slotte.

Adair keek naar de grijze, stenen burcht voor hen op een heuvel. Het was geen groot bouwwerk, maar desondanks zag het er indrukwekkend uit, hoewel niet bijzonder uitnodigend.

'Waar leven jullie van?' vroeg ze terwijl ze doorreden.

'Ik heb wat schapen, wat vee; we plunderen en verhuren onze zwaarden,' antwoordde hij.

'Zijn er geen andere vrouwen?' vroeg ze.

'Nee.'

'Waarom niet?' wilde Adair weten.

'We hebben ze niet nodig, behalve misschien om te koken.'

'Mannen kunnen geen huishouding voeren,' merkte Adair op.

'Nee, dat ben ik gaan beseffen, maar mijn mannen zijn wellustige knapen. Elke kokkin die we na de dood van onze moeder hebben gehad is weggestuurd met een dikke buik,' gaf hij toe.

'Als dat het geval is, wat moet er dan van mij worden? Ik wil geen prooi voor uw mannen zijn, sir,' zei Adair heftig. 'Ik ben geen hoer.'

'Ben je echt een gravin?' vroeg hij. 'De gravin van Stanton?'

'Dat was ik tot koning Henry me mijn titel ontnam,' antwoordde Adair.

'Koning Henry? Ik dacht dat Richard jullie koning was,' zei de landheer.

'Koning Richard werd bij Market Bosworth verslagen, en nu doet Henry Tudor aanspraak op de troon. Andrew, mijn echtgenoot, heeft voor koning Richard gevochten. Hij werd gedood, en ik werd ervoor gestraft. Nu ben ik gewoon vrouwe Radcliffe,' legde Adair hem uit. Ze vertelde hem niet dat haar landerijen haar ook waren afgenomen, want dat weigerde ze te accepteren.

'Je bent dus geen maagd meer,' merkte hij op.

'Nee, dat ben ik niet meer,' antwoordde ze.

'Goed,' zei de landheer.

'Ik ben geen hoer, sir,' herhaalde Adair.

'Milord,' verbeterde hij haar. 'Ik ben Conal Bruce, de landheer van Cleit. Vrouwen zijn er om te koken, schoon te maken, te wassen en om mee naar bed te gaan. Niets anders. Ik heb je niet gekocht om je te redden, Adair Radcliffe. Je moet je onderhoud verdienen.'

'Ik zal uw huishouding regelen,' antwoordde Adair, 'maar ik zal niet uw hoer zijn. Ik zal voor u schoonmaken en boenen. Ik heb alle talenten van een geboren lady, en ik weet hoe je een huishouding moet regelen. Mijn vader was koning Edward.'

'Maar je moeder was niet Edwards koningin, vermoed ik. Je moeder was de hoer van die koning, en jij zult de mijne zijn. Onder al dat vuil en die zwellingen en blauwe plekken die je door de handen van Willie Douglas hebt opgelopen, ben je een mooie vrouw. Ik heb een scherpe blik, Adair. Je behoort mij nu toe, en ik zal je gebruiken wanneer ik dat wil. Ik denk echter dat je enige tijd nodig hebt om te herstellen van je recente beproevingen, en ik zal geduldig wachten tot het zover is. Als mijn lusten in de tussentijd opspelen, zal ik het huisje van Agnes Carr bezoeken, zoals alle mannen doen.'

'Het is een hele geruststelling voor me dat u een echte gentleman bent, milord,' zei Adair bondig. 'En ondertussen mag ik uw huishoudster zijn, neem ik aan. Ik zal mijn best doen u naar tevredenheid te dienen.'

Hij lachte toen ze over de kleine ophaalbrug van de burcht reden en onder het valhek door op de binnenplaats uitkwamen.

'Ik zal alleen het beste van je verwachten, Adair.' Hij hield zijn paard in en gleed soepel uit het zadel, waarna hij haar eraf tilde en op de grond zette. 'Welkom op Cleit, Adair Radcliffe.'

Het was niet Stanton, dacht Adair, om zich heen kijkend. Het was grimmig en vuil. De stal zag er niet al te stevig uit, en de magere kippen die in het stof krabden, hadden in de afgelopen weken duidelijk geen goede verzorging gehad. Het zou niet moeilijk zijn om Cleit te verafschuwen.

'Murdoc,' riep de landheer naar zijn jongere broer, die nu in de weer was met alle voorraden die ze op de markt hadden aangeschaft, 'breng Elsbeth en Adair naar de keukens.' Hij keek naar Elsbeth en zei streng: 'Ik verwacht die gebraden gans voor mijn avondmaal.'

De jonge Murdoc gebaarde naar de twee vrouwen en leidde hen de burcht binnen. 'Hij is niet zo hard als hij klinkt,' zei hij tegen hen. 'Dien hem goed, en jullie zullen ontdekken dat hij een goede meester is. Hij slaat zijn bedienden niet,' verzekerde Murdoc hen.

Ze volgden hem een kleine trap af die naar de keuken leidde. Er brandde geen vuur in de haard, en veel van het keukengerei was smerig en op een hoop gegooid. De twee vrouwen staarden elkaar wanhopig aan.

'Jullie hebben hout voor het vuur nodig,' zei Murdoc, die hun ontzetting zag.

'En water,' zei Elsbeth. 'Waar is de put, jongen?'

'Hier in de keukens,' zei hij. 'Onze moeder heeft hier een waterput laten graven, want ze zei dat er veel tijd werd verspild met heen en weer rennen om water van de binnenplaats naar de keuken te halen, vooral met slecht weer. Ze keurde het ook niet goed dat de dienstmeiden daar bleven dralen om met de mannen te praten. Ze dacht dat het alleen maar tot moeilijkheden zou leiden, en meestal had ze gelijk.' Hij grinnikte aanstekelijk. 'Ik zal wat hout gaan halen en een vuur aanleggen.'

'Zodra ik de ligging van dit land weet,' zei Adair toen ze weer alleen waren, 'zal ik een plan voor onze ontsnapping maken. We moeten terug naar Stanton voordat de sneeuw het ons zal verhinderen.'

'Ik zal Stanton nooit terugzien,' zei Elsbeth fatalistisch.

'Juffie!' riep Adair, plotseling bang.

'O, maak je niet druk, kind. Ik ga niet dood, althans voorlopig nog niet, maar ik weet in mijn hart dat ik Stanton nooit zal terugzien. En jij ook niet. Er is niets om naar terug te gaan, Adair. De Hall is weg. Er is geen steen van overgebleven, en er groeit onkruid waar het huis eens heeft gestaan. De weinige mensen die zijn overgebleven zijn oud, zwak, of te jong om te helpen het te herbouwen. Het mag een wonder heten als ze de winter overleven. De meeste mannen werden afgeslacht in de boomgaard of bij de veeschuren. De koning heeft zich niet laten vermurwen om zijn straf niet uit te voeren. Je landerijen zijn weg. Je titel is weg. Stanton is weg.'

'Wat moet ik dan doen?' riep Adair uit, terwijl ze de tranen achter haar oogleden voelde prikken.

'Op dit moment ga je me helpen deze keuken schoon te maken, en de gebraden gans voor de landheer te bereiden,' zei Elsbeth. 'Ik ben te moe om verder dan dat te denken, en jij ook. Kom, laten we eens kijken waar we zullen beginnen.'

Ze vonden de provisiekamer waar vaatwerk en voedsel kon worden opgeslagen. Maar er was geen voedsel te bekennen. Elsbeth schudde haar hoofd, maar zei niets. Er was een koude provisiekast waar wild kon worden opgehangen, maar er hing geen wild. Elsbeth mopperde iets binnensmonds wat Adair niet kon verstaan. Toen ze de keukens weer binnengingen, zagen ze dat Murdoc was teruggekeerd en nu met het vuur in de haard bezig was. Hij stapelde meer hout in de houtkist.

'Dank je, jongen,' zei Elsbeth. Ze wendde zich tot Adair. 'Zoek een grote ketel zodat ik water kan koken waarna we met de schoonmaak van deze smerige troep kunnen beginnen. Het zal niet allemaal op één dag lukken, maar we moeten genoeg schone dingen hebben om de maaltijd te bereiden. Waar is het spit?'

'Laat me jullie helpen,' bood Murdoc aan. 'Ik zal het water voor jullie halen.'

Adair zocht tussen de berg kookgerei en vond ten slotte een grote ketel. Hij was zwaar, en het kostte haar moeite om hem naar de haard te slepen. Samen met Elsbeth lukte het haar de ketel op te hangen, en Murdoc haalde de ene emmer water na de andere. Toen de ketel gevuld was, haalde hij nog een emmer water en zette deze op de grote tafel te midden van de spullen die ze op de markt hadden gekocht. Daarna liet hij hen alleen.

'Een goed opgevoede jongen,' merkte Elsbeth op.

Ze ruimden de tafel op en boenden hem met kokend water. Ze hadden geen zand of zeep, en Elsbeth mompelde dat deze keuken slecht was toegerust en dat er dingen moesten veranderen. Nadat ze de tafel hadden schoongemaakt, begonnen ze een van de broden te verkruimelen en de appels en peren klein te snijden. Murdoc kwam terug om te zeggen dat zijn broer, de landheer, wilde weten of ze alles hadden wat ze nodig dachten te hebben.

Elsbeth ontplofte. 'Nee, jongen, dat hebben we zeker niet. Ik

185

heb onder andere boter en room nodig. Er is geen kruimeltje voedsel in de provisiekamer, niet eens een ui!'

'Ik kan naar het dorp over de heuvel gaan en boter en room voor u halen, vrouwe Elsbeth. Ik denk dat er in de oude moestuin van mijn moeder misschien nog wel uien of sjalotten zijn. U vindt hem als u door de deur van de provisiekamer naar buiten gaat,' zei Murdoc.

'Ik zal gaan,' zei Adair. De kleine tuin was overwoekerd, maar tussen het onkruid vond ze een schat aan kruiden en wortelgewassen. Adair nam zich voor om de moestuin de volgende dag te wieden. Vervolgens ontdekte ze een rij uien. Ze trok er een paar uit en bracht ze naar binnen. 'Ik ga die tuin morgen opknappen,' zei ze tegen Elsbeth. 'We zullen oogsten wat we kunnen, en de tuin voor het volgend voorjaar in gereedheid brengen,' zei ze enthousiast.

'Goed,' zei Elsbeth.

'Hoeveel mannen zullen er in de burcht zijn?' vroeg Adair, terwijl ze bezig was het vuile vaatwerk af te wassen. 'Je kunt ze niet allemaal met slechts één gans te eten geven.'

'Je zult naar boven moeten gaan om het de landheer te vragen,' zei Elsbeth.

'Ik?'

'Ja, jij. Ik probeer hier te koken, kind. Ga nu. De man zal je niet opeten. Niet zoals je er nu uitziet en ruikt,' voegde ze er bot aan toe. 'Je bent nauwelijks aantrekkelijk te noemen.'

'Ik weet het,' antwoordde Adair. 'Denk je dat ik een bad kan nemen nadat iedereen heeft gegeten? En waar moeten we vannacht ons hoofd neerleggen, Juffie?'

'Ga de meester vragen hoeveel mannen er vanavond in de burcht zullen eten, en daarna gaan we eens een beetje rondkijken. Gewoonlijk is er voor de keukenhulp wel ergens een slaapruimte te vinden.'

Adair werd een gang naar de grote zaal bespaard door de komst van de jonge Murdoc Bruce, die vergezeld werd door twee jongens.

'Ik heb room en boter gekocht, en een hele kaas,' kondigde hij aan, erg tevreden over zichzelf. Hij verzocht zijn metgezellen de aankopen op de grote tafel te zetten.

'Dank je wel, jongen,' zei Elsbeth. 'Vertel me nu eens hoeveel mannen ik vanavond te eten moet geven. Deze arme gans is nauwelijks genoeg voor jou en je broers.'

'O jee, vrouwe Elsbeth, er zullen daarnaast nog minstens twintig mannen zijn,' zei Murdoc. 'Wat kunt u doen?'

Plotseling deed Adair haar mond open. 'Kun je vissen, sir?'

Murdoc grinnikte. 'Ja. Het is nog maar net twaalf uur geweest. Ik zal gaan vissen en een paar forellen vangen. Kunt u de vissen bereiden, vrouwe Elsbeth?'

'Dat kan ik,' zei ze, en met een zwaai van zijn hand was hij weg, en de twee jongens gingen met hem mee.

'Ga nog eens naar de moestuin en kijk wat je kunt vinden om bij de vis te gebruiken,' zei Elsbeth tegen haar meesteres.

Adair ging naar de provisiekamer en vond een mand die aan een haak hing. Ze nam hem mee naar buiten en doorzocht de kleine tuin. Ze trok wat wortels uit de grond, een paar kleine kolen en nog een paar uien. Ze plukte ook wat peterselie en dille. Iemand had de moestuin na de dood van de moeder van de landheer kennelijk nog een tijdje onderhouden, want anders zouden er geen groenten en kruiden zijn geweest. Ze had ook sla en spinazie tussen het onkruid ontdekt. Ze nam haar vondsten mee terug naar de keuken, en bereidde ze volgens de aanwijzingen van Elsbeth. Voor Adair was koken geheel onbekend terrein. Maar uiteindelijk was ze klaar met groente wassen en snijden. Op dat moment kwam Murdoc terug met een hele rits vissen. En terwijl hij de vissen voor Elsbeth schoonmaakte, nam Adair een doek en een kleine emmer water en liep de trap op naar de grote zaal. Tot haar opluchting was deze verlaten. Ze snelde naar de tafel en schrobde hem zo goed mogelijk schoon.

Toen de landheer van Cleit die avond aan zijn tafel ging zitten, was hij zeer verbaasd over de maaltijd die voor hem werd neergezet. Er was gebraden gans, die gevuld was met brood, appels en peren; gegrilde forellen met dille; een groentesoep en verder nog brood, boter, kaas en gebakken appels met een dikke laag room. Zijn mannen, die aan een andere tafel zaten, bleven eigenaardig stil, en de landheer vroeg zich af waarom. 'Wat eten zij?' vroeg hij aan Murdoc.

'Elsbeth heeft voor hen een stoofschotel van groenten en vis gemaakt, en er is brood en kaas en gestoofde appels,' zei Murdoc. 'Ze zei dat ze je na de maaltijd graag in de keukens wil spreken.'

'Waarom was jij in de keukens? Ik wil niet hebben dat je om die twee vrouwen heen loopt te draaien!'

Murdoc barstte in lachen uit. 'Maak je geen zorgen, grote broer. Elsbeth is eerder moederlijk dan verleidelijk. En wat haar metgezel betreft, ik zag hoe je naar haar keek, hoewel ik niet begrijp wat je in haar ziet. Ze heeft een scherpe tong, is kortaangebonden en ze ruikt als een beerput. Maar een deel van je maal heb je aan mij te danken. Ik heb hout binnengebracht en een vuur in de haard aangelegd. Ik ben naar het dorp gereden om room, boter en kaas te halen. En ik heb de vis gevangen waarvan je zit te genieten, evenals onze mannen.'

'O,' zei Conal Bruce.

Duncan Armstrong grinnikte terwijl hij van de gebakken appels met room at. 'Ik geloof dat we met Elsbeth een ware schat hebben gevonden,' zei hij.

'Ja,' beaamde de landheer. 'Misschien was ze het hele bedrag waard dat Willie aanvankelijk voor haar wilde hebben, maar dat zal ik hem nooit vertellen.'

In de keukens aten Elsbeth en Adair groentesoep met brood en kaas. Ze waren moe, niet alleen van hun lange dag, maar van de afgelopen paar dagen. Ten slotte stond Elsbeth op.

'Ik ga naar de grote zaal om de vuile borden en lepels op te halen,' zei ze. 'Zorg jij voor warm water in die gootsteen.' Ze stommelde de trap op. Toen ze enkele minuten later terugkwam, werd ze gevolgd door Murdoc, die haar hielp, en zijn armen vol bokalen en lepels had. 'Dank je, lieverd,' zei Elsbeth tegen hem. 'Ren nu maar terug naar boven en voeg je bij de andere mannen. Ik bedank je voor alle goede hulp die je ons vandaag hebt gegeven.'

'Uw maaltijd was de beste die we in maanden hebben gehad!' zei Murdoc enthousiast terwijl hij de keukens verliet.

Elsbeth giechelde opgewekt.

'Het water is nu warm genoeg om af te wassen,' kondigde Adair aan.

'Ik zal wassen, jij droogt,' zei de oudere vrouw. 'Je wilt toch niet dat je handen helemaal ruw worden, dat past niet bij een lady.'

'Volgens mij zie ik er nauwelijks uit als een lady,' merkte Adair zacht op.

'Je bent geboren als een lady, en je bent opgevoed als een lady. Je zult altijd een lady zijn!' zei Elsbeth scherp. 'Je zit nu in een zware tijd, mijn kuikentje, maar de tijden zullen veranderen.'

'Ik heb ontdekt waar we kunnen slapen,' zei Adair. 'Er is een alkoof in de provisiekamer, met twee bedruimten in de stenen muren. De stromatrassen lijken schoon en vrij van ongedierte, maar ik heb ze desondanks buiten uitgeschud, en de stenen ruimten uitgeschrobd. Er zijn echter geen dekens. We zullen dus vannacht onze mantels als dekens gebruiken.'

'Je wenste me te spreken, Elsbeth?'

Ze draaiden zich beiden om en zagen de landheer in de keukens achter hen staan.

'Ja, milord,' zei Elsbeth. 'Mogen we aan de tafel gaan zitten? Ik ben niet meer een van de jongsten, en ik ben behoorlijk uitgeput na deze hele dag.'

'Natuurlijk.' Hij glimlachte naar haar. 'Je hebt een fijne maaltijd opgediend.'

'Het was niet gemakkelijk, milord. De keuken was een rommeltje en alles was vuil. We hebben alleen schoongemaakt wat we nodig hadden, maar morgen zullen we de rest aanpakken. En de voorraden moeten worden aangevuld. Er is geen meel, geen zout, geen suiker. Geen kruiden. Ik zag kippen toen we hier aankwamen, waar worden die gehouden? Ik heb dagelijks eieren, melk, boter en room nodig. Ik heb een vrouw uit het dorp nodig om dagelijks brood voor me te bakken. Er hangt geen konijn of vogel in de koude provisiekast. We moeten zeep, zand en een bezem hebben, anders kunnen we niet schoonmaken. En bijenwas voor de meubels. En er zijn geen dekens voor onze slaapruimten.'

Terwijl Elsbeth doorratelde, bestudeerde Adair de landheer van onder haar donkere wimpers. Hij was enorm groot, en zijn haar was net zo zwart als het hare. Hij had donkergrijze ogen onder borstelige wenkbrauwen, en een hoog voorhoofd en een lange neus. Zijn lippen waren vol, maar niet dik. Zijn handen fascineerden haar – groot en vierkant, met lange vingers. Ze waren verrassend schoon, merkte ze op.

'En we hebben een tobbe nodig om onszelf te wassen. Milady

is gewend regelmatig te baden. En ik heb een vrouw nodig die me helpt met de was. Als ik moet koken, en Adair moet de burcht schoonhouden, dan kunt u niet verwachten dat we ook de was doen. Uw goede moeder, God hebbe haar ziel, had vast ook vrouwelijke bedienden.'

'Ze zijn kort na haar dood vertrokken, want mijn mannen kunnen soms wat opdringerig zijn. Mijn moeder hield ze redelijk in toom,' zei de landheer. 'Ik dacht dat we zonder hen konden, maar ik heb me kennelijk vergist. Ik zal je morgen met mijn broer Duncan naar het dorp sturen waar je zelf de vrouwen kunt uitzoeken.'

'Dat is heel edelmoedig van u, milord,' zei Elsbeth.

De landheer stond op. Hij begaf zich naar de provisiekamer en opende een grote kast waar hij een kleine, eiken tobbe uit haalde. 'Waar wil je hem hebben?'

'Voor het vuur, milord. Dank u.'

Hij maakte een lichte buiging en verliet de keuken.

Adair lachte. 'Je bent werkelijk verbazingwekkend, Juffie. Dit is een hele nieuwe kant van je. En ik wist niet dat je zo goed kon koken.'

'Ik heb mijn hele leven voor jou gezorgd, kuikentje, maar Margery en ik hebben van onze moeder koken geleerd. Ik heb de kokkin op Stanton ook vaak geholpen als het haar te veel werd. Ze was erg oud, weet je. Maar kom, laten we eerst de tobbe voor je vullen. Ik zal na jou baden. Ik ga in die kast kijken waar hij die tobbe uit haalde, daar moeten ook een paar droogdoeken te vinden zijn.'

'Mijn jurk is smerig en gescheurd, en hij heeft zweetvlekken. Hoe kan ik die weer aantrekken nadat ik heb gebaad?' merkte Adair op.

'Ik zal je hemd wassen terwijl je baadt. Dat zal morgenochtend wel weer droog zijn. We zullen je jurk vannacht luchten en ik zal hem repareren. Je zult het ermee moeten doen tot ik de landheer kan overhalen wat stoffen te vinden waarvan we nieuwe kleren kunnen maken,' zei Elsbeth, waarna ze met de kleren van haar meesteres de provisiekamer verliet.

Toen Adair in de tobbe zat, liep Conal Bruce tot haar verbazing weer de keuken binnen. Ze dook in elkaar om zichzelf zo goed mogelijk te verhullen, maar haar hart klopte nerveus. Zijn ogen werden een ogenblik groot, maar toen overhandigde hij haar een stuk zeep.

'Ik heb het in de kamer van mijn moeder gevonden. Ik dacht dat het wel nuttig zou zijn,' zei hij. Daarna draaide hij zich om en verliet de keuken zonder nog een woord tegen haar te zeggen.

'Hoe kom je aan die zeep?' vroeg Elsbeth nadat ze was teruggekeerd.

'De landheer heeft het me gebracht.'

'En hij heeft je zo gezien? Helemaal naakt?' vroeg Elsbeth naar adem snakkend.

'Ik ben in elkaar gedoken, Juffie. Hij heeft niets gezien, en hij bleef niet langer dan nodig was. Wil je alsjeblieft mijn haar wassen?'

Elsbeth goot een kan warm water over het hoofd van het meisje en begon haar lange lokken in te zepen en uit te spoelen.

'Jij moet schoon water hebben,' zei Adair tegen Elsbeth toen ze uit de tobbe stapte en in een droogdoek werd gewikkeld.

Elsbeth schudde haar hoofd. 'Jouw water is nog warm genoeg, en de zeep zal het desinfecteren,' zei ze, waarna ze haar hemd uittrok en in de kleine tobbe stapte. 'Neem mijn hemd, kind, en spoel het voor me uit terwijl ik me was.'

Gewikkeld in de droogdoek begaf Adair zich naar de gootsteen waarin haar eigen hemd lag te weken. Ze deed het hemd van Elsbeth erbij. Ze wachtte tot Elsbeth klaar was met de zeep, pakte het stuk van haar aan en boende er de hemden mee. Daarna gingen de beide vrouwen bij de haard in de keuken zitten, en droogden zichzelf en hun haren.

'Mag ik naar beneden komen?' riep een stem.

'Wie is dat?' wilde Elsbeth weten.

'Ik ben het, Murdoc Bruce. De landheer zei dat jullie geen dekens hebben voor jullie bedruimten. Ik heb er een paar meegebracht.'

'Leg ze maar op de trap, jongen, en bedankt,' riep Elsbeth terug. 'We zijn niet gekleed om bezoekers te ontvangen.'

Murdoc grinnikte. 'Ze zijn hier wanneer jullie klaar zijn om ze te pakken,' zei hij. Ze hoorden de deur van de trap die naar de grote zaal leidde, dichtvallen.

Elsbeth stond op en haalde de twee hemden uit de gootsteen.

Ze hing ze over een droogrek dat ze had gevonden in de provisiekamer waar de tobbe vandaan was gekomen. Ze zouden de tobbe morgen wel legen, dacht ze, terwijl ze naar de trap liep om de dekens te pakken die Murdoc voor hen had achtergelaten. Adair zat inmiddels te knikkebollen voor het vuur.

'Kom, kuikentje,' zei Elsbeth, terwijl ze haar meesteres overeind hielp. 'We moeten naar bed.' Ze leidde Adair naar de slaapruimten. 'Stap erin,' zei ze, en spreidde een van de dekens uit over het meisje, dat al bijna in slaap was.

Elsbeth ging terug naar de keuken. Ze schoof het droogrek voor het vuur, waar ze nog enkele houtblokken op legde. Nu zou het vuur niet uitgaan in de komende uren terwijl ze sliep. Morgen zou een drukke dag voor hen beiden worden. Ze zou Adair eropuit sturen om enkele bedienden voor de burcht uit te kiezen terwijl ze zelf de keuken in zijn oude staat zou herstellen, nam ze zich voor. En het werd tijd dat de landheer en zijn mannen op jacht gingen. De winter zou nu snel genoeg invallen. De koude provisiekast moest met wild worden gevuld. Anders zou ze de landheer en al zijn mannen niet kunnen voeden. Elsbeth trok de andere deken over zich heen en viel meteen in slaap.

Toen ze wakker werd zag ze dat de lucht nog donker was, maar in het oosten gloorde het eerste ochtendlicht. Elsbeth zuchtte. Ze was nog steeds heel moe, maar ze wist dat ze moest opstaan. De burcht zou snel tot leven komen, en de mannen zouden hun ontbijt willen hebben.

De landheer was opnieuw verbaasd toen hij de maaltijd zag die voor hem werd neergezet. Gepocheerde eieren in room met peterselie, warm brood, kaas en bier. Hij sloeg Adair gade, die zijn mannen verderop van brood, hardgekookte eieren en kaas voorzag. Ze zei geen woord tegen de mannen, en ze maakte evenmin oogcontact met hen. Toen een van zijn mannen zijn hand uitstak om haar rok te grijpen, sloeg ze diens hand zonder aarzeling weg en schonk de man een vernietigende blik.

'Houd je poten thuis, jij hondsvot,' beet ze hem toe, waarna ze aanstalten maakte om door te lopen met haar kan bier.

Er ging gelach op onder de andere mannen. Boos nu, stak hij razendsnel zijn hand uit en trok haar op schoot. Adair aarzelde geen seconde. Ze goot al het bier over de man heen en sloeg hem met de kan terwijl ze van zijn schoot sprong als een verjaagde kat en naar de keukens vluchtte. De man sprong op om haar te volgen, brullend van woede.

'Ga zitten, Fergus,' zei de landheer met harde, kille stem, terwijl hij opstond. 'Even voor alle duidelijkheid: de meid is van mij. Ze wordt niet door een van jullie lastiggevallen, afgeblaft of bedreigd. Begrepen? Ik wil dat ze blijft, want ik ben niet van plan weer aangebrande pap te eten omdat jullie je geile pik niet onder controle kunnen houden. En nu zullen jullie het zonder bier moeten doen, want het lijkt me onwaarschijnlijk dat het meisje dadelijk alweer naar boven zal komen.' Conal Bruce ging weer zitten.

'Ze heeft een kort lontje,' mompelde Duncan Armstrong.

'Ze wordt wel tam. Alle vrouwen kunnen uiteindelijk worden getemd,' zei de landheer.

'Met deze zul je geduld moeten hebben, broer,' antwoordde Duncan.

'Volgens mij weet je dat ik een geduldig man ben,' merkte de landheer op.

'Ze is een echte schoonheid,' vervolgde Duncan. 'Ze heeft inmiddels kennelijk gebaad. Haar haren glanzen, en haar gelaatstrekken zijn volmaakt. Ik ben nog niet dicht genoeg bij haar geweest om de kleur van haar ogen te zien. Heb jij die gezien?'

'Ze zijn als grote viooltjes,' zei de landheer rustig. 'Nu ze schoon is, kan ik zien dat Elsbeth niet heeft gelogen. Adair is duidelijk een lady.'

'Je zult iets aan haar kleding moeten doen, Conal. De jurk die ze draagt, heeft beslist betere tijden gekend. Ik vermoed dat Elsbeth ook wel een paar nieuwe dingen kan gebruiken. Mam had toch een voorraadkast waarin ze stoffen bewaarde?'

'Die staat in haar slaapkamer,' zei Murdoc.

'Dat klopt!' beaamde Duncan.

'Ik zal tegen de vrouwen zeggen dat ze mogen nemen wat ze nodig hebben,' zei de landheer. 'En nu, broers, heb ik boodschappen voor jullie te doen. Neem een wagen en ga spullen voor de keuken inslaan. Er is helemaal niets, en Elsbeth heeft me verteld wat ze nodig heeft,' eindigde de landheer, terwijl hij opsomde wat Elsbeth allemaal nodig had voor de keuken.

'Waren er nog andere dingen die ze van je wilde hebben, broer?' vroeg Duncan.

'Een bakster, een jongen om hout te hakken, water te halen en karweitjes te doen, en misschien een dienstmeid om Adair te helpen,' zei Conal. 'Duncan jij kiest ze uit. Zorg ervoor dat de vrouwen verstandig zijn, en oud genoeg om de vleierijen van de mannen te weerstaan, en de jongen sterk genoeg om te doen wat hij zal moeten doen.'

'En wat ga jij doen?' vroeg Duncan, 'terwijl wij je opdrachten uitvoeren?'

'Ik neem de mannen mee en ga op jacht. Vrouwe Elsbeth heeft me uitgelegd dat ze ons gedurende de winter niet kan voeden als de koude provisiekast niet met vlees gevuld is.'

Duncan en Murdoc lachten. 'Het ziet ernaar uit dat onze nieuwe kokkin leiding geeft aan de burcht, Conal.'

'Zolang de maaltijden op tijd zijn, en net zo smakelijk als de laatste twee, mag de vrouw me overheersen,' zei de landheer.

Zijn broers lachten weer.

'Ik ga naar de keuken om te horen of vrouwe Elsbeth nog iets nodig heeft voordat we weggaan,' zei Murdoc.

'En ik ga de paarden voor de wagen spannen,' zei Duncan.

In de keukens verzekerde Elsbeth de jonge Murduc ervan dat ze niets meer nodig had dan ze al had doorgegeven, en ze bedankte hem. Toen hij weg was, draaide ze zich om naar Adair en zei: 'Het spijt me, kuikentje, dat jij vandaag geen uitje krijgt, maar de Heer weet dat deze keuken sneller klaar is als we het samen doen.'

De twee vrouwen gingen aan de slag. Tegen de tijd dat Duncan Armstrong en Murdoc Bruce terugkeerden met de voorraden en drie bedienden, was Elsbeth klaar om hen te ontvangen. Ze hadden een vrouw meegebracht, die Flora heette en weduwe was, en haar jonge zoon Jack. Flora zou het bakwerk doen. En ze hadden nog een vrouw uit het dorp meegenomen, Grizel, die Adair zou helpen de burcht schoon en netjes te houden. Het was halverwege de middag toen ze arriveerden. Murdoc en de jongen sleepten een zijde vlees naar de koude provisiekast en hingen het daar op.

'Zo, wel bedankt!' zei Elsbeth. 'Daar kunnen we verscheidene goede maaltijden van bereiden.'

'Als je de hulp hebt die je nodig hebt, Juffie, dan ga ik met Grizel naar de grote zaal om ervoor te zorgen dat die klaar is voor de landheer wanneer hij terugkeert van de jacht,' zei Adair. Ze wendde zich tot Grizel, die al wat ouder was. 'Neem de bijenwas en de bezem mee. Jij veegt, ik zal de meubels oppoetsen.'

Grizel ging energiek met de bezem aan de slag, en algauw was de stenen vloer van de zaal schoongeveegd. 'Komen er biezen op?' vroeg ze aan Adair.

'Nee. Ze waren er eerder ook niet, en ik houd er niet van. Ze trekken vlooien aan, en de honden zullen erop plassen. De zaal zal alleen maar gaan stinken. Ga naar de keuken en kijk of je Elsbeth kunt helpen. Ik zal de tafel zelf afmaken. Hij is bijna klaar,' zei Adair. Daarna ging ze verder met de tafel in de was te zetten en op te poetsen. Toen ze klaar was, stapte ze achteruit en glimlachte. De tafel zag er werkelijk prachtig uit. Hij was oud, en duidelijk veel gebruikt, maar eens was hij goed onderhouden geweest, merkte ze op.

'Ik heb sinds de dood van onze moeder de tafel niet meer zo mooi gezien,' hoorde ze de stem van de landheer zeggen. 'Als jij een lady bent, hoe weet je dan zo goed hoe je een tafel moet poetsen?'

'Zelfs de koningin van Engeland weet hoe ze een tafel moet poetsen en een maaltijd koken,' antwoordde Adair, terwijl ze zich omdraaide en hem aankeek.

Hij kwam dichterbij. 'En hoe kun jij dat weten?' vroeg hij.

'Omdat ze mijn halfzuster is, en ik tien jaar – vanaf dat ik zes jaar was tot ik naar Stanton terugkeerde – met haar in de koninklijke kinderkamer heb doorgebracht,' antwoordde ze.

Hij kwam nog dichterbij. 'Vertel je me de waarheid, Adair, of is dit slechts een verzinseltje van je?'

Ze keek hem recht aan. 'Ik verzin helemaal niets, milord. Tot mijn zesde was John Radcliffe, de graaf van Stanton, de enige vader die ik kende. Toen ons huis werd aangevallen door de Lancastrianen werd ik met Elsbeth weggestuurd, en toen kreeg ik pas te horen dat koning Edward mijn natuurlijke vader was. De titel van gravin van Stanton was mijn geboorterecht. Mijn beide echtgenoten hebben het graafdom door mij verkregen. Andrew, mijn tweede echtgenoot, zoals ik al eerder heb verteld, werd samen met koning Richard gedood. Ik lieg niet over wie ik ben. Het ligt niet in mijn aard om te liegen, milord.' Er stonden nu tranen in haar ogen, maar ze bleef hem aankijken, zelfs toen er een enkele traan over haar bleke wang biggelde.

Hij hield de traan met een vinger tegen. 'Je hebt ogen als natte viooltjes,' zei hij met zijn lage, hese stem. Hij had nooit eerder een vrouw als Adair ontmoet. Ze was zo dapper dat het zijn hart bijna pijn deed om naar haar te kijken, maar hij wilde niet de eerste zijn die hun oogcontact verbrak.

Adair haalde diep adem om zich te herstellen van de treurige herinneringen. 'Ik zal naar beneden gaan om Elsbeth te vertellen dat u terug bent, milord,' zei ze met trillende stem. Ze wilde niet huilen. Niet in zijn aanwezigheid. Nooit meer. Ze zou niet huilen! Ze draaide zich om en wilde weggaan, maar hij legde een hand op haar schouder. Ze bevroor. 'Alstublieft, milord, ik moet terug naar de keukens.' Ze wilde hem niet aankijken.

'Je weet dat ik je wil hebben,' zei hij rustig.

Ze schudde zwijgend haar hoofd. Ze kon geen antwoord geven.

'Toen ik je zag te midden van Willies gevangenen straalde je trots uit. Het was als een baken dat me wenkte, en ik volgde. Ik ben waarschijnlijk een dwaas geweest om je naar mijn burcht te brengen. Uiteindelijk zullen je schoonheid en geestkracht moeilijkheden veroorzaken, en ik ben een man die bovenal van rust en vrede houdt.'

Ze draaide zich om. 'Laat me dan gaan! Help Elsbeth en mij om terug te keren naar Stanton!'

'Nee!' zei hij heftig, en drukte haar vervolgens in zijn armen. 'Ik zal je nooit laten gaan, Adair. Je bent van mij, en vroeg of laat zal ik je krijgen!' Daarna daalde zijn mond in een hartstochtelijke kus zoals ze nog nooit had ervaren op de hare. Zijn lippen brandden en ze eisten veel van haar. Haar hart, haar ziel en haar lichaam.

Gedurende een ogenblik wilde Adair zich overgeven aan de kus. Het wond haar op, en daagde haar uit met een belofte van iets heerlijks. Haar mond hunkerde naar de zijne, maar toen schreeuwde er iets in haar, waarschuwde haar. Deze man was gevaarlijk. Ze zou zichzelf verliezen als ze hem zou toestaan met haar te vrijen. Ze moest zichzelf dwingen om zich van hem los te maken. 'U bent veel te brutaal, milord,' riep ze, en daarna draaide ze zich om en vluchtte de zaal uit en de trap af naar Elsbeth in de keukens, waar ze veilig zou zijn voor de landheer van Cleit.

Achter haar bleef Conal Bruce als een standbeeld staan, zijn mannelijke lid hard en kloppend. Hij had in zijn leven vele vrouwen gekust, maar geen van hen had hem zo aangetrokken als deze. Adair had het mis, hoewel ze dat misschien nog niet wist. Hij zou haar hebben. En snel ook.

10

*H*et Schotland waar Adair naartoe was gebracht, was geen vredige plek. De koning, de derde James Stewart, was niet bepaald geliefd. Er heerste honger en depressie in het land, maar de koning zag het niet. Hij verzamelde mooie sieraden en kostbare manuscripten, ondersteunde een groep dichters, en had op Stirling Castle een grote zaal laten bouwen door zijn favoriete architect, Robert Cochrane.

Het landschap rondom de burcht was ruig en wild. Adair begon te beseffen dat terugkeren naar huis een veel moeilijker taak was dan ze had verwacht. Met de komst van Flora, haar zoon Jack, en Grizel was er behoefte aan extra slaapaccommodatie. Voor de jongen werd een stromatras gevonden, en hij sliep bij het vuur in de keuken. Elsbeth deelde een bedruimte met Adair, terwijl Flora en Grizel de andere ruimte deelden. Toen de landheer ervan hoorde, besloot hij dat zijn nieuwe bedienden de zolder van de burcht bewoonbaar mochten maken, maar Adair wilde niet verhuizen.

'Laat Flora, Jack en Grizel de zolder delen,' zei ze. 'Ik ben tevreden met mijn bedruimte hier beneden.' Aangezien ze van plan was binnenkort te vluchten, dacht ze dat het handiger zou zijn om uit de keukendeur te glippen dan helemaal van zolder naar beneden te moeten sluipen.

'Hare ladyship houdt van haar privacy,' merkte Duncan Armstrong geamuseerd op. 'Ik dacht dat je haar inmiddels wel in jouw bed zou hebben, Conal.'

'Ze moet getemd worden, en dat vereist geduld,' zei Murdoc met een knipoog naar Duncan. 'Adair is een mooie, vurige vrouw, grote broer. Weet je zeker dat je niet bang voor haar bent? Fergus heeft nog steeds last van de klap op zijn hoofd waar ze hem met de kan heeft geslagen.'

De plagerijen van zijn broers waren irritant, maar Conal

wilde liever dat Adair gewillig dan ongewillig naar hem toe kwam. Hij had nooit zijn toevlucht tot kracht hoeven zoeken. Maar Adair was niet gemakkelijk, en ze had haar uiterste best gedaan hem te vermijden sinds de keer dat hij haar bezig had gezien de tafel op te poetsen.

Vandaag was het hem gelukt om zijn hand langs de hare te wrijven toen ze bier in de bokalen schonk. De grote violette ogen hadden de zijne vol ontzetting ontmoet. Haar wangen waren rood geworden, maar ze had niets gezegd.

Conal sloeg Adair gade terwijl ze de tafel afruimde. Ze was heel mooi. Ze droeg een nieuw kledingstuk, een eenvoudige jurk met een vierkante halslijn en lange mouwen. De jonge Jack hielp haar. Hij haastte zich weg met borden en bokalen, terwijl zij voorovergebogen de kruimels van tafel veegde. Conal kon de flauwe zwelling van haar borsten zien, en haar ogen waren van hem afgewend.

Hij stak een vinger uit en duwde deze in de vallei tussen haar borsten. 'Kijk me aan,' beval hij. De vinger was omgeven door haar warme huid. Hun ogen maakten contact. 'Hoelang zul je me laten wachten, Adair?' vroeg hij zacht.

'Milord' – ze merkte dat haar stem trilde – 'ik ben geen hoer.'

'Je bent een vrouw die een man heeft gehad. Hoelang ben je nu weduwe? Een jaar? Verlang je niet weer naar hartstocht, Adair? Of wist jouw goede lord je geen genot te schenken? Misschien nam hij het alleen maar.'

'Andrew was een goede man,' verdedigde ze haar gestorven echtgenoot.

'Ik zal ook goed voor je zijn,' beloofde hij haar, en hij trok zijn vinger tussen haar borsten vandaan om vervolgens haar hand te pakken. 'Zo'n mooie hand, Adair, en zo koud. Laat me hem warmen.' Hij omsloot haar hand met zijn handen.

Heel even stond ze zichzelf toe van de gewaarwording te genieten, maar toen zei ze: 'U mag van geluk spreken dat u mij heeft gevonden, milord. Ik ben een lady, net als uw moeder was. Ik heb de orde en regelmaat in uw huishouding hersteld, en dat zal ik zo houden. U heeft er verstandig aan gedaan Elsbeth en mij te kopen.'

'En nu wil ik waar voor mijn geld,' zei hij, geamuseerd door haar poging hem van zijn doel af te leiden. 'Ik heb geen huishoudster gekocht toen ik jou aankocht, en je kunt niet zo dom zijn dat je gelooft dat ik dat wel deed.'

'Heeft u zoveel behoefte aan een vrouw dat u er een moet kopen voor uw burcht?' vroeg Adair. 'Ik heb u al verteld dat ik geen hoer ben.'

'Nee, dat ben je niet,' beaamde hij. 'Maar je zult mijn minnares worden, liefje. Ik zag je reactie toen ik je hand pakte.'

'Ik weet niet wat u bedoelt,' zei Adair.

'Ja, dat weet je wel,' zei hij, en trok haar op zijn schoot.

Adair worstelde om op te staan. 'Alstublieft, milord,' fluisterde ze. 'Maak me niet te schande tegenover de anderen, ik smeek het u.' Ze voelde de tranen achter haar oogleden prikken. Ze was hier niet klaar voor. Nog niet! Niet vanavond!

'Rustig maar, liefje. Niemand zal je erop aanspreken. Ze weten dat je van mij alleen bent.' Hij hield haar tegen zich aan, streelde haar donkere haar. 'Leg je hoofd tegen mijn schouder, Adair, en laat me je liefhebben.'

Ze ontspande zich een ogenblik, en zijn greep verslapte. Adair merkte het, trok zich van hem los en vluchtte de zaal uit en de trap af naar de keukens.

Duncan en Murdoc barstten in lachen uit, maar hun vrolijkheid was van korte duur, want de landheer stond van tafel op en volgde Adair. Zijn gezicht stond duister, maar vastbesloten.

'Allemachtig,' zei Murdoc zacht. 'Hij wil haar vanavond hebben.'

'Hij is verliefd op haar geworden,' merkte Duncan net zo zacht op.

Adair hoorde zijn voetstappen achter zich. Ze viel onder aan de trap praktisch in de armen van Elsbeth. 'Juffie!' was het enige wat ze kon uitbrengen. En daarna werden ze bijna omver gelopen door de landheer toen hij van de onderste tree stapte.

Elsbeth begreep de situatie meteen. 'Geen denken aan, milord. Dit is niet de beste tijd voor wat u wilt.' Haar armen sloten zich steviger rond het snikkende meisje. 'Rustig maar, mijn kuikentje. Alles komt goed. Juffie is hier bij je.'

Met een gesmoorde vloek stampte de landheer de trap weer op.

Toen ze zeker wist dat hij weg was, maakte ze Adair los uit haar omhelzing. 'En wat was dat nou allemaal? Hoe treurig ik het ook vind om het te zeggen, maar vroeg of laat moet je naar zijn bed gaan.'

'Ik weet het,' antwoordde Adair. 'Maar niet vanavond. Ik ben er nog niet klaar voor. Laat zijn begeerte naar mij maar groeien.'

'Wat is dat nu voor taal?' zei Elsbeth, meer dan een beetje geschokt. 'Je klinkt als... als... ik weet niet hoe je klinkt, maar het bevalt me niet. Wat voor ondeugends ben je van plan? En ontken maar niet dat je iets in je schild voert, want ik ken je.'

'Ik zal ervoor zorgen dat hij zo hevig naar me verlangt, dat hij, wanneer ik me aan hem overgeef, me alles zal geven wat ik wil,' zei Adair.

'En wat wil je dan hebben?' wilde Elsbeth weten.

'Een paard, want als ik er een heb, zal ik terugrijden naar Stanton,' antwoordde Adair.

'Zonder mij,' zei Elsbeth vastberaden. 'Stanton is weg, mijn kind. We hebben een goed thuis nodig, en dat hebben we hier op Cleit. Daag de landheer uit, zorg dat hij verliefd op je wordt en daarna dat hij met je trouwt. Een lady heeft een echtgenoot nodig, Adair, en de landheer heeft geen vrouw. Met de dood van onze goede hertog, Richard, en met koning Henry's ergernis over Stanton, is Engeland voor je afgesloten. Je moet onder ogen zien dat je geen titel hebt. Geen thuis. En geen landerijen meer.'

'Ik heb Stanton!' verklaarde Adair koppig.

'Er is geen Stanton,' antwoordde Elsbeth vermoeid. 'Je hebt niets meer, behalve een enkele jurk en een bedruimte in de keukens van een burcht. Het is geen schande om opnieuw te beginnen, mijn kuikentje. Zorg ervoor dat deze jonge grenslord met je trouwt, en wees gelukkig. Echt gelukkig voor het eerst in je leven,' adviseerde Elsbeth.

'Je begrijpt het niet,' zei Adair triest.

'Nee, jij bent degene die weigert te accepteren wat er is gebeurd. Zelfs als je erin zou slagen terug te keren naar waar Stanton eens was, dan zou je geen huis, geen vee en geen mensen hebben. En koning Henry zal dat land aan iemand geven die hij aan zich wil verplichten. Je hebt nooit meer iets van lady Margaret, je zuster of de koningin gehoord nadat je van het hof was teruggekeerd. Je weet dat een lady invloedrijke vrienden moet hebben, en die heb je niet, Adair. Het leven dat je eens leidde, is voorbij, mijn kind. Je moet het beste van je nieuwe leven zien te maken.'

'Ik ben moe,' antwoordde Adair. 'Ik wil naar bed.' Ze verdween in het kamertje met de twee bedruimten.

Elsbeth schudde wanhopig haar grijze hoofd. Ze had nooit gedacht dat ze Adair zou bedriegen, maar ze zou de landheer van Cleit gaan waarschuwen voor het dwaze verlangen van haar meesteres om terug te keren naar waar Stanton eens stond. Niet meteen, omdat haar meesteres misschien hun situatie onder ogen zou zien en van gedachten zou veranderen. Maar zodra ze zag dat Adair op het punt stond om iets doms te doen, dan zou ze naar de landheer gaan. Ze had John en Jane Radcliffe lang geleden bezworen dat ze hun dochtertje zou beschermen, en dat zou ze doen. Ze zou Adair zelfs tegen zichzelf beschermen. Langzaam kroop ze in haar eigen bedruimte. Adair deed net of ze sliep, maar Elsbeth wist dat ze wakker was. Ze glipte onder haar deken, trok hem over haar schouders en viel ten slotte zelf in slaap.

Maar later leek het erop dat Adair was gekalmeerd, en Elsbeth dacht dat ze de pijnlijke werkelijkheid van hun situatie onder ogen zag. Het was een grote opluchting, maar Elsbeth wist dat ze Adair desondanks goed in de gaten moest houden, want het kwam niet vaak voor dat ze het opgaf als ze eenmaal ergens een besluit over had genomen.

Boven in de grote zaal zat Conal Bruce met een beker van zijn eigen whisky bij het vuur. Hij was alleen. Zijn mannelijke lid deed pijn van verlangen, maar hij vertikte het om naar het huisje van Agnes Carr te gaan. Hij wilde haar niet, maar Adair. Hij wilde haar mond, zacht gewillig. Hij wilde haar lichaam, gretig en hunkerend. De dagen werden korter. De nachten langer. En plotseling voelde hij zich eenzaam.

Wat mankeerde hem toch? Ze was zijn slavin. Ze behoorde hem toe. Hij had Willie Douglas een zilveren penny voor Adair betaald. Ze was van hem! Maar plotseling hoorde hij haar stem: 'Ik ben geen hoer.' Nee, ze was geen hoer. Ze was een lady, en met een lady moest een man geduld hebben. Hij kreunde en nam een teug whisky. Ze konden niet doorgaan met dit spelletje te spelen.

De volgende ochtend bracht Adair borden met pap naar de tafel. 'Elsbeth heeft gehakte appels en wat kaneel in jullie pap gedaan,' zei ze tegen de drie broers. 'Ze hoopt dat jullie het lekker vinden.'

'Het is goed weer een vrouw in de keukens te hebben,' zei Duncan Armstrong glimlachend.

'We hebben het kippenhok in de tuin hersteld,' zei Murdoc.

'Ik zag het toen ik vanochtend eieren ging halen,' antwoordde Adair. Ze wendde zich tot Conal. 'Denkt u, milord, dat we één of twee melkkoeien zouden kunnen houden? Als het eenmaal gaat sneeuwen, zal het moeilijk zijn om iemand naar het dorp te sturen om onze melkproducten te halen.'

'Vroeger hebben we verscheidene melkkoeien gehad,' zei de landheer. 'We hebben ze opgegeten nadat onze moeder was overleden, want we verlangden eerder naar vlees dan naar melk.'

'Dat was omdat u te lui was om te gaan jagen,' antwoordde Adair. 'Ik wil u er trouwens aan herinneren dat de koude provisiekast slechts half gevuld is. We moeten hem gevuld hebben voordat de winter invalt, of u zult honger lijden.'

'Ze heeft gelijk,' zei Duncan. 'We kunnen vandaag gaan jagen, broers.'

'Elsbeth zal er erg blij mee zijn,' zei Adair. Daarna maakte ze een buiging en haastte zich weg. Ze had in een klein vertrek achter de keukens een apotheek ontdekt, die de lady van de burcht kennelijk eens had opgezet. Er stond zelfs een pot kamfer op een plank, samen met allerlei potten en potjes die ze nog niet had onderzocht. Ze had de afgelopen paar dagen spullen verzameld om zalven, smeersels en elixers te maken, en ze was van plan vandaag met die taak te beginnen.

'Ze gaan op jacht,' zei ze tegen Elsbeth toen ze terugkeerde uit de grote zaal. 'En ik ga vandaag medicijnen maken. Flora, ruim jij de tafel af, en Grizel zal vandaag de hal schoonmaken. Jack, haal het stuk ganzenvet uit de provisiekamer, en zet het op mijn tafel in de apotheek.'

'Ga zitten en eet eerst wat,' zei Elsbeth. 'Je hebt nog niets gehad.'

Het geluid van voetstappen maakte dat ze zich allemaal omdraaiden toen de landheer de keuken binnenkwam. 'Elsbeth, geef ons wat brood, vlees en kaas mee voor vandaag. Adair, ik wil jou even alleen spreken.' Hij pakte haar arm en trok haar de provisiekamer binnen. 'Ik wil geen weerspannige vrouw in mijn bed,' zei hij. 'Maar ik kan niet langer geduldig zijn.'

Adair bloosde bij het horen van zijn openlijke woorden, en ze besefte dat ze met haar rug tegen een grote kast stond. Ze kon hem nu niet ontvluchten.

Hij wikkelde haar dikke vlecht rond zijn hand en trok haar tegen zich aan. Met een vinger van zijn andere hand streek hij over haar lippen, die onder de lichte druk vaneen weken. Adair proefde de vinger waarna haar violette ogen onwillekeurig dichtvielen. Een lichte zucht ontsnapte haar. Hij glimlachte. 'Je wilt bemind worden, liefje,' mompelde hij tegen haar oorschelp. 'Nee, je bent geen hoer, maar een vrouw.' Hij trok zijn vinger weg en zijn lippen drukten zich in een zachte, maar heftige kus op de hare. 'Je wilt bemind worden,' herhaalde hij. 'Zeg me dat ik lieg, Adair. Dat je niet graag zou willen weten hoe het zou zijn om door mij te worden bemind, om naakt in mijn armen te liggen en genot te vinden.'

'U bent wreed, milord,' fluisterde ze.

'Je kwelt me, liefje,' zei hij zacht. 'Ik moet je in mijn bed hebben.'

'Heeft u niet een boerenvrouw die uw lusten zou kunnen bevredigen?' vroeg ze.

'Ik wil alleen jou,' kreunde hij, en zijn hand vond de zwelling van haar borst onder haar jurk. Zijn vingers kneedden het zachte vlees.

Adair jammerde zacht toen er een rilling van opwinding door haar heen schoot. Zijn hand was zacht op haar borst, en toch wond zijn aanraking haar mateloos op. Ze kon hem niet weerstaan, hoewel haar armen slap langs haar zijden bleven hangen.

'Zo'n lief, klein borstje,' mompelde hij. 'Ik zou hem onbedekt willen zien zoals God hem heeft gemaakt, mijn honnepon.'

'Alstublieft,' smeekte ze. 'Ze zijn allemaal in de keuken, milord.'

'Vanavond zit je op mijn schoot bij het vuur, en ik zal je kussen en strelen, Adair. En je zult niet bang voor me zijn, toch?' Hij liet haar borst en vlecht los.

'U houdt me niet voor de gek, milord,' zei Adair. Haar moed

keerde terug nu hij haar had losgelaten. 'U zult me vanavond meenemen naar uw bed omdat u me begeert, en omdat u mijn lichaam bezit. Maar voordat ik u mijn lichaam laat aanraken, is er iets wat ik van u wil. Ik ga niet met een smerige man in bed liggen. Wanneer u terugkomt van de jacht en u heeft uw maaltijd gehad, zal ik u baden en uw haar wassen. En het bed waarin we gaan liggen, zal schoon zijn en net zo lekker ruiken als u, want daar zal ik voor zorgen.'

'Ik heb twee maanden geleden gebaad,' zei hij. 'In de stroom onder aan de burcht.'

'Heeft u zeep gebruikt?' vroeg ze, terwijl ze hem wegduwde.

'Zeep? We hebben gezwommen!' riep hij uit.

'Dan heeft u geen zeep gebruikt,' constateerde ze onverzettelijk. 'Vanavond zal ik u wassen met heet water en zeep, milord.'

'Conal, waar ben je?' Duncan Armstrong stak zijn hoofd om de deur van de provisiekamer. 'We zijn klaar om op pad te gaan.' Hij keek zijn broer nieuwsgierig aan.

'Zijn we het eens, milord?' vroeg Adair, opkijkend in zijn gezicht. Hij had grijze ogen. Stormachtig grijze ogen.

'Moeten we zeep gebruiken?' wilde hij weten.

Ze knikte. 'Ja.'

Hij knikte ook. 'Ik ben nooit een uitdaging uit de weg gegaan, Adair,' zei hij. Daarna draaide hij zich om en liep met zijn broer mee.

'Wat had dat allemaal te betekenen?' wilde Elsbeth weten toen ze alleen waren.

'Hij is er niet vanaf te brengen dat hij met me naar bed wil, Juffie, maar voordat hij dat doet, zal ik hem een bad geven,' zei ze tegen de oudere vrouw.

Elsbeth lachte. 'Je wilt dus een heer van hem maken, mijn kuikentje.'

'Nee.' Adair schudde haar hoofd. 'Hij zal nooit een heer worden, maar als hij mijn minnaar wil zijn, zal hij op zijn minst schoon moeten zijn. En over een paar dagen zal ik mijn paard hebben,' voegde ze er triomfantelijk aan toe. 'De winter staat bijna voor de deur, Juffie, en ik moet Stanton bereiken voordat de sneeuw dat onmogelijk zal maken. Morgen is het Allerheiligen. Voor Sint-Maarten zal ik weg zijn.'

Elsbeth ging er niet tegenin. Het was zinloos om deze kwestie met Adair te bespreken, maar ze zou niet toestaan dat haar meesteres opzettelijk het gevaar tegemoet liep. 'Ik zal Grizel opdragen de slaapkamer van de landheer schoon te maken,' zei ze.

'We zullen ook de matras en het veren dekbed luchten,' antwoordde Adair. 'En er moeten schone lakens komen. Als dat gedaan is, kan Jack de tobbe naar de kamer van de landheer brengen. We zullen hem na het avondeten vullen, waarna ik hem kan wassen.'

Vlak voordat de zon onderging, keerden Conal Bruce, zijn broers en hun mannen naar huis terug. Ze hadden een hert gedood, waar ze een dag of twee mee bezig zouden zijn om hem schoon te maken voordat hij in de koude provisiekast kon worden gehangen. Ze hadden ook verscheidene korhoenders, eenden, konijnen, drie ganzen en een fazant. Elsbeth prees hen uitgebreid, en daarna diende ze een maaltijd op van gebraden vlees, gekookte forellen en oktoberbier. Toen ze vervolgens een schaal gepocheerde peren in wijn en enkele suikerwafels bracht, waren de broers verrukt.

'Ah, vrouwe Elsbeth, wil je met me trouwen?' vroeg Duncan Armstrong haar met een ondeugende grijns terwijl hij een arm rond haar middel sloeg.

Elsbeth giechelde. 'U zou niet in staat zijn me bij te houden, meester Duncan,' zei ze, en sloeg zijn arm weg. 'Ik ben een vrouw voor één man, en mijn man is dood.' Ze haastte zich terug naar de keukens, waar Adair bij Flora, Grizel en Jack aan tafel zat. 'Ze zijn bijna klaar met de maaltijd,' zei ze. 'Ga nu naar de grote zaal, mijn kuikentje.'

Zonder een woord te zeggen stond Adair op en verliet de keukens.

'Ze is dus met hem tot overeenstemming gekomen?' vroeg Grizel.

'Er zijn vele vrouwen die maar al te graag in het bed van de landheer zouden willen liggen,' merkte Flora op. 'Ze zeggen dat Agnes Carr het meerdere malen met hem heeft geprobeerd.'

'Agnes is een hoer,' zei Grizel bot. 'Een goedhartige meid, dat is absoluut waar, maar toch een hoer. Er is geen man in de wijde omtrek te vinden die niet zo nu en dan een ritje tussen haar benen heeft gemaakt.'

'De landheer heeft een vrouw nodig,' zei Elsbeth.

'Ja,' beaamde Grizel. 'Dat heeft hij. Als jouw lady hem kan binden, Elsbeth, dan heeft ze geluk, zou ik zo zeggen. Is ze eerder getrouwd geweest?'

'Twee keer,' antwoordde Elsbeth.

'En geen kinderen?' wilde Grizel weten.

Elsbeth schudde haar hoofd. 'Haar eerste man was een jongen van veertien jaar. Het huwelijk was bij volmacht voltrokken, en hij verscheen op een dag met haar oom. Hij is nooit met haar naar bed geweest, en hij vond de dood tijdens een ongeluk voordat hij er de kans voor kreeg.' Elsbeth dacht dat het beter was om niet te zeggen dat de arme FitzTudor door Schotse grensbewoners was gedood.

'En haar tweede man?' drong Grizel aan.

'Hij was de zoon van een buurman. Het was een goede verbintenis, maar hij werd samen met koning Richard bij Bosworth gedood. Ze betreurde het dat ze geen kinderen hadden, maar misschien was het beter, gezien wat er daarna met haar gebeurde,' zei Elsbeth.

Grizel knikte. 'Ja. De overvallers die jullie meenamen, zouden de kinderen hebben gedood, want die kunnen ze niet gebruiken. Nu heeft je lady tenminste geen verdriet over het verlies van haar kinderen. Het was Willie Douglas die jullie meenam, is het niet?'

'Ja,' zei Elsbeth.

'Hij heeft een duister hart,' merkte Grizel op.

'Hij heeft mijn zuster gehouden voor zichzelf,' antwoordde Elsbeth.

'Zijn vrouw is een arme, zwakke muis, maar hij houdt van haar, zeggen ze. Als je zuster sterk is, zal ze veilig zijn,' zei Grizel.

'Margery zal hem de keel doorsnijden als ze de kans krijgt,' merkte Elsbeth op.

Grizel lachte. 'Daarmee zou ze ons allemaal een dienst bewijzen,' antwoordde ze. 'Heeft hij je meesteres verkracht? Hij neukt altijd de mooie meiden.'

'Hij heeft het geprobeerd,' zei Elsbeth, 'en ze heeft hem zo bevochten en uitgevloekt dat zijn mannelijkheid tot niets verschrompelde. Hij was furieus, dus heeft hij haar in plaats daarvan geslagen.'

'Arme meid,' zei Grizel. 'Het verschrompelde echt?'

'Je kon het helemaal niet meer zien,' zei Elsbeth. 'Maar kom op, jullie twee gaan naar boven en ruimen de tafel voor me af. Jack, mijn jongen, breng meer hout voor de nacht. En morgen moet je hout hakken.'

De twee dienstmeiden gingen naar de hal en ruimden alle borden en bekers af. Ze zagen de landheer, zijn broers en Adair bij het vuur zitten praten. Adair keek op en zag Grizel en Flora, waarna ze hen bij zich riep en hun opdroeg genoeg heet water voor het bad van de landheer te maken. Toen Duncan en Murdoc begonnen te lachen, vertelde ze hun liefjes dat zij het water voor het bad naar de slaapkamer van de landheer zouden dragen, en aangezien de eerste emmers heet water al klaar stonden, konden ze daar het beste maar meteen mee beginnen.

Nu was het Conal die lachte om de uitdrukking op het gezicht van zijn broers. 'Ga maar, jongens. Ik ben meer dan bereid me door mijn mooie meisje te laten wassen. We zullen bij het vuur wachten tot alles in gereedheid is gebracht.'

'U krijgt het beste van het beste,' zei Adair.

'Altijd,' zei hij. 'En jij?'

'Ja. U heeft het vandaag uitstekend gedaan. De koude provisiekast is nu bijna vol. Nog één of twee herten en wat gevogelte, en dan zijn we helemaal klaar. Elsbeth gaat nog naar het dorp om te zien of ze een paar stukken ham kan kopen zodra de varkens zijn geslacht, milord.'

'Daar zijn er tegenwoordig niet veel meer van, maar laat haar maar gaan kijken. Schotland wordt iedere dag armer,' zei hij.

'Waarom?' vroeg ze. 'Engeland is niet arm.'

'Handel brengt welvaart, en we hebben weinig om te verhandelen,' verklaarde hij. 'En de koning heeft meer belangstelling voor juwelen en kunstwerken. Onze Jamie is een zwakke koning, en Schotland heeft een sterke koning nodig.'

'Hoelang is hij al koning?' vroeg ze.

'Sinds hij los kon lopen. Het beste aan hem is de koningin. Ze heeft Schotland vier prinsen en twee prinsessen gegeven. Zij kent haar plicht. De koning jammer genoeg niet. Ik ben geen belangrijk man, maar zelfs hier in het grensgebied horen we geruchten dat de graven niet gelukkig met hem zijn.'

'Zal er oorlog komen?' vroeg Adair. Ze verafschuwde oorlogen. Haar leven was door oorlog geregeerd geweest, en dat wilde ze nooit meer meemaken.

'Misschien, maar dan zal het waarschijnlijk niet lang duren. Of de koning wint, of zijn tegenstanders. Maar waarom heb je belangstelling voor dat soort dingen, liefje? Je bent voor de liefde gemaakt, en niet voor gewichtige onderwerpen,' merkte hij op.

'Milord, ik heb tien jaar aan het hof van koning Edward doorgebracht,' zei ze. 'Ik was omringd door dergelijke gewichtige onderwerpen. Ik luisterde en hield alles in de gaten, want op een dag zou ik misschien in een belangrijke familie trouwen. Mijn kennis zou van onschatbare waarde kunnen zijn. Je hebt belangrijke vrienden en invloed nodig om je aan het hof staande te houden. Als kind van de koning, en met een eigen titel, had ik enige waarde voor hem. Jammer genoeg heeft hij die waarde niet verstandig gebruikt, want hij was altijd een hebzuchtig man.'

De landheer was verbaasd over haar kennis en observatievermogen, en daardoor misschien een beetje perplex. Maar hij schudde het van zich af en concentreerde zich vervolgens op haar schoonheid, en al het andere raakte op de achtergrond.

Ten slotte kwam Grizel naar Adair toe. 'De tobbe is vol,' zei ze.

'Zijn er twee extra emmers om af te spoelen?' vroeg Adair.

'Ja, zoals Elsbeth ons heeft opgedragen,' zei Grizel.

Adair stond op. 'Het is tijd voor uw bad, milord.'

Duncan en Murdoc grinnikten.

Conal keek hen berispend aan.

'Grizel,' zei Adair, 'kom met me mee, want je moet de kleren van de landheer meenemen. Geef ze aan Elsbeth. Is er een nachthemd voor hem?'

'Ik slaap niet in een nachthemd!' protesteerde Conal.

'Ik ook niet,' zei Adair kalm. Daarna pakte ze zijn hand. 'Kom mee, milord.' En ze leidde hem de hal uit, gevolgd door Grizel.

In zijn slaapkamer verwijderde Adair de versleten laarzen van de voeten van de landheer. 'Kijk of je ze weer enigszins tot leven kunt wekken,' zei ze tegen Grizel. Ze rukte zijn sokken uit. 'Verbrand deze. Ze zijn verrot en ze stinken. Sta op, milord.'

Hij was gefascineerd door haar efficiëntie. Ze kleedde hem

snel uit en overhandigde de kleren aan Grizel, en maakte bij elk kledingstuk een opmerking.

'Dit kan worden gereinigd. Deze moeten worden gewassen. Dat moet worden hersteld. Als hij geen ander hemd heeft, kun je het dan voor morgenochtend klaar hebben? En als hij wel een ander hemd heeft, kijk dan of dat schoon en heel is. Zo, milord, stap maar in de tobbe,' voegde ze eraan toe.

Hij klom erin en ging ongemakkelijk met opgetrokken knieën zitten.

Grizel pakte zijn kleding bij elkaar en verliet de kamer.

Adair knielde voor de tobbe, pakte een kleine doek en doopte hem in het hete water, waarna ze het stuk zeep er stevig overheen wreef en hem begon te wassen. 'Ik kon geen borstel voor in het bad vinden,' zei ze terwijl ze met de ingezeepte doek over zijn brede schouders en lange rug boende. 'Uw nek is vuil,' merkte ze afkeurend op, en boende vervolgens zo stevig dat hij jammerend protesteerde.

'Probeer je me van mijn huid te ontdoen, vrouw?' vroeg hij.

'Ik zou niet zo hard hoeven boenen als u niet zo vuil was, en als ik een borstel had,' zei ze terwijl ze zich nu op zijn oren concentreerde. 'Kunt u zich de laatste keer dat u zeep hebt gebruikt, nog wel herinneren, milord? Waarschijnlijk is dat niet meer gebeurd sinds uw arme moeder is gestorven. U moest zich schamen! Ik weet dat ze u beter heeft opgevoed, want u en uw broers hebben keurige manieren.'

Zijn borst was licht bedekt met donker haar. Andrews borst was glad geweest. Adair waste zwijgend de borst en armen van de landheer. Hij tilde een voet op, en ze waste hem, waarbij ze de doek tussen elke teen door haalde. Hij had zeer grote voeten, maar hij was per slot van rekening een grote man. Daarna waste ze de andere voet. De nagels aan zijn handen en voeten moesten ook worden geknipt, zag ze, en ze zou ervoor zorgen dat het gedaan werd voordat hij met haar in bed stapte. Vervolgens nam ze zijn donkere haar onder handen, waarbij haar vingers stevig zijn schedel masseerden, waar zich beslist neten hadden genesteld. Hij protesteerde weer, en als antwoord gooide ze een halve emmer water over zijn hoofd. Daarna waste ze zijn hoofd voor een tweede keer, en spoelde nogmaals de zeep uit zijn haren.

'Ik begin verdorie te ruiken als een bloem,' klaagde hij, en stak zijn arm uit om haar te pakken, maar Adair sloeg zijn hand weg.

'U ruikt veel beter dan voordat u in de tobbe stapte,' stelde ze rustig vast. 'Sta nu maar op, milord. Ik ben nog niet klaar.' Adair kwam overeind toen Conal ging staan. Ze waste zijn billen die strak en rond waren, en de achterkant van zijn benen die stevig waren. 'Draai u om,' zei ze scherp, en wreef met haar doek over de voorkant van zijn lange benen die, net als zijn borst, licht behaard waren. Ze wilde vermijden dat haar blik over zijn mannelijkheid dwaalde, maar het was onmogelijk. Tandenknarsend waste Adair zijn geslachtsdelen. 'Zo,' zei ze bruusk, 'nu bent u klaar. U kunt wat mij betreft uit het bad komen.'

Hij stapte op de doek die ze voor de tobbe had uitgespreid, en nam de droogdoek aan die ze voor hem ophield. Langzaam, zorgvuldig, droogde hij zichzelf af, en daarna sloeg hij de doek rond zijn middel. Hij liep naar zijn slaapkamerdeur, opende hem, en riep: 'Duncan! Murdoc! Kom hier!' Zijn broers renden vanuit de hal de trap op. 'Breng deze verdraaide tobbe terug naar de keukens,' droeg hij hun op. 'Maar leeg hem eerst via het raam. En laat jullie geile ogen niet uit jullie hoofd rollen,' waarschuwde hij hen, want hij zag dat ze steelse blikken wierpen op Adair die voor hem neerknielde en eerst zijn teennagels en vervolgens zijn vingernagels begon te knippen.

Duncan en Murdoc sleepten de tobbe naar het raam, dat Murdoc opende, waarna ze de tobbe op de vensterbank tilden en leeg kieperden, waarbij ze het water op de rotsen beneden voor de burcht hoorden kletteren. Nadat ze het raam weer hadden gesloten, liepen de broers met de tobbe naar de deur en verlieten zwijgend de slaapkamer. Adair zag dat de landheer de sleutel van de deur in het slot omdraaide. Haar hart begon te bonken.

Conal legde de sleutel op de tafel bij het bed. 'Zo, Adair, ik heb mijn belofte gehouden, en jij hebt me grondig gewassen, en nu moet jij jouw belofte waarmaken. Trek je hemd uit en laat me je bekijken,' zei hij.

Zwijgend trok ze haar doorweekte kledingstuk uit en spreidde het zorgvuldig uit over de stoel bij het haardvuur. Daarna draaide ze zich naar hem om en keek hem recht aan, want ze was niet van plan enige angst te tonen. Hij stond kaarsrecht voor haar, en terwijl hij zijn blik langzaam over haar lichaam liet dwalen, stak ze haar armen omhoog om haar dikke vlecht uit elkaar te halen, waarna ze haar hoofd schudde om de lokken te ontwarren.

'Het is maar goed dat Willie Douglas je niet zo heeft gezien,' zei de landheer. 'Je bent veel meer waard dan een zilveren penny, mijn honnepon.' Hij glimlachte traag naar haar en stak zijn hand uit. 'Kom bij me, Adair.'

Haar benen voelden als lood. Ze was verbaasd dat ze nog in staat was zich te bewegen, maar ze liep door de kamer naar hem toe. Toen ze bij hem was, trok hij haar in zijn armen, waarbij ze een lichte huivering door zich heen voelde gaan. Een hand streelde haar haren en volgde de lijn van haar kruin tot het onderste deel van haar rug. De aanraking van zijn lichaam tegen het hare was verbazingwekkend. Het was lang geleden sinds ze een dergelijke gewaarwording had ervaren die veroorzaakt werd door de zachte krulletjes op zijn borst. Adair hapte geschokt naar adem door wat dit nieuwe en intieme contact met haar deed.

'Als het nu niet is, wanneer dan wel?' vroeg hij, toen hij naar haar keek en de schrik op haar gezicht zag.

'Ik... ik weet het niet,' fluisterde ze, niet in staat haar ogen van hem af te wenden.

'Dan nu, honnepon,' zei hij, waarna hij zijn mond in een tergende kus op de hare drukte.

Tot haar verrassing viel Adair bijna flauw toen zijn sterke armen haar omsloten en zijn lippen de hare plaagden. Ze werd overspoeld door de gewaarwordingen die haar bijna overweldigden. Haar lippen werden zacht onder de zijne en weken uiteen toen zijn tong probeerde in haar mond te dringen. Andrew had haar nooit op deze manier gekust. Er was een zekere heftigheid in de kussen van de landheer. Andrew was altijd behoedzaam met haar geweest, alsof hij bang was dat ze zou breken als hij dat niet was. Maar Conal Bruce was nauwelijks behoedzaam, hoewel hij niet ruw deed. Hij eiste, en tot haar verbazing merkte Adair dat ze toegaf aan zijn onuitgesproken eisen.

Hij omvatte haar gezicht met zijn beide handen en kuste haar gesloten oogleden, haar voorhoofd en haar wangen. 'Dit is anders voor me,' zei hij, en zijn stem klonk verbaasd. 'Het is niet zoals het met Agnes Carr is. Met Agnes wil ik mijn verlangens zo snel mogelijk bevredigen. Met jou wil ik er de tijd voor nemen, honnepon, omdat ik denk dat ik het eeuwig wil laten duren.' Hij pakte haar ene hand en drukte een verhitte kus op de handpalm. Daarna leidde hij haar naar het bed.

Adair moest zichzelf bekennen dat ze een beetje in verwarring was. Met Andrew was het vrijen teder geweest, en toch had ze vanbinnen nooit de emoties ervaren die ze nu voelde groeien. 'Is het niet met elke vrouw hetzelfde?' vroeg ze zacht terwijl hij haar op haar rug legde.

'Nee, dat is het niet,' antwoordde hij glimlachend. 'Evenmin is het met elke man hetzelfde. Althans, volgens Agnes Carr, en zij kan het weten want ze heeft genoeg mannen gehad.' De landheer kuste lichtjes Adairs lippen.

'O.' Het was dus met elke man anders, of dat werd verondersteld. Andrew had haar beloofd dat ze na hun huwelijksnacht genot zou ervaren, maar Adair had dat nooit werkelijk meegemaakt. Ze had tegen hem gelogen, natuurlijk, en hem verteld dat ze het had ervaren, want het lag zeker aan haar en niet aan hem. Als ze in staat was geweest hem een kind te schenken was het misschien wel allemaal anders geweest. Ze had zijn attenties als echtgenoot niet onplezierig gevonden, maar ze had niets gevoeld van wat hij kennelijk voelde terwijl hij op haar lichaam zwoegde en kreunde. En als hij klaar was, kuste hij haar, rolde van haar af en viel in slaap, terwijl zij wakker lag in het donker en zich afvroeg waarom ze geen genot had gevoeld. Ze had het hem niet durven vragen.

Nu raakte deze ruwe Schot met zijn grote handen haar lichaam plotseling op een heel andere manier aan, en Adair werd overspoeld door gevoelens die ze nooit eerder had ervaren. Zijn mond drukte op het holletje in haar hals, en het geluid dat hij voortbracht, deed haar heel erg aan een grommend dier denken. Hij likte haar lange hals met zijn natte, hete tong, en Adair voelde diep vanbinnen een huivering ontstaan die zich door haar lichaam verspreidde. Zijn gretige mond sloot zich over haar tepel en begon hard te zuigen, terwijl zijn vingers haar andere borst kneedden. Ze jammerde door een groeiende begeerte die ze totaal niet begreep. De brandende tong begon haar romp langzaam te verkennen, en haar adem kwam in korte, snelle stootjes toen hij zijn tong in het kuiltje van haar navel duwde.

De zachtheid van haar huid, de vage geur die haar warme lichaam afgaf, zweepten zijn zinnen op terwijl hij zijn verlangen naar haar voelde groeien. Haar ronde venusheuvel was roze en ontdaan van haar. De licht beschaduwde spleet die het heuveltje verdeelde wond hem op. Hij liet zijn tong eroverheen gaan en stak hem vervolgens tussen het vlees om haar toestromende sappen te proeven. Hij veranderde enigszins van houding zodat hij de twee helften kon delen, en daar, genesteld te midden van de vochtigheid, was haar liefdesknop. Met de punt van zijn tong begon hij aan een tedere verkenning.

Adair uitte een kreet van verbazing. Dat had Andrew nooit gedaan, en toch wilde ze niet dat de landheer staakte met zijn acties die haar meer opwonden dan ze ooit eerder had meegemaakt. 'O ja,' hoorde ze zichzelf zeggen, en ze bloosde.

Hij hief zijn donkere hoofd. 'Je vindt het prettig, mijn honnepon?'

'Ja!' Het was het enige wat ze wist uit te brengen omdat haar hoofd begon te tollen.

Gedurende een tijdje liet hij zijn tong over en rond haar gevoelige knopje cirkelen, maar toen, omdat zijn eigen verlangen groeide, hield hij op en kuste haar mond om haar protest te stoppen terwijl hij boven op haar lichaam klom en zich in het hete vocht van haar schede dreef. Aanvankelijk was ze strak, maar daarna gaf haar lichaam zich over aan zijn mannelijkheid.

Adair hield haar adem scherp in toen ze hem in haar lichaam voelde dringen. Hij was groter dan Andrew was geweest, en ze was verbaasd dat hij zo gemakkelijk in haar gleed. Hij stopte toen ze volledig gevuld was, en ze voelde dat hij neerkeek in haar gezicht.

'Open je ogen, Adair,' kreunde hij. 'Ik wil het genot in je mooie violette ogen zien rijzen, mijn honnepon.'

'Nee,' fluisterde ze. 'Ik heb nooit het genot gekend waar mannen over spreken, milord. Als ik u teleurstel, zult u me vast terugsturen naar Douglas. Maar dan zou ik eerst mezelf doden!' Alle gedachten aan Stanton waren plotseling uit haar hoofd verdwenen.

'Heeft je man je geen genot geschonken? Was hij wreed?' wilde de landheer weten.

'Nee, nooit! Andrew was zachtaardig en vriendelijk. Ik deed net alsof ik genot ervoer omdat ik het niet kon verdragen dat hij zou weten dat het niet zo was,' bekende ze.

'Ah, mijn honnepon, ik heb je al een beetje genot gegeven door je liefdesknop te liefkozen. Je sappen begonnen te vloeien, wat mijn doordringen in jouw lichaam vergemakkelijkte. Vertrouw me, en ik zal je echt genot schenken,' beloofde Conal haar.

'Ik ben bang,' zei Adair met een klein stemmetje.

Hij lachte. 'Nee, je bent niet bang. Jij niet. Je bent een meisje dat geen vrees kent, Adair Radcliffe. Je bent ongerust, maar bang? Nee! Open nu je ogen en vertrouw me maar.'

Langzaam opende ze haar ogen, en de zijne richtten zich op haar terwijl hij begon te bewegen, eerst langzaam en daarna steeds sneller. Ongevraagd sloeg ze haar benen om hem heen. Het leek of haar lichaam plotseling geheel op hem was afgestemd. Ze voelde de lengte en dikte van zijn mannelijkheid. Ze genoot onder het gewicht van zijn lichaam. En ineens gebeurde er iets met haar. Adair had het gevoel alsof ze op het punt stond in vlammen op te gaan door de hitte die haar lichaam en geest verstikte. Haar hoofd tolde, en daarna spoelde er een golf van genot over haar heen. Ze schreeuwde het uit toen het intense genot de controle over haar lichaam en ziel overnam. Ze hoorde hem kreunen. Zijn lichaam verstijfde, en daarna, in de zoete nevel die haar omringde, voelde ze dat zijn sappen haar vulden. En ergens tijdens dit overweldigende genot waren haar ogen weer dichtgevallen.

Gedurende enkele minuten hoorde ze alleen het geluid van vermoeid ademhalen. Zijn gewicht op haar was zwaar, maar ze was zo uitgeput van hun inspanningen dat ze zich niet kon bewegen. Ten slotte rolde hij van haar af, maar daarna nam hij haar weer in zijn armen, tilde haar op en legde haar bovenop zich. Haar hartvormige gezicht werd tegen de kromming tussen zijn schouder en nek gedrukt. Hij voelde de zachte strelingen van haar ademhaling op zijn huid. Hij hoefde het haar niet te vragen. Hij wist dat ze voor het eerst van haar leven echt genot had ervaren in de armen van een man. En Conal moest zichzelf bekennen dat hij met Adair een genot had ervaren dat hij nooit eerder met een andere vrouw had gehad. 'Ik zal je niet terugsturen naar Willie Douglas,' zei hij zacht tegen haar. 'Vanaf deze dag ben ik de enige man die je ooit zult kennen, mijn lieve honnepon. En je zult niet langer in de keukens slapen, Adair. Je zult in mijn bed slapen, omdat je daar hoort – en bij mij.'

'U heeft met me gedaan wat u wilde, milord,' antwoordde ze, waarbij haar stem licht trilde. 'Laat me nu alstublieft gaan, milord.'

'Nee,' zei hij. 'Je bent van mij.'

'Nee,' zei ze. 'Uw zilver kan mijn hart niet kopen. Dat is iets wat ik u alleen uit vrije wil kan geven.'

'Ik wil je hart niet,' zei hij wreed. 'Het enige wat ik van je wil is je lichaam, en dat heeft mijn zilver voor me gekocht, Adair. Je bent van mij. Ik zal je nooit meer laten gaan!' voegde hij eraan toe.

'Ben ik dan alleen maar een lichaam voor u, milord?' riep ze uit. Nou, wat had ze anders verwacht, vroeg Adair zich het volgende moment af. Had ze liefde verwacht? Daar had ze gedurende haar hele leven maar weinig van gezien tussen een man en een vrouw. Van alle mensen die ze had gekend, had alleen Richard van Gloucester een diepe en duurzame liefde voor zijn vrouw, Anne, getoond. Er waren geen anderen geweest bij wie haar dat was opgevallen, en ze was dus een dwaas, concludeerde ze, om zelfs maar aan liefde te denken. Ze was nu de nieuwe minnares van de landheer. Niets anders. Hij had de hoer van haar gemaakt die ze nooit had willen zijn. Dat had ze zichzelf bezworen.

'Ja,' beaamde hij. 'Maar dat lichaam verheugt me zoals geen ander lichaam me ooit heeft verheugd. En je kunt niet ontkennen dat je in mijn armen hebt ervaren wat je nog nooit bij een andere man hebt ervaren. Ga nu maar slapen, mijn honnepon. Wanneer mijn kracht is hersteld na een beetje rust, zal ik je zoete charmes opnieuw willen proeven. Deze nacht is nog niet voorbij.' Daarna stak hij zijn arm uit, pakte het dekbed en trok het over hen heen.

Adair beet op haar lip. Ze zou niet in slaap vallen, nam ze zich voor. Ze zou niet slapen!

11

*T*oen Adair wakker werd na de lange nacht lag ze op haar buik met de arm van de landheer over haar heen. Ze draaide zich langzaam om. Er viel een vage streep licht door een smalle kier in een van de luiken voor de ramen. Ze moest opstaan en naar de keukens gaan. Elsbeth zou al met het ontbijt bezig zijn. Adair probeerde behoedzaam onder de arm van de landheer vandaan te komen, maar hij verstrakte plotseling zijn greep.

'Waar ga je naartoe?' bromde hij tegen haar.

'De zon komt bijna op,' zei Adair. 'Ik moet naar de keukens gaan, milord.'

'Nog niet,' zei hij. 'Ik wil meer!' Het volgende ogenblik was hij boven op haar.

'Is uw lust nog niet uitgedoofd?' wilde Adair weten. 'We hebben vannacht drie keer gepaard. Ik heb tussendoor nauwelijks een moment rust gehad. Denkt u dat Elsbeth alles in haar eentje kan doen?' Lieve help! Ze voelde zijn mannelijkheid al hard worden van verlangen.

'Elsbeth heeft anderen om haar te helpen. Ik heb jou,' zei hij, terwijl zijn knie haar benen vaneen duwde. 'Ik heb liever jou als ontbijt dan een kom pap, mijn honnepon.'

'Ik moet gaan,' hield Adair vol. 'Ik moet mijn diensten uitvoeren.'

'Je eerste dienst is voor mij, en je bent er al helemaal klaar voor, merk ik,' mompelde hij in haar verwarde haren terwijl hij de top van zijn mannelijkheid in haar duwde. 'Je bent heet en nat, en je wilt mij net zo graag als ik jou, ook al zul je het ontkennen.' Hij gleed dieper in haar. 'Is het niet, honneponnetje?'

'Nee!' zei ze koppig. Hoe kon hij dat weten? Hoe kon hij dat verdorie weten? Ze voelde zijn kloppende mannelijkheid diep vanbinnen. 'Nee!'

'Ja, je bent een kleine leugenaar,' zei hij half lachend toen hij zich langzaam terugtrok en haar uit protest zacht hoorde jammeren. 'Zeg dat je me wilt, Adair!'

'Nee!' hield ze vol. Maar ze wilde hem wel. Ze wilde hem diep in zich voelen, ze wilde dat hij haar liet exploderen met die verrukkelijke gewaarwordingen die hij haar de afgelopen nacht drie keer had laten ervaren. 'Laat me gaan, jij grote Schotse aap!' Ze balde haar vuisten en trommelde op zijn borst.

'Genoeg, vrouw!' brulde hij haar toe. En daarna begon hij op haar te bewegen. Hij stootte zijn mannelijkheid diep in haar, trok zich langzaam terug, telkens weer, tot ze het onder hem uitsnikte van het genot dat ze er beiden aan beleefden.

Ze was een beetje dwaas, dacht Adair. Hij wilde haar. Zij wilde hem. Waarom gedroeg ze zich dan als een dwaas meisje? Zijn heftige bewegingen zetten haar in vuur en vlam. 'Ja, verdorie, ik wil je!' riep ze, en vervolgens liet ze zich meevoeren door de gevoelens die haar overvielen.

Haar overgave dwong hem eerder over de rand dan hij had gewild. Hij voelde dat hij uitgeput raakte door haar hongerige eis. Geen enkele vrouw had hem ooit zo verzwakt. Hij kreunde en rolde, nauwelijks bevredigd, van haar af. Hij kon zijn ogen amper openhouden, en hij viel weer in slaap voordat hij wist wat er met hem gebeurde.

Toen hij zacht begon te snurken, kroop Adair voorzichtig uit het rommelige bed. De extra emmer water, nu koud, stond nog op de rand bij de haard. Ze pakte de kleine wasdoek en waste zijn sappen van haar lichaam. Ze pakte haar hemd van de stoel bij het vuur. Het was inmiddels droog en warm. Ze trok het aan, en daar overheen haar groene jurk. Haar schoenen waren in haar bedruimte. Ze legde twee kleine houtblokken op het vuur zodat het niet zou uitgaan, en daarna glipte ze de kamer uit en ging naar beneden.

Grizel was al in de grote zaal waar ze brandstof aan de haard toevoegde en de kaarsen ontstak. Ze knikte toen Adair zich langs haar heen haastte. In de keukens was Jack bezig het hout voor de dag binnen te brengen. Elsbeth had al een grote ketel pap klaar, en Flora zat aan de tafel te ontbijten. Adair begaf zich naar de kleine alkoof waar haar bedruimte was, en vond haar schoenen. Ze trok ze aan, kamde met haar vingers door haar haren tot de ergste klitten eruit waren en maakte er vervolgens weer een dikke vlecht van.

'Kom wat eten,' riep Elsbeth toen Adair de keuken binnenkwam. Ze zette een kom pap voor de jonge vrouw neer. 'Ik zie aan je dat hij net zo'n energieke man is als hij eruitziet,' zei ze, en giechelde vervolgens.

Adair staarde Elsbeth aan, maar zei niets. Ze reikte naar de kan room en goot een hoeveelheid over haar pap. Daarna begon ze te eten. Het begon tot haar door te dringen dat haar hele lichaam pijn deed. De landheer had haar stevig gebruikt, en als ze eerlijk tegen zichzelf was, moest ze bekennen dat ze na haar aanvankelijke verlegenheid enorm van zijn wellustige aandacht had genoten.

Maar het verwarde haar dat de bedsport met haar overleden echtgenoot nooit zo bevredigend was geweest als ze nu had ervaren. Ze was erg op Andrew gesteld geweest. Ze had zich er zelfs van overtuigd dat ze van hem hield. Hij was aantrekkelijk geweest, en vriendelijk en attent jegens haar. Maar nooit in al die tijd dat ze getrouwd waren geweest had hij een keer haar zinnen opgewonden tot de koortsachtige toestand waarin Conal haar de afgelopen nacht had gebracht. Niet één keer. Niet twee keer, maar tot vier keer toe! Ze had zich niet gerealiseerd dat een man in zo'n korte tijd zo wellustig en zo vaak kon presteren. Ze nam een hap en was verbaasd toen het de laatste bleek te zijn. Ze schraapte met haar lepel de kom uit.

Elsbeth legde een dikke warme boterham die droop van de boter en de honing voor Adair neer. 'Je ziet er behoorlijk uitgeput uit,' merkte ze geamuseerd op.

'Ik heb niet echt veel rust gekregen,' gaf Adair wrang toe terwijl ze van het brood at. Maar ineens sprong ze op. 'O, hemel! De landheer heeft geen kleren om aan te trekken!'

'Ga zitten,' zei Elsbeth. 'Flora heeft zijn kleren naar boven gebracht. Je kunt het beste zo snel mogelijk een paar hemden voor hem maken. Hij heeft er slechts twee. Het zou een goede taak zijn om vandaag mee te beginnen. Grizel en Flora kunnen vanochtend de grote zaal bedienen.'

Toen de landheer uit zijn kamer naar beneden kwam, was Adair nergens te bekennen. De twee andere dienstmeiden waren druk bezig de maaltijd op tafel te zetten, waar zijn twee broers al waren gezeten. Conal voegde zich bij hen.

'Zeg, waar zijn die bloemen verstopt?' vroeg Duncan Armstrong luid snuivend.

De landheer mepte naar hem, en zijn broers barstten in lachen uit.

'Je ziet eruit als een man die intens tevreden is,' vervolgde Duncan. 'Was ze de zilveren penny waard waarvoor je haar uit Willies klauwen hebt weten te krijgen?'

Conal grijnsde. 'Ja. Ze is waarschijnlijk ruim het dubbele waard,' zei hij.

'Hoeveel keer?' vroeg Murdoc brutaal.

'Vier keer, en ik was weer klaar voor haar, maar toen ik wakker werd, was ze verdwenen,' zei de landheer. 'Heeft een van jullie Adair vanochtend gezien?'

De twee broers schudden hun hoofd.

'Agnes Carr zou jaloers zijn,' merkte Duncan op. 'Ik betwijfel of je haar ooit vier keer in één nacht hebt genomen. Ik geloof dat ik dat nog nooit heb gepresteerd,' peinsde hij hardop.

'Dat komt wel als je de juiste vrouw hebt,' zei de landheer grinnikend.

'Vier keer,' zei de jonge Murdoc afgunstig. 'Ik wist niet dat een man dat kon in één nacht.' Murdoc was zestien jaar.

Zijn broers lachten om zijn opmerking.

'Het zal jou op een dag ook lukken, jongen,' beloofde de landheer hem. 'Grizel, waar is Adair?'

'In de keukens, milord,' antwoordde Grizel.

'Zeg haar dat ik haar wil spreken,' zei de landheer.

Duncan en Murdoc keken elkaar veelbetekenend aan, en grinnikten.

'Ja, milord.' Grizel maakte een buiging en verliet vervolgens de zaal. Enkele minuten later keerde ze terug met de mededeling: 'Vrouwe Adair vraagt of u haar op dit moment wilt excuseren, milord. Ze is bezig enkele nieuwe hemden voor u te knippen, en wil liever niet midden in haar werk ophouden, omdat het moeilijk zou zijn om er weer mee door te gaan.'

'Ga maar terug naar Adair en zeg haar dat ze als de landheer haar roept zo snel mogelijk moet komen,' zei Conal tegen de dienstmeid.

Grizel maakte weer een buiging en verliet de zaal opnieuw.

'Het meisje maakt nieuwe kleren voor je,' zei Duncan. 'Kun je niet een beetje redelijker zijn, Conal? Het is heel attent van haar. Ze zag dat je ze nodig had en is meteen aan de slag gegaan.'

'Ja, Conal,' beaamde Murdoc. 'Ik zou wel willen dat ze voor mij een paar nieuwe hemden maakte.'

'Ze moet leren dat ik haar meester ben,' zei de landheer koppig. 'Vergeet niet dat ik een zilveren penny voor haar heb betaald.'

'Ik zou zeggen dat vier keer in een nacht je pik in haar steken meer dan genoeg waar voor je geld is, Conal. Ze heeft hard gewerkt om de orde in ons huis te herstellen. Sinds de dood van onze moeder heeft het er hier niet meer zo goed uitgezien als nu.'

'Ze is van mij!' antwoordde de landheer.

'Dat zal niemand ontkennen,' zei Duncan. 'Maar ze is een lady, Conal, en ondanks alle pech die ze heeft gehad is ze geen gewone hoer.'

'Nee, sir, ik ben geen gewone hoer. Ik ben de hoer van de landheer,' zei Adair, die zich bij hen voegde. Ze richtte haar vastberaden blik op Conal Bruce. 'Wat verlangt u van me, milord?'

'Dat je komt wanneer ik je roep,' zei hij tartend.

'Ik heb ook nog andere karweitjes dan u in uw bed te dienen, milord,' antwoordde Adair scherp. 'Uw kleding, de kleding van uw broers, alles moet worden opgelapt. En de koude provisiekast is ook nog niet volledig gevuld voor de winter, die vandaag dichterbij is dan gisteren. Vandaag zal ik kleren voor u maken, en u gaat weer jagen voor het welzijn van de burcht. Als het u behaagt, natuurlijk, milord.' Ze maakte spottend een buiging en haar violette ogen keken hem uitdagend aan.

'Kom op mijn schoot zitten,' zei de landheer.

Duncan en Murdoc keken elkaar bezorgd aan, maar tot hun grote verbazing, en na slechts een korte aarzeling, ging Adair op de schoot van de landheer zitten.

'Goed,' prees Conal Bruce. 'Je wordt al gehoorzamer.'

Adair slikte een fel antwoord in. Hoe eerder hij geloofde dat hij de leiding had, hoe eerder zij weer aan haar werkzaamheden voor vandaag kon beginnen.

'Nu wil ik dat je me kust,' beval de landheer haar.

Ze gaf hem een snel kusje op zijn wang.

'Dat was niet goed, Adair,' zei hij. 'Nog een keer, honnepon.'

De blik die ze hem toewierp, zou elke andere man hebben vernietigd, maar daarna kuste ze hem stevig op zijn mond, en liet het net lang genoeg duren om Duncan een waarderend gefluit te ontlokken.

'Dat was beter,' zei de landheer, 'maar nog niet genoeg, Adair. Nog een keer.'

Adair sloeg nu haar armen om zijn nek en drukte zich tegen hem aan. Haar lippen ontmoetten de zijne in een trage, zoete kus. 'Mmm,' mompelde ze tegen zijn mond terwijl ze zich suggestief tegen zijn lichaam wreef. Vervolgens kuste ze hem weer en duwde haar tong plagend in zijn mond. Ze slaakte een diepe zucht en kuste hem een derde keer op dezelfde lome manier. Ten slotte trok ze zich van hem terug en vroeg zacht: 'Is dit beter, milord?'

'Ja,' zei hij, en knikte naar haar.

'Dan,' zei Adair, waarbij ze van zijn schoot sprong, 'ga ik nu weer verder met mijn naaiwerk.' Ze maakte een buiging. 'Goede jacht, milord.' Ze draaide zich om en maakte zich snel uit de voeten.

Duncan en Murdoc staarden haar na deze ondeugende actie met open mond na. Hun broer bleef stil zitten, zijn verlangen klopte gezwollen in zijn broek. Gedurende korte tijd wist Conal niet wat hij moest zeggen. Ten slotte verbrak Duncan de stilte.

'Wat een meid!' zei hij bewonderend.

'Maggie kust me niet op die manier,' klaagde Murdoc.

'Niemand die ik ken, kust op die manier,' reageerde Duncan.

'Ik zal haar uiteindelijk waarschijnlijk moeten vermoorden,' zei Conal, die zijn stem weer had gevonden. 'We weten allemaal dat vrouwen goed zijn om te koken, schoon te maken, kinderen te krijgen en te neuken, maar weinig anders. Adair heeft me behekst. Ik schijn niet genoeg van haar te kunnen krijgen, en ik schaam me nogal om het te moeten toegeven. Geen enkele vrouw heeft ooit deze invloed op me gehad. En ze geniet net zoveel van samen paren als ik. Iedere keer dat ik haar heb, wil ik haar bijna onmiddellijk weer. Het is gekkigheid, broers. Op dit moment wil ik haar uit de keukens sleuren en haar voor de rest van de dag mee naar bed nemen. Maar ik weet dat ze gelijk heeft. Die verdraaide koude provisiekast moet voor de winter helemaal gevuld worden. Toen we gisteren buiten waren, zag ik dat de bergpieken in het noorden al wit van de sneeuw waren.' Zijn lid dat pijnlijk had geklopt, deed nu niet meer zoveel pijn. Hij stond op en knipoogde even naar de anderen. 'Laten we op jacht gaan, jongens.' De landheer van Cleit beende de grote zaal uit.

'Er is iets aan de hand,' zei Duncan. 'Iets dat ik nooit had verwacht te zullen meemaken.'

'Wat dan?' wilde Murdoc weten.

'Nog niet, broertje.' Zijn oudere broer sloeg een arm rond zijn schouders waarna ze achter Conal aan de zaal verlieten. 'En wie is Maggie?'

Grizel kwam uit de schaduwen te voorschijn waar ze had staan luisteren. Ze haastte zich de trap af naar de keuken. 'Ze zijn eindelijk weg,' kondigde ze aan.

Adair keek op van de tafel waar ze hemden stond te knippen van het fijne linnen dat ze in de kamer van de overleden moeder van de landheer had gevonden. 'Mooi,' zei ze. 'Met een beetje geluk heb ik voor ieder van hen een nieuw hemd wanneer ze vanavond terugkeren van de jacht.'

'Ik zal je helpen naaien zodra ik klaar ben met mijn karweitjes,' bood Flora vrijwillig aan.

Toen de jagers die avond kort na zonsondergang terugkeerden, brachten ze twee herten en een rits ganzen mee. Tot hun verbazing vonden ze voor ieder van hen een nieuw hemd, keurig opgevouwen en bij hun plaats aan tafel gelegd. Ze pakten de hemden, vouwden ze uit en hielden ze voor hun lichaam.

'We hebben er allemaal een gekregen!' riep Murdoc enthousiast. 'Laten we ze passen!'

'Nog niet,' hoorden ze Adairs stem zeggen, terwijl ze opstond uit de stoel bij het vuur. 'Jullie hebben nog geen bad gehad, meester Murdoc en meester Duncan. Jullie kunnen geen schoon hemd over een stinkend lichaam aantrekken. De tobbe staat klaar in de keukens.'

De landheer barstte in lachen uit toen hij de uitdrukking op hun gezicht zag.

'O, u ook, milord,' zei Adair liefjes, en zijn lach stierf weg.

'Ik heb gisteren een bad genomen,' protesteerde hij. 'Je hebt mijn huid praktisch van mijn lichaam geschrobd.'

'Wilt u dat ik het vanavond weer doe, milord?' vroeg Adair. 'Ik ga niet naar bed met een man die naar zijn eigen zweet en dat van zijn paard stinkt. En als u me wilt dwingen, weet dan dat ik nadat ik de hemden klaar had uw mooie burcht ben gaan verkennen. Er zijn verscheidene plaatsen waar ik me zou kunnen verstoppen zonder dat u me ooit zult vinden.'

'Ik heb nooit geweten dat Engelse lady's zo overgevoelig waren,' bromde hij.

'Jullie hebben op zijn minst een wasbeurt nodig,' zei ze minzaam.

De drie mannen volgden haar de trap af naar de keukens, waar de tobbe was klaargezet. De vrouwen ontdeden hen van hun kleren, en elke man waste zich volgens Adairs instructies. Aangezien het tot de vrouwelijke taken behoorde om de mannen in het huishouden te baden, waren noch de landheer en zijn broers, noch de vrouwelijke bedienden in verlegenheid gebracht door hun naaktheid. De mannen maakten grappen en herinnerden zich hoe hun moeder er vroeger op toezag dat ze zich grondig wasten. Nadat ze zich hadden afgedroogd, kregen ze hun schone, nieuwe hemden en de rest van hun kleren aangereikt, die de jonge Jack had geborsteld en gelucht terwijl ze zich wasten.

'Jullie zullen blootsvoets naar boven moeten gaan,' zei Adair. 'Jack zal voor vanavond jullie laarzen schoonmaken en poetsen. Zo, ga nu maar naar de grote zaal waar we jullie weldra de maaltijd zullen opdienen.' Ze joeg de mannen de keukens uit.

'Ze gaat haar boekje te buiten en neemt mijn burcht over,' merkte Conal op.

'Goddank, zou ik zo zeggen,' zei Duncan. 'Sinds de dood van moeder is alles alleen maar van kwaad tot erger geworden. Maar Adair weet hoe ze een mannenhuishouding moet runnen, en ik ben er blij mee. Dat zou jij ook moeten zijn, Conal. Je mag haar op haar rug willen hebben om jou te plezieren, maar ik ben blij met een schone burcht, fatsoenlijke kleren en goede maaltijden. Dus jij mag tevreden zijn met de Adair die jij wilt, en ik zal tevreden zijn met de Adair die al het andere doet om dit huis beschaafd te houden. Ik vermoed dat Murdoc het wel met me eens is, toch, broertje?'

'Ja, dat klopt,' antwoordde Murdoc. 'Adair is een goede vrouw, Conal. Je kunt haar maar beter goed behandelen, anders krijg je met mij te doen.'

'Jezus!' vloekte de landheer verbolgen. 'Wat een stel verwende kleuters zijn jullie twee.'

Duncan lachte om de belediging. 'Wil je weer terug naar verbrande pap en een van vlooien vergeven burcht? We leven nu als echte lords. En is het je al opgevallen dat de mannen niet meer constant vechten? In een paar weken tijd heeft Adair kans gezien enige orde op Cleit te scheppen, wat jou nooit is gelukt. De vrouwen hebben ons beschaving bijgebracht.'

'Tot een van hen een dikke buik krijgt,' bromde Conal.

'De enige die dat zou kunnen overkomen, is Adair, en zeker als je haar vier keer per nacht blijft nemen,' spotte Duncan. 'Niemand zal achter Elsbeth of Grizel aan gaan. En de jonge Jack bewaakt zijn moeder zoals een hond een kudde schapen bewaakt.'

'Ik moet toegeven dat het huishouden met de vrouwen erbij nu veel beter loopt,' zei de landheer. 'Ik geniet van mijn pap met kaneel, en een warme meid in mijn bed.'

'Ga dan vriendelijk met Adair om, broertje,' zei Duncan Armstrong.

'Je kunt beter tegen haar zeggen dat ze vriendelijk tegen mij moet doen,' antwoordde Conal Bruce. 'Ze is niet de gemakkelijkste. En ze heeft een eigen willetje. Ik bezit haar. Ik heb een zilveren penny voor haar betaald. Ze is mijn slavin, en toch gedraagt ze zich alsof dit haar huis is en niet het mijne. Ik heb nog nooit zo'n ongehoorzaam wezen als Adair Radcliffe gekend. Het verbaast me dat het Willie Douglas is gelukt haar te vangen.'

Zijn twee broers lachten hardop.

De twee dienstmeiden begonnen het avondmaal binnen te brengen, en de drie mannen begaven zich naar de tafel, terwijl de gewapende mannen van de burcht verlangend naar hun maal aan hun eigen tafels plaatsnamen. De maaltijden op Cleit waren nu goede momenten. Zelfs de honden werden beter gevoed dan voorheen. Een jonge wolfshond had zich aan Adair gehecht, merkte Conal op. Aanvankelijk had ze geen aandacht aan het dier besteed, maar hij had volgehouden, en ze was gezwicht. De uitdrukking op haar gezicht was volkomen anders dan gewoonlijk wanneer ze tegen het dier praatte. Hij was zachter en liever.

Op een dag nam de landheer Elsbeth apart. 'Je meesteres heeft met een van de honden vriendschap gesloten,' zei hij langs zijn neus weg.

'De wolfshond,' zei Elsbeth meteen. 'Ik weet het. Ze had er op Stanton ook een. Hij was erg oud en zwak. Zijn naam was Beiste, en hij was sinds haar jeugd bij haar geweest. Die ellendige Douglas heeft het arme dier gedood toen hij probeerde Adair te beschermen. Hij sloeg zijn kop er voor haar ogen af. Ze heeft daarna dagenlang lopen huilen. Beiste was het enige wat ze over had.'

'Dank je,' zei Conal.

De winter was plotseling en een beetje vroeger dan gewoonlijk ingevallen. Adair was er net zo door verrast als de anderen, en ze vloekte in stilte aangezien de kans om Cleit te ontvluchten nu voorlopig verkeken was. Maar vreemd genoeg was ze desondanks gelukkig, hoewel ze het nooit zou toegeven. En ze begon Cleit prettig te vinden. Ze was ook nog niet bereid om toe te geven dat Elsbeth gelijk had. Stanton was weg. Haar leven als gravin van Stanton was weg. Maar als dat allemaal weg was, wat moest er dan van haar worden? Elsbeth had gezegd, en Grizel en Flora stemden ermee in, dat ze ervoor moest zorgen dat de landheer haar ten huwelijk zou vragen. Dat konden ze allemaal gemakkelijk zeggen, dacht Adair. Conal Bruce was een ruwe man zonder enig respect voor vrouwen. Hoe moest ze dat veranderen? Het enige waar hij aan dacht, was hoe hij zijn lusten kon bevredigen. Hij deed haar denken aan haar vader, wiens lusten nooit helemaal bevredigd werden. Maar hij was natuurlijk niet Edward IV, met zijn charme en zijn prettige manier van omgaan met allerlei mensen, ongeacht hun status. Conal Bruce was een ruige Schotse grensbewoner, en ze betwijfelde of ze hem zijn primitieve gedrag ooit zou kunnen afleren.

Ze was van adellijke afkomst. Een dochter van de koning, hoewel van de verkeerde kant van de deken. Desondanks deed dat niets aan haar afkomst af. Het had haar het recht op een titel gegeven, en Henry van Lancaster had haar die titel weer ontnomen. En nu was ze, na alles wat ze had meegemaakt, een slavin, gekocht door een ruwe grenslord die dacht dat haar enige waarde tussen haar benen lag.

Even werd ze door wanhoop overvallen, maar toen concludeerde ze dat haar halfzuster, Bess, als zij in deze situatie was geplaatst, waarschijnlijk binnen een week van schaamte zou zijn gestorven. Maar zij was Bess niet. Zij was Adair Radcliffe, en ze was sterker dan Bess. Het leven had haar haverkoeken gegeven terwijl ze zoete taart had gewild. Nou, ze zou haar haverkoeken eten, sterker worden, en een manier vinden om weer zoete taart te krijgen. Voor de behoeften van Conal Bruce werd nu goed gezorgd, dankzij Elsbeth, Flora, Grizel en haarzelf. Maar omdat Grizel heel scherpe oren had, had Adair gehoord dat Conal Bruce haar en Elsbeth binnen een jaar en een dag zou moeten vrijlaten, want dat was de wet van de herfstmarkt. En als ze ervoor kozen niet op Cleit te blijven, dan zou hij pech hebben. Ze had dus tot dan de tijd om zijn oprechte genegenheid te winnen zodat hij met haar zou willen trouwen. Het was moeilijk om toe te geven, maar Adair wist dat ze niet naar Stanton zou terugkeren. Elsbeth had gelijk: Stanton bestond niet meer. Hun leven was hier in het grensgebied van Schotland. Op Cleit. De winter kwam, en het was een strenge winter.

In het voorjaar kwam er een bezoeker naar Cleit. Het was Alpin Bruce, de neef van de landheer. Groot, en misschien een beetje te knap. Met dansende amberkleurige ogen en weelderig kastanjebruin haar, arriveerde Alpin op een dag in eind april op het moment dat de zon onderging. De landheer begroette zijn verwant, maar Adair bemerkte dat er weinig warmte in de begroeting was. Duncan en Murdoc schenen ook niet al te blij de man te zien. Maar de wetten van de gastvrijheid maakten voor de bezoeker een plaats aan de tafel vrij. Terwijl de drie vrouwen het voedsel uit de keuken haalden en op tafel zetten, liet Alpin Bruce zijn oog op Adair vallen.

'Wie zijn die meiden? Ik had gehoord dat alle dienstmeiden na de dood van jullie moeder waren weggegaan,' zei Alpin Bruce.

'Adair is mijn huishoudster,' antwoordde de landheer gespannen. 'En mijn minnares, neef.'

'Werkelijk?' merkte zijn gast grijnzend op. 'Is ze in bed net zo bedreven als ze in de grote zaal schijnt te zijn?'

'Ik ben bedreven in alles wat ik doe, sir,' bitste Adair.

'Adair! Ga naar Elsbeth. Grizel en Flora zullen aan tafel bedienen,' zei de landheer scherp. Hij kende zijn neef, en de manier waarop hij naar Adair keek, beviel hem niet.

'Ja, milord,' zei Adair, waarna ze een buiging maakte en zich terugtrok.

Alpin Bruce lachte. 'Een energieke meid, zo te zien. Heb je haar achterwerk al met een riem moeten bewerken? Het moet een plezier zijn om haar te temmen, neef.'

'Adair is gedwee, maar niet gemakkelijk,' zei de landheer. 'En ik sla mijn vrouwen niet, zoals er over jou wordt verteld. Ik houd van een energieke meid.'

Alpin Bruce smakte met zijn lippen terwijl hij Adair nakeek. 'Ik benijd je om de lange winternachten die je dit jaar hebt gehad, Conal,' zei hij.

'Waarom ben je hier?' vroeg de landheer botweg.

'Wat?' Alpin deed net of hij zich beledigd voelde. 'Kan ik mijn neef niet zonder duidelijke reden komen bezoeken?'

'Nee, dat kun je niet,' antwoordde Conal.

Alpin lachte. 'Nou, om je de waarheid te zeggen, ben ik met een missie gekomen. De oude Jamie in Stirling heeft vastgesteld dat hij nog niet genoeg rijkdom heeft vergaard terwijl het Schotse volk sterft van de honger. Hij eist de inkomsten van Coldingham Priory op.'

'Wat?' De landheer keek oprecht geschrokken.

'Ja, hij wil ze hebben, en hij zegt dat hij ze zal krijgen,' antwoordde Alpin.

'Maar die inkomsten behoren aan lord Home,' zei de landheer. 'Ze hebben altijd aan de Homes behoord.'

'Koning Jamie zal ze krijgen, voor welk doel ook dat hij verlangt. Misschien een andere muzikant, of zijden kleren voor zijn nieuwe liefje, of hij zal misschien een nieuw kasteel laten bouwen. O nee, dat niet. Cochrane werd opgehangen, is het niet?' Alpin lachte.

'Maar wat gaat mij dit allemaal aan, want je bent vast niet gekomen om me dit nieuws te brengen. Wat wil je, Alpin?'

'Lord Home is van plan zijn rechten op Coldingham te verdedigen, en hij wil weten of zijn vrienden bereid zijn hem te steunen. Hij heeft onder andere al de steun gewonnen van de Hepburns, de Red Douglases, de Campbells van Argyll en de bisschop van Glasgow.'

'Is lord Home dan van plan een oorlog te beginnen?' vroeg Conal droog.

'Als hij moet,' antwoordde Alpin. 'Als koning Jamie de kans krijgt de inkomsten van Coldingham van de Homes te grijpen, wie zal dan de volgende zijn die financieel geruïneerd wordt door zijn hebzuchtige koninklijke handen? Hij moet nu worden tegengehouden. Het gerucht gaat dat enkelen van de graven de koning willen afzetten en zijn zoon op de troon zetten. De jonge James is al een grote knul.'

Conal dacht na, en zei toen: 'Er is niets wat ik heb dat de koninklijke Stewarts de Bruces van Cleit hebben gegeven, en dus is er niets wat ze van me af kunnen pakken. In opstand komen tegen de koning, zelfs een slechte koning, is gevaarlijk, Alpin. En het is vooral gevaarlijk voor een landheer zoals ik. Ik ken een Engelse adellijke vrouw die zowel van haar landerijen als van haar titel werd ontdaan omdat haar echtgenoot de verkeerde man steunde.'

'Dit is Engeland niet,' zei Alpin. 'Bovendien zal de koning vroeg of laat sterven. Ze zeggen dat zijn hart gebroken is na de dood van de goede koningin Margaret. Hij is als een beest dat op de grond gaat liggen om te sterven. Hij houdt zich op in die fraaie kamers die Cochrane voor hem heeft gebouwd. Hij luistert naar zijn fluitspeler, hij leest veel en hij telt zijn goud. Maar hij geeft weinig om zijn mensen. De pest is uitgebroken in Edinburgh, maar de koning maakt zich er niet druk om.'

'Ik zal de koning niet openlijk steunen,' zei Conal, 'maar ik zal ook geen opstand steunen. De Homes kennen me niet. Als hun strijd slecht afloopt, dan zullen ze zich waarschijnlijk willen vrijkopen. Maar gewone landheren zoals ik worden altijd gekozen om te worden gestraft, want er moet een voorbeeld worden gesteld zodat toekomstige opstandelingen gewaarschuwd zijn tegen hun eigen dwaasheid. Wie heeft jou naar mij toe gezonden?'

'Patrick Hepburn van Hailes. Ik dien hem als kapitein,' antwoordde Alpin. 'We kunnen niet allemaal landheren met onze eigen burcht zijn, neef.'

'Een toevalligheid van geboorte,' zei Conal. 'Je bent de jongste zoon van een jongste zoon. Ik ben de oudste zoon van een landheer van Cleit.'

Alpin Bruce grinnikte. 'Als Cleit een erfgenaam moet hebben, kun je het best zo snel mogelijk trouwen, Conal. Je bent al dertig jaar geweest. Een echtgenote zou echter die mooie minnares van je niet tolereren. Als het nodig is, zal ik haar met alle plezier van je overnemen.'

'Misschien zal ik met Adair trouwen, Alpin. Je hebt gelijk. Het is de hoogste tijd dat ik een vrouw neem,' antwoordde Conal nonchalant.

Adair stond in de schaduwen van de zaal naar het gesprek tussen de neven te luisteren. Ze was niet naar de keukens gegaan, maar ze had in plaats daarvan Grizels trucje toegepast om voor luistervink te spelen. Maakte Conal een grapje tegen zijn neef? De tijd zou het leren. Dat hij een behoedzaam man was waar het Cleit betrof, vond ze interessant. Hij was zo slim zich niet zelf bij de opstand aan te sluiten, maar ook geen steun te weigeren aan de zaak van lord Home. En ze hoorde heel wat roddels over de Schotse koning. Aangezien ze zelf aan een hof was opgegroeid, vond Adair de Schotse politiek fascinerend. Het gesprek ging nu over op minder belangrijke dingen, en dus glipte Adair de trap af naar de keukens.

Toen Flora, Grizel en Jack zich op hun zolder hadden teruggetrokken, en Elsbeth al in haar bedruimte lag te snurken, keerde Adair naar de zaal terug om haar laatste ronden voor de nacht te maken. Als de huishoudster van de landheer was het haar taak erop toe te zien dat de vuren waren opgebankt, de kaarsen gedoofd en de deur gebarricadeerd voordat ze zich terugtrok om zich bij de landheer te voegen. Omdat er een gast was, moest ze zich ervan overtuigen dat de bedruimte fatsoenlijk was ingericht. Tot haar verbazing was Alpin Bruce er niet. Hij was waarschijnlijk gaan plassen, dacht ze. Ze glimlachte voor zich heen. Het was maar goed dat ze de balk nog niet voor de deur had geschoven. Tot haar opluchting zag ze dat Flora de bedruimte keurig had opgemaakt. En toen hoorde ze een stem achter zich.

'Ben je gekomen om me in te stoppen, vrouwe Adair?' Hij stond zo dicht bij haar dat ze zich niet kon verroeren. 'Of ben je gekomen om me met je mooie lichaam welgevallig te zijn?'

Ze voelde zijn grote hand in haar nek terwijl hij haar dwong naar voren te gaan. 'Laat me onmiddellijk los,' zei ze met harde stem. 'Laat me nu gaan en ik zal de landheer niet over je wangedrag vertellen, Alpin Bruce.'

Hij lachte zacht. 'En als ik dat niet doe, Adair? Wat zul je dan doen?' Hij maakte zijn kleding los en haalde zijn gezwollen mannelijkheid te voorschijn. Daarna trok hij met dezelfde hand haar rokken omhoog en probeerde zich toegang tot haar lichaam te verschaffen.

Gedurende een ogenblik was Adair bevroren van angst, maar toen verdween de vrees, en ze schreeuwde zo hard mogelijk terwijl ze vocht om zich van de hand in haar nek te bevrijden die haar neerdrukte met het doel haar te verkrachten. Ze wist dat ze zich in een zeer nadelige positie bevond, maar tot haar verbazing verslapte hij zijn greep en jammerde van pijn. Ze ging met moeite overeind staan, waarbij haar rokken weer naar beneden om haar heen vielen. De jonge wolfshond waar ze vriendschap mee had gesloten, was haar te hulp gekomen, en dreef zijn hoektanden in de sneeuwwitte billen van haar aanvaller.

Adair wilde lachen, maar in plaats daarvan stapte ze snel uit de bedruimte, en zei: 'Beiste! Los!'

De hond gehoorzaamde onmiddellijk, stapte achteruit en gromde zacht om Alpin op afstand te houden.

'Ik zal de landheer over dit incident vertellen,' zei Adair zacht.

'En ik zal hem vertellen dat ik je heb geneukt omdat je me erom smeekte,' antwoordde Alpin.

'Hij zal je niet geloven,' antwoordde Adair. 'En hoe wil je de beten van de hond in je achterste verklaren?'

'Ja, hoe wil je dat doen, Alpin?' wilde de landheer weten.

'Je meid is heetgebakerd, neef,' begon Alpin, waarbij hij naar Adair gluurde.

'Wat is er gebeurd?' De landheer stelde zijn vraag aan Adair.

'Ik maakte mijn laatste ronden van de avond, milord. Ik zag uw neef niet, en ik wilde me ervan overtuigen dat zijn bedruimte in orde was gebracht. Hij benaderde me van achteren in een poging me te overmeesteren, maar de hond viel hem aan toen ik begon te schreeuwen,' legde Adair uit.

'Ze liegt!' zei Alpin.

'Nee, het enige wat ik zeker weet van Adair is dat ze niet liegt,' zei de landheer. 'Maar jij wel. Ik heb je gezegd dat dit meisje van mij was, en toch bracht je het niet op om je pik in je broek te houden. Draai je om en buig je voorover, zodat ik kan zien wat voor schade de hond je heeft toegebracht.' En toen zijn neef zich gehoorzaam voorover had gebogen, keek de landheer naar de billen van zijn neef. Ze waren niet ernstig verwond, maar de hond had genoeg schade aangebracht om Adair te bevrijden. Zijn tanden waren slechts oppervlakkig door de huid gedrongen, en er was nauwelijks bloed te zien. 'Ik zal je wonden zelf verzorgen, Alpin, zodat er geen roddels over dit incident zullen ontstaan. Adair, ga naar de apotheek en haal wat nodig is om de wonden te verzorgen.'

Zodra ze weg was, greep de landheer zijn neef bij de nek en schudde hem heftig door elkaar. 'Luister naar me, schoft,' gromde hij. 'Als je ooit nog eens naar mijn huis komt en iemand die onder mijn bescherming is aanklampt, dan zal ik je doden! Heb je me begrepen, Alpin? Ik zal je doden!' Daarna gaf hij de man een paar harde klappen. 'Heb je me begrepen?'

'Ja, ik heb je begrepen!' jammerde zijn neef, terwijl hij bloed proefde door een losgeraakte tand.

Adair, die terugkeerde met de dingen die nodig zouden zijn, zag dat Alpins oog nu blauw was; op elke wang begon zich bovendien een roodachtige paarse vlek af te tekenen; en zijn neus en mond bloedden. Ze vroeg niet wat er was gebeurd.

'Ga naar ons bed,' zei de landheer met harde stem. 'Ik zal zelf voor hem zorgen.'

'Ja, milord,' antwoordde Adair, waarna ze de zaal verliet.

De landheer boog zijn neef voorover en begon de wonden schoon te maken. Daarna smeerde hij er een genezende zalf overheen. 'Sta op,' zei hij, en toen zijn neef hem aankeek, gaf Conal hem nog een paar stompen in zijn maag. 'Ze is van mij! Onthoud dat goed,' zei hij, waarna hij zich omdraaide en eveneens de zaal verliet.

Snakkend naar adem, en terwijl de pijn door zijn hele lichaam straalde, kroop Alpin jammerend in de bedruimte. Hij kon niet op zijn rug slapen, en evenmin kon hij gemakkelijk op zijn buik liggen. Hij draaide zich op zijn zij en vervloekte in stilte Conal Bruce terwijl hij probeerde enige rust te vinden.

In zijn slaapkamer keek de landheer Adair aan. 'Ik kan een minnares niet zo goed beschermen als ik een echtgenote zou kunnen beschermen,' zei hij botweg. 'Het wordt de hoogste tijd dat ik er een krijg.'

'U heeft me, dacht ik, heel goed verdedigd. Heeft u hem geslagen nadat ik de zaal had verlaten?' vroeg ze zacht, terwijl ze haar hand ophief om zijn gezicht aan te raken.

'Een beetje,' bekende hij. 'Wil je met me trouwen?'

'Houdt u dan van me?' vroeg Adair.

Hij leek volkomen verward door haar vraag.

'Houdt u van me?' herhaalde Adair.

'Ik weet niet wat je bedoelt,' antwoordde hij eerlijk. 'Ik wil met je trouwen.'

'Waarom?' wilde ze weten.

'Waarom?' Zijn toon was geïrriteerd. 'Waarom?'

'Ja, waarom wilt u met me trouwen?' herhaalde ze.

'Zodat ik je kan beschermen,' zei hij.

'U heeft me vanavond heel goed beschermd, en ik ben niet uw vrouw,' zei Adair. 'Mijn eerste huwelijk was een voldongen feit voordat ik het zelfs maar wist. Mijn tweede huwelijk werd geregeld omdat er werd aangenomen dat ik als vrouw alleen niet in staat was Stanton te beschermen. Wat trouwens waar bleek te zijn toen Willie Douglas ons kwam overvallen. Ik was erg op Andrew gesteld. Ik veronderstel dat ik op een gegeven moment zelfs van hem hield. Hij was een goed mens. Maar de volgende keer dat ik trouw, zal het zijn omdat de man met wie ik trouw van me houdt. Eerlijk en oprecht van me houdt. Mijn oom Dickon hield heel veel van zijn vrouw. En dat is wat ik van mijn echtgenoot wil. Wil ik met u trouwen? Nee, milord, niet tenzij u leert van me te houden, en de woorden recht in mijn gezicht kunt zeggen. En ik zal het weten als u tegen me liegt.'

Hij was stomverbaasd door haar woorden. Elke vrouw met wie hij in bed had gelegen had met hem willen trouwen. Wat was er met haar aan de hand? 'Je bent van mij!' gromde hij, waarna hij haar ruw in zijn armen trok en in haar prachtige violette ogen keek.

'Ja, milord,' zei Adair, en haar toon was slechts lichtelijk geamuseerd.

'Mijn naam is Conal!' schreeuwde hij bijna. 'Je bent nu zeven maanden bij me, en ik heb je nog niet één keer mijn naam hardop horen uitspreken.'

'U heeft me daar geen toestemming voor gegeven, milord,' antwoordde Adair. 'Vergeet niet dat ik uw slavin ben. U heeft een zilveren penny voor me betaald.' Haar violette ogen dansten nu ondeugend.

'Zeg mijn naam!' riep hij. Ze bespotte hem, verdomme!

'Conal,' mompelde ze met haar mond tegen zijn lippen. 'Conal. Conal. Conal.'

'Ik zal je waarschijnlijk uiteindelijk doden,' zei hij tegen haar, waarna hij haar hard kuste.

'Waarom?' vroeg ze. 'Ben ik je niet gehoorzaam genoeg, Conal? Houd ik je huis niet goed bij, en schenk ik je in bed geen genot?'

'Je zult met me trouwen,' zei hij.

'Nee, dat zal ik niet tot je van me houdt. De dag na Sint-Michael zullen Elsbeth en ik volgens zowel de Schotse als de Engelse wet vrij zijn. Als je niet van me houdt, Conal, zal ik misschien niet blijven. Ik zal teruggaan naar Stanton,' zei Adair. 'Je hebt me tot je hoer gemaakt, maar ik hoef niet je hoer te blijven.'

'Ja,' zei hij zacht. 'Ik ga je vermoorden.'

Ze sloeg haar armen rond zijn nek en drukte zich tegen zijn harde lichaam. 'Hoe?' mompelde ze weer met haar mond tegen zijn lippen. 'Hoe zul je me doden, milord Conal?' De punt van haar tong floepte naar buiten en streek over zijn lippen. Ze wreef zich suggestief tegen hem aan.

Hij voelde haar tepels tegen zijn borst. De hitte van haar venusheuvel maakte zijn mannelijkheid stijf van verlangen. Er was nog nooit een vrouw geweest die hem zo goed bevredigde als zij, en hij wist dat er ook nooit meer iemand als Adair zou komen. Hij wilde haar hebben. Maar wat praatte ze nou over liefde? Hij begreep het niet, en dus gaf hij haar nog een heftige kus. En daarna kuste hij haar telkens weer tot ze slap in zijn armen hing. Hij duwde haar op het bed en trok zijn kleren uit, die hij achteloos van zich af wierp. En toen hij weer naar haar keek, had ze haar hemd uitgetrokken en lag naakt voor hem om van te genieten. Hij staarde geruime tijd op haar neer. Liefde? Was het zijn hunkerende verlangen dat hij naar haar had? Nee. Wat hij nu voelde, was niets meer dan pure wellust.

'Waar denk je aan?' vroeg Adair toen ze de verwarring op zijn gezicht zag. Ze lag op haar zij, en hees zich op een elleboog omhoog.

'Dat ik voordat ik je dood van je verrukkelijke lichaam ga genieten,' zei de landheer, waarna hij zich in het bed bij haar voegde. Zijn grote hand streek over de kromming van haar heup. 'Heb je van Alpins aandacht genoten?' wilde hij jaloers weten.

'Ik heb je al gezegd dat de dwaas geen kans bij me heeft gekregen. Wil je precies weten wat er is gebeurd, Conal? Hij duwde eerst mijn gezicht in de bedruimte. Zijn hand hield me in mijn nek naar beneden. Met zijn andere hand probeerde hij zijn kleren los te maken, en ik begon te schreeuwen. Beiste schoot me te hulp, en toen kon ik weer overeind komen. Daarna kwam jij binnen. Dat is het enige wat er is gebeurd. Ik had niet eerder de gelegenheid gehad om de bedruimte voor je gast te controleren, en dat kwam ik doen. Aangezien ik de deur nog niet had gebarricadeerd, veronderstelde ik dat hij naar buiten was gegaan om te plassen, of om met een van zijn mannen te praten.'

'Hij wil jou hebben,' zei de landheer. 'Ik kon het aan zijn ogen zien, zelfs nadat ik hem had geslagen.'

'Hij zal me nooit krijgen, Conal,' zei Adair rustig. 'Leer van me te houden, en ik zal met je trouwen. Niet alleen met je lichaam van me houden, want dat doe je al.'

'Maar op welke andere manier kun je dan van een vrouw houden?' vroeg hij.

'Met je hele hart,' zei ze zacht.

'Ik begrijp het niet,' zei hij.

'En pas wanneer je dit begrijpt kan ik met je trouwen, milord,' zei Adair. 'Deze keer zal ik alleen met een man trouwen die van me houdt, en van wie ik op mijn beurt kan houden.'

'Ik weet niet en ik begrijp niet over wat voor soort liefde je het hebt,' zei hij eerlijk. 'Maar ik heb gehoord dat ware liefde zowel geluk als ongeluk brengt, Adair. Is het niet beter om vanwege verstandiger redenen te trouwen?'

'Ik zou liever de ware liefde kennen, wat het me ook zou brengen, dan alleen de eenzaamheid van het hart voor de rest van mijn leven, Conal,' zei ze openhartig. Vervolgens stak ze haar hand uit en trok zijn donkere hoofd naar zich toe om hem zacht op de lippen te kussen.

'Als ik een kind in je buik plant, wil ik niet hebben dat het aan de verkeerde kant van de deken wordt geboren,' zei hij. 'Je moet zweren dat je met me trouwt als je een kind krijgt.'

'Ik werd aan de verkeerde kant van de deken geboren,' zei ze.

'Jij was een koninklijke bastaard, en dat is anders. Dat weet je.'

'Als je een kind aan de goede kant van de deken wilt krijgen, Conal, dan moet je maar snel leren wat ware liefde is,' adviseerde ze hem. 'Vrij nu met me, milord, want ik ben net zo wellustig als jij.'

Hij gehoorzaamde, en verloor zich in de hartstocht die oplaaide, maar de kwestie van liefde hing onopgelost tussen hen in.

De volgende ochtend, nadat hij ervoor had gezorgd dat Alpin de burcht verliet, reed de landheer naar het huisje van Agnes Carr, dat aan de andere kant van het volgende dorp stond. Een grote roodharige vrouw met enorme borsten en volle heupen begroette hem verrukt.

'Ik had gehoord dat je een minnares hebt genomen. Een of andere Engelse meid die je op de laatste herfstmarkt van Willie Douglas hebt gekocht. Heb je nu al genoeg van haar, milord?' Ze stak haar armen naar hem uit en omhelsde hem enthousiast.

Conal Bruce gaf de vrouw een vluchtige kus op haar wellustige mond, en zei: 'Geef me wat van die whisky van je, Agnes. Ik heb nog niet genoeg van Adair. In feite zou ik met haar willen trouwen, maar ze wil mij niet hebben.' Hij ging op de stoel bij de haard zitten.

'Ze wil je niet hebben? Is ze dan wel goed bij haar hoofd, milord?' Ze schonk de whisky uit een karaf voor hem in, want ze vermoedde dat hij het nodig had. 'Alsjeblieft,' zei ze toen ze hem de beker overhandigde, waarna ze tegenover hem ging zitten.

Conal nam een fikse teug whisky. Het belandde als een vuurbal in zijn maag en deed zijn ogen tranen. 'Waar koop je dit spul in hemelsnaam?' vroeg hij, maar zonder op haar antwoord te wachten, vervolgde hij: 'Ze zegt dat ze met me zal trouwen als ik van haar houd, Agnes.'

'Ah,' zei de vrouw, en voelde een hevige jaloezie, maar ze knikte glimlachend. 'Een slim en verstandig meisje, denk ik zo, Conal.' Ze zou hem tenminste als vriend houden.

'Wat bedoelt ze verdomme met van haar houden? Ik houd van haar,' zei hij.

'Je bedrijft de liefde met haar, milord, maar dat is heel iets anders. Ze wil dat je met je hele hart van haar houdt.'

'Maar hoe moet ik dat doen?' vroeg de landheer, en zijn stem klonk bijna wanhopig. 'Ik begrijp niet eens wat dat betekent, en als ik het niet begrijp, hoe kan ik het dan doen?'

Agnes zuchtte. 'Ware liefde, milord, betekent dat je alles voor een vrouw zou doen. Je zou zelfs je leven voor haar geven. Het geluid van haar stem maakt je gelukkig, en haar aanblik alleen al vervult je dag met vreugde. Je leven zonder haar zou ellendig zijn. Anderen zouden het waarschijnlijk beter kunnen uitleggen, milord, maar dit is zoals ik het onder woorden kan brengen.' Agnes haalde haar schouders op.

'En zijn mannen tot al die gevoelens in staat, Agnes? Ze zegt dat ze het zal weten als ik tegen haar lieg.'

Agnes giechelde. 'Ze is verstandig, slim en hard als steen,' zei ze. 'Nee maar, ik geloof je dat je eindelijk je partner hebt gevonden En ik vermoed dat je, hoewel je het zelf nog niet weet of niet kunt erkennen, van haar houdt of althans begint van haar te houden. Grizel is mijn tante. Ze heeft me verteld dat ze een mooie meid is, en vriendelijk tegen de bedienden en je mannen. Ik veronderstel dat dit betekent dat ik je niet meer in mijn bed hoef te amuseren,' concludeerde ze spijtig.

'Ik vrees van niet,' zei Conal met een lachje. 'Ik denk dat Adair het soort liefde van me wil dat inhoudt dat ik niet meer met een oude vriendin mag stoeien.'

Agnes knikte. 'Zo is het, milord. Maar ik heb andere vrienden, onder wie je broers. Ik moet zeggen dat Murdoc een enthousiaste leerling is.'

'Behandel hem goed, Agnes, en je zult nooit ergens gebrek aan hebben zolang ik de landheer van Cleit ben.'

Agnes Carr keek de landheer van Cleit na toen hij wegreed. Toen giechelde ze. De kleine Engelse meid had Conal Bruce volkomen in haar ban. Hij wist het nog niet, maar hij was al hevig verliefd op haar. Maar te oordelen naar wat Grizel haar had verteld, zou Adair de landheer verlaten als hij zijn gevoelens voor haar niet kon toegeven. 'Arme jongen,' zei ze hardop. 'Arme, arme jongen.'

12

$\mathcal{D}$e groep ruiters die onderweg was naar Cleit Keep was niet groot. De gewapende man die op wacht stond, telde tien licht bewapende mannen. Hij riep naar beneden om de mensen van de burcht erop te attenderen dat er bezoekers kwamen. De ruiters galoppeerden de binnenplaats op en stegen van hun paard. Conal Bruce haastte zich hen te begroeten waarbij zijn gezicht onbewogen bleef toen hij lord Home, Hepburn van Hailes, en zijn neef Alpin Bruce herkende.

'Welkom op Cleit,' zei hij tegen lord Home en Hepburn. Daarna wierp hij zijn neef een vernietigende blik toe. 'Jij bent hier niet welkom, Alpin, en dat weet je. Kom mee naar de grote zaal, milords, en neem een verfrissing.' Hij leidde zijn bezoekers de burcht binnen. Toen ze eenmaal zaten met ieder een beker van zijn whisky, vroeg de landheer van Cleit: 'Hoe kan ik jullie dienen, en wat voor zaken brengen jullie naar Cleit?'

'Ik ben verontrust over het feit dat je me in de kwestie van Coldingham Priory niet wilt steunen, Conal,' begon lord Home.

'Maar ik zal evenmin de koning steunen,' antwoordde de landheer. 'Ik heb dat mijn neef toen hij hier laatst naartoe kwam heel duidelijk gemaakt. Dat was de boodschap die ik naar milord Hepburn stuurde.'

'Wat is de reden waarom je in deze zeer ernstige zaak geen kant kiest?' vroeg lord Home rustig. Hij nipte nadenkend van zijn whisky.

'Milord, dit is een zaak tussen jou en de koning. Ik maak er geen deel van uit. Ik ben een eenvoudig en onbelangrijk man. Een grensbewoner. Een gewone landheer. Niets anders. Maar als de koning wenst wraak op je te nemen, dan zal hij ook naar je medestanders uithalen, niet alleen naar jou. Hij zal mensen zoals ik straffen om zijn punt duidelijk te maken – mannen van weinig belang, zonder grote familie of vrienden om hen te verdedigen. Wat ik heb, zie je om me heen, milord. Een kleine burcht, wat vee, een beetje land, een dorp. Mijn mensen vertrouwen op mij voor hun veiligheid en welzijn. Ik kan me niet permitteren een kant te kiezen, hetzij tegen de koning of tegen jou, milord. Begrijp dat alsjeblieft, want het betekent niet dat ik geen respect voor je heb.'

'Dat is niet helemaal hoe je neef Alpin het aan Patrick Hepburn heeft uitgelegd,' antwoordde lord Home. 'Hij zei dat je hem eraan herinnerde dat de Bruces bloedverwanten waren van de Stewarts, en dat je hun rechten met je leven zou verdedigen.'

'Mijn neef is een leugenaar, milord, en dat is hij altijd geweest,' zei Conal vastberaden.

'Ik heb niet gelogen!' riep Alpin Bruce.

'Je bent een leugenaar, neef. En de reden waarom je deze leugen hebt verteld, is dat je je in de ogen van je meester belangrijk wilt maken, en omdat je werd gehinderd in je poging om mijn minnares te verkrachten,' zei de landheer koud. 'Leugenaar, verleider, en nu een dwaas. Zijn de wonden op je billen al genezen?'

'Ik heb haar geneukt! Ik heb haar geneukt en ze genoot ervan!' schreeuwde Alpin.

Lord Home en Patrick Hepburn van Hailes keken elkaar nieuwsgierig aan.

'Mijn neef heeft geprobeerd mijn minnares te overmeesteren. Het lukte hem echter niet, en toen Adair om hulp riep, heeft haar hond zijn tanden in de dikke kont van Alpin gezet. Ik durf te wedden dat je minstens twee weken niet lekker hebt kunnen zitten, neef,' spotte de landheer. 'En nu mijn burcht uit. Ik zal lord Home en Patrick Hepburn met alle plezier amuseren, maar ik heb je al verteld dat jij in mijn burcht niet langer welkom bent. Als je nog eens terugkomt, zal ik je doden, Alpin. Heb je me begrepen?'

Alpin Bruce smeet zijn beker op de vloer en verliet binnensmonds vloekend de zaal.

'Is ze dit alles waard?' vroeg Patrick Hepburn geamuseerd.

'Jullie zullen het zelf zien, milords, want jullie zijn beiden te ver van huis om vandaag nog terug te keren. Jullie brengen de nacht natuurlijk hier door. Flora,' riep hij naar de dienstmeid, 'ga Elsbeth vertellen dat we gasten hebben voor vannacht. Er zijn tien mannen, twee van hen zitten vanavond aan mijn tafel.'

'Ja, milord, ik ga meteen,' zei Flora, en haastte zich weg.

'Waar is dat toonbeeld van volmaaktheid dat je neef begeert?' wilde lord Home weten. Hij was een gedistingeerde, oudere man met sneeuwwit haar, die eens de Schotse ambassadeur in Engeland was geweest. Zijn blauwe ogen stonden nieuwsgierig.

'Om deze tijd van de dag zal ze in de tuinen zijn,' zei de landheer. 'Ze heeft het voorjaar besteed aan het herstel van wijlen mijn moeders kruid- en moestuin. Ze is een Engelse gevangene die de afgelopen herfst door Willie Douglas over de grens is gebracht. Ik heb haar op de herfstmarkt gekocht. Ik wil met haar trouwen, want het wordt de hoogste tijd dat ik een vrouw krijg.'

'Als je met haar wilt trouwen, waarom doe je dat dan niet?' vroeg Hepburn van Hailes.

'Ze is al twee keer getrouwd geweest, en twee keer weduwe geworden. Ze zegt dat ze alleen wil trouwen als de man in kwestie van haar houdt,' verklaarde de landheer. 'Ik begrijp haar niet, maar ze zal een geschikte vrouw voor me zijn,' zei hij, en haalde zijn schouders op.

Lord Home lachte. 'Een hoogst ongewone vrouw,' zei hij. 'Zal ze zich voor de maaltijd bij ons voegen, Conal?'

'Ja, dat zal ze doen,' zei hij. Daarna vervolgde hij: 'Milord, we hebben ons eerdere gesprek nog niet afgerond, en ik wil je niet beledigen.'

'Ik geef toe dat het me niet erg bevalt dat je me niet tegen de koning wilt steunen,' zei lord Home rustig, 'maar ja, ik begrijp je positie. Er is echter sprake van om de koning te laten aftreden en zijn zoon op de troon te zetten. Als dat zou gebeuren, aan welke kant zou je dan staan, Conal?'

'Aan de kant van de troon natuurlijk,' antwoordde de landheer.

De oudere man lachte hartelijk. 'Je bent slim, milord.' Hij grinnikte. 'Aan de kant van de troon, maar met de koning erop?'

'Wie de kroon ook maar draagt,' zei Conal met een lachje.

'Je bent inderdaad een nederige, gewone landheer,' zei Patrick Hepburn. 'Maar je geestkracht is verre van middelmatig, denk ik zo, Conal.' Hij grinnikte. 'Onze jonge Jamie zou je aardig vinden.'

De landheer vroeg niet naar wie Hepburn van Hailes verwees. Hij wist dat hij het over prins James had. Er was hier meer aan de hand dan alleen de kwestie van Coldingham Priory. Maar hij wist niet zeker of hij het wilde weten. Elke hint van verraad zou hem kunnen vernietigen. Terwijl er een koning op de Schotse troon zat, werd het al als verraad beschouwd om enkel te suggereren dat hij door zijn zoon zou worden vervangen. Hij bracht het onderwerp van het gesprek weer terug op Cleit. 'Zul je het me niet kwalijk nemen dat ik je niet openlijk kan steunen, milord?' vroeg hij aan Alexander Home. 'Vergeet niet dat ik het niet oneens ben met je standpunt. De koning heeft geen recht op de inkomsten die alle vele jaren van jou en je familie zijn.'

'Er bestaat tussen ons geen onenigheid, Conal,' verzekerde lord Home hem.

Op dat moment kwam Adair de zaal binnen. 'Ik heb gehoord dat we bezoekers hebben, milord,' zei ze. Ze droeg een jurk van lichtpaarse, lichte wol. Hij benadrukte de violette kleur van haar ogen en maakte haar bleke huid nog bleker, vooral met haar donkere haar. Ze maakte eerst een buiging voor lord Home, en daarna voor Patrick Hepburn van Hailes.

'Dit is mijn minnares, Adair Radcliffe,' zei de landheer. 'Adair, dit is lord Home, en Patrick Hepburn van Hailes.'

'Heeft u al iets te drinken? Ah, ik zie dat u dat al heeft,' zei Adair. 'Wat brengt u naar Cleit? We hebben niet vaak het genoegen van bezoekers, milords.'

'Jezus!' barstte Patrick Hepburn uit. 'Geen wonder dat je neef haar begeert. Vrouwe, ik geloof dat ik nog nooit zo'n mooie dame als u heb gezien.' Hij pakte haar hand en drukte er een kus op.

Adair bloosde aantrekkelijk terwijl ze haar hand uit zijn greep bevrijdde. 'Milord, u vleit me, maar u moet ophouden, want de landheer is een jaloers man, is het niet Conal?'

Haar ogen twinkelden ondeugend.

Patrick Hepburn grinnikte en zei: 'Hij vertelt ons net dat u niet met hem wilt trouwen.'

'Ik zal met hem trouwen zodra hij heeft geleerd van me te houden, en het toegeeft,' zei Adair ernstig.

'Maar wat als u ontdekt dat u een kind krijgt, vrouwe?' vroeg Hepburn.

'Dan zal het aan dezelfde kant van de deken worden geboren als ik,' antwoordde Adair.

'Ik kan niet geloven dat een meisje dat zo welbespraakt en goedgemanierd is als u, een bastaardkind is. Uw uiterlijk is in tegenspraak met een gewone achtergrond,' zei Hepburn.

Adair lachte. 'Hoewel ik een bastaardkind ben, milord, waren mijn ouders geen gewone mensen. Mijn moeder, God hebbe haar ziel, was Jane Radcliffe, gravin van Stanton, een dochter van een baron.'

'En uw verwekker?' informeerde lord Home, inmiddels nieuwsgierig geworden. Er was iets aan het meisje dat hem vaag bekend voorkwam.

'Mijn verwekker was koning Edward, lord Home. We hebben elkaar niet ontmoet, maar ik herinner me dat ik u aan zijn hof heb gezien toen ik een meisje was. Ik herinner me zelfs dat u een zeer indrukwekkende zwart met rode tartan droeg. Nadat mijn ouders waren omgebracht, ben ik opgegroeid in de koninklijke kinderkamer.'

'Maar natuurlijk!' riep lord Home uit. 'U bent het kind dat ze de koninklijke bastaard noemden. U lijkt niet op uw verwekker, maar u heeft een bepaalde houding, de manier waarop u uw hoofd houdt, die heel veel gelijkenis vertoont met die van Edward van York.'

'Maar hoe is een meisje als u hier op Cleit terechtgekomen?' vroeg lord Home.

'Kom bij me zitten, milord, en ik zal het u vertellen,' zei ze, en keek toe terwijl zijn beker werd bijgevuld. Patrick Hepburn luisterde ook naar haar verhaal.

Conal was verbaasd over het feit dat deze twee grenslords, die net zo ruig als hij waren, hoewel veel machtiger, zo geïnteresseerd waren in Adairs verhaal. Vrouwen waren nuttig, en ze konden zeker genot geven, maar naar hen zitten luisteren en met hen praten was iets dat de landheer niet van zijn gasten had verwacht. Maar ze waren niet alleen nieuwsgierig naar haar verhaal; ze waren ook openlijk gefascineerd. De landheer wist niet goed of hij jaloers moest zijn.

Ten slotte eindigde Adair haar verhaal, en ze stond op. 'Ik

moet nu voor de maaltijd gaan zorgen, milords. Excuseer me alstublieft.' Ze maakte een buiging voor hen en haastte zich de zaal uit.

Geruime tijd werd er door geen van hen een woord gezegd, en toen zei lord Home tegen Patrick Hepburn: 'Ze kan waardevol voor ons zijn. Wat een geluk dat we haar hier hebben getroffen. Op Cleit, nota bene!' Hij wendde zich tot Conal. 'Je minnares is aan het hof van Edward IV opgevoed, en haar kennis van de mensen die daar nu zijn, zal ons helpen om met de Engelsen af te rekenen.'

'Milord, wat bedoel je? Ik begrijp je niet,' zei Conal.

'Adair Radcliffe zal intieme details over de nieuwe koning en zijn koningin weten. Details die wij onmogelijk te weten zouden kunnen komen, behalve van iemand die hen van nabij heeft meegemaakt. Dit kan ons helpen bij onze diplomatieke inspanningen met Engeland. We kunnen ons geen oorlog veroorloven.'

'Ik zal haar niet laten gaan,' zei de landheer. 'Jullie kunnen me haar niet ontnemen!'

'Nee, nee, man, we willen alleen nog wat meer met haar praten,' verzekerde lord Home hem.

'Ik dacht dat je niet wist wat liefde was?' zei Patrick Hepburn van Hailes.

Conal keek verward.

Patrick Hepburn lachte. 'Je houdt van het meisje,' zei hij eenvoudig, 'anders zou de gedachte dat ze je verlaat je niet zo verontrusten, Conal.'

'Nee,' verklaarde de landheer. 'Het is alleen dat ik niet wil dat de burcht weer in de toestand vervalt zoals die een jaar geleden was. Adair heeft hier alles in orde gebracht en het huishouden geregeld.'

Patrick Hepburn lachte nog harder. 'Ik vermoed,' merkte hij op, 'dat er geen hulp is voor een dwaas die de waarheid niet onder ogen kan zien, maar je kunt het beter toegeven voordat je haar verliest, milord. En ze zou niet willen dat je van haar houdt als ze niet zelf tedere gevoelens voor je koestert.'

'Denk je dat ze van me houdt?' vroeg Conal verrast. Wat was deze liefde toch waar ze allemaal over praatten? Hij begreep het niet, noch wat er met het woord werd bedoeld. Hij had Adair nodig. Hij verlangde naar haar. Was dat niet genoeg?

'Je zult haar die vraag zelf moeten stellen, milord,' zei Hepburn met een glimlach. 'Maar de lady lijkt me net zo koppig als jij. Als ze heeft gezegd dat ze niet met je zal trouwen zonder de verzekering van jouw liefde, dan is het onwaarschijnlijk dat ze jou haar eigen gevoelens zal toegeven, vrees ik. Liefde, Conal, is een spel van zowel emoties als macht.'

Adair keerde terug naar de zaal, en de maaltijd werd opgediend. De twee gasten waren erg onder de indruk van de maaltijd die op tafel werd gezet. Er was onder andere een grote schaal verse mosselen met een mosterdsaus, en een gestoomde forel in boter en witte wijn op een bed van waterkers. Er was een geroosterde kapoen met witbrood, uien en appels. En er was een kleine ham, een gebraden konijn met bruine jus en rode wijn en een groentesoep. En tot slot was er een pruimentaart met dikke slagroom.

Toen hij het laatste stukje taart had opgegeten, leunde lord Home met een zucht achterover in zijn stoel. 'Zelfs in de tijd dat je moeder nog leefde, God hebbe haar ziel, kon het voedsel op Cleit niet als voortreffelijk worden omschreven, Conal, mijn jongen. Maar de maaltijd van vanavond was een van de verrukkelijkste maaltijden die ik ooit heb gegeten. Ik ben misschien wel gedwongen je kokkin te stelen,' zei hij.

'Helaas, sir, dat kan niet,' zei Adair met een glimlach. 'Elsbeth is mijn oude Juffie. Ze is mijn hele leven bij me geweest, en toen Conal haar van Willie Douglas kocht, wilde ze niet zonder mij met hem meegaan. Ik zal haar echter vertellen dat u van haar kookkunst heeft genoten.'

'Was ze in de koninklijke kinderkamer ook bij u?' vroeg lord Home nieuwsgierig.

'Ja, ze was bij me,' antwoordde Adair. 'Ze is het enige wat ik nog heb van wat eens mijn leven was, milord. Ik zou niet zonder haar kunnen.'

'Is het leven dat u nu hebt dan zo ongelukkig voor u?' vroeg lord Home verbaasd.

'In Engeland was ik hare ladyship de gravin van Stanton. Hier op Cleit ben ik de hoer van de landheer,' zei Adair botweg. 'Ik weet dat Henry Tudor geen spijt krijgt van zijn uitspraak, en ik zal de titel waarmee ik werd geboren nooit meer dragen, maar ik zou wel meer willen zijn dan de minnares van de landheer, milord. Iedere vrouw heeft een zekere mate van trots op wie ze is, en mijn eergevoel, net als het uwe, heeft zijn grenzen.'

Lord Home was erg onder de indruk van Adairs woorden, want het kwam niet vaak voor dat een vrouw hem imponeerde. Deze jonge vrouw deed dat echter wel. 'Ik was van plan op een ander moment over een bepaalde kwestie met u te praten, milady. Maar aangezien u het nu over eergevoel heeft, is dit misschien wel het juiste moment voor me u te vragen of u bereid bent mij te vertellen wat u over de nieuwe Engelse koning weet. Hij was met onze koning tot een bepaalde overeenkomst gekomen, en ik zou graag willen weten of hij zijn woord zal houden, of dat het zijn bedoeling was Schotland op deze manier op afstand te houden.'

'Wij horen hier niets over de rest van de wereld, milord,' antwoordde Adair. 'En wat mijn loyaliteit jegens Henry Tudor betreft, die heb ik niet, ondanks het feit dat ik Engels ben. De koning is slim. Zijn troon is nog niet geheel veilig gesteld. De vorsten in Europa denken dat zijn positie zwak is, en ze zullen, indien ze de kans krijgen, proberen hem te vernietigen. Hij moet bewijzen dat hij sterk is, dat hij in staat is zijn troon met succes te verdedigen. Hij doet dat op manieren waardoor hij sterk overkomt, maar toch zo dat degenen die hem niet steunen, maar wel machtig en rijk zijn, niet worden gekrenkt. Dat betekent dat ze, als zij uiteindelijk aan zijn kant kunnen worden gebracht, hem in de toekomst behulpzaam kunnen zijn. Hij luistert naar zijn moeder, die uitermate intelligent is.' Ze wachtte even.

'Er wordt gezegd dat koning Richard, de oom van zijn geliefde vrouw, mijn halfbroers heeft vermoord, en dat gelooft hij. Maar de prinsen waren veilig ondergebracht op Middleham toen mijn oom koning was. De page die in hun kamer sliep, vertelde me over twee mannen die het kasteel binnenkwamen met het bericht dat de koning was gedood, en dat Henry Tudor de nieuwe koning was. Diezelfde nacht werd hij wakker, en vanuit de donkere hoek waar hij lag zag hij dat de arme, hulpeloze prinsen werden gesmoord en dat hun levenloze lichamen uit Middleham werden meegenomen. Hij kwam voor zijn eigen veiligheid naar Stanton en werd gedood toen die ellendige Douglas mijn huis plunderde. Maar ik dwaal af.' Ze nam een slokje wijn om op adem te komen.

'U vraagt me naar Henry Tudor. Ik kan u vertellen dat hij een harde man is. Hij zal alles doen wat hij moet doen om te behouden wat hij heeft genomen. De moeder die hem opvoedde, was mijn gouvernante. Ze had ambities voor haar zoon, en hij heeft veel van haar geleerd. Lady Margaret is een onderlegde, toegewijde vrouw, en zeer bedreven op het gebied van politiek. Hoewel hij het nooit openlijk zou toegeven, is zij zijn meest invloedrijke adviseur. Maar vertelt u me eens over de overeenkomst die uw koning met Engeland tot stand heeft gebracht.' Adair nam nog een slokje wijn, en was nieuwsgierig naar wat hij hierover te zeggen had.

'Onze goede koningin Margaret is vorig jaar overleden,' begon lord Home. 'Er wordt in feite nog steeds over de overeenkomst onderhandeld, maar ik vraag me af of hij moet worden ondertekend wanneer alles is geregeld. Onze koning gaat trouwen met de weduwe van koning Edward, Elizabeth Woodville. Prins James gaat trouwen met een van de jongere zusters van de koningin. Wat de zaak tegenhoudt, is de teruggave van Berwick. Wij willen het terug. Koning Henry weet nog niet zeker of hij het terug wil geven.'

'Uw koning zou een dwaas zijn om met Elizabeth Woodville te trouwen,' zei Adair openhartig. 'Ze is nog steeds mooi, dat zal ik toegeven, maar ze is omkoopbaar en hebzuchtig. Haar loyaliteit zou in de eerste plaats bij Henry Tudor liggen, niet bij James Stewart. De hemel sta Schotland bij als het allemaal doorgaat zoals gepland. Is Berwick werkelijk de moeilijkheden waard die Elizabeth Woodville en een van haar dochters Schotland zal bezorgen?' vroeg Adair. 'Als het mijn beslissing was, zou geen van beiden een zijden slipper over de grens zetten.'

Zowel lord Home als Patrick Hepburn grinnikte om haar opmerking.

'Uw advies is van onschatbare waarde, vrouwe,' zei de oudere man tegen haar. 'Vrouwen zouden als ambassadeurs naar het buitenland moeten worden gestuurd, want vrouwen worden als onintelligent en onbelangrijk beschouwd, waardoor niemand veel aandacht aan hen besteedt. Maar ze luisteren en horen op die manier veel meer dan een man.'

'Wat bent u liberaal en extreem in uw gedachten, milord,' merkte Adair droog op.

Patrick Hepburn grijnsde om haar boude woorden. 'Nee, dat is hij niet echt, vrouwe.'

'Vleit u me dan, milord, om meer informatie uit me te krijgen?' plaagde Adair de oude man vriendelijk.

'U bent veel te slim voor mij, vrouwe,' zei lord Home charmant. 'Maar u bent een grote hulp voor ons, Adair Radcliffe. Het is jammer dat uw eigen koning zo vastbesloten was zijn eigen positie veilig te stellen dat hij iemand weggooide die ondanks haar onbelangrijkheid een loyale vriendin zou zijn geweest.'

'Ik kende Henry Tudor slechts van een afstand, tot de dag dat ik voor hem stond. Alles wat ik over hem had gehoord, was uit de mond van zijn moeder gekomen, en moeders zijn geneigd alleen de goede dingen over hun kinderen te vertellen. Het was het bedrog van mijn halfzuster dat me kwetste. Vanaf het moment dat ik aan het hof kwam, waren we vriendinnen. We speelden en leerden samen en deelden geheimpjes met elkaar. We deelden zelfs een bed. Toch heeft ze niets gezegd om mij te verdedigen. Ze wilde me niet eens meer onder ogen komen. Lady Margaret was een beetje welwillender, maar hoewel ik de intelligentie heb, was ik nooit haar beste leerling, en ik had geen belang meer voor haar, en ik was mijn status kwijt,' eindigde Adair met een vage glimlach.

'Nee, ik vermoed dat u haar beste leerling was,' merkte lord Home op. 'Misschien bent u niet zo volgzaam en huishoudelijk als uw halfzusters, maar u bent slim, Adair Radcliffe.'

'Intelligentie heeft weinig voor me gedaan, milord,' zei Adair droogjes.

Conal Bruce had met groeiende verbazing geluisterd terwijl Adair met lord Home praatte. Tot deze avond hadden de afkomst en achtergrond van de vrouw die hij zijn slavin noemde weinig voor hem betekend. Maar hier zat hij in zijn eigen burcht terwijl dit Engelse meisje met autoriteit en zekerheid met een van de machtigste grenslords van heel Schotland over zaken had gepraat die de landheer van Cleit volkomen vreemd waren.

Ten slotte stond Adair op. 'Ik moet me verontschuldigen, milords, maar Cleit is klein, en we kunnen u alleen hier in de zaal bedden aanbieden. Ik zal me ervan verzekeren dat ze inmiddels voor u in gereedheid zijn gebracht. De broers van milord hebben voor uw mannen gezorgd, en ze zullen in de stallen worden ondergebracht.'

Ze maakte een buiging en liep weg.

'Doe wat je moet doen, man, maar breng die meid voor het altaar,' zei Patrick Hepburn. 'Je bent een dwaas als je dat niet doet. De kinderen die ze je geeft, zullen je familie veel meer aanzien geven. Zo, en wat moet ik met je neef doen, milord?'

'Dient hij je naar tevredenheid?' vroeg Conal.

'Hij is goed genoeg,' antwoordde Hepburn.

'Houd hem dan in je dienst, want ik wil niet dat hij nog eens naar Cleit komt,' zei de landheer. 'We hebben nooit goed met elkaar kunnen opschieten, en hij heeft me altijd moeilijkheden bezorgd.'

Patrick Hepburn knikte. 'Als er een oorlog komt, kan ik hem misschien voor je laten doden,' zei hij ernstig.

Lord Home liet een blaffende lach horen.

'Het is goed om vrienden te hebben,' antwoordde de landheer met een brede grijns.

Adair kwam terug om te zeggen dat hun bedden gereed waren zodat ze zich konden terugtrekken wanneer ze dat wilden. 'Zorg jij voor de rest, Conal?' vroeg ze. 'Ik zou me nu ook graag willen terugtrekken.'

'Ik zal me dadelijk bij je voegen,' zei hij.

'Goedenacht dan, milords,' zei Adair met een buiging, waarna ze de zaal verliet.

De drie mannen keken haar na. Een bediende vulde hun bekers bij met de whisky van de landheer. Ze bleven nog geruime tijd bij het vuur zitten praten, tot de landheer uiteindelijk opstond en zijn lange gestalte uitrekte.

'Ik wens jullie een goede nacht, milords,' zei Conal, waarna hij hen alleen liet om zich ervan te overtuigen dat alle lampen en kaarsen in de rest van de burcht waren gedoofd. Hij barricadeerde de deur van de burcht met de daarvoor bestemde zware balk, en vroeg zich af hoe Adair daar elke avond in slaagde. Toen hij in de zaal terugkeerde legde hij nog enkele houtblokken op het vuur, en zag dat zijn gasten hun bedden hadden gevonden. Lord Home lag al te snurken. Daarna ging Conal naar boven, waar Adair in zijn slaapkamer nog steeds op hem zat te wachten. De luiken voor de ramen waren open, om de zachte zomerlucht binnen te laten. Boven de heuvels zag hij de maan opkomen.

'Je ligt niet in bed,' constateerde hij.

'Ik weet hoe leuk je het vindt om me uit te kleden, dus heb ik gewacht,' zei Adair.

'Dat doe ik inderdaad graag,' zei hij, terwijl ze opstond en hem haar rug toekeerde. Hij liet de jurk van haar schouders glijden en keek naar haar slanke gestalte toen het kledingstuk op de vloer belandde. Daarna maakte hij haar hemdje los, trok het open en wierp het op de jurk die op de vloer lag.

Adair stapte bij de kledingstukken vandaan, bukte zich en raapte ze op, waarna ze de jurk zorgvuldig opvouwde en in een kleine hutkoffer legde. 'Nu is het mijn beurt,' zei ze zacht. Ze stond naakt voor hem en maakte zijn wambuis los, evenals het hemd dat hij eronder droeg, en onthulde zijn grote gestalte. Haar vingers woelden door zijn donkere borsthaar, en ze boog haar hoofd om een voor een zijn tepels te kussen. 'Ga zitten zodat ik je laarzen kan uittrekken,' zei ze. Nadat ze de laarzen van zijn voeten had getrokken, maakte ze zijn broek open en liet hem over zijn slanke heupen naar beneden glijden. Zijn interesse was al hevig gewekt, want zijn mannelijkheid roerde zich, maar Adair duwde zijn handen weg en zei: 'Je moet eerst mijn haar losmaken, Conal.' Ze draaide zich om, waarbij haar billen langs zijn kruis wreven.

Zijn vingers maakten onhandig de dikke vlecht los tot haar lokken vrijelijk over haar rug vielen. Daarna dwaalden zijn handen strelend over haar lichaam tot ze haar borsten omvatten, en zijn duimen over haar tepels wreven.

Adair leunde tegen hem aan en sloot haar ogen terwijl ze genoot van zijn handen rond haar borsten. 'Mijn haar moet nu worden geborsteld,' zei ze. 'Dat is al maanden niet behoorlijk gedaan, omdat ik geen borstel heb.'

'Ik zal op de zomermarkt een borstel voor je kopen,' beloofde hij haar, en duwde haar lokken opzij om haar schouder te kussen.

'En een pakje naalden. Ik heb er nog maar twee over,' vertelde ze hem.

Zijn vingers drukten zich steviger rond haar borsten terwijl ze haar rug tegen hem aan drukte. 'Je bent een hebzuchtige meid,' zei hij. Jezus! Ze was al bijna negen maanden bij hem, en nog steeds kon ze zijn wellust sneller wekken dan iedere andere vrouw die hij ooit had gekend. Hij wreef zijn mannelijkheid tussen haar billen.

Ze draaide zich om in zijn omhelzing, sloeg haar armen rond zijn nek en voelde zijn borsthaar tegen haar tepels kietelen. 'Als je van me verwacht dat ik je kleren blijf maken, dan zul je me toch naalden moeten geven,' zei ze, maar gaf hem niet de kans om antwoord te geven. De punt van haar tong streek heen en weer langs de contouren van zijn lippen. Ze bewoog haar hand naar beneden en streelde de lengte van zijn mannelijkheid. 'Je bent zo gretig, milord. Je jongeheer is nu al klaar voor de bedsport.'

'Ja, dat is zo,' beaamde de landheer, 'maar ik ga je vanavond iets anders leren, mijn honnepon. Voordat hij je zoete schacht bezoekt, wil hij zich tussen je lippen begraven. Kniel neer, Adair.' Hij duwde haar zachtjes voor hem naar beneden.

'Ik heb gehoord dat dergelijke dingen verboden zijn,' fluisterde Adair, terwijl ze gefascineerd naar zijn mannelijkheid staarde. 'Hemeltjelief... zal ik verdoemd worden als ik het doe?'

'Waarom?' vroeg hij geamuseerd.

'Het is verkeerd!' riep ze uit.

'Is dat zo? Er is niets verkeerds aan als we er beiden genot aan beleven, honnepon. Neem hem in je mond, Adair.'

Ze nam hem in haar hand. Langzaam, aarzelend, opende ze haar lippen en sloot ze eromheen. Hij was dik en warm.

'Zuig me af, mijn honnepon,' zei hij zacht, waarbij hij zijn hand op haar donkere hoofd legde. 'Dat is het! Dat is goed. Zachtjes, nu. Let op je tanden, want het is een kwetsbare jongeheer.'

Aanvankelijk was ze verlegen, maar Adair werd steeds brutaler. Ze zoog, en streek met de punt van haar tong over de kop van zijn jongeheer. Hij smaakte ziltig naar zijn sappen. Weldra merkte ze echter dat ze hem niet langer in de holte van haar mond kon bevatten.

Hij zag haar dilemma en trok haar overeind om haar een

lange, trage kus te geven. 'Je deed het goed, mijn zoete lief. Erg goed,' zei hij.

'Het heeft me erg wellustig gemaakt,' bekende ze fluisterend.

'Dan moeten we je lust bevredigen,' zei hij grijnzend.

'Nee! Ik ben er nog niet klaar voor,' zei ze. 'Op je rug, milord! Nu is het mijn beurt.'

Gefascineerd door haar plotselinge overmoed, liet hij zich door haar naar het bed leiden en op zijn rug leggen. Ze ging schrijlings op hem zitten, boog zich voorover en begon hem te likken.

Verbaasd snakte hij een ogenblik naar adem toen ze plotseling omhoog schoof en haar geslacht op zijn gezicht drukte. Even hapte hij nog naar lucht, maar toen duwde hij met zijn tong haar schaamlippen uiteen en vond het centrum van haar verlangen. 'Heks!' kreunde hij tegen het zachte, vochtige vlees, en likte haar sappen op tot ze jammerde van verrukking.

'Neuk me!' hoorde hij haar plotseling smeken. 'O Jezus, Conal, ik verlang zo hevig naar je. Ik moet je in me voelen! O, snel!' En vervolgens lag Adair op haar rug, en voelde ze hem met een enkele stoot in haar doordringen. Ze schreeuwde het bijna uit, maar duwde haar vuist tegen haar mond om te voorkomen dat haar kreet iedereen in de burcht zou alarmeren.

Langzaam begon hij te pompen, ging dieper, trok zich terug. Eerst langzaam, heel langzaam. Hij bemerkte dat haar opwinding groeide, en zijn bewegingen werden steeds sneller. Deze keer hield ze zich niet in. Haar kreet van ongebreideld genot weergalmde gelijktijdig met zijn schreeuw van bevrediging. Hij dacht dat zijn sappen nooit zouden ophouden te vloeien terwijl hij krachtig en ritmisch in haar stootte tot ze allebei uitgeput waren. Er was niets meer te zeggen. Conal sloeg zijn armen om haar heen, en ze vielen beiden in slaap.

Ergens gedurende de nacht werd hij wakker, en zag dat het maanlicht hun lichamen bescheen. Hij bleef geruime tijd naar haar kijken voordat hij weer in slaap viel. Hij bedacht hoe leeg zijn leven zonder haar zou zijn, en hij wist dat hij haar hoe dan ook voor het altaar moest zien te krijgen. Hij wilde kinderen van haar hebben. Hij wilde de rest van zijn leven met haar doorbrengen. Was dat liefde? Hij wist het niet, en hij zou niet tegen haar zeggen dat hij van haar hield zolang hij niet zeker wist wat liefde was. Hij wilde niet dat ze hem ervan zou kunnen beschuldigen dat hij loog.

Lord Home en Hepburn van Hailes vertrokken de volgende ochtend. Beiden kusten Adairs hand en bedankten haar voor haar gastvrijheid en de informatie die ze had verschaft.

'Prins James zal dankbaar zijn voor uw advies, vrouwe,' zei lord Homes.

Daarna stegen de twee mannen op hun paard en verlieten Cleit. Alpin Bruce bevond zich onder hun gewapende mannen. De landheer zag dat zijn neef een blauw oog had, en hij vroeg zich af hoe hij die verwonding had opgelopen. Later hoorde hij van Adair dat Alpin achter Grizel was opgedoken toen ze die ochtend de eieren in het kippenhok wilde gaan rapen. Hij had haar gegrepen en achterover in het hooi gegooid, en haar toen aangekeken. Dat was alle tijd die Grizel nodig had. Ze was overeind gesprongen en had Alpin Bruce een klap in zijn gezicht gegeven. Daarna had ze haar mand met eieren gepakt en was naar de keukens gevlucht om het haar metgezellen te vertellen.

'De dwaas kan zijn pik niet in zijn broek houden,' gromde de landheer hoofdschuddend, en vervolgens barstte hij in lachen uit.

Aangezien het, voor hun gevoel vrij plotseling, halverwege de zomer was, werd er in het dorp een kleine markt opgezet. Een groepje ketellappers had hun kraampje in het midden ervan opgebouwd, en vele gezinnen trokken er met potten en pannen naartoe. Er was ook een oude vrouw die voor een koperen muntstuk de toekomst voorspelde. Toen ze Adair zag, greep ze diens hand en tuurde naar de lijntjes op haar handpalm.

'Je hebt veel verdriet gekend, en je bent afschuwelijk behandeld, maar je kunt niet terug,' zei ze. 'Toch zul je geluk vinden als je verstandig genoeg bent om het te grijpen. Om dat te doen moet je het verleden vergeten en naar je hart luisteren, want je hart spreekt de waarheid, milady de gravin.'

Adair snakte naar adem, verbaasd over het feit dat ze met haar oude titel werd aangesproken. 'Hoe weet u…' begon ze.

'Ik zie wat ik zie, meisje,' zei ze. 'Ik begrijp het zelf ook niet.'

Conal Bruce drukte een muntstuk in de hand van de oude vrouw en hield zijn eigen hand voor haar op. 'En wat zie je voor mij?'

De oude zigeunerin pakte zijn grote hand. 'Ik zie groot geluk, milord, als u tenminste niet te lang over uw probleem blijft nadenken.' Ze knikte langzaam. 'U heeft de antwoorden die u zoekt al gevonden. U hoeft het alleen nog maar te erkennen. Dat is het enige wat ik zie.'

De landheer lachte en gaf haar nog een muntstuk voordat ze verder liepen. 'Ze spreekt in raadselen,' zei hij tegen Adair, maar hij had precies begrepen wat de oude vrouw tegen hem had gezegd. Hij had zijn liefde in Adair gevonden, en hij wist het. Als hij het haar nu alleen maar durfde te bekennen. Ze stopten bij een kraampje waar zijden linten werden verkocht, en hij kocht een stuk rood lint voor Adairs donkere haar. 'En ik heb je een haarborstel beloofd, meisje. We zullen er nu een gaan zoeken.'

Ze zag er vandaag zo aantrekkelijk uit in haar wollen rok met de rode ruit van de Bruces die tot haar enkels reikte. Ze droeg er een linnen hemd bij, waarvan de linten bij de hals openhingen omdat het een warme dag was. Rond haar middel had ze een brede, leren riem, en ze droeg zwarte slippers aan haar voeten.

Adair glimlachte verbaasd naar hem op. Het was het eerste geschenk dat hij haar had gegeven. 'Ik zou graag een borstel hebben,' zei ze, 'en bedankt voor het lint.'

Ze stopten eerst nog bij een kraam waar kaneelkoekjes werden verkocht, en ze aten samen een schaaltje vol heerlijkheden leeg. Toen ze zich omdraaiden, kwamen ze oog in oog te staan met lord Home, Patrick Hepburn van Hailes en een groepje mannen onder wie een zeer grote en knappe jonge man met heldere blauwe ogen en rood haar. Conal Bruce wist meteen wie de jonge man was, hoewel hij hem nooit eerder had gezien of ontmoet.

'Milords,' zei hij met een buiging, waarna hij wachtte tot lord Home hem voorstelde.

'Bruce, het is goed je weer te zien. We zijn gekomen om mee te doen aan de spelen die later vandaag worden gehouden.' Hij trok de jonge man naar voren. 'Milord, dit is de Bruce van Cleit. En dit, Conal Bruce, is de hoop van Schotland.' Hij sprak de naam van de jonge man niet uit.'

'U vereert me, uwe hoogheid,' zei de landheer met een diepe buiging.

'Alexander Home heeft me verteld over zijn recente bezoek

aan uw burcht, milord,' zei de prins. 'Ik ben verheugd een man te ontmoeten die trouw is aan de kroon.' De blauwe ogen twinkelden vriendelijk en enigszins geamuseerd. De jonge prins was halverwege zijn tienerjaren.

'Uwe hoogheid begrijpt dat ik verstandig moet zijn,' antwoordde Conal.

'We moeten tegenwoordig allemaal verstandig zijn,' reageerde de prins. Daarna richtte hij zijn aandacht op Adair. 'En wie, Conal Bruce, is dit mooie schepsel?'

Voordat de landheer iets zou kunnen zeggen, gaf Adair antwoord. 'Ik ben Adair Radcliffe, uwe hoogheid.'

'Ik heb gehoord dat u zijn minnares bent,' zei prins James, terwijl hij iedereen om zich heen negeerde. Zijn bewonderende blik dwaalde over Adair heen.

'Dat ben ik,' zei ze.

'Ik geloof dat ik uw landheer benijd omdat hij zo'n mooie minnares heeft,' mompelde de prins zacht, waarna hij haar hand pakte en er een kus op drukte die langer duurde dan noodzakelijk was.

'U vleit me, uwe hoogheid,' zei Adair met een buiging.

Hij boog zich voorover en fluisterde in haar oor: 'Ik zou u nog veel meer vleien als u het me zou toestaan, vrouwe.' Hij kuste nu haar handpalm.

'U vleit me nogmaals,' zei Adair, 'maar ik weet dat uwe hoogheid zal begrijpen dat ik zijn vriendelijke en edelmoedige aanbod moet weigeren, want ik heb een zekere loyaliteit jegens de Bruce.'

'Geen loyaliteit jegens uw prins?' vroeg James zacht.

'Ik ben Engels, uwe hoogheid,' zei ze met een ondeugend lachje.

De prins lachte. 'U zou nog steeds zo slim zijn als u Schots was, vrouwe,' zei hij. 'Het is met spijt in mijn hart dat ik uw besluit respecteer.' Met een vinger hief hij haar hoofd en kuste haar zacht op de lippen. Vervolgens richtte hij zich tot lord Home en vroeg: 'Wanneer beginnen de spelen?'

'Ik geloof dat ze dadelijk beginnen,' antwoordde Alexander Home. 'Komt u mee, uwe hoogheid, dan zullen we ons naar het terrein begeven. Ik geloof dat u wenste deel te nemen aan het paal werpen.'

Adair zag de uitdrukking op Conals gezicht, en ze moest bijna lachen, maar in plaats daarvan legde ze haar hand op zijn arm en zei zacht: 'Beheers je, milord. Op een dag zal hij koning zijn, en je wilt hem niet beledigen.'

'Hij had het recht niet je te kussen,' bromde de landheer.

'Het was slechts een kus,' mompelde ze. 'Hij wilde meer, maar ik heb geweigerd.'

Conals gezicht werd rood. 'Meer? Hoe durfde hij?'

Adair lachte. 'Waarom maak je je zo druk, milord? Ik ben slechts je slavin. In feite zou je een grote gunst van hem hebben verkregen als je mij aan hem had aangeboden. Laten we nu maar op zoek gaan naar die haarborstel die je me hebt beloofd. Vanavond zal ik je leren hoe je mijn haar moet borstelen.'

Hij stond op het punt te ontploffen. Prins James wilde Adair verleiden en ze voelde zich helemaal niet beledigd. En waarom had ze hem getart door te zeggen dat ze zijn slavin was? Hij had haar nooit als zodanig behandeld, en God wist dat ze zich ook nooit als een slavin had gedragen. 'Ik zal een borstel voor je kopen,' zei hij koud, 'en daarna ga ik deelnemen aan het paal werpen.'

Hij was jaloers, besefte Adair. Maar waarom was hij jaloers? Hij hield niet van haar. Of toch? Hield hij van haar en was hij te trots om haar dat te zeggen? Tenzij hij haar zijn liefde zou verklaren, zou ze hem op de laatste dag van september verlaten. Stanton Hall dat ze had gekend, was weg, maar het dorp moest er zeker nog zijn. Ze zou naar huis gaan, en als Elsbeth met haar mee wilde gaan, was het prima. Zo niet, dan zou ze alleen gaan. Ze had al eerder alleen gereisd. De grenzen tussen Engeland en Schotland waren niet erger dan de wegen tussen Londen en het noorden. Alleen het terrein was ruiger.

Ze vonden de kraam waar borstels en kammen werden verkocht. Adair koos een eenvoudige borstel van perenhout en varkenshaar. Conal onderhandelde met de koopman over de prijs, maar ten slotte kwamen ze tot hun beider tevredenheid op een bedrag uit. Daarna wandelden ze samen naar een open veld waar verscheidene wedstrijden in krachtmetingen zouden plaatsvinden. Ze vonden de plaats waar het paalwerpen zou worden gehouden, en Conal trok zijn hemd uit, dat hij Adair overhandigde. Vervolgens stapte hij in de rij van mannen die op hun beurt wachtten.

Adair begaf zich naar de zijlijn en was verbaasd toen ze daar de prins trof. 'Ik dacht dat u aan de spelen zou deelnemen,' zei ze tegen hem.

'Ik heb mijn beurt al gehad,' zei hij. 'Bent u gekomen om naar me te kijken?'

Adair lachte. 'Nee, ik ben gekomen om naar de Bruce te kijken.'

'Ik heb hem jaloers gemaakt, is het niet?' zei James Stewart, terwijl hij een arm rond haar middel legde.

'Dat is immers de reden waarom u me kuste,' zei Adair met een glimlach rond haar lippen.

'Hoe zou ik zo'n mooie vrouw als u kunnen weerstaan?' vroeg de prins haar, en vervolgens trok hij haar tegen zich aan. Zijn andere hand glipte snel in haar blouse en hij liefkoosde haar borst.

'Houd hier meteen mee op!' zei Adair zacht.

'Hij kan ons niet zien,' antwoordde de prins, en daarna liefkoosde hij haar andere borst. 'Jezus, vrouwe, u heeft de zachtste tieten die ik ooit heb gevoeld.' Hij gaf haar nog een kus.

Adair stampte op James Stewarts voet en rukte zijn hand uit haar bovenlijfje. 'Schaam je, knulletje!' gromde ze. 'Ik weet dat Conal Bruce van weinig belang is, maar op een dag zul je misschien zijn welwillendheid nodig hebben. Hij is een koppige en trotse man. Maak hem niet op deze manier te schande. En mij ook niet, want ik zal binnenkort zijn vrouw zijn.'

De jonge prins keek oprecht beteuterd. 'Ik zal mijn verontschuldigingen aanbieden, vrouwe. Maar u kunt het me niet kwalijk nemen, want u bent werkelijk te verrukkelijk om te weerstaan.'

'Ik begrijp dat u erg verwend bent, uwe hoogheid,' plaagde Adair hem, en hierna draaide ze zich om en zag dat Conal Bruce aan de beurt was. Zijn rug glinsterde van het zweet. Zijn spieren bolden op toen hij de paal oppakte. Hij rende een eindje naar voren, hief de paal boven zijn hoofd en gooide hem zo ver mogelijk van zich af.

'Er is niemand die deze worp kan verbeteren,' hoorde ze een man opmerken.

Adair wendde zich tot de prins. 'Zou u het niet nog eens willen proberen, uwe hoogheid?' daagde ze hem uit, waarbij haar violette ogen dansten.

De prins lachte. 'Nee, vrouwe, ik moet het bij voorbaat opgeven. Deze man is de beste.' Hij knipoogde naar haar voordat hij zich naar lord Home begaf.

Adair liep naar de plek waar de landheer stond na te hijgen. 'Je zult kouvatten als je niet voorzichtig bent,' zei ze, en reikte hem zijn hemd aan. 'Ik verwacht niet dat je een gemakkelijke patiënt zou zijn. Je hebt gewonnen, weet je. Ze zeggen dat jouw worp de beste was.'

'Ik heb het voor jou gedaan,' zei hij.

'Waarom?'

'Om je te bewijzen dat ik de man voor je ben, honnepon.'

'Dat weet ik, Conal, maar tot je van me houdt, zal er niet meer tussen ons zijn dan er nu is. Misschien is dat voor jou genoeg, maar niet voor mij.'

'Je bent van mij!' zei hij heftig, en hij keek haar recht aan.

'Alleen maar tot eind september,' hielp Adair hem herinneren.

'Nee! Je zult voor altijd van mij zijn!'

'Alleen als je van me houdt,' zei ze koppig.

'Je bent een onmogelijke vrouw,' tierde hij.

'En jij bent een onmogelijke man,' kaatste ze terug. 'Waarom kun je niet van me houden? Of waarom kun je niet zeggen dat je van me houdt?'

'Je gaat met me trouwen, Adair. Ik zal niet toestaan dat een andere man je behandelt zoals de prins heeft gedaan. Als hij niet de prins was geweest, had ik hem ter plekke gedood.'

'Je houdt dus van me,' concludeerde ze droog.

'Ik weet het niet. Wat is liefde?'

'Wanneer je daar het antwoord op hebt gevonden, milord, zal ik overwegen of ik met je trouw,' zei ze. 'Ik ga nu terug naar de burcht.'

'Niet zonder mij.'

'Ik ben heel goed in staat zelf terug te lopen,' hield ze vol.

'Er zijn vandaag allerlei clansmannen van over de grens,' zei hij. 'Je zou door een vreemde kunnen worden aangesproken.'

'Dan zal ik hem waarschuwen dat hij afstand moet bewaren, want ik ben de minnares van de landheer van Cleit, en hij is een zeer jaloerse man,' bitste Adair terug.

Zijn hand greep haar pols. 'Je zult naast mij lopen, Adair.'

'Ja, milord. Ik zal naast je lopen, maar moet ik als je slavin eigenlijk niet een paar passen achter je lopen?' vroeg ze liefjes.

'Houd je mond, vrouw,' brulde hij.

'Ja, milord,' zei Adair meegaand, en toen hij haar woedend aankeek, glimlachte ze liefjes naar hem.

13

*I*n de tweede helft van de zomer werd het weer killer en regenachtig. De landheer had Adair nog steeds niet gezegd dat hij van haar hield. September naderde en aan het eind van die maand zouden Elsbeth en zij vrij zijn. Ze kon en wilde niet met hem trouwen als hij niet van haar hield. En ze kon niet zijn minnares blijven. Adair begon de situatie met zichzelf te bespreken. De waarheid in deze kwestie was dat ze net zo koppig was als hij.

Ze had gezegd dat ze zou vertrekken, en dat zou ze ook doen. Als ze haar woord niet nakwam, zou hij haar zwak vinden. Ze zou dus gaan, zelfs als ze de hele weg naar Stanton zou moeten lopen. En ze zou waar dan ook haar thuis maken. Er was vast ergens een huisje over. En als ze alleen was, nou, dan zou ze alleen zijn. Ze was Adair Radcliffe, de lady van Stanton, en ze had van niemand hulp nodig. Ze besprak haar plannen met Elsbeth.

'Je zult alleen moeten gaan, mijn kuikentje,' zei haar oude Juffie. 'Ik houd meer van je dan wat ook, maar ik kan je niet van je eigen dwaasheid weerhouden. We hebben hier een thuis, en de landheer houdt van je. Hij zal met je trouwen als je ja zegt.'

'Hij houdt niet van me, anders zou hij het wel zeggen,' antwoordde Adair. 'Hoe kan ik blijven, Elsbeth? Hoe kan ik met een man trouwen die zo weinig gevoelens of respect voor me heeft?'

'Conal Bruce is niet zoals John Radcliffe of je oom Dickon, mijn kind,' zei Elsbeth. 'Hij is niet zo'n beschaafde Engelsman als Andrew Lynbridge of zijn broer, Robert. Hij is een ruige Schotse grensbewoner, maar hij heeft een goed hart. Hij geeft om je. Dat zie ik in zijn ogen wanneer hij naar je kijkt. Maar net als vele mannen heeft hij niet de gave om zijn gevoelens uit te spreken. Dat moet je accepteren, Adair.' Ze wachtte even.

'Waarom wil je terug naar Stanton? Er is daar niets meer voor je,' zei ze voor de zoveelste keer. 'Je houdt van Conal Bruce, ook al wil je hem dat niet zeggen. Je hebt een kans op geluk, mijn kind. Loop er niet van weg. Niet nu. Niet nu je zijn kind draagt,' besloot ze. 'Het kind verdient het zijn vader te kennen, en jij verdient een goede echtgenoot.'

Adairs mond viel open. 'Wat bedoel je met nu ik zijn kind draag?' wilde ze weten.

'Je hebt sinds het begin van de zomer niet meer gebloed, mijn kind. Was je niet bezorgd over het uitblijven ervan? Flora en Grizel doen de was, en ze hebben onlangs opgemerkt dat er geen bebloede doeken bij waren,' zei Elsbeth.

'O Jezus, wat ben ik dom!' riep Adair uit. 'Ik ben zo druk bezig geweest met Conal te helpen om een beetje geld voor zijn vee te verdienen dat ik er helemaal niet bij stil heb gestaan, en het is me dus ook niet opgevallen. Hoewel, ik heb er onlangs misschien wel even aan gedacht, maar ik heb het meteen uit mijn gedachten gezet,' voegde ze er peinzend aan toe.

'Het kind zal waarschijnlijk in het begin van het voorjaar worden geboren,' zei Elsbeth. 'Je moet het de landheer vertellen, Adair.'

'Als ik het hem vertel, zal hij me dwingen met hem te trouwen,' zei Adair zacht.

'Als je het hem binnen een paar dagen niet vertelt, dan moet ik het doen,' antwoordde Elsbeth. 'Dit kind zal niet als bastaard worden geboren wanneer zijn vader hem wil hebben, en hij wil hem hebben, dat weet ik zeker.'

Adair knikte en dacht een ogenblik na over die laatste opmerking, en wist dat Elsbeth gelijk had.

Maar Adair was bang om Conal te vertellen dat ze een kind van hem kreeg, zelfs al zou hij zeggen dat hij van haar hield. September was inmiddels al voor de helft voorbij, en de jacht om de koude provisiekast te vullen, was weer begonnen. Het weer dat de hele zomer zo regenachtig was geweest, was opgeklaard en zonnig. De landheer en zijn mannen trokken er elke dag op uit, zelfs op die ene dag dat het wel regende. Toen de mannen thuiskwamen, voelde Conal zich ziek. De volgende ochtend had hij hoge koorts. Hij deed moeite om uit bed te komen.

'We moeten op jacht. De korhoenders zijn schaars dit jaar, en ik heb nog geen enkel hert gezien,' zei hij.

'Je kunt niet gaan. Je bent ziek,' zei Adair.

'Maar we hebben het wild nodig om de winter goed door te komen,' protesteerde hij. Daarna viel hij terug op zijn kussens. Hij was bleek, en op zijn voorhoofd waren pareltjes zweet zichtbaar.

'Je broers kunnen gaan,' hield Adair hem voor. 'Jij blijft in bed, milord.'

'Ah, je bent een wellustige meid, en je wilt me gewoon hier houden om je gang met me te gaan,' plaagde hij haar zwakjes, maar vervolgens begon hij te hoesten.

Adair glimlachte. 'Ik ga iets van mijn eigen middeltjes voor je maken,' zei ze. 'Je blijft waar je bent. Ik heb er niet zoveel tijd voor nodig.' Ze draaide zich om en verliet de slaapkamer. In de grote zaal vond ze Duncan Armstrong en de jonge Murdoc. 'Jullie broer is ziek. Ik denk dat het door de kou en de regen van gisteren komt. Hebben jullie er niet aan gedacht om wat eerder naar huis te komen?' vroeg ze. 'Eet jullie maaltijd op, en daarna moeten jullie zonder Conal weer gaan jagen. Hij vertelde me dat het wild dit jaar schaars is.'

'Is hij niet goed genoeg om op jacht te gaan?' vroeg Duncan.

'Hij heeft hoge koorts,' zei Adair. 'Hij moet in bed blijven, en ik ga hem met mijn middeltje behandelen om de koorts te laten zakken zodat hij kan genezen.'

'Als hij heeft toegestemd om in bed te blijven, dan moet hij echt ziek zijn,' merkte Duncan op. 'Zeg hem dat hij zich geen zorgen hoeft te maken. Murdoc en ik zullen de mannen meenemen en op jacht gaan.'

'Ik zal jullie hulp nodig hebben,' zei Adair tegen de broers. 'Dit is niet iets eenvoudigs, en Conal moet enkele dagen in bed blijven. Hij zal zich rustiger houden als hij weet dat jullie succesvol zijn geweest. De koude provisiekast is leeg, maar het is pas september. Er is nog tijd genoeg om hem te vullen, maar als jullie vandaag een hert zouden schieten, weet ik zeker dat Conal meer rust zal hebben. Nu moet ik naar mijn apotheek en het middel maken om zijn hoest te verminderen en zijn koorts te verlagen.'

'Hij houdt van je,' zei Duncan.

Adair bloosde. 'Dat heeft hij niet gezegd.'

'O, maar hij houdt echt van je!' voegde de jonge Murdoc eraan toe.

'Dan moet hij dat zeggen, anders zal ik moeten gaan,' antwoordde Adair. Daarna ging ze weg om de medicijnen te maken die ze nodig zou hebben voor de landheer.

'We kunnen niet toestaan dat hij haar verliest,' zei Duncan. 'Ze houdt ook van hem. Ik kan het zien.'

'Ze verwacht een kind, zegt Elsbeth,' antwoordde Murdoc. 'Maar dat kunnen we hem niet vertellen.'

'Jezus!' riep Duncan uit. 'Waarom niet?'

'Omdat Elsbeth wil dat Adair het hem zelf vertelt,' zei Murdoc.

'Ze zal hem niets vertellen, en ze zal die koppige broer van ons verlaten, tenzij hij haar zegt wat hij voor haar voelt.' Duncan kreunde gefrustreerd.

'Er is nog wel een beetje tijd,' troostte Murdoc zijn oudere broer.

Duncan stond op van tafel. 'Kom mee, jongeman, we kunnen het best op jacht gaan en ondertussen bedenken hoe we de twee koppigste mensen van Schotland tot rede kunnen brengen. Geen van hen lijkt tot een compromis te kunnen komen, en toch is dat wat er moet gebeuren.'

De twee broers verlieten de burcht met een deel van hun mannen, en brachten de dag al jagend door. Ze hadden het geluk aan hun kant, want toen ze die avond terugkeerden brachten ze twee herten en een rits korhoenders mee naar huis. Adair was verrukt, en prees hen voor hun inspanningen. Haar nieuws was echter niet zo goed. De landheer was niet opgeknapt. In feite was ze ervan overtuigd dat zijn koorts nu nog hoger was dan die ochtend.

'We hebben de hele dag koude doeken op zijn voorhoofd gelegd, maar de koorts wil niet wijken. Ik zal een koortsverlagend middel van duizendblad, olie en honing moeten maken,' zei ze. 'Ik heb al een siroop van citroen, munt en honing voor zijn hoest gemaakt.'

'Je ziet er vermoeid uit,' zei Duncan tegen haar. 'Je moet ook goed voor jezelf zorgen, Adair. Je kunt niet ziek worden, want wie zou er dan voor ons moeten zorgen?'

Ze keek scherp naar hem op. Wat wist hij? En wie had het hem verteld? 'Ik zal niet ziek worden, Duncan,' stelde ze hem gerust.

Tijdens het avondmaal zat ze bij de broers aan tafel, terwijl zowel Dunan als Murdoc haar steelse blikken toewierpen. Adair wist niet of ze moest lachen of boos worden. Ze wisten het. Natuurlijk wisten ze het, anders zou hun bezorgdheid niet zo groot zijn geweest. Na het eten wist Adair dat ze iets moest doen om de spanning te verminderen. 'Als een van jullie het je broer vertelt,' zei ze, 'zal ik een manier vinden om het jullie betaald te zetten. En ik ben een geduldige vrouw,' waarschuwde ze hen. Daarna stond ze op en liet hen achter om naar de keukens te gaan, waar Elsbeth het deeg voor het brood kneedde dat de volgende ochtend vroeg zou worden gebakken. 'Aan wie van hen heb je het verteld?' vroeg ze. 'Aan Murdoc, waarschijnlijk. En aan wie nog meer?'

Elsbeth keek op van de tafel, haar armen waren met meel bestoven. 'Je geheim zal gauw genoeg in de hele burcht bekend zijn, mijn kind. Ja, ik heb het de jonge Murdoc verteld omdat ik wist dat hij het niet geheim zou kunnen houden. Op die manier zou een van de broers het de landheer vertellen zonder dat je het mij kwalijk zou kunnen nemen.' Elsbeth wierp het deeg in een grote kom en dekte hem af met een doek voordat ze hem in de nog warme oven zette om het deeg te laten rijzen. 'Je kunt het dus het beste aan Conal gaan vertellen voordat zij het doen,' concludeerde ze.

'Je bent een ondeugende oude vrouw,' zei Adair, 'en ik zal het je wel kwalijk nemen. Ik hoop alleen dat jullie allemaal je mond houden tot ik hem van zijn ziekte heb genezen.' Daarna verliet ze de keukens, en wachtte halverwege de trap omdat ze er zeker van was dat ze Elsbeth hoorde giechelen. Toen ze was doorgelopen naar de grote zaal vroeg ze Duncan of hij erop wilde toezien dat de burcht veilig was voor de nacht, en bedankte hem toen hij toestemde. Vervolgens haastte ze zich de trap op naar de kamer die ze met de landheer deelde.

Flora stond op van de rand van zijn bed waar ze had gezeten. 'Hij is onrustig, Adair. En de koorts wil maar niet zakken,' zei ze. 'Ik heb de doeken voor zijn voorhoofd telkens verwisseld, maar ze schijnen niet te helpen.'

'Blijf nog een poosje bij hem,' zei Adair. 'Ik wilde tot morgen wachten om een nieuw middel te maken, maar het lijkt me beter het nu te doen.' Ze verliet de slaapkamer en ging de trap af naar het kleine vertrek dat als apotheek diende.

Ze had een mand met duizendblad, en ze begon de bladeren uit te zoeken die ze wilde snijden. Ze spreidde de klein gesneden bladeren uit op een aardewerken schotel en mengde ze met olijfolie en een beetje dikke honing. Ze pakte wat gedroogde muntbladeren en deed ze in haar vijzel en kneusde ze tot er een fijn poeder ontstond dat ze bij het mengsel voegde. Daarna rolde ze de substantie tot kleine balletjes die ze op een vierkant blik legde. Er was een kleine oven in de muur van het vertrek gebouwd. Adair stak het vuur aan en daarna schoof ze het blik op het rooster erboven. Terwijl ze wachtte, ruimde ze de apotheek op, en ging daarna naar beneden om een stenen potje met een deksel te halen.

Toen de balletjes voldoende waren gedroogd, haalde Adair het blik uit de oven en zette het op het werkblad om af te koelen. Zodra dat was gebeurd, pakte ze een paar balletjes die ze in haar zak deed, blies de kaarsen uit en overtuigde zich ervan dat het vuur in de oven voldoende was gedoofd. Daarna verliet ze de apotheek en haastte zich de trap op naar de slaapkamer van de landheer. Flora zat inmiddels te knikkebollen in een stoel. Adair tikte zacht op haar schouder. 'Ga nu maar naar bed,' zei ze zacht. 'Je bent een grote hulp voor me geweest.'

Conal kreunde en draaide zich om en om in hun bed. Adair schonk een bekertje wijn voor hem in en ging op de rand van het bed zitten om hem wakker te maken, maar de koorts deed hem stuiptrekken, en hij mompelde slechts haar naam. Ze legde een arm rond zijn schouders en hees hem overeind. Met haar andere hand duwde ze twee pillen in zijn mond en probeerde hem daarna wat wijn te laten drinken. Hij nam twee slokjes en hoestte, maar ze zag dat hij de pillen had doorgeslikt. Ze probeerde hem nog een slokje te laten drinken, maar hij duwde haar hand weg.

'Adair,' wist hij moeizaam uit te brengen.

'Ik ben hier, Conal. Je bent erg ziek. Ga maar slapen, mijn lief,' zei ze.

'Laat me niet alleen, Adair,' kreunde hij.

'Ik ben hier,' herhaalde ze. 'Ik zal je niet alleen laten.'

'Nooit?' Zijn stem was niet meer dan een fluistering.

'Ga nu maar slapen, Conal,' zei ze. Vervolgens trok ze haar arm terug en legde hem weer tegen de kussens van het bed. Ze bleef de hele nacht bij hem zitten, en hij zakte steeds dieper weg in zijn delirium. Toen het ochtend was, stuurde ze zijn broers naar de koudste stroom in de buurt met de opdracht zoveel mogelijk ijskoud water mee terug te brengen om de tobbe te vullen. En toen die vol was, droeg Duncan Armstrong zijn broer uit de slaapkamer en legde hem in de tobbe die hij uit de alkoof in de provisiekamer had gesleept.

Het ijskoude water wekte de landheer gedeeltelijk, en hij worstelde om overeind te komen, maar Murdoc en Duncan hielden hem in de tobbe tot Adair zei dat ze hem weer naar boven mochten brengen. Samen droogden ze hem af met ruwe doeken. Eerst begon hij hevig te beven, en daarna raakte hij weer bevangen door de koorts. De landheer probeerde de dekbedden die ze op zijn bed hadden gestapeld, van zich af te werpen, maar ze gaven hem de kans niet, en Conal Bruce was over zijn hele lichaam drijfnat van het zweet.

'Op deze manier vermoorden we hem of genezen hem,' zei Duncan grimmig.

Adair knikte. Ze was erg bleek, maar ze had een vastberaden uitdrukking op haar gezicht.

Ze houdt van hem, dacht Duncan. Ze houdt echt van hem.

Na verloop van tijd nam de koorts iets af, en werd Conal weer rustiger terwijl ze het doorweekte beddengoed en zijn nachthemd verschoonden. Adair wreef zijn borst in met een mengsel van ganzenvet en kamfer, dekte het af met een flanellen doek en duwde nog een paar pillen tussen zijn lippen, waarna ze hem een paar slokjes wijn liet drinken. Vervolgens werd Conal nog rustiger, en zijn ademhaling was weer normaal. Zijn huid voelde nu zelfs koel aan. Adair keek uit het raam en zag dat de zon inmiddels bijna onderging, wat betekende dat ze praktisch de hele dag met hem in de weer waren geweest.

'Ga jij nu maar een poosje rusten,' zei Duncan. 'Je bent al twee dagen met hem bezig. Hij is veilig, en je moet nu ook voor jezelf zorgen, Adair.'

'Ik zal Grizel sturen om een paar uur bij hem te komen zitten,' zei Adair. 'Jij moet ook moe zijn, Duncan. Bedankt voor jullie hulp. Ik had het zonder jullie niet kunnen doen.'

Hij knikte en schonk haar een warme glimlach. 'Je bent een koppig meisje, Adair. Ik bewonder je moed, maar laat je trots niet over je goede verstand regeren.'

'Zeg dat maar tegen je broer,' antwoordde ze zacht. 'Ja, Duncan, ik houd van hem. Maar ik moet weten dat hij van mij houdt voordat ik met hem kan trouwen. Het kan niet anders vanwege het kind dat ik draag. Hij moet boven alle anderen van mij houden, anders kan ik niet gelukkig en tevreden zijn.' Na deze woorden verliet ze de kamer.

Duncan staarde haar na. Hij kon zich alleen maar voorstellen hoe hun kind zou worden, en onwillekeurig moest hij grinniken. Deze periode van ernstige ziekte zou Conal misschien tot inkeer brengen, dacht hij, waarna hij aan Adair zou bekennen wat hij voor haar voelde: dat hij van haar hield, en van niemand anders zou houden. Zo konden ze toch immers niet doorgaan?

Conal Bruce werd de volgende ochtend wakker en voelde zich zo slap als een vaatdoek, maar iets beter. Adair zat in de stoel bij zijn bed te doezelen, en hij herinnerde zich vaag dat zij zo hard haar best had gedaan om de brandende koorts die hem in de greep had, te doen afnemen. 'Ik houd van je,' fluisterde hij, maar ze bewoog niet, en hij was opgelucht. Hij was nog steeds erg zwak door zijn ziekte. Zijn ogen vielen dicht en het volgende moment sliep hij weer. Toen hij opnieuw wakker werd, was Adair niet meer in de kamer. Nu zat Flora naast zijn bed. 'Haal Adair,' bromde hij tegen de geschrokken vrouw.

Flora sprong op. 'Ja, milord, meteen,' zei ze, en haastte zich zijn kamer uit.

Hij bleef tegen zijn kussens gesteund op Adair liggen wachten. Toen ze eindelijk de kamer binnenkwam, had ze een kom en een lepel bij zich. 'Wat is dat?' vroeg hij bij wijze van begroeting.

'Ik heb wat bouillon voor je meegebracht,' zei Adair rustig. 'Het zal je helpen weer op krachten te komen, Conal. En voor straks heeft Elsbeth lekkere custardpap gemaakt.'

'Ik wil vlees!' zei hij.

'Je zou het uitspugen voordat het de kans had je maag te bereiken,' antwoordde ze kalm, en ging vervolgens op de rand van het bed zitten. 'Doe nu je mond open en eet een beetje van de bouillon.' Ze duwde de lepel tussen zijn lippen toen hij zijn mond opende om te protesteren. 'Zo, is dat niet lekker? We moesten een kip slachten om de bouillon te maken, maar het was een oud beest want ze legde geen eieren meer.'

'Je behandelt me als een kind,' bromde hij, maar de soep smaakte goed, en hij was hongerig. Hij kon zich niet herinneren dat iemand hem ooit in zijn leven had gevoerd.

'Je bent erg ziek geweest, Conal, en je bent voor veel dingen nog niet sterk genoeg. Het zal een paar dagen duren voordat je uit bed mag, en daarna nog wel een week of meer voordat je genoeg hersteld bent om weer naar buiten te gaan.'

'Ik ben geen oude kerel of zoiets,' zei hij kortaf.

'Nee,' zei ze sussend, 'maar je bent erg ziek, Conal. Je moet je nu niet druk maken. Duncan, Murdoc en de mannen zijn op jacht. Er zijn al twee herten en een tiental korhoenders in de koude provisiekast. Tegen oktober zul je voldoende hersteld zijn om weer met hen mee op jacht te gaan.' Ze lepelde de laatste bouillon in zijn mond. 'Zo, je hebt het allemaal opgegeten.' Ze tastte in de zak van haar jurk en haalde een van haar pillen te voorschijn. Ze zette de kom met de lepel erin opzij, en schonk een beetje wijn uit een karaf in zijn beker. 'Nu moet je deze pil innemen,' zei ze.

Hij nam de pil en slikte hem door met een slokje wijn, en gaf de beker aan haar terug. 'Een van je duivelse middeltjes?' plaagde hij haar zwakjes.

Adair knikte glimlachend.

'Waarom kan ik niet opstaan?' wilde hij weten.

'Je bent nog ziek, Conal, ook al is je koorts gezakt. Je borst is gevuld met kwalijke lichaamsvochten, en die moet je eerst kwijtraken. Ga nu liggen. Ik zal een beetje van deze zalf op je borst smeren.' Ze reikte naar de pot op zijn nachtkastje, opende het deksel en trok zijn nachthemd omhoog.

'Dat verdraaide spul stinkt,' klaagde hij toen ze zijn borst ermee insmeerde. 'Wat is het in hemelsnaam?' Haar hand op zijn borst voelde heerlijk aan, dacht hij vervolgens.

'Het zal je helpen om de ziekte uit je borst te hoesten,' zei ze toen ze klaar was. 'Ga nu maar slapen, Conal. Ik kom straks weer terug,' beloofde Adair, terwijl ze het deksel weer op de pot deed en hem op het nachtkastje zette. Ze was de kamer uit voordat hij nog meer kon protesteren. Ze haastte zich naar de keukens en waste de zalf van haar handen.

'Hoe is het met hem?' wilde Elsbeth weten.

'Hij ligt te klagen,' antwoordde Adair met een glimlachje.

'Dan heb je zijn ziekte verslagen,' constateerde Elsbeth.

'Nog niet helemaal, maar ik ben een eind op weg,' zei Adair.

Conal Bruce knapte dagelijks zienderogen op, en na enkele dagen stond Adair hem toe een paar uur in de grote zaal bij het vuur door te brengen. Tegen het einde van de maand was hij volledig hersteld en maakte hij plannen om de eerste dag van oktober met zijn broers mee op jacht te gaan. Adair had tijdens zijn ziekte niet zijn bed met hem gedeeld, en hij nam zich voor haar te vertellen dat ze die avond weer bij hem moest slapen.

Die heldere ochtend zaten ze in de grote zaal aan tafel. Flora en Grizel brachten brood en pap, zoete boter en kaas naar de zaal en zetten alles op tafel neer. De landheer vond dat het die ochtend zo stil was. De dienstmeiden hadden zich teruggetrokken, en zijn broers deden nauwelijks hun mond open. Hij luisterde of er in de verte het gerommel van een donderslag weerklonk, maar hij hoorde helemaal niets. Toen hij aanstalten maakte om de hal te verlaten, barstte het onweer los.

'Ik zal niet hier zijn wanneer je terugkeert, milord,' zei Adair rustig. 'Het is oktober, en mijn jaar en een dag van dienstbaarheid zijn voorbij. Ik zal terugkeren naar Stanton. Elsbeth heeft besloten bij je te blijven, en zowel Flora als Grizel zijn in staat je huishouding te regelen.' Ze maakte een buiging. 'Ik bedank je voor je vriendelijkheid.'

Conals mond viel open van verbazing. Maar toen ze zich omdraaide om weg te gaan, begon hij te schreeuwen. 'Wat bedoel je verdomme, jij helleveeg? Je kunt me niet verlaten. Ik geef je geen toestemming om te gaan!'

'Toestemming? Je geeft me geen toestemming om te gaan? Ik ben gedurende een jaar en een dag je slavin geweest, milord. Ik heb je naar behoren gediend, en nu ben ik vrij om te gaan. Ik mag gaan waarheen ik wil. Je hebt niets meer over me te zeggen, Conal. Helemaal niets.'

'Waarom wil je me verlaten?' vroeg de landheer, terwijl hij probeerde zijn woede en zijn wild kloppende hart te kalmeren.

'Waarom zou ik blijven?' vroeg ze zacht.

'Ik heb je een huwelijk aangeboden. Is dat geen eerbaar voorstel?' zei hij.

'Je wilt een onbetaalde huishoudster,' antwoordde ze.

'Dan zal ik je betalen om te blijven. Zes vierstuiverstukken per jaar, je kost en twee jurken,' bood de landheer haar aan. 'De munten zullen vandaag, de eerste oktober, worden betaald, en dat zal ik doen gedurende elk jaar dat je bij me blijft. Je mag de jurken maken wanneer je dat wilt, en je mag er de stoffen uit de voorraadkamer van de burcht voor gebruiken.'

'Je geeft dus toe dat je me alleen maar als huishoudster wilt hebben. Je beledigt me. Ik ben geboren als de gravin van Stanton, niet als huishoudster. Vaarwel, en een goede jacht, milord,' zei Adair boos.

'Hoe denk je terug te keren naar Stanton?' vroeg hij.

'Ik heb voeten,' zei ze bijtend. 'Het is me gelukt om zonder iemands hulp van Londen naar Stanton te komen.' Ze keek hem tartend aan.

'Je zult gedood worden, verkracht of nog erger,' zei hij. 'Een vrouw alleen die over de heuvels naar Engeland trekt. Heb je soms je verstand verloren? Je gaat nergens heen.'

'Conal, in de naam van alles wat heilig is, vertel Adair de waarheid,' smeekte Duncan de landheer. 'Zeg haar dat je van haar houdt, want het is voor iedereen in de burcht duidelijk dat je dat doet. En ze houdt van jou, maar ze is net zo koppig als jij en zal het niet toegeven.'

'Je kunt hem niet iets laten zeggen wat niet zo is, Duncan, want als ik één ding van je broer begrijp, is het dat hij een eervol man is. Hij houdt niet van me.'

De landheer was met stomheid geslagen. Hij wilde het haar zeggen. Hij wilde het uitschreeuwen dat hij van haar hield. Maar in het bijzijn van iedereen in de burcht? Zijn mannen? De bedienden die nu uit de keukens waren gekomen? Zijn broers? Ze zouden hem een dwaas vinden, en hij wilde niet als een dwaas overkomen. Hij bleef zwijgend staan.

Adair keek hem aan. Ze was boos, maar haar ogen vulden zich met tranen.

270

'Conal! Je kunt haar niet laten gaan,' riep Murdoc. 'Ze draagt je kind!'

De landheer van Cleit voelde zich alsof hij een enorme dreun in zijn maag had gekregen. Zijn woede explodeerde, en hij greep Adairs arm. 'Jij kreng! Je wilde me verlaten zonder me te vertellen dat je mijn kind draagt? Je weet dat ons kind de enige reden is waarom ik je nu niet ter plekke wurg, Adair.'

Ze sloeg hem zo hard mogelijk met haar vrije hand. 'Ons kind? Nee, milord. Jouw bastaard!' En toen ze hem nog een klap wilde geven, pakte hij haar pols in een ijzeren greep. 'Je doet me pijn!' gilde ze.

'Je zo vasthouden weerhoudt me ervan je te doden,' sneerde hij. 'Begrijp één ding, Adair. Je gaat nergens heen. Je bent van mij. Dat was je vanaf het eerste ogenblik dat we elkaar ontmoetten, en dat zal zo blijven. Ik heb je gevraagd met me te trouwen, en nu zul je het doen, want het kind zal niet zonder zijn naam worden geboren.'

'Ik zal niet met je trouwen, Conal, en je kunt me niet dwingen, want je houdt niet van me. En ik zal niet met een man trouwen die zo weinig om me geeft dat hij niet kan zeggen dat hij van me houdt, en het in het diepst van zijn hart meent.'

'Je gaat nergens heen,' zei hij voor de zoveelste keer. Daarna sleurde hij haar de zaal uit, en vervolgens de trap op naar hun slaapkamer. Hij dwong haar de kamer binnen te gaan, en sloot de deur achter haar, waarna hij de sleutel van zijn sleutelring nam en de deur op slot deed. 'We zullen dit verder bespreken wanneer ik terugkeer van de jacht,' zei hij.

'Er is niets te bespreken,' gilde ze hem achterna toen ze hem hoorde weglopen en naar beneden gaan.

Terug in de grote zaal wendde Conal zich tot zijn broers en bedienden. 'Ik heb de recalcitrante meid in mijn slaapkamer opgesloten. Elsbeth, noch jij, noch de anderen mogen tijdens mijn afwezigheid in de buurt van die deur komen. Laat Adairs woede maar rustig een beetje bekoelen. Ik verwacht dat ze tegen de avond wel weer voor rede vatbaar zal zijn.'

'Het is waarschijnlijker dat haar hart zich verder voor u zal hebben verhard, milord,' zei Elsbeth. 'Waarom zegt u haar niet gewoon dat u van haar houdt?'

'Waarom denk je dat ik van haar houd?' vroeg hij haar.

Elsbeth snoof verontwaardigd, terwijl Flora en Grizel beiden een brede glimlach op hun gezicht vertoonden.

Achter zich hoorde hij zijn twee broers grinniken, en hij voelde dat zijn mannen grijnsden. 'Ze zal uiteindelijk kalmeren,' zei Conal. 'Ze wil vast niet dat ons kind net als zij aan de verkeerde kant van de deken wordt geboren.'

'Ze wist tot haar zesde jaar niets van haar ware verwekker,' hielp Elsbeth hem herinneren. 'Ze heeft zich nooit een bastaardkind gevoeld, want John Radcliffe hield heel veel van haar. Ze was zijn dochter, ongeacht wie haar moeder zwanger had gemaakt. Ze begrijpt niet echt wat het inhoudt om een bastaardkind te zijn, omdat dat nooit nodig was aangezien ze zelfs een groot deel van haar leven in de koninklijke kinderkamer is opgegroeid.'

'Mijn kinderen zullen niet als bastaard worden geboren,' zei de landheer. 'Ze draagt mijn kind. Ik ben bereid met haar te trouwen. De priester zal het huwelijk inzegenen, eventueel bij volmacht.'

Maar Adair was niet tot bedaren gekomen. Ze wilde niet eens met Conal praten nadat hij was teruggekeerd van de jacht en haar uit haar gevangenschap bevrijdde. Ze stampte de trap af naar de grote zaal, at haar maaltijd en ging vervolgens naar de keukens. Toen de andere bedienden zich in hun verblijf op zolder hadden teruggetrokken, zat Conal grimmig in de grote zaal op Adair te wachten. Toen ze ten slotte kwam, negeerde ze hem terwijl ze haar avondlijke taken uitvoerde. Daarna maakte ze aanstalten om terug te keren naar de keukens.

'Waar denk je verdomme naartoe te gaan?' vroeg hij haar.

'Ik heb mijn plichten voor vandaag vervuld,' zei ze. 'Ik ga nu naar bed.'

'Je slaapt bij mij, Adair,' zei hij heftig.

'Je hebt niet gezegd dat slapen met jou deel zou uitmaken van mijn plichten in ruil voor de zes vierstuiverstukken per jaar die ik betaald zal krijgen,' antwoordde ze liefjes. 'Ik wil minstens tien vierstuiverstukken als ik je op regelmatige basis moet neuken. En je hebt me de munten voor het komende jaar nog niet eens gegeven,' hielp ze hem herinneren. Ze hield haar geopende hand voor hem op.

'Dan ben je dus van plan te blijven,' concludeerde hij, terwijl hij haar vraag om betaling negeerde.

'Elsbeth heeft me er vanavond van overtuigd dat het niet verstandig is om nu in mijn conditie die hele afstand naar Stanton te lopen. En ik heb bedacht dat ik de uitdrukking op je gezicht wil zien wanneer je bastaard wordt geboren. Vooral als het kind in mijn schoot een jongen is. Je hebt, geloof ik, geen andere bastaarden rondlopen?' vroeg ze venijnig.

Conal knarsetandde. 'Nee, die heb ik niet,' zei hij. 'Althans, niet dat ik weet.'

'Dan zal dit je eerste zijn,' zei ze. 'Wat opwindend voor je. Ik heb gehoord dat het een hele gebeurtenis is voor een man om zijn eerste bastaard te krijgen.'

'Ik zal je ondanks het kind misschien toch doden,' beet hij haar toe. 'Ga nu naar boven, naar onze slaapkamer!'

In bed draaide ze haar rug naar hem toe. Hij begon niet over de kwestie, hoewel hij ernaar verlangde haar vast te houden en te strelen, haar te kussen en haar met zijn wellust te vullen.

De volgende ochtend bezocht hij de priester in het nabijgelegen dorp en legde hem zijn probleem voor.

De priester schudde zijn hoofd. 'Als ze u niet wil hebben, milord, is er weinig wat ik kan doen om haar te dwingen. Als ze een voogd had, zou het een andere zaak zijn, want dan zou hij de beslissing kunnen nemen.'

De landheer dacht een poosje na en vroeg toen: 'Wie zou haar voogd kunnen zijn?'

'De lady is geen kind meer, maar als u in staat zou zijn een bloedverwant te vinden, dan kunt via hem een huwelijk met haar tot stand brengen.'

De landheer dacht de volgende paar dagen over deze kwestie na. Het was zijn broer, Duncan Armstrong, die ten slotte met de oplossing kwam.

'Adair is de dochter van koning Edward,' zei Duncan. 'Koning Edward is de vierde nakomeling van koning Edward de derde. Een andere nakomeling van hem is uitgehuwelijkt aan onze koning James de eerste. Dit betekent dat Adair en prins James een bloedband hebben. De prins heeft de juiste leeftijd. Zou hij niet als Adairs voogd kunnen worden aangesteld? En als dat mogelijk zou zijn, zou hij dan als Adairs wettelijke voogd een huwelijksovereenkomst tussen jou en Adair kunnen regelen? Het verwantschap is op zijn best natuurlijk vaag, maar het is desondanks een bloedband,' besloot Duncan.

'Als ik de prins om een gunst vraag,' antwoordde Conal, 'dan ben ik hem in ruil daarvoor een gunst verschuldigd. Er broeien moeilijkheden tussen de koning en zijn edellieden.'

'Die moeilijkheden broeien al jaren,' merkte Duncan op. 'De koning zal misschien niet veel langer in staat zijn op de troon te blijven. Schotland heeft een sterke leider nodig. Deze James Stewart is niet zoals zijn vader was. Maar zijn zoon is een combinatie van zowel zijn vader als zijn grootvader. Net als deze koning is hij een opgeleid man, maar in tegenstelling tot deze koning spreekt hij de taal van de Hooglanden en is hij een goede atleet. Hij is een soldaat, en een groot liefhebber van vrouwen. Hij versmaadt het gezelschap van de graven niet. Onze prins is de man die we als koning willen hebben.'

'Maar de koning leeft nog, en hij verkeert in goede gezondheid,' zei Conal.

'De koning leeft, maar hij rouwt intens om koningin Margaret. Hij heeft zich in Stirling opgesloten en weigert beslissingen te nemen. Vroeg of laat zullen de clans hem dwingen afstand van de troon te doen om zijn zoon zijn plaats te laten innemen,' zei Duncan. 'Maar als ze denken dat ze over de jongen kunnen heersen, hebben ze het mis. De prins zal de koning zijn.'

'En in ruil voor de gunst die ik van hem vraag, zal ik me aan prins James verplichten. Wat als er van mij wordt verwacht dat ik me bij hem voeg wanneer de graven beslissen de koning te vervangen? Wat als ze hun gok op het verkeerde moment nemen, en verliezen, en ik een samenzweerder word genoemd?'

'Het leven is nu eenmaal een gok,' zei Duncan droog. 'Je moet beslissen wat je het liefste wilt, Conal. Wil je dat je kind wettig wordt geboren? Of kies je ervoor je hier op Cleit te verstoppen, geen risico's te nemen en te geloven dat je veilig bent? Veilig tegen wat?'

'Weet je waar prins James nu is?' vroeg de landheer. Hij was gekwetst door de scherpe woorden van zijn broer.

'Ja, hij is op Hailes, bij Hepburn,' zei Duncan. 'Wil je dat ik naar hem toe ga en zijn hulp vraag?'

'We zullen samen gaan,' antwoordde Conal.

'Ben je niet bang om Adair alleen te laten?' vroeg Duncan.

'Adair gaat nergens heen. Murdoc zal haar aangenaam bezighouden, en Elsbeth zal ervoor zorgen dat ze geen dwaze dingen doet,' zei Conal. 'We zullen morgen vertrekken.'

Duncan knikte. 'Ja, je doet er goed aan nu te gaan. Hoe eerder hoe beter. Ze is echt de perfecte vrouw voor je.' Hij grinnikte.

'Die helleveeg? Je hebt vreemde ideeën, grote broer,' zei de landheer. 'Ik wil haar alleen hebben omdat ze mijn kind draagt.'

'Je bent een slechte leugenaar, Conal,' zei Duncan. 'Je houdt van haar, en zij houdt van jou. Ik begrijp niet waarom jullie dat geen van beiden kunnen toegeven. Tijdens je ziekte heeft ze je als een kind verzorgd. Ze verliet zelden je kamer, en heeft gedurende die periode amper geslapen. Ik zal blij zijn wanneer jullie twee tot een vreedzame overeenkomst komen.'

Conal Bruce kondigde die avond aan dat hij Cleit de volgende ochtend voor enkele dagen zou verlaten. 'Duncan gaat met me mee. Murdoc zal de leiding over de burcht hebben. Adair, je bent misschien wel van plan de burcht te ontvluchten, maar mocht je een poging ondernemen, dan heeft Murdoc de opdracht je in onze slaapkamer op te sluiten. Begrijp je me?'

Ze keek hem aan. 'Waar zou ik naartoe moeten gaan? Elsbeth verzekert me voortdurend dat Stanton er niet meer is. Het enige wat ik tegenwoordig wil, is slapen. Ik ben verzwakt door het vele overgeven, en ik kan nauwelijks een hap eten binnenhouden. Ik ben dus bepaald niet in staat mijn gevangenis te ontvluchten, milord.'

'Begrijp je me?' herhaalde hij.

'Ja, ik begrijp je,' bitste ze. 'Waar ga je naartoe?'

'Duncan en ik hebben op Hailes iets te regelen,' antwoordde hij.

Ze vroeg niets meer en begaf zich naar de slaapkamer.

Toen hij de volgende ochtend vertrok, liet hij haar slapend achter. Tegen zonsondergang bereikten Conal en Duncan de burcht van de Hepburns, waar ze zich in de grote zaal bij Patrick Hepburn en prins James voegden, en een maaltijd kregen aangeboden.

'Waarmee kan ik u helpen, milord?' vroeg de jonge James

Stewart nadat Conal had verteld hoe de zaken er voor stonden tussen Adair en hem.

'De priester heeft me gezegd dat als er een bloedverwant van Adair kan worden gevonden, en hij in een huwelijk tussen ons zou toestemmen, zij dat zou moeten accepteren. En aangezien uwe hoogheid en Adair in de verte met elkaar verwant zijn, zou u haar wettige voogd kunnen worden.'

Hepburn van Hailes floot zachtjes. 'Ik had nooit gedacht dat je in staat zou zijn zo'n duivels plan uit te broeden, Conal,' zei hij bewonderend, waarna ook de prins zijn bewondering uitsprak.

'Eigenlijk heeft mijn broer, Duncan Armstrong, me erop attent gemaakt, uwe hoogheid,' zei hij tegen de prins.

'Het doet er niet toe,' zei de prins. 'Hoewel de verwantschap tussen de lady en mij op zijn best vaag is, bestaat hij wel degelijk. Ik ken een priester in Jedburgh die zich met de wet bezighoudt. Laten we eens zien wat hij over de kwestie te zeggen heeft. We zullen er morgen naartoe gaan.' Hij wendde zich tot Patrick Hepburn. 'Wat heb jij erop te zeggen, milord?'

Patrick Hepburn knikte. 'Het kan geen kwaad die priester een bezoekje te brengen. Mijn vrouw hoeft het niet te weten,' zei hij grinnikend.

De volgende dag vertrokken de vier mannen, in het gezelschap van twintig clansmannen van de Hepburns, naar Jedburgh. De landheer, Duncan en de prins bezochten de priester, die in een huisje aan de rand van de stad woonde. Hij knielde, en drukte een kus op de hand van de prins.

'Hoe kan ik dienen, uwe hoogheid?' vroeg hij, nadat hij overeind was gekomen.

'Dit is Conal Bruce, de landheer van Cleit, die mijn vriend is, Vader Walter. Hij heeft me gevraagd hem bij een moeilijke kwestie te helpen, die misschien uw kennis van de wet vereist,' zei de prins, en vervolgens vertelde hij hoe de situatie tussen Adair en Conal ervoor stond. 'Het meisje is recalcitrant, goede Vader,' vervolgde hij. 'Ze wil niet op het aanzoek van de landheer ingaan, maar dat is nodig voor het welzijn van het kind. Zou ik misschien de wettige voogd van de lady kunnen worden, omdat we in de verte aan elkaar verwant zijn, en het huwelijk tussen de landheer en haar regelen, al was het maar voor het welzijn van de onsterfelijke ziel van het kind?'

276

Vader Walter dacht geruime tijd na voordat hij zei: 'Verklaar me de lijn van uw beider afstamming, uwe hoogheid. Als ik niet precies weet hoe het zit, kan ik geen goed antwoord op uw verzoek geven.'

De prins legde de priester uit hoe Adair en hij in de verte aan elkaar verwant waren, en toen hij klaar was, zei de priester: 'Het is inderdaad een vage connectie, uwe hoogheid, maar ik begrijp uit uw verhaal dat de lady, net als alle vrouwen trouwens, beschermd moet worden tegen haar eigen dwaze en onhandelbare gedrag. Ja, ze moet een voogd hebben die een verstandige beslissing voor haar neemt. Als ze het niet voor haar eigen bestwil accepteert, zullen haar moederlijke gevoelens haar ertoe aanzetten dat ze dat voor haar kind doet. Vooral gezien het feit dat ze zelf een bastaard is.' Hij wendde zich tot de landheer. 'En hoewel u zeker moet boeten voor uw lusten, milord van Cleit, draag ik u op de verantwoordelijkheid voor uw ongeboren kind en de zwakke vrouw die zijn moeder is te accepteren. Aarzel niet haar regelmatig te slaan wanneer u eenmaal getrouwd bent. De Bijbel raadt het aan. Het is voor haar eigen bestwil, en ze zal een betere en gehoorzamer vrouw voor u zijn. Ik zal de papieren opmaken, uwe hoogheid. Wanneer u over een paar uur terugkomt, zal ik ervoor zorgen dat ze klaarliggen.'

Eenmaal weer buiten op straat barstte de prins in lachen uit. 'Als je haar ooit slaat, vermoed ik dat ze je bij de eerste de beste gelegenheid zal doden,' zei hij grinnikend tegen Conal.

De landheer knikte. 'Ja, dat zou ze waarschijnlijk doen,' beaamde hij.

'Ik ben altijd weer verbaasd dat mannen van de geestelijkheid die niets met vrouwen te maken hebben, schijnen te weten hoe ze moeten worden behandeld,' zei Duncan Armstrong.

'Ja, ze vergeten dat ze zelf ook uit een vrouwenlichaam in de wereld zijn gekomen,' zei de prins. 'Desondanks, als Vader Walter zegt dat de overeenkomst die hij opmaakt, legaal is, dan is dat zo.'

De drie mannen voegden zich in de taveerne bij de clansmannen van de Hepburns, waar ze aten en dronken tot het tijd was om terug te gaan naar Vader Walter. Hij had twee documenten uitgespreid op de tafel voor zich liggen. Het eerste gaf de prins zeggenschap over zijn bloedverwant, Adair Radcliffe van Stanton. De lijn van hun afkomst was zorgvuldig weergegeven. Het document werd ondertekend door Vader Walter, en daarna door de prins, en bezegeld met de ambtelijke ring van de priester. Het tweede document was een huwelijkscontract tussen Conal Bruce en Adair Radcliffe, dat werd bekrachtigd door haar voogd, prins James.

Verscheidene dagen later keerde de landheer van Cleit in het gezelschap van de prins, Patrick Hepburn van Hailes en zijn oudste broer, terug naar huis. Hij werd begroet door Murdoc.

'Alles is rustig geweest,' vertelde Murdoc hem. 'En Adair is niet boos op me. Ik heb echt van haar gezelschap genoten,' voegde hij eraan toe.

'Ze zal echter wel boos op mij blijven,' zei Conal tegen zijn jongste broer. 'Vooral als ze hoort wat ik heb gedaan.' En daarna legde hij Murdoc uit hoe hij het voor elkaar had gekregen dat Adair niet meer onder zijn huwelijksaanzoek uit kon.

Murdocs blauwe ogen keken bezorgd. 'Als je haar dwingt, zal ze het je nooit vergeven.'

'Wat voor andere keus heb ik dan? Wil je soms dat mijn zoon als bastaard wordt geboren?' vroeg de landheer.

'Nee, maar kun je niet nog een poosje wachten?' vroeg Murdoc. 'Misschien kun je haar op andere gedachten brengen. Het enige wat je hoeft te doen, is haar de waarheid zeggen. Dat je van haar houdt.'

'Geloof je zelf dat ze mijn woord zou accepteren?' zei Conal.

Murdoc keek verslagen. 'Ik wil niet dat Adair boos op je blijft, Conal. Het kan niet goed zijn voor het kind dat ze draagt.'

En toen verscheen het onderwerp van hun gesprek in de grote zaal. De jonge prins dacht dat Adair waarschijnlijk een van de mooiste vrouwen was die hij ooit had gezien. Hij benijdde Conal Bruce, maar de waarheid was dat hij, als ze niet zwanger was geweest, misschien wel zou hebben overwogen een poging te wagen om haar van de landheer te stelen. Ik zou niet hebben geaarzeld haar te vertellen dat ik van haar hield, concludeerde James Stewart. En uiteindelijk zou dat misschien de waarheid zijn geweest. Hij glimlachte uitnodigend naar haar toen ze dichterbij kwam om hem te begroeten.

'Welkom op Cleit, uwe hoogheid,' zei ze, en maakte een buiging.

'Dank u, vrouwe. Ik heb interessant nieuws voor u, waarvan ik hoop dat het u zal verheugen,' zei James Stewart. Hij zou het haar vertellen. Hij was niet van plan om Conals jongste broer de kans te geven de landheer uit zijn hoofd te praten wat hij moest doen. De prins wist genoeg over vrouwen om te weten dat Adair over twee maanden veel bozer zou zijn dan wanneer ze vandaag de waarheid zou horen.

'De dag was grauw, en uw rit koud. Komt u bij het vuur zitten, en ik zal u persoonlijk wat wijn brengen,' zei Adair. Ze maakte het hem gemakkelijk en haalde een bokaal wijn voor de prins, en zag dat Conal naast hem kwam staan. 'Wil je ook wijn, milord?' vroeg ze kil, en zonder op zijn antwoord te wachten, bracht ze hem eveneens een bokaal wijn. Daarna glimlachte ze naar de prins en vroeg hem: 'Wat voor nieuws brengt u me?'

'Ik heb ontdekt, vrouwe, dat u en ik bloedverwanten zijn. We stammen beiden af van koning Edward de derde via drie van zijn zoons. Aangezien dat het geval is, zal ik u nicht noemen.'

'Ik ben vereerd wanneer u dat doet, uwe hoogheid,' antwoordde Adair glimlachend, maar er was nog iets anders. Ze voelde het.

'Uw vader en hij die u vader noemde zijn beiden dood, nicht. U heeft geen broers, en geen andere mannelijke nog levende verwanten in Engeland. Het ziet er nu naar uit dat uw enige verwanten hier in Schotland zijn.'

'Milord!' riep ze uit.

De prins stak een hand op waarmee hij haar tot stilte maande.

Adair, opgevoed aan een koninklijk hof, reageerde zoals haar was geleerd. Jezus, dacht ze, ik ben maar weinig beter dan Bessie.

'Als uw mannelijke verwant heb ik stappen ondernomen om uw voogd te worden,' vervolgde de prins. 'De legaliteiten zijn enkele dagen geleden in Jedburgh goedgekeurd.'

'Ik ben te oud om een voogd te hebben,' protesteerde Adair. 'En volgens mij bent u te jong om voogd te zijn.'

'Geen enkele vrouw is te oud om een voogd te hebben,' antwoordde de prins, 'vooral niet wanneer ze toegeeft aan koppigheid, nicht. De landheer van Cleit heeft u een eerbaar huwelijksaanzoek gedaan, wat u heeft afgeslagen, zelfs nu u zijn kind draagt. Ik kan u niet toestaan dat u in een opwelling van vrouwelijke gepikeerdheid dit kind opzettelijk opzadelt met de smet van bastaardij. U zult met Conal Bruce trouwen. Het contract is opgemaakt en ondertekend. Er rest nog slechts een bezoek aan de priester, dat morgen zal plaatsvinden. Ik zal blijven om getuige te zijn van de huwelijksplechtigheden, evenals milord Hepburn.'

Adair was sprakeloos, zowel van verbazing als van schrik. Ze had nooit gedacht dat haar leven op een dergelijke manier ondersteboven kon worden gekeerd zonder dat er rekening werd gehouden met haar gevoelens. Maar vanaf het moment dat ze meer dan een jaar geleden over de grens werd gebracht, was er in feite niets gegaan zoals ze had verwacht. 'Ik kan niet trouwen met een man die niet van me houdt,' protesteerde ze zwakjes.

'Hij houdt van u, maar het schijnt dat hij niet in staat is de woorden hardop te zeggen,' antwoordde de prins vriendelijk. Hij mocht dan jong zijn, maar James Stewart kende een vrouwenhart beter dan mannen die twee keer zo oud waren als hij, zoals bijvoorbeeld Conal Bruce.

Adair keek op naar Conal. 'Wil je dit doen? Wil je me dwingen met je te trouwen?'

'Je laat me geen keus, mijn honnepon,' zei hij.

Adair schudde vermoeid haar hoofd. 'Vier woorden, milord, en ik zou bereid zijn uit vrije wil met je te trouwen. Graag zelfs! Maar als je ze nu zou zeggen, kan ik er nooit zeker van zijn dat je ze echt meende. Je hebt mijn instemming met dit huwelijk niet meer nodig, en dat zal ik je nooit vergeven.'

'Je beschuldigt me ervan dat ik ongevoelig ben, Adair, en hoewel ik die woorden nooit tegen je heb gezegd, heb je ze evenmin tegen mij gezegd,' antwoordde de landheer. 'Houd je van me, mijn honnepon? Is het waar?'

Ze keek hem recht in de ogen. Haar eigen ogen vulden zich met tranen. 'Ja,' zei ze, 'ik houd van je, Conal. Voor de eerste keer in mijn leven houd ik met heel mijn hart en zonder enige reserve van een man. Het doet me verdriet dat je niet van mij kunt houden.' Daarna draaide ze zich om, en tot de grote verbazing van de mannen in de hal, verliet ze hen met opgeheven hoofd.

Ten slotte vloekte de landheer zacht. 'Jezus, ik kan haar er niet toe dwingen,' zei hij.

'Als je haar morgen niet naar de priester brengt, zal het haar er alleen maar van overtuigen dat je echt niet van haar houdt,' zei Duncan, en de anderen knikten instemmend. 'Het zal tijd kosten en heel veel geduld van jouw kant, maar ze zal het je uiteindelijk vergeven.'

'Ik hoop het,' zei Conal, 'want ik houd met heel mijn hart van die lastige meid.'

'Je bent een verdraaide dwaas, broer,' zei Duncan, en de anderen knikten wederom instemmend.

14

*O*ndanks de sussende woorden van Elsbeth kon Adair niet ophouden met huilen. 'Je zult het kind schade berokkenen als je zo doorgaat, mijn kind. Wees nou maar blij dat je kind een naam zal krijgen, mijn kuikentje.'

'Hij houdt niet van me,' snikte Adair, terwijl ze met haar vuisten op de kussens van haar bed stompte.

Elsbeth knarsetandde. 'Hij houdt wel van je, en je weet dat het zo is!' beet ze de jonge vrouw toe. 'Het is spijtig dat het die grote grensbruut niet lukt je aan te kijken en je die vier woordjes te zeggen. Maar hij kan het schijnbaar niet. Desondanks verandert dat niets aan zijn gevoelens voor jou, mijn kuikentje. Waarom zou hij anders zoveel moeite doen om met je te kunnen trouwen?'

'Wat voor moeite?' snufte Adair.

'Naar prins James gaan en een bloedband in elkaar flansen?' Ze giechelde. 'Ik zie hierin de subtiele hand van Duncan Armstrong. Jouw man had niet de wijsheid om die connectie te ontdekken, maar zijn oudere broer wel. Maar zodra de landheer een beetje hoop zag gloren, is hij rechtstreeks naar de prins gegaan om die hoop werkelijkheid te maken. Als dat geen liefde is, dan weet ik niet wat het wel is,' zei Elsbeth.

'Hij wil alleen dat zijn kind legitiem wordt geboren,' zei Adair, nog nasnuffend.

'Hij had het kind gemakkelijk na de geboorte kunnen legitimeren,' zei Elsbeth. 'Maar hij wil bovenal de moeder hebben, mijn kind. Hij houdt van je.'

'Ik kan het niet geloven, tenzij hij het me zelf zegt,' antwoordde Adair. Ze was zo moe, en ze voelde zich heel zwak. Alle vechtlust had haar plotseling verlaten. Ze draaide zich op haar rug en deed haar ogen dicht. 'Ik moet slapen, Juffie.'

Elsbeth bleef op de rand van het bed bij Adair zitten tot ze er zeker van was dat haar meesteres in diepe slaap was. Daarna stond ze op en keerde terug naar de grote zaal, waar de vijf mannen nu aan de maaltijd zaten. De stemming was bedrukt.

'Is er niet genoeg?' vroeg ze aan de landheer. 'Is er iets mis met het voedsel, milord?'

'Alles is uitstekend, Elsbeth. Hoe is het met Adair?' wilde hij weten.

'Ze slaapt nu, milord, en ik geloof dat ze de hele nacht zal blijven slapen. Ik ga voorbereidingen treffen voor het huwelijksfeest. Wanneer bent u van plan morgen naar de kerk te gaan, milord?'

'Ik laat de priester hierheen komen zodat het misschien makkelijker voor Adair zal zijn,' zei hij.

Maar Elsbeth schudde haar hoofd en klakte afkeurend met haar tong. 'Nee, milord. U moet haar op uw paard nemen en met haar naar de kerk rijden zodat iedereen het kan zien, anders zal ze geloven dat u zich ervoor schaamt dat u haar tot uw vrouw maakt. En u moet voor het altaar met haar trouwen waar iedereen die de kerk binnenkomt er getuige van kan zijn. Daarna zet u haar weer op uw paard en rijdt met haar terug naar de burcht om de bruiloft te vieren.'

De prins knikte instemmend. 'Ja, Conal. Vrouwen hechten erg aan dat soort openbare vertoningen. Ze zal er misschien niets van zeggen, maar ze zal het waarderen dat je haar openlijk tot je vrouw neemt.'

Patrick Hepburn grinnikte. 'Die jongen is nauwelijks uit de leibanden, maar zijn kennis van vrouwen is fenomenaal.'

De mannen rond de tafel barstten allemaal in lachen uit.

'Ik ga nu het huwelijksfeest voorbereiden, milord,' zei Elsbeth met een buiging.

'Zijn er nog bloemen in Adairs tuin?' vroeg de landheer.

'Een paar bij de zuidelijke muur,' antwoordde de vrouw.

'Ga je een bruidskrans voor haar hoofd maken?' vroeg de landheer.

Zijn metgezellen grinnikten en knipoogden naar elkaar.

'Wees voorzichtig, broer. Straks zeg je nog die verdraaide woorden tegen Adair als je zo liefdevol doorgaat,' plaagde Duncan hem.

Elsbeth giechelde. 'Ik zal ervoor zorgen, milord,' beloofde ze, en daarna haastte ze zich de zaal uit. In de keukens zaten Flora en Grizel op haar te wachten. 'Er zal morgen een huwelijk plaatsvinden,' kondigde Elsbeth aan. 'Jack,' riep ze vervolgens naar Flora's zoon, die meteen uit de provisiekamer kwam, waar hij messen had zitten slijpen.

'Ja, meesteres?' zei hij.

'Morgenochtend moet je bloemen gaan plukken voor Adairs bruidskrans, jongen. Je moet vroeg gaan, want je moeder zal de krans gaan maken. Mijn vingers zijn te knokig en te stijf voor dergelijk werk. Het huwelijk zal halverwege de ochtend plaatsvinden. Adairs jurk heeft de kleur van lavendel, pluk dus bloemen die daarbij passen,' droeg ze hem op.

De jongen knikte en ging terug naar de messen, terwijl Elsbeth, Flora en Grizel aan de voorbereidingen voor het feest begonnen.

Het was een heldere en stralende oktoberdag toen de zon de volgende ochtend opkwam. De mannen in de grote zaal werden het eerst bediend, en de landheer was verheugd toen hij het feestelijke en uitgebreide ontbijt zag dat op tafel was klaargezet. In het besef dat Adair de vorige avond erg van streek was geweest, was hij pas laat naar bed gegaan, en vroeg opgestaan terwijl zij nog sliep. Hij wilde vandaag geen woordenwisselingen met haar hebben als hij die kon vermijden.

Adair sliep nog steeds toen Elsbeth de slaapkamer binnenkwam. Ze zette het dienblad dat ze bij zich had op de eiken tafel bij het raam, en schudde zachtjes aan Adairs schouder. 'Wakker worden, mijn kind. Het is je huwelijksdag, en het is een prachtige dag. Ik denk dat het een goed voorteken is,' zei ze opgewekt.

Adair kon aanvankelijk amper haar ogen open krijgen, maar uiteindelijk lukte het haar ze open te houden. Ze voelde zich nog steeds vermoeid en zwak. 'Mijn huwelijksdag,' zei ze lusteloos. 'Een derde echtgenoot. Laten we hopen dat deze langer blijft dan de anderen.'

'Je bent dus bereid Conal Bruce als je man te aanvaarden?' vroeg Elsbeth. 'Goed! Nu ben je verstandig, en ik beloof je dat alles goed komt, mijn kuikentje. Hier is je ontbijt. Eet terwijl het nog warm is.' Ze bracht het dienblad naar Adair en zette het op haar schoot. 'De mannen zitten in de grote zaal te ontbijten, en het huwelijksfeest is voorbereid.'

Adair schonk haar een zwak lachje. 'En wat moet ik aantrekken?'

'Die prachtige, lavendelkleurige wollen jurk die we deze zomer hebben gemaakt,' zei Elsbeth enthousiast. 'Jack heeft wat bloemen geplukt, en Flora heeft er een fraaie bruidskrans van gevlochten die je op je hoofd moet zetten.'

Adair begon weer te huilen. 'Wat mankeert me toch, Juffie? Ik moet de laatste tijd om het minste of geringste huilen,' snikte ze.

Elsbeth zette het blad opzij en sloeg haar armen om Adair heen om haar te troosten. 'Dat is heel normaal voor een vrouw die een kind in haar buik draagt, mijn kuikentje. Ze huilen, ze gaan tekeer, ze zijn euforisch, en dat allemaal zonder reden. Maar het gaat voorbij, dat beloof ik je. Eet nu je ontbijt,' zei ze, en zette het blad weer terug.

Nadat Adair wat brood met gebakken spek had gegeten en er de aangelengde wijn bij had gedronken, hielp Elsbeth haar met wassen en aankleden. De jurk had strakke mouwen en viel van onder haar borsten wijd en recht naar beneden.

'De jurk zit zo strak,' klaagde Adair.

Elsbeth bekeek haar kritisch, en toen zag ze het. Adairs borsten waren inderdaad veel groter geworden nu ze een kind verwachtte. 'Sta eens even stil,' zei ze, en haalde vervolgens onder Adairs armen enkele steken los. 'Zo, is dat beter, mijn kuikentje?'

Adair haalde diep adem en knikte. 'Ik hoop dat de jurk niet uit zijn naden barst voordat de dag voorbij is, Juffie,' merkte ze op.

Voordat Elsbeth kon antwoorden, ging de deur van de slaapkamer open en de landheer kwam binnen. 'Ga nu maar naar beneden, Elsbeth. Ik zal mijn bruid op tijd naar de grote zaal brengen.' Daarna richtte hij zich tot Adair. 'Ik heb je bruidskrans meegebracht,' zei hij, en overhandigde haar de krans. 'Ik zie dat je haar nog niet is gedaan. Ga maar zitten, dan zal ik het voor je borstelen.'

Ze wist niet wat ze tegen hem moest zeggen. Ze had het allemaal al gezegd. Zwijgend ging ze zitten en gaf hem haar perenhouten borstel die hij op de zomermarkt voor haar had gekocht. Hij borstelde de lange lokken. 'Hoe wil je het opmaken?' vroeg hij.

'Zoals altijd, in een lange vlecht,' antwoordde ze.

'Laat mij het maar doen. Ik heb je vaak genoeg bezig gezien en ik denk dat ik het wel kan,' zei Conal. Toen hij klaar was, plaatste hij de krans op haar hoofd en deed een stapje achteruit om het effect te bewonderen. 'Zo, nu ben je klaar, en ik ben klaar om je naar de priester te brengen.' Hij trok haar overeind en tegen zich aan.

Adairs hand was ijskoud. Het volgende moment besefte ze dat wanneer ze eenmaal met Conal Bruce getrouwd was, de lady van Stanton niet meer zou bestaan. Maar Stanton zelf bestond allang niet meer. Ze dacht terug aan William Douglas en de dag dat hij haar huis kwam plunderen en haar had meegenomen. Ze had misschien verkocht kunnen worden aan een bordeel om tot haar dood door mannen te worden gebruikt, maar toen had Conal haar gekocht, en nu zou ze zijn vrouw worden. In feite was het lot haar bij nader inzien gunstig gezind. 'Ik ben klaar om naar beneden te gaan,' zei ze rustig.

Hij leidde haar de trap af en daarna naar de binnenplaats, waar hij haar voor zich in het zadel zette. Ze verlieten de binnenplaats van de burcht. Prins James, Patrick Hepburn en de broers van de landheer reden voor hen, en achter hen volgden de clansmannen van Bruce en daarachter Elsbeth, Grizel en Flora. Er stond een lichte bries, maar de zon scheen helder, en de lucht was strakblauw.

Het was opwindend, dacht Adair, om op zo'n mooie dag in de armen van haar minnaar te rijden. En hij was duidelijk trots op haar, want iedereen kon de stoet voorbij zien trekken. Hij schaamde zich er niet voor dat zijn bruid Engels was, of dat ze zijn bediende was geweest. Hij toonde openlijk zijn liefde voor haar. Liefde? Ja, liefde! Hij hield van haar! Zou hij anders met zoveel vertoon met haar naar de kerk rijden? Ze glimlachte voor zich uit.

Ze bereikten het dorp over de heuvel, en toen ze bij de kleine, stenen kerk kwamen, stopten ze. De priester stond hen bij de deur op te wachten. De landheer steeg af en tilde Adair uit het zadel. De priester zegende hen en leidde hen de kerk binnen die bevolkt was met dorpelingen. Elsbeth zag dat er voor haar en haar groepje geen plaats meer was, maar toen kwam er een knappe vrouw van onbestemde leeftijd naar voren en leidde hen naar de eerste rij banken, waar plaats voor hen werd gemaakt zodat ze alles goed konden zien.

'Dank u, vrouwe,' zei Elsbeth.

'Agnes Carr,' antwoordde de vrouw.

Elsbeth knikte. 'Elsbeth Radcliffe,' stelde ze zich voor. Ze had, evenals haar metgezellen, over Agnes en haar hartelijke manier van doen gehoord. En die hartelijkheid was kennelijk niet alleen bestemd voor de mannen in haar leven, concludeerde Elsbeth. Ze knikte vriendelijk naar Agnes, en wendde zich toen naar Adair en Conal, die nu voor de dorpspriester stonden.

Prins James had als wettige voogd van de bruid de plicht Adair nu aan het voogdijschap van haar echtgenoot over te dragen. Hij deed het, maakte een elegante buiging voor Adair en kuste haar vervolgens op de wang. De ceremonie was snel achter de rug, want er werd geen mis gehouden. Aangezien het de laatste tijd voor Adair te zwaar was om gedurende langere tijd achtereen te staan, had de landheer daar rekening mee gehouden. Nadat ze voor God en de wet van Schotland tot man en vrouw waren verklaard, draaide het kersverse paar zich om en begaf zich naar de uitgang van de kerk.

'Het lijkt nauwelijks al die drukte waard,' zei Agnes Carr giechelend tegen Elsbeth. 'Ze is een liefje, je meesteres. En aan de uitdrukking op het gezicht van de landheer te zien, heeft hij haar niet alleen een dikke buik gegeven. Hij houdt van haar, en ik kan je vertellen dat hij nog nooit van een meisje heeft gehouden.'

'Ze houdt ook van hem,' zei Elsbeth. Nu had ze een roddeltje gehoord waarmee ze Adair een beetje kon opvrolijken als ze weer eens in huilen uitbarstte.

'Agnes, mijn meisje.' Duncan Armstrong legde een arm rond de schouders van de vrouw. 'Kom mee om een heel speciale persoon te ontmoeten,' zei hij met een brede grijns.

'Jij en je broer kunnen het best met de prins mee naar de burcht gaan, waar het feest zal worden gehouden,' zei Elsbeth streng. Daarna wendde ze zich tot Agnes. 'Ga met ons mee, vrouwe Carr, en voeg je bij het feest. Je kunt de prins op de burcht ontmoeten.' Haar blik daagde Duncan uit om ertegenin te gaan, en hij lachte.

'We gaan nu mee, Elsbeth,' beloofde hij haar. 'Je bent een felle, oude draak, maar je kookt als een engel. Ik zou zelf met je trouwen als je me zou willen hebben,' plaagde hij haar.

'Nou, ik niet!' antwoordde ze giechelend. 'Je bent een goede jongen, maar je zou mijn dood worden, hoewel die dood schitterend zou zijn, denk ik zo.' Daarna liet ze zich door hem in de wagen helpen, en gilde verrast toen hij haar in haar achterste kneep.

Lachend liet Duncan de giechelende vrouwen achter en voegde zich weer bij zijn broer en de prins. 'Elsbeth wil niet dat we te laat op het feest komen,' legde hij James Stewart uit. 'Maar met het oog op je ondeugende aard kan ik je vertellen dat ze Agnes Carr ook op het feest heeft uitgenodigd. Er zijn op de burcht genoeg nissen en hoekjes waar je Agnes voor je plezier mee naartoe kunt nemen. Ze is een geweldige meid met een groot hart en ze is dol op vrijen, Jamie.'

De prins grinnikte verheugd. 'Ze is een rondborstige meid,' merkte hij op. 'Ik verheug me erop haar te ontmoeten, Duncan.'

Ze keerden terug naar de burcht, waar de grote zaal in gereedheid was gebracht om de bruiloftsgasten te ontvangen. Elsbeth had verscheidene vrouwelijke bedienden uit het dorp ingehuurd die haar die dag zouden helpen. Eenmaal terug in de keukens, begon ze met het elan van een militaire bevelhebber commando's uit te delen. Er waren allerlei heerlijkheden voor het feestmaal, waaronder zalm, mosselen, gebraden eend, kapoen, vers brood en boter en twee kazen. Er waren gesuikerde viooltjes en rozenblaadjes, en zelfs marsepein. De bokalen bleven voortdurend gevuld met de rijke, rode wijn, en het oktoberbier was onlangs gebrouwen.

De gasten waren goed gevoed en tevreden toen de mannen begonnen te dansen op de schrille tonen van de doedelzakken. Ze dansten onder aanvoering van de bruidegom, en deden een zwaarddans waarbij hun geruite rode, groene, zwarte, blauwe, witte en gele tartans opzwaaiden. En te midden van de feestvreugde zochten Duncan en prins James naar Agnes Carr en leidden haar de zaal uit.

'Je kunt de kamer nemen die ik met Murdoc deel,' bood Duncan hem vrijwillig aan.

'Blijf een poosje bij ons,' nodigde de prins hem uit toen ze de kamer binnengingen. Hij keek Agnes aan en glimlachte haar toe. 'Zou je dat erg vinden?' vroeg hij.

Net als vele vrouwen voor haar, smolt Agnes onder de blik van de prins. 'Ik vind het prima, milord. Ik ken Duncan Armstrong, en als u zijn vriend bent, dan weet ik dat u ook een heer bent.' Haar mond krulde zich in een glimlach terwijl ze haar armen rond zijn nek sloeg en haar enorme boezem tegen zijn brede borst drukte.

James Stewart glimlachte naar haar terug. 'Ik had gehoord dat je een hartelijke meid was, Aggie, en ik ben blij te merken dat ze de waarheid over je hebben gesproken.' Hij maakte eerst de banden van haar rok los, en daarna die van haar onderrokken, waarna hij ze uittrok. Vervolgens ontknoopte hij de bandjes van haar hemd en trok het over haar hoofd, waarna hij achteruit stapte om haar naaktheid te bekijken. 'Ja, Aggie, je hebt voor een vrouw inderdaad een prachtig figuur,' zei hij terwijl hij haar volle heupen en grote borsten bewonderde. Hij draaide zich om naar Duncan. 'Wie de eerste is!' zei hij lachend, terwijl hij zijn kleren begon uit te trekken. De beide mannen waren weldra even naakt als Agnes en ploften op het bed dat Duncan gewoonlijk met zijn jongere broer deelde, en waar Agnes nu op hen lag te wachten.

'Er is genoeg voor allemaal,' zei ze, en giechelde toen ze ieder naar een borst reikten, waarna het bed binnen de kortste keren een warboel van beddengoed en lichamen was.

De jonge prins had een onverzadigbaar verlangen naar vrouwelijk vlees, en beschikte over een grote viriliteit waarmee hij dat verlangen kon bevredigen.

Agnes beschikte over vaardige verleidingskunsten, maar ze had nog nooit twee mannen tegelijk geamuseerd. En ze had evenmin ooit zo'n geweldige minnaar als de prins gehad. Ze kreunde van verrukking toen de koninklijke tong haar tot extase bracht, en ze schreeuwde van genot op het moment dat zijn grote mannelijkheid in haar stootte. Daarna had ze amper de tijd om zich te herstellen, want nu lag Duncan Armstrong zwaar hijgend boven op haar.

'Goed zo, meisje,' fluisterde hij in haar oor terwijl hij haar neukte en haar nagels over zijn lange rug krasten. Hij tilde haar benen over zijn schouders en stootte dieper in haar tot ze het weer uitschreeuwde van genot.

Agnes wist dat ze nog nooit in zo'n korte tijd zo goed of zo enthousiast was geneukt. De jonge prins, die nu weer boven op haar lag, was onvermoeibaar en keer op keer stootte hij zijn lange pik in haar, en neukte haar nog harder tot ze jammerde van genot. Pas daarna trok hij zich terug, kuste haar op de wangen, en prees haar om haar goede kunsten. Het trio rustte korte tijd uit, en toen was de prins wederom in staat om nogmaals van Agnes Carrs charmes te genieten.

Terwijl de koninklijke pik zich volop amuseerde, maakte Duncan Armstrong zich stilletjes uit de voeten, trok snel zijn kleren aan en verliet de kamer. Hij keerde terug naar de grote zaal en zocht naar zijn jongere broer. 'We slapen vannacht in de grote zaal,' zei hij tegen Murdoc toen hij hem had gevonden. 'Ik heb ons bed aan de prins gegeven. Agnes is bij hem. Ze bezorgen elkaar een geweldige tijd. Hij zal niet kunnen zeggen dat de gastvrijheid op Cleit te wensen overliet,' zei hij grijnzend. 'De jongen is onverzadigbaar, maar hij is vriendelijk met een vrouw. Agnes zal na vanavond bij ons het krijt staan. Ik betwijfel of een man haar ooit zo goed heeft geneukt als Jamie Stewart. Dit zal een nacht zijn die ze zich nog lang zal heugen.'

'Ik denk dat Conal en Adair op het punt staan de zaal te verlaten,' zei Murdoc. 'Onze schoonzuster lijkt nu niet meer zo boos.' Hij glimlachte blij. 'We zijn weer een echte familie, Duncan. Er is een lady van de burcht, evenals een lord, en binnenkort zullen we een neefje hebben.'

'Of een nichtje,' merkte Duncan op. 'Ja, het is sinds de dood van mam niet meer zo goed geweest als nu.'

'Ze zou Adair aardig vinden,' zei Murdoc zacht.

Zijn oudste broer knikte instemmend.

Adair was van tafel opgestaan om te zien of er genoeg wijn voor alle gasten was. Daarna fluisterde ze enkele woorden in het oor van de landheer, en glipte vervolgens weg. Conal Bruce ging staan en bedankte zijn gasten voor hun komst. 'Er is nog genoeg wijn over voor iedereen,' zei hij. 'Geniet ervan!' zei hij in het algemeen, en daarna verliet hij eveneens de zaal.

De tafel was allang afgeruimd, en de ingehuurde bedienden waren teruggegaan naar het dorp over de heuvel. Elsbeth sloot de deur naar de keukens af nadat Flora en haar zoon naar de zolder waren gegaan. Grizel deelde nu de bedruimten achter de keukens met haar, en Elsbeth was eerlijk gezegd dankbaar voor het menselijke gezelschap. De twee vrouwen vielen in slaap, Elsbeth met de rode kater op het kussen bij haar hoofd.

'Er is iemand in de kamer van je broers,' zei Adair tegen haar man. 'En het is niet Duncan of Murdoc. Er is een vrouw, en ze wordt krachtig gebruikt. Toen ik langsliep, hoorde ik de bedveren kraken en de geluiden van genot.'

'Het is de prins, vermoed ik, samen met Agnes,' antwoordde Conal.

'Is jouw hoer in mijn huis?' zei Adair, en ze vroeg zich af of ze kwaad moest worden.

'Ze is niet mijn hoer, en dat is ze nooit geweest. Agnes is een warmbloedige meid die altijd blij is zichzelf met een even warmbloedige knaap te delen,' zei de landheer. 'Duncan weet dat de prins, hoewel nog jong, in alle opzichten een man is en een grote behoefte aan vrouwen heeft. Agnes was bereid de wetten van gastvrijheid tegemoet te komen. Prins James zal zich Cleit herinneren als een gastvrije burcht, en het kan geen kwaad hem te plezieren. Op een dag zal hij koning zijn.'

'Je vertoont tekenen van ambitie, man,' mompelde Adair.

'Niet voor mezelf, meisje,' antwoordde hij, en stak zijn hand uit naar haar buik. 'Maar voor hem.'

'Het kan ook een meisje zijn,' hielp Adair hem herinneren.

'Nee, ik heb je een zoon gegeven, mijn honnepon,' zei hij.

'Ik kan het je nog niet vergeven,' zei Adair.

'Maar je bent niet langer boos?' vroeg hij.

'Toen ik vanochtend wakker werd, was mijn boosheid verdwenen,' antwoordde ze. 'Het leek nogal onbelangrijk en dwaas met het oog op de werkelijkheid en gezien de situatie. En ik stel prijs op een vreedzaam huis, Conal. Trouwens, jij kunt het niet helpen dat je een dwaas bent,' verzuchtte ze.

'Ik vermoed dat we dat moeten accepteren,' antwoordde hij droog.

'Ja, dat moeten we, want anders gaan we weer kibbelen, en dat is niet goed voor het kind,' mompelde Adair zacht. Ze had haar jurk uitgetrokken en stond nu in haar hemd. Ze ging op de rand van het bed zitten, haalde haar vlecht los en begon haar lokken te borstelen.

Hij nam haar de borstel uit handen en ging naast haar zitten. 'Nee, lieve honnepon, dat is mijn werk.' De borstel gleed door de lange lokken. 'Ik houd van je haar,' zei hij. 'Het is zo zacht en rijk van kleur. Het ene moment is het donkerbruin, en het volgende, wanneer het licht erop valt, lijkt het de blauwe glans van ravenzwart te hebben.' Hij hief een lok naar zijn lippen en drukte er een kus op. 'Het past bij je, vrouw.'

Er liep een lichte huivering over haar ruggengraat. Zijn stem, zijn woorden, wonden haar op. Het was zo lang geleden sinds ze hadden gevrijd. Adair voelde zich smelten door haar liefde voor hem. Maar het volgende ogenblik verstijfde ze. Hij moest gestraft worden. Hij mocht niet denken dat hij haar met zoete woordjes kon paaien terwijl hij het niet opbracht om de vier woorden te zeggen die ze zo graag van hem wilde horen. 'We moeten voorzichtig zijn met het oog op het kind, Conal,' zei ze zacht. 'Ik ben nog nooit zwanger geweest. Ik weet niet wat geoorloofd is en wat niet.'

'Ik zal het morgen aan de vroedvrouw vragen,' zei hij, terwijl hij zijn kleren uittrok en opzij legde. 'Ik wil niet dat je me weigert, Adair, en evenmin dat je jezelf iets ontzegt. Onze wellust voor elkaar is altijd gelijk opgegaan.' Hij stond op en legde de borstel in haar hutkoffer. Toen hij naar het bed terugliep, lag ze onder de dekens. Hij ging bij haar liggen, en ze lagen een poosje zwijgend naast elkaar, tot Conal rechtop ging zitten en de kussens achter zich schikte. Daarna trok hij haar over zich heen tot ze tussen zijn lange, uitgestrekte benen lag. Hij trok haar hemd omhoog, terwijl ze zacht protesteerde. 'Ik zal niet met je paren tot we weten dat het veilig is om dat te doen,' zei hij, 'maar ik weet niet waarom we niet op andere manieren van elkaar zouden kunnen genieten.' Hij begon haar borsten te liefkozen.

'O, alsjeblieft, wees voorzichtig,' smeekte Adair hem. 'Mijn borsten zijn erg kwetsbaar.'

'En gevoelig, begrijp ik,' mompelde hij toen haar tepels voor zijn ogen hard werden.

Ze huiverde onder zijn aanraking, voelde de roerselen van begeerte binnen in haar vruchtbare lichaam.

Hij bleef nog een poosje met haar borsten spelen, terwijl zijn warme adem langs haar oor streek. Daarna streelde hij de onderkant van haar beginnende buik.

'Conal,' smeekte ze, 'houd alsjeblieft op.'

'Waarom?' tartte hij, zacht in haar tepels knijpend.

'Omdat ik je wil, jij duivel!' bekende ze.

Hij glimlachte. 'Ik weet niet of ik wel rekening kan houden met iemand die me iets niet kan vergeven,' fluisterde hij zacht in haar oor.

'Dan kan ik ook geen rekening met jou houden,' zei ze. 'Alsjeblieft, wacht dan tenminste tot we de vroedvrouw hebben gesproken.'

'Je bent een harde vrouw, Adair Bruce,' zei hij.

Adair giechelde onwillekeurig. 'En jij bent een harde man, milord. Erg hard.'

Hij lachte hardop. 'Het is onze huwelijksnacht.'

'Er is een kind in mijn buik, Conal. We hebben onze huwelijksnacht allang geleden gehad,' hielp ze hem herinneren. 'Wil je alsjeblieft mijn hemd pakken? Ik heb het koud.'

Hij stapte uit bed, pakte haar hemd en gaf het haar, waarna hij zijn eigen hemd aantrok. Vervolgens schonk hij een beker wijn in en ging bij de warme haard zitten drinken. Toen hij ten slotte naar het bed terugkeerde, lag Adair vast in slaap. Met een vinger streelde hij zacht haar gezicht. Ze was zo mooi, en ze hield van hem. Hij moest voor de geboorte van het kind de moed vinden om de vier woorden te zeggen. Hij kroop bij haar onder het dekbed, maar zijn geest was nog actief. In de kamer naast de zijne lag de toekomstige koning van Schotland zich met een vrouw te amuseren. Ja, hij zou zich Cleits gastvrijheid herinneren, maar zou dat genoeg zijn om de verplichting te vereffenen die de landheer de prins verschuldigd was omdat deze zijn huwelijk met Adair mogelijk had gemaakt? Of zou hij om iets anders vragen? Zou dat zijn kleine huishouding in gevaar brengen? Zijn familie? Hij wist het niet. Uiteindelijk viel hij in een onrustige slaap.

De volgende ochtend verscheen prins James in de grote zaal. Hij was vol energie, en glimlachte naar iedereen. 'Goedemorgen, nicht!' zei hij opgewekt tegen Adair, die aan tafel zat en hem wenkte naderbij te komen.

Patrick Hepburn, Duncan Armstrong en Murdoc Bruce verschenen nu ook, maar zij zagen er een stuk minder energiek uit. Ze hadden tot laat zitten drinken en dobbelen.

'Kom zitten en eet wat,' zei Adair tegen hen.

'Misschien zou een drupje van het spul dat dit heeft veroorzaakt beter helpen,' opperde Patrick Hepburn terwijl hij zich op een stoel liet zakken.

'Flora, vul de bokalen,' zei de lady van de burcht terwijl Grizel kommen met pap en schalen met voedsel op tafel zette.

Patrick Hepburn verbleekte bij het zien van al die schalen, maar hij hief zijn bokaal dapper naar zijn lippen, en zijn metgezellen volgden zijn voorbeeld.

De landheer ving de blik van zijn vrouw en grinnikte. Adair lachte naar hem terug.

'Ik ben blij te zien dat u van onze gastvrijheid hebt genoten,' zei ze.

'Ik zal proberen niet in jullie burcht dood te gaan, vrouwe,' antwoordde Patrick Hepburn.

'De prins heeft ook van zijn avond genoten,' vervolgde Adair. 'Is het niet, uwe hoogheid? Ik heb gehoord dat Agnes een buitengewoon welwillend meisje is.'

'Ze is een beste meid, nicht,' antwoordde de prins. 'Ik zal haar bezoeken wanneer ik weer eens in de buurt ben. Ik ben echter bang dat ik haar behoorlijk heb uitgeput. Stuur haar maar met een wagen naar huis, Conal. Ze heeft haar prins uitstekend gediend.'

'Ik zal ervoor zorgen,' zei Adair tegen haar man. Ze verliet de zaal en ging de trap op naar de slaapkamer waar Agnes Carr zich bevond. Adair opende de deur en zag het meisje naakt op haar buik languit op het bed liggen, haar rode haar helemaal in de war. Ze schudde zacht aan de schouder van het meisje. 'Agnes, wakker worden. Je moet nu naar huis gaan.'

Agnes hief haar hoofd van het bed. 'Ben ik nog steeds in het land der levenden?' kreunde ze.

'Ja, dat ben je,' antwoordde Adair.

'Ik ben in één nacht nog nooit zo vaak geneukt. De jonge prins is gewoon onverzadigbaar.'

'De reputatie van de prins is hem vooruitgegaan,' zei Adair met een lachje. 'En er wordt gezegd dat er nog nooit een meisje is geweest dat hij heeft geneukt dat naderhand iets te klagen had.'

'Dat kan ik beamen, milady,' zei Agnes, die er inmiddels in was geslaagd rechtop te gaan zitten.

'Je hebt mijn man en mij een goede dienst bewezen door de jonge Jamie Stewart vannacht te amuseren. Kom naar de grote zaal om iets te eten wanneer je klaar bent. Conal zal je met een wagen naar huis laten brengen.'

'Godzijdank,' antwoordde Agnes. 'Ik geloof niet dat ik in staat ben meer dan een paar stappen te lopen.'

Adair lachte en keerde vervolgens terug naar de zaal. De clansmannen van Hepburn waren al naar de stallen om de paarden te zadelen. 'Milords,' zei Adair, 'ik dank u voor uw komst en wens u een goede reis.'

'U zult ons waarschijnlijk eerder vroeg dan laat weer zien, vrouwe,' zei Patrick Hepburn, waarna hij haar hand pakte en er een kus op drukte. 'U heeft het ons dus vergeven?'

'Alles op zijn tijd, milord,' zei Adair. 'Pas als ik Conal deze misleiding kan vergeven, zal ik in staat zijn het u te vergeven.'

'Lijkt me redelijk,' zei Hepburn met een glimlach.

De jonge prins stapte naar voren. 'Ik heb, geloof ik, de bruid nog niet gekust,' zei hij, en kuste ondeugend haar lippen, waarna Adair een beetje buiten adem was. 'Uw gastvrijheid overtreft die van vele grotere huizen, vrouwe,' zei James Stewart. Daarna drukte hij haar een muntstuk in de hand. 'Voor Agnes,' zei hij. 'Ze heeft het dubbel en dwars verdiend.'

Vervolgens begaven hij en Hepburn zich, begeleid door Conal en diens broers, naar de binnenplaats van de burcht waar ze zich bij hun mannen voegden. Toen ze waren vertrokken, zag Adair dat Agnes zich in de schaduwen had opgehouden en nu naar voren stapte.

'Ik kon de mannen niet meer onder ogen komen,' zei ze.

Adair knikte. 'Kom maar iets eten,' nodigde ze de vrouw uit.

'Als ik naar de keukens mag gaan...' antwoordde Agnes.

'Natuurlijk,' zei Adair, en ineens besefte ze dat Agnes zich een beetje gegeneerd voelde door haar situatie. Het was één ding om de plaatselijke jongemannen te amuseren, maar heel iets anders om een prins verscheidene uren aangenaam bezig te houden. Een prins die op een dag de koning van Schotland zou zijn.

Ze bracht Agnes naar de keukens en vroeg Elsbeth het meisje te eten te geven. 'Wanneer je klaar bent, ga je gewoon naar de binnenplaats waar een wagen op je staat te wachten,' zei ze tegen Agnes. Ze drukte de munt in haar hand. 'Van hem,' zei ze. En terwijl ze langzaam de trap op liep, hoorde ze dat de vrouwen in de keukens Agnes allerlei vragen begonnen te stellen.

'Hoe was hij?'

'Is hij zo hartstochtelijk als ze zeggen?'

'Is zijn mannelijkheid zo groot als er wordt beweerd?'

Adair giechelde en betrad de grote zaal, waar ze haar echtgenoot trof die inmiddels van de binnenplaats was teruggekeerd.

'Waarom lach je?' vroeg Conal haar.

'De vrouwen ondervragen de arme Agnes over de prins,' antwoordde ze.

Conal glimlachte. 'Agnes zal nu beroemd zijn omdat ze de prins als minnaar heeft gehad. En hij zal haar weer bezoeken wanneer hij in de buurt is.'

'Wanneer hij in de buurt is? Wat bedoelde hij daarmee?' wilde Adair weten.

'Elke dienst vraagt om een wederdienst,' zei de landheer langzaam. 'De prins heeft me geholpen toen hij het op zich nam om jouw voogd te worden, want dat stelde me in staat met jou te trouwen.'

'Het stelde je in staat me tot een huwelijk te dwingen,' verbeterde Adair hem.

Hij negeerde de venijnige opmerking. 'Patrick Hepburn heeft me gevraagd toe te staan dat een groep heren zo nu en dan op Cleit komt vergaderen. Niemand zou namelijk verwachten dat hier een plan wordt beraamd, en er zal een plan worden beraamd,' zei hij droog.

'Wat voor een plan?' vroeg Adair een beetje angstig.

Conal schudde zijn hoofd. 'Dat weet ik nog niet precies.'

'Maar je hebt een vermoeden, is het niet, Conal?' drong ze aan.

'Ja, dat wel. De omstandigheden in Schotland worden steeds erger, en de koning maakt zich er niet druk om. Zijn diplomatieke onderhandelingen met Engeland zijn mislukt. De prins zal niet met een van je halfzusters trouwen; en Elizabeth Woodville zal niet de kroon van Schotland dragen. De koning heeft zich op Stirling teruggetrokken, waar hij zich overgeeft aan zijn hobby's en rouwt om koningin Margaret. Daar schiet Schotland niets mee op. Ik ben geen man om in opstand te komen, maar zelfs ik besef dat er iets moet veranderen.'

Adair slaakte een zucht en knikte. 'Dit maakt me bang, Conal, maar je kunt niet weigeren na wat de prins voor jou heeft gedaan. Waarom kwam Hepburn met zijn verzoek naar jou? Waarom niet de jonge James Stewart?'

'De prins wil er niet van worden beschuldigd dat hij in opstand komt tegen zijn vader. Hij is een goede zoon, maar koning James is nooit in staat geweest behoorlijk te regeren. Hij is geen goede koning geweest. Hij is een fatsoenlijk man, maar hij heeft een zekere arrogantie die zijn Franse moeder ook had. De lords willen hem afzetten en de prins in zijn plaats tot regent maken. De koning zal dan ontdaan zijn van zijn verantwoordelijkheid, maar Schotland zal weer een sterke regeerder hebben.'

Adair dacht een ogenblik na en zei toen: 'Ik heb nog nooit een koning gekend die van zijn troon werd gezet en die uiteindelijk niet werd gedood. Wanneer je twee koningen hebt, is er altijd de verleiding van een opstand van de zwakkere partij.'

'De prins wil niet dat zijn vader kwaad wordt gedaan,' zei de landheer vol overtuiging. 'Ik geloof hem, Adair. Hij is een bekwame jongeman.'

'Ik geloof hem ook,' beaamde Adair, 'maar ik weet ook dat het meestal degenen eromheen zijn die ervoor zorgen dat de positie van de man van hun keuze wordt gesolidariseerd.'

'Denk je dan dat een van de aanhangers van de prins de koning zal vermoorden?' vroeg de landheer.

'Het lijkt me hoogstwaarschijnlijk, hoewel de prins niet het bevel zal geven, en hij zal evenmin willen weten wie de daad uiteindelijk ten uitvoer brengt,' antwoordde Adair.

'Dan voel ik me niet op mijn gemak bij het vooruitzicht om de samenzweerders onderdak te verlenen,' zei de landheer. 'Ik kan het niet doen na wat je me net hebt verteld. Jij bent verstandiger in deze kwesties dan ik, mijn honnepon. Jij begrijpt degenen die de macht hebben en hun manier van doen. Ik niet.'

'Je hebt geen keus, Conal,' zei Adair. 'Ze zullen hun complot beramen, of je wilt of niet. En de arme, oude koning James zal van zijn troon worden verstoten, en de prins zal in zijn plaats worden gekroond. We kunnen ons in deze zaak beter aan de kant van de prins scharen.'

'Maar waarom moeten we eigenlijk een kant kiezen?' vroeg hij haar.

'Omdat we dat moeten doen. Je zult geen kans krijgen om je afzijdig te houden. Iedereen in Schotland zal worden gevraagd een kant te kiezen. Niemand zal een keus hebben.'

Aan het begin van de middag kwam Murdoc thuis en beklaagde zich erover dat Agnes hem niet in haar huisje had binnengelaten nadat hij haar had thuisgebracht. Zijn broers lachten hartelijk en vertelden hem dat de prins de vrouw volkomen had uitgeput. Ze zou verscheidene dagen niet in staat zijn een wellustige pik te amuseren.

'We hebben meer hoeren nodig,' klaagde Murdoc, en zijn broers lachten nog harder. 'Nou, Conal, ik weet wat jij doet, maar wat doe jij, Duncan?' wilde de jonge man weten.

Duncan glimlachte slechts geheimzinnig, maar zei niets.

Adair wilde graag van de landheer horen hoe ze zouden weten wanneer de prins of Patrick Hepburn weer zou komen. 'Ik kan niet een huis vol mannen onderhouden wanneer ik niet weet wanneer ik hen kan verwachten. Onze provisiekast is niet onuitputtelijk.'

Maar Conal verzekerde haar ervan dat ze voorafgaand aan hun bezoek een boodschapper zouden sturen. Vervolgens droeg Adair de mannen van de burcht op nog een paar keer op jacht te gaan nu de dagen korter en kouder werden. Ze wilde niet dat de gastvrijheid van Cleit iets te wensen over zou laten.

In de dagen die volgden, werd de koude provisiekast aangevuld met hert, gevogelte en drie wilde zwijnen. En er werden vissen gevangen, gerookt en gezouten. En Adair was er op een gegeven moment van overtuigd dat de gasten op Cleit niets tekort zouden komen.

De eerste sneeuw bedekte het land en de heuvels met een witte laag. De vroedvrouw uit het dorp was inmiddels geraadpleegd, en zij had de landheer aangeraden zijn lusten te bedwingen.

'Uw vrouw is al twintig geweest, milord, en dit is haar eerste kind. Ik wil u, voor haar bestwil, adviseren dat u uw lusten beteugelt tot het kind is geboren. Cleit heeft erfgenamen nodig, en het heeft u lang genoeg gekost om te trouwen,' zei ze.

Adair was opgelucht na het oordeel van de vroedvrouw. Ze voelde zich vaker ziek nu het kind in haar buik steeds meer groeide, maar ze moest toegeven dat Conal wist hoe hij haar moest kalmeren. Hij borstelde haar lange haren en streelde zachtjes haar borsten. En toen het einde van november in zicht kwam, voelde Adair het kind in haar buik regelmatig bewegen. Ze begon zich af te vragen of ze Conal een zoon voor Cleit zou schenken of een dochter.

Het werd december, terwijl haar buik nog groter werd. Ze vierden Kerstmis in de grote zaal, die versierd was met dennentakken en dennenappels. In elke hoek stonden nieuwe kaarsen die een zachte gloed verspreidden.

'Je ziet er weer gelukkig uit,' zei Elsbeth op een ijskoude ochtend terwijl ze haar meesteres vers brood, boter en spek bracht.

En Adair besefte dat ze gelukkig was. Echt gelukkig voor de eerste keer in een heel lange tijd. Ze keek om zich heen naar de warme zaal met alle kerstversieringen. De meubels waren comfortabel. De jonge wolfshond had ze Beiste genoemd, naar haar eigen oude hond. Haar man en zijn broers zaten bij haar aan tafel te eten en te lachen. Ze wist niet wanneer het was gebeurd, maar plotseling waren alle woede en bitterheid uit haar hart verdwenen, en ze was eindelijk tevreden.

15

$\mathcal{D}$e dagen werden nu weer langer, en op 2 februari, de dag die bekendstond als Maria-Lichtmis, schonk Adair de priester een jaarvoorraad kaarsen voor de dorpskerk. De vastentijd brak aan, waarin alleen vis mocht worden gegeten, en plotseling begonnen er op een dag vreemdelingen op Cleit te arriveren. Adair besefte dat de aanhangers van de prins waren gekomen om te vergaderen. Ze had er geen idee van of ze elkaar daarvoor op andere onopvallende burchten hadden ontmoet. Ze begaf zich naar de keukens om Elsbeth en de anderen te waarschuwen.

'Er is niet genoeg vis,' zei Elsbeth.

'Ik betwijfel of ze van plan zijn zich aan de vasten te houden,' antwoordde Adair. 'Braad een wild zwijn. Er zijn er nog twee over. En drie van de ganzen. Maak zes konijnenschotels en een grote pan groentesoep. Stuur Murdoc en Jack uit vissen. Ze zullen eerst het ijs moeten breken, maar het mag onze gasten aan niets ontbreken.'

'Dat is wel heel veel voedsel,' constateerde Elsbeth. 'Hoeveel mannen zijn er?'

'Ik heb geen idee,' antwoordde Adair. 'Maar ik heb liever dat we te veel eten bereiden dan in verlegenheid worden gebracht omdat we niet genoeg hebben.' Maar tot Adairs opluchting telde het aantal gasten minder dan vierentwintig, inclusief de gewapende mannen die met hun meesters waren meegereden.

Iemand was Ian Armstrong gaan halen, en hij was gekomen. De landheer van Duffdour was ongetrouwd, en hij leek heel veel op Duncan. Ze verschilden echter enkele jaren in leeftijd. Adair, met haar dikke buik, begroette ieder van haar voorname gasten toen ze de grote zaal van Cleit binnenkwamen. Ze droeg een simpele, rode jurk, maar ondanks het feit dat de geboorte van haar kind niet lang meer op zich zou laten wachten, zag ze er geweldig uit. Conal stond naast haar, evenals Duncan. Hij kende alle mannen die samenspanden om koning James van de troon te krijgen. De prins bevond zich niet in het gezelschap, want niemand mocht weten dat hij erbij betrokken was, hoewel hij volledig op de hoogte was van wat de mannen van plan waren.

Aanwezig waren onder andere Alexander Home en Patrick Hepburn, beiden de beste vrienden van de prins. En ook de graven van Angus en Argyll, die de Red Douglases en de Campbells van Argyll vertegenwoordigden. De bisschop van Glasgow was persoonlijk aanwezig, en hij deed zich te goed aan een flinke hoeveelheid wild zwijn, een halve gans en tot slot verorberde hij nog een forel. Nadat ze Adair hadden begroet, besteedden de mannen verder geen aandacht aan haar, en dus luisterde ze terwijl ze hun plannen beraamden.

'We moeten het zo snel mogelijk doen,' zei de graaf van Argyll.

'Ja,' beaamde de bisschop. 'We zitten niet op een burgeroorlog te wachten. De MacDonald zou het alleen zover laten komen als hij zijn macht in de Hooglanden zou moeten verstevigen, en de prins zit er immers ook niet op te wachten, is het wel?'

'De jongen kan de MacDonald bezweren,' zei Patrick Hepburn.

'De MacDonald is een sluwe vos,' antwoordde de bisschop.

'En hoe zit het met de koning?' vroeg de graaf van Angus. 'Ik moet de zekerheid hebben dat mijn familie en ik veilig voor hem zijn. Er zal uiteindelijk worden aangenomen dat mijn clan de jonge Jamie heeft gekidnapt teneinde deze opstand in gang te zetten.'

'De koning zal op Stirling worden opgesloten,' antwoordde de bisschop.

'Als hij niet eerst een ongeluk krijgt,' mompelde Argyll.

'De prins zal geen moord toestaan,' zei de bisschop rustig.

'Twee koningen zijn gevaarlijk,' merkte Angus op. 'Twee koningen zijn te veel koningen.'

'De prins gelooft echt dat dit kan worden uitgevoerd zonder dat zijn verwekker iets overkomt,' zei Patrick Hepburn kalm.

'Hij weet toch zeker wel beter,' antwoordde Argyll. 'De jonge

Jamie moet diep in zijn hart weten dat zijn vader niet kan blijven leven als hij Schotland met succes wil gaan regeren. De Engelsen zijn er niet op tegen om mee te doen. Met een beetje geluk zal de koning in de strijd omkomen, en dan zullen wij zijn dood niet op ons geweten hebben.'

'De koning is geen man om te strijden,' zei lord Home grimmig. 'Wat als hij dit diplomatiek wil oplossen?'

'We zullen hem geen andere keus geven dan te strijden,' antwoordde Angus net zo grimmig. 'We hebben bij deze samenzwering allemaal te veel op het spel staan, en het is te laat om ons nu terug te trekken.'

'Milords,' zei de bisschop, 'ik zal jullie persoonlijk jullie zonden van verraad vergeven en elke moord die het gevolg van deze kwestie zou kunnen zijn. We zijn beschaafde mannen, en we zijn het er allemaal over eens dat koning James, de derde van die naam, voor het welzijn van Schotland van de Schotse troon moet worden verwijderd. En we zijn het er ook allemaal over eens dat zijn zoon, de vierde James, hem moet vervangen. Ik heb hier lang over gebeden voordat ik me bij jullie aansloot. Het is Gods wil dat we het doen. Daar ben ik van overtuigd.'

'Angus heeft gelijk,' zei Patrick Hepburn. 'Wanneer zullen we ons verzamelen en op mars gaan?'

'Ik zou willen voorstellen direct na Pasen op weg te gaan,' antwoordde de bisschop.

'En waar zullen we elkaar ontmoeten?' vroeg Angus.

'Waarom niet bij Loudon Hill?' opperde de bisschop. 'Aangezien daar bijna tweehonderd jaar geleden een strijd werd gevoerd, lijkt het me een geschikt punt om onze krachten daar te verenigen.'

De andere mannen knikten instemmend.

'Milords,' zei Ian Armstrong, 'zal een van de Hooglandse clans zich bij ons voegen?'

De graaf van Angus schudde zijn hoofd. 'Dat is onwaarschijnlijk. De Gordons van Huntley zullen de koning zeker steunen, en ze hebben veel invloed onder de noordelijke families.'

'Ik heb van de bisschop van Aberdeen gehoord,' zei de bisschop van Glasgow, 'dat er een familie is die zich misschien achter prins James wil scharen. Het is een kleine tak van de Leslies. De clansmannen van Glenkirk. Hun landheer is een vooruitdenkend man, maar de Gordons zouden natuurlijk kunnen proberen de landheer van Glenkirk ervan af te houden. Ze zullen zich niet door een andere familie in de streek willen laten overschaduwen.'

'We hebben genoeg mannen en het recht aan onze kant,' merkte Patrick Hepburn op. Daarna stond hij op en hief zijn bokaal. 'Op James Stewart, de vierde van die naam.'

De andere mannen stonden eveneens op en hieven hun bokaal. 'Op de vierde James!' zeiden ze hem na. Daarna gingen ze weer zitten en zetten de maaltijd voort.

Het was Adair opgevallen dat geen van de mannen aan haar tafel zijn eigen geruite tartan droeg, noch een ander teken van zijn clan. Ze besefte dat dit was gedaan zodat niemand hen zou herkennen wanneer ze naar Clait kwamen of er vertrokken. Dat stemde haar dankbaar, want hoewel ze het eens was met wat ze van plan waren, vreesde ze voor Conal, zijn broers en het kind in haar buik.

Ze was blij toen ze de volgende ochtend in de hal kwam en bemerkte dat haar bezoekers allemaal al heel vroeg voor zonsopkomst waren vertrokken, om de minste kans te lopen dat ze zouden worden gezien.

En daarna, op de tweede dag van het voorjaar, brak haar water, en Adair stond op het punt haar eerste kind te krijgen. Er werd iemand naar het dorp over de heuvel gestuurd om de vroedvrouw te halen. Elsbeth liet de keuken aan Grizel en Flora over om haar meesteres terzijde te staan. Het was geen gemakkelijke bevalling. Adair probeerde dapper te zijn, maar naarmate de dag vorderde, werden de pijnen steeds heviger, en ze volgden elkaar sneller op. Er was in de burcht geen geboortetafel of -stoel te vinden. Een gebrek dat ze zo spoedig mogelijk zou verhelpen, nam Adair zich grimmig voor.

Ze ijsbeerde door de slaapkamer die ze met Conal deelde tot ze niet meer in staat was te lopen of zelfs maar te staan. De pijnen werden nog heviger, en ze gilde het uit, terwijl zweetdruppeltjes op haar voorhoofd parelden.

De landheer en zijn broers wachtten in de grote zaal beneden tot iemand hun iets over de geboorte zou komen vertellen. Ze dronken whisky en dobbelden. De dag ging over in de avond. Grizel diende twee keer een maaltijd op. Buiten hoorden ze de wind aanwakkeren, waarna zware regenbuien tegen de houten luiken voor de ramen kletterden. Het vuur in de grote haard die de zaal verwarmde, siste en knetterde. En toen stond Beiste ineens op van zijn gewone plekje en hield zijn kop schuin terwijl hij naar de trap keek. Elsbeth kwam heel langzaam de trap af en droeg een bundeltje in haar armen.

Ze liep naar de landheer toe en overhandigde hem het bundeltje. 'Uw dochter, milord. Zegen haar, want ze zal deze nacht niet overleven, vrees ik. Murdoc, mijn jongen, rijd naar de priester, want het kleine ding moet worden gedoopt.'

'En Adair?' Conal Bruce zag bleek van angst, en zijn broers waren verbaasd. Ze wisten, hoewel hij het niet had gezegd, dat Conal van Adair hield, maar ze was uiteindelijk slechts een vrouw.

'Ze heeft het heel zwaar gehad, milord, maar ze zal weer opknappen wanneer ze over de teleurstelling over het verlies van haar kind heen is. Ze heeft u nodig,' zei Elsbeth.

Conal Bruce nam het kind van Elsbeth aan. Ze was zo verschrikkelijk klein en bleek. Ze had een toefje zwart haar op haar hoofdje. Haar ogen waren dicht, de oogleden waren paarsachtig. Ze had dezelfde neus en mond als haar moeder, maar ze ademde nauwelijks, en hij voelde de tranen achter zijn ogen prikken. Zijn dochter. Dit was zijn dochter. En ze ging dood.

'Welke naam heeft ze gekregen?' vroeg hij aan Elsbeth.

'Adair heeft haar nog geen naam gegeven, milord. Ze wacht op u,' antwoordde de vrouw. 'Wilt u naar haar toe gaan?'

'Ja,' zei de landheer, en met de baby in zijn armen liep hij door de zaal, beklom de trap en begaf zich door de gang naar hun slaapkamer.

Adair lag slap en lusteloos in hun bed. Haar wangen waren nat van de tranen. De vroedvrouw was net klaar met alles opruimen. Toen ze de landheer zag, maakte ze een buiging en mompelde een paar woorden van spijt. Daarna verliet ze de kamer. Conal ging op de rand van het bed zitten en legde de baby behoedzaam in Adairs armen.

'Het spijt me,' fluisterde Adair. 'Ik wilde je een zoon geven, en dit is niet alleen een dochter, maar een dochter die niet sterk genoeg is om te blijven leven.'

'Ze is zo mooi,' zei de landheer zacht. 'God heeft ons een volmaakt engeltje gestuurd, mijn honnepon, maar hij werd jaloers en wil haar terug hebben. Daar kunnen we niets tegenin brengen, mijn lief.' Hij leed mee met haar verdriet en teleurstelling. 'Hoe heet ze?' vroeg hij vervolgens.

'Mag ik haar Jane noemen, naar mijn moeder?' vroeg Adair.

'Het is een goede naam. Jane Bruce. Ja.' Hij stak zijn hand uit en streelde met een vinger over de wang van het kind. De baby bewoog niet. 'Ik heb de priester laten halen, Adair.'

Ze knikte. 'Ja. Ze moet zo snel mogelijk worden gedoopt.' Adair keek naar de baby in haar armen. 'Ze is echt mooi, vind je niet?'

Hij pakte haar handje in de zijne. Het was ijskoud. Hij hief het handje naar zijn lippen en drukte er een kus op. 'Heel mooi,' beaamde hij, en bleef het handje vasthouden terwijl Adair hun dochter wiegde.

De priester kwam en had zijn olie, zout en heilige water bij zich. Elsbeth en Murdoc werden tot peetouders van de baby benoemd. De priester doopte Jane Bruce, die niet eens een kreetje uitte toen het water over haar ronde hoofdje werd gedruppeld, en evenmin toen de olie op haar voorhoofd werd gesmeerd. Ze protesteerde ook niet toen het zout rond haar lipjes werd gewreven. De priester en de peetouders gingen daarna meteen weg, maar Conal bleef de hele nacht bij zijn vrouw en dochter zitten. Tegen de tijd dat de voorjaarszon boven de heuvel uit kwam, blies het kind haar laatste adem uit.

Op de heuvel werd een grafje voor haar gedolven, en Jane Bruce werd in een houten kistje begraven dat de timmerman in het dorp snel had gemaakt toen de vroedvrouw hem het tragische nieuws kwam melden.

Adair rouwde intens om haar dochter. 'Je had me beter als minnares kunnen houden dan met me trouwen,' zei ze tegen Conal. 'Ik was niet in staat je een zoon te geven, zoals het mijn moeder niet lukte om John Radcliffe een zoon te geven.'

Toen Elsbeth dat hoorde, zei ze: 'Het zaad van de graaf was niet vruchtbaar. Geen van zijn drie vrouwen is zwanger van hem geworden. Niet één keer. Je moeder was niet onvruchtbaar; noch degene die je heeft verwekt.'

'We zullen nog meer kinderen krijgen,' zei de landheer in een poging om Adair te troosten. 'Zoons en ook dochters, mijn honnepon. Ik zal ze je met vreugde geven.'

Adair moest huilen om zijn woorden. Ze had de afgelopen dagen heel veel gehuild, tot Flora een kruidendrankje voor haar maakte dat hielp om haar melk te laten verdrogen. Het duurde enkele weken voordat Adairs verdriet iets begon af te nemen. Het weer werd iedere dag milder. Pasen kwam, en enkele dagen daarna begonnen de bakenvuren op de heuvels te verschijnen, die de aanhangers van de prins opriepen zich bij Loudon Hill te verzamelen, zoals ze eerder hadden afgesproken. Conal Bruce, zijn broers en hun mannen verlieten de burcht.

Adair wilde niet dat haar man wegging. 'Je zult worden gedood!' zei ze. 'De laatste keer dat ik een echtgenoot zag vertrekken om deel te nemen aan een oorlog, is hij nooit teruggekeerd. Wat zal er met ons gebeuren als jij deze strijd niet overleeft? Ik smeek je niet te gaan!'

'Ik ben de prins mijn bondgenootschap verschuldigd,' zei de landheer van Cleit tegen zijn vrouw. 'Ik ben een eervol man. Clan Bruce is een eervolle familie. Ik kan niet anders, ik moet gaan.'

'Je hebt de dienst die jou werd bewezen, terugbetaald!' riep ze. 'Je hebt de samenzweerders immers toegestaan hier op Cleit te vergaderen. Ga toch niet, Conal. Ik smeek het je!'

'Ik kom op mijn eigen paard terug naar huis gereden,' zei hij.

'Plotseling deed het er niet toe dat hij haar niet kon zeggen dat hij van haar hield. Adair haalde diep adem en veegde de tranen van haar wangen. 'God zij met jullie, milord,' zei ze. 'Ik hoop dat jullie allemaal ongedeerd naar me terugkeren.' Ze betrok haar zwagers ook bij haar zegenwens. 'Maar wees alsjeblieft voorzichtig. Ik heb je nodig, Conal.'

'Om weer een kind te maken,' mompelde hij zacht, terwijl hij zich over haar heen boog om haar lippen te kussen.

'Ja,' antwoordde Adair. 'Om weer een kind te maken, milord.'

Daarna stond ze op de heuvel van de burcht de mannen van Bruce en Armstrong na te kijken, die wegreden met wapperende banieren achter hen aan. Ze was zowel opgelucht als verbaasd toen ze tien dagen later terugkeerden. Er had geen strijd plaatsgevonden, want de koning, die niet begreep dat zijn erfgenaam zich aan de kant van de opstandelingen bevond, had geweigerd te vechten. In plaats daarvan had hij diplomatieke onderhandelingen met hen gevoerd, tot groot ongenoegen van de graaf van Angus en de anderen. Ze wilden deze James niet op de Schotse troon. Ze wilden zijn zoon in zijn plaats. Deze koning was nutteloos, en het beetje prestige dat Schotland nog had, was bijna verdwenen. Maar James III had de lords beloofd dat hij regelmatiger met hen zou overleggen. Hij zou hun raad en die van zijn zoon, prins James, vragen. Het leger van opstandelingen verdween over de Firth of Forth rivier uit Blackness, waar ze hadden geprobeerd de koning uit te dagen tot een strijd. Het leger werd echter niet ontbonden, want eerdere ervaringen hadden de graven geleerd dat James III niet te vertrouwen was.

Het kon Adair niet schelen welke koning op de troon van Schotland zat. Ze was alleen maar opgelucht dat Conal weer veilig thuis was, en dat zijn broers bij hem waren. Haar vreugde werkte aanstekelijk, en het verdriet over het verlies van haar dochtertje was grotendeels verdwenen. Ze was inmiddels tot het inzicht gekomen dat Conal geen man van fraaie woorden was. Hij was niet zoals de mannen die ze eerder in haar leven had gekend, mannen die wisten hoe ze een vrouw met woorden in verrukking konden brengen. Hij was nou eenmaal een ruige grenslord. En ze hield van hem.

Misschien was het door het verlies van de kleine Jane gekomen dat ze zich was gaan realiseren dat het leven dat ze nu leidde, het leven was dat ze zou blijven leiden. Engeland was een herinnering, en Stanton was weg. Wanneer Adair terugdacht aan de afgelopen twee jaar, begreep ze hoeveel geluk ze had gehad dat ze naar Cleit was gebracht. Haar lot had zoveel erger kunnen zijn. De dood van haar kind had haar ook doen beseffen dat ze kinderen wilde. Ze wilde kinderen van Conal Bruce. Hij was geduldig met haar geweest, en nu was ze van plan zijn onuitgesproken liefde terug te betalen op een manier die voor hen beiden hoogst plezierig zou zijn. Ze was van plan haar man te verleiden.

Sinds de geboorte van Jane hadden ze niet meer gepaard. De landheer verlangde naar het genot dat het lichaam van zijn vrouw hem kon schenken. De avond van zijn terugkeer stond Adair van tafel op en fluisterde een uitnodiging in Conals oor voordat ze de zaal verliet. Duncan, die veel sneller van begrip was dan de jonge Murdoc, wachtte nog heel even voordat hij ook opstond.

'De jongen en ik gaan Agnes een bezoekje brengen,' zei hij, en trok vervolgens zijn jongere broer overeind. 'We zullen niet voor morgenochtend terug zijn, Conal. Dus sluit alles maar af voor de nacht.'

'Ik heb gehoord dat Agnes nadat ze de prins heeft gehad met geen enkele man meer tevreden is,' merkte de landheer op. 'Jamie heeft haar bedorven voor de rest, vrees ik.'

Duncan grinnikte. 'Dat is de reden waarom we samen gaan,' verklaarde hij. 'Er zijn nu twee mannen nodig om de ondeugende meid te behagen, en Murdoc heeft er niets op tegen om haar te delen. Ik trouwens ook niet. We zullen haar de hele nacht aangenaam bezighouden, zodat ze tegen zonsopkomst volkomen uitgeput is. Ze is bijzonder op ons jonge broertje gesteld. Wat hem aan finesse ontbreekt, maakt hij goed met zijn uitbundigheid en enthousiasme. Ik heb hem al eens een uur zonder verslapping met haar zien paren,' zei Duncan met een brede grijns op zijn gezicht. 'Na verloop van tijd was dat een beetje saai voor mij, maar ik moet toegeven dat ik vol ontzag was over zijn uithoudingsvermogen.'

Conal Bruce barstte in lachen uit. Hij stond op en woelde met een hand door Murdocs donkere haar. 'Onze vader, God hebbe zijn ziel, zou trots op je zijn geweest,' zei hij tegen zijn jongere broer. 'Gaan jullie maar. Ik zie jullie morgenochtend weer. We moeten doorgaan met onze mannen drillen, want deze kwestie met de koning is volgens mij nog niet voorbij. Tegen de zomer zal er vast op een of andere manier iets moeten worden geregeld.'

'Op welke manier?' vroeg Murdoc.

'Op de manier van de koning, maar het is de vraag van welke koning,' zei de landheer. 'Ik denk dat de zittende koning te zwak is om tegen de ambities van zijn zoon op te kunnen.'

'Maar de Hooglanden zullen zich aan de kant van de koning scharen,' zei Duncan. 'Hun strijdkrachten zijn groot in vergelijking met die van prins James.'

'De Hooglanden zullen zich zeker rond de koning verzamelen,' beaamde Conal, 'maar zullen ze ook blijven en vechten? Dat, broers, is de vraag die beantwoord moet worden, en dat zal niet eerder gebeuren dan op de dag van die toekomstige strijd waaruit we levend of dood te voorschijn zullen komen.'

'Een prettige avond,' zei Duncan, die concludeerde dat hij er niets voor voelde om deze kwestie vanavond uitgebreid te bespreken. Conal dacht niet vaak diep na, maar de recente gebeurtenissen hadden hem in een bedachtzamer gemoedstoestand gebracht. Duncan liep met Murdoc aan zijn zijde de zaal van zijn broer uit. Een avondje rollebollen met Agnes was een veel plezieriger vooruitzicht dan piekeren over de toekomst, hun eventuele dood en het lot van Schotland.

Toen de twee waren vertrokken, maakte de landheer de laatste ronde door de burcht. Hij zorgde ervoor dat de vuren waren opgebankt, de kaarsen en lampen gedoofd, de deur gebarricadeerd. Daarna beklom hij de trap naar de slaapkamer die hij met zijn vrouw deelde. Hij betrad de kamer en rook een bloemengeur. Nee, lavendel. En daar voor het vuur stond de grootste tobbe die hij ooit had gezien. Stoom wolkte omhoog uit de enorme kuip. En boven de rand van de tobbe uit kon hij nog net Adairs hoofd ontwaren.

Toen ze hem hoorde binnenkomen, riep ze op verleidelijke toon: 'Kom bij me zitten, milord. Je zult een bad nodig hebben na je lange reis en voordat je in mijn bed stapt. Trek je kleren uit. De treetjes van de tobbe bevinden zich aan de zijkant.'

'Waar komt dat bakbeest in hemelsnaam vandaan?' wilde hij weten terwijl hij haastig zijn kleren uittrok, ongeduldig om zich bij haar te voegen.

'Grizel vertelde me dat er een kuiper in het dorp over de heuvel woonde. Ik heb hem laten halen, en hem vervolgens uitgelegd wat ik wilde, en kijk! Nu hebben we een tobbe die groot genoeg is voor ons allebei. Zal het niet heerlijk zijn om samen te kunnen baden, Conal?'

Hij struikelde praktisch over zijn grote voeten om bij de treetjes van de tobbe te komen. Hij beklom ze, stapte over de rand en liet zich in het warme water zakken, en kreunde van genot toen de hitte ervan tot diep in zijn pijnlijke spieren drong. 'Jezus, vrouw, je brengt beschaving in ons huis.' Hij stak zijn handen uit en trok haar in zijn armen, waarna hij zijn lippen op de hare drukte.

Ze nibbelde plagend aan zijn lippen. 'Ik denk dat je het van nu af aan prettig gaat vinden om schoon te worden,' zei ze tartend. 'Heb je me gemist, milord?'

Hij wist niet wat deze verandering in haar teweeg had gebracht, maar het beviel hem heel erg. Hij begon haar volle borsten te strelen. 'Ik heb je gemist,' gaf hij toe, en voor deze bekentenis werd hij beloond met nog een kus. 'Heb je mij ook gemist?' wilde hij op zijn beurt weten.

'Ja, ik heb je gemist,' zei ze, en begon met haar vingertoppen zijn ballen te kietelen.

Conal Bruce haalde diep adem. 'Vrouw, als je zo doorgaat, ga ik je neuken,' gromde hij in haar oor. 'Ik weet niet of dat in een tobbe kan, maar ik ga het zeker proberen.'

'O, ik hoop het zo,' fluisterde ze tegen zijn lippen, waarna ze met een ondeugend lachje naar hem opkeek. Ze sloeg haar armen rond zijn nek en liet hem met zijn rug tegen de wand van de tobbe leunen. Ze voelde zijn mannelijkheid hard worden tot hij gereed was om haar te bezitten.

Zijn handen omvatten haar billen, en hij tilde haar op zodat ze haar benen om hem heen kon slaan terwijl hij zijn lans tussen haar onderste lippen duwde om haar daarna te kunnen doorboren. Hij slaakte een diepe zucht terwijl hij dat deed. Ze was strak en heet, en tegelijkertijd zo zacht. Het kostte hem alle zelfbeheersing die hij in zich had om zich ervan te weerhouden op dat moment al zijn zaad in haar te lozen. Haar volle borsten voelden zo verrukkelijk tegen zijn borst.

Haar tepels werden geprikkeld door zijn krullerige borsthaar. Ze wiebelde met haar achterwerk tegen zijn handen en klemde haar benen rond zijn middel. Het was een onuitgesproken teken tussen hen. Conal begon in haar te bewegen. Langzaam, langzaam, langzaam, met lange stoten van zijn mannelijkheid, tot de sterren achter haar gesloten ogen begonnen te exploderen en ze begon te jammeren van het genot dat hij haar bood. En door de geluiden die diep uit zijn keel kwamen, wist Adair dat hij ook intens genoot.

Hij kon zich niet langer inhouden. Zijn sappen waren niet langer te bedwingen, en vulden haar. Ze viel slapjes tegen hem aan, haar armen nog rond zijn nek. Toen hij in staat was te spreken, mompelde hij tegen haar donkere haar: 'Je hebt me verleid, jij heks. Je hebt me opzettelijk verleid.'

'Vond je het prettig?' vroeg Adair zacht.

'Ja,' zei hij traag.

'Ik wil het nog eens doen,' zei ze. 'Maar ik zal je eerst wassen.' Ze stak haar hand uit en pakte de doek die over de rand van de kuip hing, waarna ze hem in een pot zeep doopte en Conal grondig begon te wassen.

'Je bent zachtaardiger dan de eerste keer dat je dit deed,' zei hij zacht, en drukte een kus op haar kruin. 'Toen heb je me praktisch van mijn huid ontdaan.'

'Ik moest destijds twee jaar vuil van je af wassen,' hielp ze hem herinneren. 'Nu is het slechts van een paar dagen.'

Hij bleef kalm staan onder haar handelingen terwijl ze hem waste, en daarna zijn zwarte haar. Hij klaagde niet over het feit dat hij rook als een bloem. Hij genoot eigenlijk van de geur van lavendel. Ten slotte, op haar instructie, klom hij behoedzaam uit de tobbe en begon zich af te drogen. Ze volgde zijn voorbeeld en pakte de tweede droogdoek voor zichzelf. Ze haalde de spelden uit haar kapsel, overhandigde hem de borstel die hij inmiddels bijna een jaar geleden op de zomermarkt voor haar had gekocht en ging op de rand van hun bed zitten.

Hij kon zijn ogen nauwelijks van haar naakte lichaam af houden terwijl hij haar lange lokken borstelde. Verbeeldde hij het zich, of was haar lichaam weelderiger dan een jaar geleden? Hij dwong zichzelf om zich op zijn taak te concentreren. Zelfs haar lange bruine haar leek voller dan het was geweest.

'Hmmm, dat voelt goed,' mompelde ze. 'Ik ben blij dat je mijn haar borstelt.'

'Je probeert me weer te verleiden, vrouwe, en ik heb je spelletje nu door.'

Ze draaide haar hoofd om zijn blik te ontmoeten. 'Je zei dat je het prettig vond toen ik je verleidde, milord, maar ik zal stoppen als je van mening verandert,' zei Adair.

'Als je ophoudt, mijn honnepon, dan zal ik gedwongen zijn je te slaan,' antwoordde hij. 'De priester die de prins voordat we trouwden tot je voogd maakte, adviseerde me dat ik je regelmatig moest slaan, zodat je je altijd zou herinneren wie de meester van de burcht was.'

'Dan was de priester een dwaas,' zei Adair. 'Je wilt me niet werkelijk slaan. Je wilt me weer op mijn rug leggen,' zei ze met een vaag lachje.

'En wil je dat ik je op je rug leg?' vroeg hij, en kreeg de smaak van hun spelletje te pakken. Hij legde de borstel opzij en wikkelde een zijden haarlok rond zijn hand. 'Zeg me dat je geneukt wilt worden, Adair,' zei hij met zijn lippen tegen haar mond. 'Zeg het.'

Ze reageerde door op te staan, zijn benen uiteen te duwen, en daarna voor hem neer te knielen om zijn opbloeiende mannelijkheid in haar mond te nemen. Ze zoog eraan, likte hem over de hele lengte en plaagde de rode kop. Ten slotte stond ze weer op en klom op zijn schoot om zijn mannelijkheid in haar hete, natte schacht op te nemen. En toen hij volledig door haar brandende huid was omvat, keek ze hem recht in zijn grijze ogen. 'Beantwoord dat je vraag, echtgenoot?' fluisterde ze terwijl ze hem begon te berijden.

Daarna liet ze zich met gesloten ogen overspoelen door de gewaarwordingen van het paren die haar overweldigden. Binnen de kortste keren had ze het gevoel dat ze naar de hoogten vloog die door het samen zijn met hem werden geschapen. Ze boog zich achterover en voelde zijn grote handen op haar borsten. Zijn mond zoog aan haar tepels, en daarna blies hij ertegen, wat haar huiveringen van genot bezorgde die over haar ruggengraat liepen. Zijn tanden beten zacht in haar tepels, haar nek en haar schouder. Ze kreunde instemmend, genietend van zijn handelingen. Haar hoogtepunt naderde, en ze schreeuwde het uit toen de extase haar overrompelde, waarna ze voorover in zijn omhelzing viel.

Maar Conal Bruce had op dat punt nog niet genoeg. Hij hield haar stevig tegen zich aan en gaf haar net genoeg tijd om zich enigszins te herstellen. Daarna stond hij op, tilde haar in zijn armen omhoog en legde haar op haar rug in het bed, met zijn mannelijkheid nog diep in haar. Hij begon te pompen, dacht kortstondig aan zijn broertje, die nu waarschijnlijk Agnes Carr lag te neuken en daar nog wel enige tijd mee door zou gaan. Hoewel Conal Bruce niet geloofde dat hij dat tempo zou kunnen evenaren, wist hij wel dat Adair en hij beiden ten diepste bevredigd zouden zijn wanneer hij klaar was.

'Jezus!' kreunde ze in zijn oor. 'Je laat het me weer beleven!

O God, niet ophouden, ik smeek je, Conal, nu niet ophouden!'

'Dat zal ik niet doen,' beloofde hij, en hij bleef in haar stoten tot ze beiden praktisch bewusteloos waren door de verrukking die de vereniging van hun lichamen hen bracht. En plotseling, in een flits van een seconde, wisten ze dat ze alle twee dat gelukzalige punt van vergetelheid hadden ervaren zoals minnaars het kunnen meemaken. Hij voelde dat hij vloog, en hij wist dat zij naast hem vloog terwijl de ene golf van genot na de andere hen overspoelde.

Naderhand lagen ze samen in hun bed, hun vingers in elkaar verstrengeld, tenen speelden met tenen, volkomen verzadigd en bevredigd. Gedurende een lange tijd zei geen van beiden een woord, en toen zei Conal: 'Je weet dat ik van je houd, Adair.'

'Ja, ik weet het,' zei ze, en ze voelde zich zo ongelooflijk gelukkig dat het haar hart overweldigde.

'Goed,' reageerde hij. 'Dan hoeft het niet nog eens te worden gezegd.'

'Alleen als je het zou willen zeggen,' antwoordde ze.

'Je gelooft me toch wel?' Zijn stem klonk bezorgd.

'Ik geloof je,' stelde ze hem gerust. 'Ik houd ook van jou.' Als hij het werkelijk nooit meer tegen haar zou zeggen, dan had ze er vrede mee, omdat hij het nu had gezegd. Maar ergens diep vanbinnen had ze het gevoel dat hij die vier woordjes ondanks zichzelf nog wel eens tegen haar zou zeggen. 'Ga nu maar slapen, milord,' raadde ze hem aan. 'Ik heb je voor één nacht genoeg verleid.' Na deze woorden nestelde ze zich in zijn armen, legde haar hoofd tegen zijn schouder en viel al snel in slaap.

Hij bleef echter nog een poosje wakker liggen. Hij had haar gezegd dat hij van haar hield, en het was de waarheid. Adair had toegegeven dat ze van hem hield, en deze keer had ze het niet uit boosheid of verdriet gezegd. Hij vroeg zich nu af waarom hij zo terughoudend was geweest om die vier woordjes te zeggen. Maar het deed er niet meer toe. Deze kwestie tussen hen was nu geregeld, en uit hun liefde voor elkaar zouden gezonde kinderen worden geboren. Ze hadden een lange zomer voor zich, en gedurende de daaropvolgende weken leefden ze in een waas van geluk.

Maar toen, op een nacht in het begin van juni, ontvlamden de bakenvuren op de heuvels langs de grens. Een clansman van

Hepburn kwam naar Cleit gereden om de landheer te vertellen dat de koning de beloften die hij had gemaakt, onlangs had gebroken. De prins en zijn strijdkrachten waren zich aan het verzamelen. De Hooglanden riepen iedereen bij elkaar om koning James te verdedigen. Deze keer zou er een strijd worden gevoerd, en wanneer die voorbij en afgelopen was, zou er nog slechts één koning van Schotland zijn.

Adair gaf de clansman van Hepburn te eten, en hij bleef de nacht over, om de volgende ochtend bij het eerste licht terug te rijden naar Hailes. Ze gaf hem een paar haverkoeken en wat gedroogd vlees mee voor onderweg, want ze wist dat de terugrit hem een hele dag zou kosten. Hij bedankte haar en praatte vervolgens nog even met de landheer.

'Mijn meester vraagt u met zo groot mogelijke haast naar Hailes te komen, want over twee dagen tijd zullen we naar het noorden optrekken, milord.'

'We zullen er zijn,' zei Conal Bruce. 'En mijn halfbroer, de landheer van Duffdour, Ian Armstrong, zal bij ons zijn.'

Daarna vertrok de boodschapper van Cleit, en nog voordat de zon op was, ging Duncan Armstrong op weg naar Duffdour. Er werden voorbereidingen getroffen zodat de landheer van Cleit en zijn mannen de volgende ochtend zouden kunnen vertrekken. Er woonden behalve Conal Bruce en zijn broers dertig mannen op de burcht. Vijfentwintig van hen zouden met hun lord meegaan, maar Conal vroeg zich bezorgd af of de vijf mannen die achterbleven genoeg waren om Adair en de andere vrouwen buiten gevaar te houden.

Ze nam zijn bezorgdheid zoals gewoonlijk weg met haar gezonde verstand. 'Cleit is geen belangrijke burcht, en alleen degenen die hier opzettelijk en met een doel naartoe komen, zijn van ons bestaan op de hoogte. We zullen de poorten zowel overdag als 's nachts gesloten houden, en we zullen geen enkele vreemdeling binnenlaten. De heuvel waarop de burcht staat, geeft ons een goed zicht op de omgeving, want we kunnen iedereen al van grote afstand zien naderen. De burcht is praktisch onneembaar wanneer de poorten dicht zijn. Bovendien valt hier weinig te stelen,' zei ze met een ondeugend lachje.

'Je schijnt deze keer niet zo angstig te zijn,' merkte hij op terwijl hij haar hand in de zijne nam.

'Dat komt omdat ik weet dat je naar me zult terugkeren,' zei Adair met grote stelligheid.

Duncan Armstrong keerde die middag laat terug om Conal te vertellen dat hun halfbroer, de landheer van Duffdour, zich de volgende dag met twintig van zijn clansmannen ter hoogte van Melville Cross bij hen zou voegen. Daarna zouden ze gezamenlijk naar Patrick Hepburn van Hailes rijden.

Die avond overtroffen Elsbeth en de vrouwen zichzelf door een groot feestmaal voor de landheer en zijn mannen op te dienen. Er was onder andere gestoofde zalm in witte wijn op een bedje van waterkers, hoewel er maar niet werd gevraagd waar al die vis vandaan was gekomen. De stromen waarin de zalmen leefden, waren eigendom van de machtigen, en Cleit hoorde daar niet bij. Er was een stoofpot van gebraden konijn, met wortelen en uien en een bruine jus. Er was een zijde gebraden rundvlees onder een korst van zout om de sappen te bewaren. Er werden kapoenen opgediend met een saus van de laatste wintercitroenen en een beetje gemberwortel. Er was een klein zwijn, dat dom genoeg was geweest om op zoek naar voedsel dicht bij de burcht te komen, waarna hij zonder meer werd geslacht en gebraden. En de wijn en het bier vloeiden rijkelijk. De mannen zouden de volgende dag onder het rijden wel weer een nuchter hoofd krijgen. Maar die avond werd er gefeest, en de mannen zongen strijdliederen die door de grote zaal van de burcht weergalmden.

En toen alle mannen zich ten slotte hadden teruggetrokken om voor hun vertrek nog wat te rusten, deed Adair langzaam haar ronde door de burcht om ervoor te zorgen dat alles voor de nacht veilig was. Daarna voegde ze zich bij Conal in hun bed. Hij was naakt en verlangde naar haar, maar ze bekoelde zijn hunkering vriendelijk, want ze wilde de dingen juist deze nacht niet overhaasten. Hij sloeg haar met een brandende blik gade terwijl ze zich langzaam uitkleedde en haar kleren keurig neerlegde voor de volgende ochtend. Daarna waste ze zich bij de wastafel, en zijn wellust groeide toen hij naar haar hoge, volle borsten en de ronding van haar heupen keek.

'Wil je mijn haar borstelen?' vroeg ze hem, en zonder op antwoord te wachten, overhandigde ze hem de borstel en ging op de rand van het bed zitten.

Zwijgend pakte hij de borstel van haar aan en borstelde haar lange lokken tot ze glansden. Na enkele minuten legde hij de borstel opzij, reikte om haar heen en omvatte haar borsten met zijn grote handen. Zijn lippen drukten een brandende kus op haar schouder.

'Hmmm,' mompelde Adair. Ze leunde tegen hem aan en boog haar hoofd om naar zijn vingers te kijken die met haar tepels speelden.

'Ik wil je niet verlaten,' fluisterde hij in haar oor, en zijn tong likte langs de tere ronding van haar oorschelp en oorlelletje.

'Ik wil niet dat je weggaat, maar je hebt de plicht om te gaan, Conal. Ik weet dat je nooit een grote lord zult zijn, maar ik houd van je zoals je bent. Je clan is een eervolle clan, en het zou oneervol zijn als je zou weigeren de prins te steunen. Hij zal in deze kwestie overwinnen. Ik voel het.'

Ze draaide zich in zijn armen om en drukte hem achterover op hun bed. Daarna boog ze zich over hem heen en begon met het puntje van haar tong zijn lichaam te likken. 'Ik zal je bevredigen, mijn echtgenoot, en morgen zul je wegrijden in de wetenschap dat je naar me moet terugkeren.' Ze beet zachtjes in zijn tepels en likte ze snel voordat ze verderging met zijn romp. Ze kuste zijn buik, en haar tong speelde met zijn navel.

Hij kreunde van verrukking en hartstocht, maar toen nam hij de leiding. Hij trok haar in zijn armen en kuste haar tot ze duizelig was. Hij voelde haar strelende handen over zich heen gaan, en toen hij tussen haar zachte dijen schoof, zocht hij met zijn mond en tong naar haar liefdesjuweel en plaagde haar tot haar melkachtige sappen begonnen te vloeien. Daarna beklom hij haar en vulde haar met zijn wellust tot ze beiden verzadigd waren, hun lichamen met elkaar verstrengeld, hun hartslag wild door de begeerte die bevredigd was.

'Het kan vannacht slechts één keer, mijn honnepon,' verontschuldigde hij zich. 'Ik moet iets van mijn kracht voor morgen bewaren.' Daarna, met zijn armen nog steeds om haar heen, sliepen ze enkele uren.

Conal Bruce werd bij het krieken van de dag wakker. In juni waren de dagen erg lang. Buiten hoorde hij de eerste vogels kwetteren. Naast hem lag Adair nog in een diepe sluimering tegen hem aan genesteld. Gedurende enkele ogenblikken genoot hij van het gevoel van haar nabijheid, de geur van haar lichaam die in zijn neusgaten drong. Hij zou dit moment als een herinnering met zich meedragen in de komende strijd, waar en wanneer deze ook mocht worden uitgevochten, nam hij zich voor. Ten slotte stond hij op, en onderdrukte een kreun van spijt terwijl hij dat deed. Hij plaste in de kamerpot, waste zich bij de wastafel in de kamer en kleedde zich daarna snel aan. Terwijl hij bezig was zijn laarzen aan te trekken, werd Adair wakker uit haar diepe slaap.

'Is het tijd?' vroeg ze slaperig.

'Bijna. Ik ga nu naar de grote zaal om te eten,' zei hij, en boog zich over haar heen om haar een snelle kus te geven.

'Ik kom dadelijk naar beneden,' zei ze toen hij de kamer verliet.

In de zaal waren de mannen bijeen. Flora en Grizel brachten de pap voor het ontbijt binnen. De jonge Jack volgde hen en zette brood, boter en kaas op tafel. Vervolgens hielp hij de vrouwen om de bekers van de mannen met bitter bier te vullen. Conal Bruce nam plaats op zijn stoel aan de grote tafel.

'Je ziet eruit alsof je een goede nacht achter de rug hebt,' zei Duncan met een ondeugende grijns op zijn gezicht.

'En jij hebt zo te zien een zware nacht gehad,' zei Conal met net zo'n ondeugende grijns.

'Agnes wilde ons een goed afscheid bezorgen. Murdoc is nog steeds bij haar. Ze heeft me echter bezworen dat ze ervoor zal zorgen dat hij bij ons is wanneer we wegrijden,' zei Duncan Armstrong. 'Met Ians groep erbij hebben we vijftig man bijeen. Hij brengt behalve zijn twintig mannen ook zijn kapitein mee, die de bastaard van onze vader was. Ze schelen slechts een paar maanden in leeftijd. Onze vader heeft een zoon bij een van mams dienstmeiden verwekt toen zij zwanger was van Ian. Ze was woedend op hem, maar ze heeft het Tams moeder nooit kwalijk genomen.'

'Gelukkig heeft onze vader geen bastaardkinderen,' merkte de landheer op. 'Mam was zeer strikt. Ze zou behoorlijk tegen me zijn uitgevallen vanwege de manier waarop ik Adair in het begin behandelde toen ik haar net naar Cleit had gebracht,' zei Conal Bruce met een glimlach.

'Ze zou nog heviger tegen Adair zijn uitgevallen omdat ze

niet met je wilde trouwen toen je haar de eerste keer had gevraagd,' zei Duncan lachend. 'En daar komt de ondeugende heks net aan om afscheid van ons te nemen,' voegde hij eraan toe. 'Goedemorgen, vrouwe.'

Adair hield zichzelf bezig door ervoor te zorgen dat haar man en de anderen goed te eten kregen. Alleen God wist wanneer ze weer een fatsoenlijke maaltijd zouden krijgen. Daarna verlieten de mannen de zaal, en alleen Conal Bruce bleef achter. Ze drong erop aan dat hij nog wat brood en kaas meenam. 'Je moet voorzichtig zijn,' zei ze zacht. 'Want dan zul je weer veilig naar huis terugkeren. We moeten immers nog steeds een zoon voor Cleit maken, milord.'

'Dat zullen we doen,' beloofde hij. 'Deze kwestie zal waarschijnlijk niet zo lang duren. Ik ben ervan overtuigd dat het hevig zal zijn, maar kort. En daarna hebben we de hele zomer voor ons.'

Samen begaven ze zich naar de binnenplaats van de burcht, waar de mannen al op hun paard waren gestegen en op hun landheer stonden te wachten. De jonge Murdoc bevond zich onder hen, en hij zag er nogal vermoeid uit. Adair trok Conals roodgeruite tartan recht, en wreef zijn zilveren claninsigne met haar mouw op tot hij glansde. Hij steeg op zijn paard en boog zich naar haar toe om haar een snelle kus te geven. Daarna nam de landheer van Cleit de teugels in zijn gehandschoende handen en hief vervolgens een hand ten teken dat zijn groep ging vertrekken. Hij keek nog één keer om naar Adair, en ze zwaaide naar hem.

Adair stond bij de poorten van de burcht haar man en zijn mannen na te kijken terwijl ze langs de heuvel naar beneden reden. Ze bleef daar nog geruime tijd staan staren tot de mannen en de paarden geleidelijk uit het zicht verdwenen. Daarna gaf ze met een zucht het bevel de poorten van de burcht te sluiten en trok zich terug in de grote zaal om de vrouwen te helpen de restanten van het ontbijt af te ruimen.

Tijdens de volgende paar weken liep de jonge Beiste als een schaduw achter haar aan. Hij verloor haar geen moment uit zijn gezichtsveld, en stond erop elke nacht in haar slaapkamer te slapen. Het was alsof hij begreep dat de meester van de burcht niet thuis was, en dat het zijn taak was Adair te bewaken.

Het was plotseling erg stil op het platteland, alsof de natuur in afwachting was van de dingen die komen gingen. De bewoners van de burcht zagen niemand, zelfs niet vanaf de hoogte waarop de burcht stond. De hele dag en gedurende de nachten, die gezien de tijd van het jaar kort waren, stond er een man op wacht, want ze konden geen risico's lopen door ook maar één ogenblik hun waakzaamheid te laten verslappen.

Adair at haar maaltijden in de keukens, samen met Elsbeth en de anderen. Overdag hield ze zich bezig in haar kleine tuinen. De kruiden, zowel voor de keuken als voor medicijnen, groeiden nu goed. En ze was erin geslaagd weer leven te brengen in de bloementuin die eens van de vorige lady van de burcht was geweest. De tijd ging echter zeer langzaam voorbij, tot de wacht op een dag vanaf de kantelen naar beneden riep dat er een ruiter onderweg was naar Cleit.

Toen hij bijna bij de poorten was, stapte Adair de binnenplaats op. 'Doe de poorten niet open voordat we weten wie hij is,' zei ze tegen de gewapende man.

'Hij draagt de tartan van de Hepburns,' riep de wacht naar beneden.

Daarna opende de gewapende man bij de poorten het luikje in een van de poortdeuren. Hij tuurde erdoor en vroeg: 'Wie ben je en wat kom je doen?'

'Ik ben Hercules Hepburn, en ik heb een boodschap van mijn meester voor de lady van Cleit,' was zijn antwoord.

'Open de poorten en laat hem binnen,' zei Adair.

De gewapende man opende slechts een van de poortdeuren, net ver genoeg om de ruiter erdoor te laten. Hij reed de binnenplaats op, steeg van zijn paard en begaf zich onmiddellijk naar Adair. Hij maakte beleefd een buiging voor haar, zag de bezorgde uitdrukking op haar gezicht, en zei: 'Mijn meester wilde u laten weten dat alles goed is.'

Opluchting stroomde door Adair heen. 'Kom in de grote zaal, Hercules Hepburn, en drink wat wijn,' nodigde ze de man uit. En toen pas viel het haar op hoe groot de man was.

Eenmaal in de zaal schonk ze een beker wijn voor hem in en sloeg hem gade terwijl hij die helemaal leegdronk, waarna ze de beker nogmaals vulde en hem uitnodigde bij het vuur te komen zitten. Ze nam tegenover hem plaats, boog zich enigszins naar voren, en vroeg: 'Wat is er gebeurd? Bedoel je te zeggen dat mijn man veilig is?'

'Ja, en de strijd is afdoende gewonnen, milady,' antwoordde hij.

'Laat me onze mensen naar de zaal roepen, Hercules Hepburn, zodat ze kunnen horen wat je te zeggen hebt,' zei Adair.

Drie van de gewapende mannen kwamen de zaal binnen, want de twee andere mannen bleven op wacht staan. Elsbeth, Flora, Grizel en Jack kwamen vanuit de keukens naar boven. Ze verzamelden zich rond Adair en haar gast, en stonden in afwachting van hetgeen hij te vertellen had.

Hercules Hepburn dronk enkele fikse teugen van zijn tweede beker wijn en zei daarna: 'De strijdkrachten ontmoetten elkaar bij Sauchieburn aan de Stirling, en de strijd werd in de buurt van Bannockburn gevoerd. Het was dezelfde plek waar een voorouder van uw man, Robert Bruce, een grote strijd heeft gevoerd. En ook nog in dezelfde maand!' Het was duidelijk dat Hercules Hepburn een groot verhalenverteller was.

'Ah,' mompelden zijn toehoorders gefascineerd.

'De Hooglanden stonden achter de koning. De graven van Huntley en Crawford, hun clansmannen van Gordon en Lindsay en de clansmannen van vele andere noordelijke clans kwamen de koning eveneens te hulp,' zei Hercules Hepburn. 'En daar stonden we oog in oog met hun enorme leger, bestaande uit veel meer mannen dan onze groep, maar wij hadden het recht aan onze kant. Prins James was groots. Hij verzamelde de strijdkrachten van Angus en Argyll, Douglases en Campbells, de Hepburns, de Bruces, de Armstrongs en de Homes. Zelfs de bisschop van Glasgow stuurde mannen om de prins te helpen. De meesten van hen waren grensbewoners, maar er was een Hooglandse lord bij die meedeed. Hij was de Leslie van Glenkirk, en hij kwam met zijn clansmannen om de prins te steunen. Hij is een grote man die vocht als de duivel in eigen persoon.'

'En hoe is het met mijn man?' wilde Adair bezorgd weten.

'Gezond en wel, vrouwe. Hij heeft geen schrammetje opgelopen, kan ik u tot mijn vreugde zeggen. Maar laat me doorgaan. De strijd woedde verscheidene uren voort, en hoewel onze mannen verreweg in de minderheid waren, vochten ze krachtiger dan de strijdkrachten van de koning. De Hooglanders en de anderen die in dienst van de koning waren vielen een voor een, afgeslacht door onze zwaarden en speren. En er wordt gezegd dat James III het strijdtoneel ontvluchtte toen hij zag dat de strijd niet in zijn voordeel zou kunnen eindigen. Bij Beaton's Mill struikelde zijn paard en wierp hem op de grond, meldde de getuige.' Hij wachtte even om een teug wijn te nemen.

'Twee arbeidersvrouwen, die niet wisten wie hij was, maar zagen dat hij gewond was, sleepten hem voor zijn veiligheid de spinnerij binnen. Het is waarschijnlijk dat hij om een priester vroeg, want een van de vrouwen rende de spinnerij uit en riep om een godsdienstige. Ze keerde terug met een man die beweerde dat te zijn. De koning wilde met de geestelijke alleen worden gelaten om hem de biecht te laten afnemen. Kort daarna vertrok de priester. Toen de twee vrouwen terugkeerden om te zien wat ze nog voor de gewonde man konden doen om hem te helpen, zagen ze dat hij in zijn hart was gestoken, dood. Ze vluchtten schreeuwend de spinnerij uit en zochten hulp bij de mannen die van de strijd terugkeerden.'

'Jezus!' fluisterde Adair, en de anderen die stonden te luisteren, sloegen een kruisje.

'Het is niet bekend wie de oude koning heeft vermoord, maar Schotland heeft een nieuwe en onbetwiste koning, James, de vierde Stewart met die naam. Moge God hem beschermen!'

'Ja! Moge God onze koning James beschermen!' beaamden de mensen in de zaal.

'Ik dank je dat je bent gekomen om te vertellen dat mijn man veilig is,' zei Adair. 'Weet je ook wanneer hij naar Cleit zal terugkeren?'

'De koning heeft gevraagd of degenen die hem hebben gesteund aanwezig willen zijn bij zijn kroning, die op de vijfentwintigste dag van deze maand zal plaatsvinden,' antwoordde Hercules Hepburn. 'Uw man zal na de kroning naar u terugkeren, vrouwe.'

Adair knikte. 'Blijf je vannacht hier?' vroeg ze.

'Nee, maar dank u voor het aanbod,' antwoordde hij. 'In juni wordt het niet vroeg donker, en de halve dag is nog over en er zal vannacht een heldere maan zijn om bij te rijden. Ik kan Hailes bereiken, en daarna moet ik terugkeren om me bij mijn meester te voegen.'

'Maar wil je dan misschien iets eten?' Adair probeerde hem met een glimlach over te halen.

'Ja, een beetje voedsel zou ik wel waarderen,' gaf Hercules Hepburn toe.

Elsbeth gaf hem uitgebreid te eten, en deze Hepburn deed zijn naam eer aan. Hij was een grote man met een grote eetlust. En daarna vertrok hij van Cleit. Maar voordat hij door de poorten reed, gaf Adair hem nog een boodschap voor haar man mee.

'Zeg tegen Conal Bruce,' zei ze, 'dat hij te midden van de festiviteiten rond de kroning niet mag blijven beuzelen, want we hebben hier zaken af te handelen.'

'Ik zal het zeggen,' antwoordde Hercules Hepburn, en daarna vertrok hij in galop van de burcht en wendde zijn paard weer naar het noorden.

16

Op de laatste dag van juni kwam Conal Bruce weer thuis op Cleit. Zijn broers en twintig clansmannen reden met hem mee de binnenplaats op. Er waren ook zeventien Armstrongs in de groep van de landheer, maar de landheer van Duffdour bevond zich niet onder hen. Adair stond op de binnenplaats om haar man en zijn broers te begroeten. Ze zagen er vermoeid en uitgeput uit. Murdocs schouder was verbonden, en Adair zag dat het verband nodig moest worden verschoond. Ze stond erop hem eerst mee te nemen naar haar apotheek. Hij bleef stil zitten terwijl ze het verband verwijderde en de wond onderzocht. Het was een diepe snee, maar degene die Murdoc had verzorgd, had de verwonding wel goed schoongemaakt, want er was geen sprake van een infectie, hoewel de randen van de lange snee een beetje wondvocht vertoonden. Ze maakte de snee en het gebied eromheen schoon, smeerde er een zalfje op dat ze van polenta, munt en zout gemengd met ganzenvet had gemaakt, en verbond de wond vervolgens met schone repen van een doek.

'Je zult het wel overleven,' zei ze tegen hem, en hij glimlachte zwakjes naar haar.

'Het was verschrikkelijk,' zei hij zacht. 'Ik heb voor mijn hele leven genoeg bloederige gevechten gezien, Adair. Ik weet dat een man wordt verondersteld sterk te zijn, maar ik ben zo blij dat ik nog leef. Vertel het niet aan mijn broers dat ik dit heb gezegd. Ik wil niet dat ze zich voor me schamen.' Zijn ogen vulden zich met tranen die vervolgens langs zijn knappe, jonge gezicht dropen.

Adair sloeg haar armen om hem heen. 'Het is goed, Murdoc, ik zal het niemand vertellen.'

'Ik ben even oud als de koning, en toch was hij zo dapper,' merkte Murdoc op.

'Ik vermoed dat hij in de beslotenheid van zijn kamer ook zit te huilen,' zei Adair. 'Dat doen alle mannen, hoewel ze het nooit zullen toegeven. Ik heb mijn oom intens zien treuren om het verlies van zijn vrouw en zijn zoontje. Sterk zijn en een man zijn, betekent niet dat je geen verdriet mag hebben.'

De grote zaal was al snel vol mannen, en de vrouwen waren druk in de weer om ze aan de lange tafels allemaal van voedsel en drinken te voorzien, waarbij de tafel van de landheer het eerst werd bediend.

Adair wachtte tot Conal haar zou vertellen wat ze wilde weten. Waar was Ian Armstrong, en waarom keek Duncan zo bedroefd? En ineens kon ze het niet langer uithouden. 'Waar is de landheer van Duffdour?' vroeg ze.

'Hij zit links van je,' antwoordde Conal Bruce.

Adair wendde zich verbaasd naar Duncan.

'Mijn broer werd bij Sauchieburn gedood,' zei Duncan. 'Aangezien hij ongehuwd was, is Duffdour nu van mij, en ik ben dus de landheer van Duffdour. Ik zal Cleit morgen verlaten.'

'Het spijt me dat je je broer hebt verloren,' zei Adair, 'maar door dat verlies ben je een man met bezit en autoriteit geworden, Duncan.'

'Cleit is mijn thuis,' antwoordde Duncan. 'Ik was nog maar een kleine jongen toen ik hier kwam. Ik kan me Duffdour nauwelijks herinneren. Ik ben niet zo vaak bij Ian op bezoek geweest. Hij vond het niet prettig om mij om zich heen te hebben, omdat hij het gevoel had dat het zijn macht verminderde als de beide zoons van onze vader in zijn huis waren. Hij hield van Duffdour, en hij zal er niet eens worden begraven. Zoals de meesten die bij Sauchieburn zijn gevallen, zal hij op het slagveld waar hij de dood vond, worden begraven.'

'Mijn oom stierf op het slagveld bij Bosworth,' zei Adair zacht. 'En wijlen mijn echtgenoot, Andrew Lynbridge, en Dark Walter, mijn kapitein en zovele goede mannen van Stanton ook. Het spijt me, Duncan, maar ik begrijp het heel goed.'

'Dank je, Adair. Ik zal je missen,' voegde hij eraan toe.

'Je zult je ondeugende streken in het vervolg achterwege moeten laten, milord,' zei ze formeel. 'Je bent nu de landheer van Duffdour, en je moet een vrouw nemen om je Armstrong-familielijn voort te zetten.'

'Maar waar moet ik een vrouw vinden die net zo buitenge-woon meelevend en verstandig is als jij, Adair?' plaagde hij haar. Ze had net met haar vriendelijkheid en praktische aard de last van zijn verdriet van hem af genomen. En ze had gelijk, hij moest een vrouw gaan zoeken.

'Ze zit ergens op je te wachten, Duncan, maar je zult haar niet vinden in het huisje van Agnes Carr,' plaagde Adair hem terug.

De mannen aan de tafel van de landheer, die het gesprek had-den gehoord, begonnen te lachen. Daarna herhaalde Conal Bruce wat er was gezegd tegen de mannen aan de lange tafels die iets verderop stonden. Ze barstten allemaal in lachen uit, want iedereen kende Agnes Carr maar al te goed. Door de goede maaltijd op Cleit en het praten over de vriendelijke hoer uit het dorp over de heuvel, raakten de mannen de naargeestig-heid van de afgelopen weken kwijt. Het leven zou weer nor-maal worden.

Adair en de broers begaven zich naar hun stoelen bij de haard in grote zaal, waar een vuur de vochtige kilte van de avond ver-dreef. Buiten viel de duisternis in, hoewel het in de korte juni-nacht niet helemaal donker zou worden. De mannen waren nu in groepjes opgedeeld, en ze zaten te praten of te dobbelen. Beiste legde zijn grote kop op Adairs schoot en staarde zwijme-lend naar haar op terwijl ze hem achter de oren kriebelde.

'Vertel eens hoe de kroning verliep,' vroeg ze aan Conal. 'Was het groots?'

'Eerder nogal sober,' merkte Duncan in zijn plaats op.

'Ja.' Murdoc knikte instemmend.

'Conal?' Adair keek haar man vragend aan.

'Wat weet je?' vroeg de landheer.

'Alleen dat de oude koning door een moordenaar werd dood-gestoken. Dat heeft Hercules Hepbern gezegd toen hij me kwam vertellen dat je in leven was,' antwoordde Adair.

'Ja, hij werd gedood, hoewel niemand weet wie het heeft ge-daan. Waarschijnlijk iemand die door de grote lords was inge-huurd,' zei de landheer.

Adair knikte, en ze dacht even terug aan de jonge page van Middleham die naar Stanton kwam en haar vertelde dat haar halfbroers waren gedood.

'Het lichaam van de oude koning werd naar Stirling gebracht en in de koninklijke kapel gezet, waar het onder de koninklijke standaard bleef liggen tot er een doodskist kon worden gemaakt. De nieuwe koning reed er met Home, Angus en Patrick Hepburn van Linlithgow naartoe. Hij is alleen naar de kapel gegaan, werd me verteld, en toen hij naar buiten kwam, reikte hij ieder van de drie zijn hand om er een kus op te drukken. Toen ze dat hadden gedaan, verliet de jonge koning hen. De oude koning werd op Cambuskenneth ter aarde besteld naast de koningin van wie hij had gehouden. En daarna zijn we allemaal vanwege de kroning teruggekeerd naar het paleis in Scone.' Conal wachtte even.

'We hadden het bevel gekregen om ons allemaal in het zwart te kleden, vandaar dat de kroning een nogal sobere aangelegenheid was. De priester had de jonge koning echter toestemming gegeven om een korte, gekleurde mantel te dragen, en hij koos voor rood. Er waren slechts weinigen voorbereid op de kroning, hoewel er twee weken tussen de strijd en de kroning waren verlopen. De lords uit de Hooglanden die het hadden overleefd en velen uit het verre westen, zijn bijvoorbeeld niet gekomen.'

'Waren er nog dignitarissen uit andere landen bij de kroning aanwezig?' wilde Adair weten.

'Als ze er waren, heb ik ze niet herkend,' antwoordde Conal, 'maar het was in mijn ogen een vrij schamele aangelegenheid. Hoewel Scone het traditionele paleis is voor de kroning van Schotse koningen, was er niets in gereedheid gebracht. In de grote zaal van het Scone Paleis heb ik met degenen die wel waren gekomen om bij de kroning van de vierde James aanwezig te zijn in een rij gestaan om hem als landheer van Cleit mijn trouw te zweren. En Duncan deed hetzelfde voor de Armstrongs van Duffdour.'

'De nieuwe koning heeft me gecondoleerd,' zei Duncan, 'en hij heeft gezegd dat hij voor mijn broer zou bidden. Dat was buitengewoon vriendelijk van hem.'

'En daarna?' wilde Adair weten.

'Er was een vrij karig banket,' antwoordde Conal. 'In mijn eigen burcht krijg ik beter te eten.'

Duncan en Murdoc knikten instemmend.

'Werd er niet gedanst? Was er geen amusement?' vroeg Adair verbaasd.

'Het was allemaal armzalig,' zei Conal, 'maar hoe kon het ook anders? De vader van de koning was tijdens een strijd vermoord, de strijd waardoor zijn zoon op de troon is gekomen. Een hof dat in rouw is, kan de nieuwe koning niet met uitbundige feestvreugde verwelkomen. We mogen van geluk spreken dat er niet meer bloed is vergoten. Er zijn er die niet gelukkig zijn met de afloop van Sauchieburn, maar ze zullen nog wel ontdekken dat deze James anders wil regeren dan zijn vader heeft gedaan.'

'De koning stuurt je een boodschap, Adair,' zei de jonge Murdoc plotseling enthousiast. 'Vertel het haar, Conal. Vertel haar wat hij heeft gezegd.'

Adair hield haar hoofd schuin en keek naar haar echtgenoot. 'Wat heeft hij gezegd?' vroeg ze.

'Hij vroeg of je hem niet wilt vergeten,' antwoordde Conal een beetje zuur.

'Hij zei,' vervolgde Murdoc tegen Adair, 'milord van Cleit, zorg er alsjeblieft voor dat onze Engelse nicht zich ons zal blijven herinneren. En vertel haar dat we hopen haar een keer aan het hof te mogen ontvangen.'

'Heeft hij dat gezegd? Nou, wat aardig van de koning dat hij zich mij herinnert,' mompelde Adair op neutrale toon, maar haar ogen twinkelden. Conal was jaloers. De uitdrukking op zijn gezicht maakte haar duidelijk dat hij jaloers was. En het feit dat hij nauwelijks in staat was de boodschap van de koning in de juiste woorden over te brengen, vertelde haar ook dat hij jaloers was. Zeer jaloers. Daarna stond ze ineens op uit haar stoel. 'Welterusten, broers.' Ze stak haar hand uit naar haar man. 'Ga je nu met me mee, milord, of kom je later?' Adair glimlachte naar hem.

'Later,' bromde hij.

Adair maakte een buiging en verliet de zaal.

'Ik zou met haar mee zijn gegaan,' merkte Duncan met een vage glimlach op.

'We zullen zien hoe jij je gedraagt als je eenmaal zelf een vrouw hebt, en haar gedrag jouw geduld tart,' antwoordde de landheer.

'Wat heeft ze dan gedaan?' vroeg Murdoc. 'Adair lijkt me uiterst gedwee.'

'Ze zal naar het hof willen gaan,' zei Conal Bruce. 'Zag je niet hoe haar ogen oplichtten toen je haar de woorden van de koning overbracht? Ze werd aan een hof grootgebracht. Voor haar is het een bekende plek. Ik kon niet wachten om Scone te verlaten, en ze zeggen dat Stirling, waar de koning zijn hof zal houden, erg groots is. Ik ben geen groots man. Ik ben slechts een eenvoudige grenslord.'

'Ik weet niet of je al dan niet gelijk hebt,' zei Duncan troostend. 'Maar het is misschien een goed idee om ervoor te zorgen dat ze een kind krijgt nu je weer thuis bent. Een kind zal haar aan huis binden, en ze zal er tevreden mee zijn om op Cleit te blijven.'

'Ja,' beaamde Conal terwijl hij in het vuur zat te staren.

'Dat lukt je niet als je hier blijft zitten, jongen,' merkte zijn oudere broer op. 'Ga naar haar toe!'

Conal sprong op uit zijn stoel, en zonder nog een woord te zeggen, rende hij de trap op naar de slaapkamer die hij met Adair deelde. Eenmaal boven rukte hij de deur open en sloeg hem met zo'n harde klap achter zich dicht dat hij rammelde in de scharnieren.

'Ik heb op je gewacht,' zei Adair, terwijl ze haar kamerjas van zich af wierp en haar naaktheid onthulde. Daarna begon ze aan zijn kleren te trekken. 'Het kan me niet schelen dat je naar je paard en Sauchieburn stinkt, en dat je je een paar weken niet hebt gebaad, ik wil je hebben, milord! Want ik ben niet van plan nog langer te wachten, Conal.'

'Jezus, vrouw,' zei hij verbaasd naar adem snakkend, terwijl hij zijn mannelijkheid in zijn broek voelde groeien. 'Ik wil jou ook hebben!' Ze worstelden samen om hem zijn laarzen en kleren uit te trekken, en kusten elkaar tussen de bedrijven door. Zodra hij naakt was, gooide hij haar op het bed, en zonder verder gedoe begroef hij zich in haar verwelkomende lichaam. Ze was warm, en ze was heel nat. 'Je hebt toch hoop ik geen minnaars genomen terwijl ik weg was,' siste hij in haar oor.

'Absoluut niet,' antwoordde ze. 'O ja, Conal, dat is lekker! Ga door,' smeekte Adair.

Hij stootte langzaam in haar, heel langzaam, en gleed steeds dieper in haar vochtige zachtheid. Ze sloeg haar benen om hem heen, en hij stootte zo diep mogelijk. Haar haren roken naar bloemen, en haar lichaam leek volmaakt bij het zijne te passen. Ze wreef zich verleidelijk tegen hem aan. Ze bewoog ritmisch mee op de stoten van zijn mannelijkheid, en uitte jammerende geluidjes van genot die hem aanmoedigden tot hij het gevoel had dat zijn hoofd tolde. En binnen de kortste keren stroomden zijn sappen in haar, en hij kreunde enigszins teleurgesteld omdat het al zo snel voorbij was.

Adair hield hem troostend in haar armen. Hij was nog steeds in haar, en ze besefte dat zijn liefdeslans noch in grootte noch in kracht was afgenomen. Hij had zijn zaad geloosd, maar hij was nog niet bevredigd. En even later begon hij weer in haar te bewegen. Hij bleef zich enkele minuten bewegen, rustte even uit, en hernam vervolgens zijn zoete kwelling. Haar genot explodeerde, en zijn mond kuste de hare, smoorde haar kreten van verrukking. En hij bleef nog steeds in haar, hard en begerig. 'Je zult mijn dood worden,' fluisterde ze hem toe.

Hij lachte zacht. 'Ik heb je alleen maar gemist,' zei hij. Daarna pompte hij weer diep in haar, deze keer langduriger, tot zowel de landheer als Adair zichzelf verloor in een ontlading van hevige hartstocht die hen beiden overviel tot ze niet langer in staat waren zich te bewegen. Daarna vielen ze slap en uitgeput in een diepe slaap terwijl hun vingers nog in elkaar verstrengeld waren.

De zomer strekte zich voor hen uit. De bijen zoemden in de heide die op de heuvels groeide, en er was vrede. Duncan Armstrong was naar Duffdour afgereisd, waar hij door zijn clansmannen werd verwelkomd en tot landheer uitgeroepen. De Armstrongs van Duffdour hadden trouw gezworen aan hun nieuwe landheer. Conal, Adair en Murdoc misten hem echter. Murdocs wond was genezen, maar zijn zwaardarm bleef stijf. Ondanks zijn afkeer van oorlog voeren, oefende hij elke dag op de binnenplaats van de burcht, totdat de stijfheid van zijn arm verminderde en ten slotte verdween. Alleen met koud en regenachtig weer had hij er nog last van.

'Waarom oefen je zoveel als je zo'n hekel aan oorlog hebt?' vroeg Adair hem.

'De grenzen zullen niet lang in vrede blijven,' antwoordde Murdoc. 'Op een dag heb ik misschien mijn arm nodig om Cleit te verdedigen. Vergeet niet, Adair, dat ik de jongste van de kinderen van onze moeder ben. Ik moet mijn burcht verdienen, want ik heb noch landerijen noch geld van mezelf. En alleen dankzij de vriendelijkheid van mijn broer heb ik een dak boven mijn hoofd.'

'Wanneer je ouder bent, zullen we een erfgename voor je zoeken,' zei Adair, en hij lachte.

Hercules Hepburn kwam eind juli met nieuws van de koning. 'De koning heeft de laatste gunsteling van zijn vader, Ramsay van Balmain, van zijn titel beroofd die hij van de oude koning had gekregen, en die heeft hij aan Patrick gegeven. Hij is nu de graaf van Bothwell,' vertelde Hercules. En de koning behandelt alle zaken van de vier grote criminele overtredingen.'

'En welke zijn dat?' wilde Adair nieuwsgierig weten.

'Moord, brandstichting, beroving en verkrachting,' antwoordde hij. 'Behandelt de Engelse koning dergelijke zaken niet, milady?'

'Wij hebben gerechtshoven met rechters,' zei Adair. 'Soms behandelt de koning een heel belangrijke zaak, zoals beschuldiging van verraad.'

'Wij hebben niet genoeg geleerde mannen,' gaf Hercules Hepburn toe. 'En het is goed voor de koning om zich er persoonlijk mee bezig te houden. Zijn vader was te barmhartig in zijn veroordelingen. Onze koning James niet. Hij heeft de enige zoon van de oude lord Drummond van Perth laten ophangen omdat hij zestig clansmannen en -vrouwen van Murray had gedood. De jonge Drummond, een hoogst charmante jongeman, en een gunsteling van de koning, had een vete met de Murray's uit te vechten. Hij stak een kerk in brand waarin ze waren gevlucht om aan zijn strijdkrachten te ontkomen, waardoor allen de dood vonden. Hij zei dat hij de mensen alleen schrik had willen aanjagen, maar hij had de enige deur gebarricadeerd. De koning oordeelde hem schuldig en liet hem ophangen, waarbij hij naast de oude lord Drummond stond toen zijn bevel werd uitgevoerd. Nu wordt hij door het volk op handen gedragen. Wanneer hij van het gemeentehuis komt, waar hij zitting heeft gehouden, loopt er een man voor hem uit om de weg vrij te maken, maar de mensen steken hun handen uit om zijn kleren aan te raken, of zijn hand te pakken om er een kus op te drukken. Zoiets heb ik in mijn hele leven nog nooit gezien,' besloot Hercules Hepburn.

'Hebben alle lords zich nu met hem verzoend?' wilde Conal Bruce weten.

Hun gast nam een grote teug uit zijn bokaal. 'Sommigen van hen, ja. Anderen niet, hoewel dat uiteindelijk wel zal gebeuren. Hij heeft hen allemaal opgeroepen om naar Edinburgh te komen. Enkelen van zijn trouwste bondgenoten wilden dat hij de aanhangers van zijn vader aanklaagde wegens verraad. Anderen waren ertegen. Maar Angus zei dat het absurd was om een man van verraad te beschuldigen die voor zijn koning had gevochten. De koning was het met hem eens, maar hij moest de aanklacht wegens koningsmoord, waarover sommige buitenlandse regeringen protesteren, de kop indrukken.'

'Engeland,' zei Adair zacht. 'Henry Tudor wil er zijn voordeel mee doen.'

'Ja, Engeland. Ramsay is erheen gevlucht en probeert hun koning aan te moedigen om Schotland binnen te vallen,' zei Hercules Hepburn.

'Met welk doel?' wilde Adair weten. 'Schotlands wettige erfgenaam zit op de troon. Maar vertel ons eerst wat er gebeurde toen de lords naar Edinburgh kwamen.'

'Sommigen kwamen, en sommigen niet, zoals ik net al heb gezegd,' vervolgde de grote man. 'Een lijst van degenen die voor het gerecht waren geroepen werd voorgelezen. Maar van alle grote namen was er slechts één gekomen. Het was de oom van de oude koning, de graaf van Buchan, en hij knielde neer tot zijn hoofd de laarzen van de koning raakten. Onze Jamie tilde hem echter op en zei dat hij het hem vergaf. En hoewel noch Huntley noch Crawford of andere grote namen waren komen opdagen, waren er toch veel andere lords, ridders en heren om door de koning te worden veroordeeld. Hij was heel rechtvaardig in zijn oordeel, en hij zei tegen hen dat het zijn grootste verlangen was om van Schotland een verenigd, sterk en welvarend land te maken. En dat hij in zijn hart geen plaats had voor wraak.'

'Dat was buitengewoon genadig,' merkte Adair op.

'Het doet me aan zijn vader denken,' zei de landheer.

'Nee, hij is bepaald niet zoals de oude James,' verzekerde Hercules hem. 'Dit is een sterke koning. Maar mijn neef Patrick is nu hoogadmiraal van Schotland, en hij verafschuwt de zee,' voegde hij er grinnikend aan toe. 'Goddank hebben we Sir Andrew Woods om onze kleine vloot te bemannen. Hoewel het me een raadsel is waarom Schotland eigenlijk een vloot heeft.' Hercules dronk zijn bokaal leeg, en Adair vulde hem snel bij. Hij gaf haar een knipoog, waarop Conal zijn wenkbrauwen fronste, en Adair moeite had om haar lachen in te houden.

'Het is zo goed van je dat je bent gekomen om ons dit nieuws te vertellen, Hercules,' zei ze tegen hem.

'Ik ben blij jullie te kunnen vertellen wat ik weet, maar ik kom ook met een uitnodiging. Aangezien Schotland officieel in de rouw is vanwege de dood van de oude koning, zal er op Stirling met Kerstmis geen hof worden gehouden, maar Hepburn, in zijn hoedanigheid als de nieuwe graaf van Bothwell, zal de koning als gast ontvangen, en hij nodigt jullie uit om voor de viering van het nieuwe jaar naar Hailes te komen. Het zal geen groots feest worden, natuurlijk, gewoon oude vrienden onder elkaar,' deelde Hercules mee.

'Ik weet niet,' zei Conal, 'of we in staat zullen zijn de uitnodiging van de graaf te accepteren.'

'De koning heeft er op aangedrongen dat zijn geliefde Engelse nicht moet worden uitgenodigd,' zei Hercules zacht. 'Hailes is niet groot, maar er zullen een paar andere lady's aanwezig zijn.'

'Milord,' zei Adair, waarbij ze haar kleine hand op de mouw van haar echtgenoot legde, 'het is een eer dat de graaf ons uitnodigt. Alsjeblieft, kunnen we erheen gaan? Ik zou er zo van genieten.'

Hercules Hepburn onderdrukte de glimlach die dreigde op zijn gezicht door te breken. De lady van Cleit was buitengewoon slim, en haar echtgenoot was dolverliefd op haar. Maar hij had ook gehoord dat er werd gezegd dat ze aan het koninklijke hof in Engeland was grootgebracht. Daardoor kende ze de manieren van degenen die de macht hadden, en ondanks de koppige houding van haar partner zou ze graag naar Hailes gaan om het nieuwe jaar te vieren. Ze zou niet de kans willen missen dat haar echtgenoot in de gunst van de nieuwe koning, of van de graaf van Bothwell zou kunnen komen, peinsde hij.

'En stel dat je een kind verwacht?' wilde de landheer weten.

'Ik verwacht geen kind,' antwoordde Adair kalm.

'Maar het is pas het einde van de zomer. Tegen eind december zou je een kind kunnen verwachten,' zei de landheer. 'Je hebt al een baby verloren, vrouwe. Wil je er nog een verliezen?'

'Als ik tegen die tijd zwanger ben, kunnen we onze beslissing om naar Hailes te gaan zo nodig altijd nog herzien,' zei ze tegen hem. 'Het is maar een enkele dag reizen, Conal. Ik wil de koning of de graaf niet beledigen door de uitnodiging nu al af te slaan. Maar natuurlijk is de beslissing aan jou, als de landheer van Cleit, en ik ben slechts je vrouw. Maar als je me gelukkig wilt maken, dan stuur je Hercules terug naar zijn neef om te zeggen dat we er zullen zijn,' eindigde ze, en keek glimlachend naar hem op.

Geamuseerd sloeg Hercules Hepburn het spel van emoties op het gezicht van de landheer gade. Hij wilde meester zijn in zijn eigen huis, maar hij wilde ook zijn vrouw gelukkig maken. En ze gaf hem zeker volop de kans zijn waardigheid te behouden. Ze had niet het initiatief genomen, zoals sommige vrouwen zouden doen, en gezegd dat hij dwaas was en dat ze de uitnodiging van de graaf natuurlijk zouden accepteren. Ze had niet gehuild, of gepruild, met haar voeten gestampt, of hem ervan beschuldigd dat hij haar ongelukkig wilde maken. In plaats daarvan had ze hem vaardig naar de conclusie geleid die zij wilde. Ja, de lady van Cleit was een hoogst formidabele vrouw, dacht Hercules Hepburn in stille bewondering.

'Zeg tegen Patrick Hepburn dat we vereerd zijn en zijn uitnodiging voor de viering van het nieuwe jaar accepteren, ervan uitgaande dat het weer meewerkt,' zei Conal Bruce ten slotte.

'Hij zal verheugd zijn, milord, evenals de koning,' antwoordde Hercules beleefd.

Het bezoek van Hercules Hepburn duurde de hele nacht. Hij was een amusante man die ervan genoot om verhalen over zijn clan te vertellen. Toen hij de volgende ochtend vertrok, vond Adair het jammer dat hij wegging, want ze ontvingen op Cleit maar zo zelden bezoekers.

De zomer ging voorbij, en op een dag in oktober reed Adair met Conal, Murdoc en een paar van hun clansmannen uit om het weinige vee dat ze hadden dichter bij de burcht te brengen. Ze hadden de schamele kudde bijna bereikt toen ze een andere groep ruiters vanuit de tegenovergestelde richting zagen naderen. De landheer vloekte binnensmonds. De andere ruiters droegen geen dienstinsignes, wat betekende dat ze waarschijnlijk plunderaars waren. De landheer riep zijn groep tot stilstand.

'Ga terug naar de burcht,' zei hij tegen Adair.

'Als ik me losmaak uit de groep, komen er vast een paar van hen achter me aan,' antwoordde ze. 'Ik zal niet weer worden verkocht, Conal Bruce!'

'We zullen in een gevecht verzeild raken,' waarschuwde hij haar. 'Ik kan me niet concentreren op mijn verdediging en mijn vee als ik me zorgen moet maken om jou, verdomme!'

'Ik kan vechten,' zei Adair.

'Jezus, vrouw, doe wat je wordt gezegd. Murdoc, neem haar mee terug en zorg ervoor dat de poorten van Cleit worden gebarricadeerd.'

Murdoc stak zijn hand uit en pakte de teugel van Adairs paard, waarna hij met haar in zijn kielzog weg galoppeerde zoals zijn broer hem had opgedragen, zodat de landheer samen met zijn mannen de plunderaars tegemoet kon gaan. Toen ze de veiligheid van de burcht hadden bereikt en de poorten achter hen waren gesloten en gebarricadeerd, gleed Adair van haar paard en haastte zich naar de kantelen van de burcht vanwaar ze misschien kon gadeslaan wat er daarbuiten gebeurde. Murdoc volgde haar op de voet. Samen keken ze toe terwijl Conal Bruce en zijn mannen de onbekende ruiters ontmoetten. Op dat moment beseften ze beiden dat er geen strijd volgde. In plaats daarvan draaiden beide partijen zich om en reden in de richting van de burcht.

Zodra ze dichterbij kwamen, dacht Adair de ruiter die naast haar man reed te herkennen. Voorzichtig zocht ze haar weg terug van de kantelen, en Murdoc kwam weer achter haar aan. Ze klommen via de ladder die naar de hal leidde naar beneden, en vandaar liepen ze de trap af en haastten zich vervolgens naar de grote zaal terwijl de landheer de zaal vanuit een andere ingang betrad.

Nu herkende Adair de man in het gezelschap van haar man.

'Robert!' riep ze. 'Robert Lynbridge!' Ze liep naar voren en strekte haar handen ter begroeting naar hem uit, waarna ze hem hartelijk omhelsde. 'Wat brengt jou naar Cleit?'

'Ken je hem?' vroeg de landheer.

'Hij was de oudere broer van Andrew,' antwoordde Adair. 'Andrew Lynbrige, wijlen mijn echtgenoot die bij Bosworth om het leven is gekomen. Hoe is het met je, en met Allis en de kinderen?' vroeg ze, en leidde hem naar de haard, waar hij zich kon warmen. Vervolgens gebaarde ze naar een van de bedienden dat er voor hun gast iets te drinken moest worden gebracht, waarna ze naast Robert op een stoel ging zitten. 'Ik had niet verwacht dat ik je ooit nog eens zou zien, Robert,' zei ze.

'Ik heb naar je gezocht, Adair. Inmiddels al vele maanden lang,' zei Robert. 'We hoorden pas de zomer erna dat Stanton was geplunderd, toen de boodschapper van de koning naar ons toe kwam. Hij was naar Stanton gegaan, maar had het geheel verlaten aangetroffen. We zijn toen met hem mee teruggereden, en na enige tijd vonden we een ouder paar dat zich in een van de huisjes verborgen hield. Ze waren doodsbang dat wij ook plunderaars waren, en dat we waren gekomen om hen te doden. Toen we hen er eindelijk van hadden overtuigd dat dat niet onze bedoeling was, vertelden ze ons dat een man, met de naam William Douglas, Stanton had geplunderd, en de lady en vele anderen had meegevoerd. De meeste mannen waren afgeslacht, vertelden ze. Ze zijn dagenlang bezig geweest om met de paar andere mensen die niet waren meegenomen de doden te begraven. In de winter die daarop volgde, zijn die anderen gestorven, en zij waren samen de enige twee mensen van Stanton die nog in leven waren.' Hij wachtte even om een paar slokken wijn te nemen.

'Vanaf dat moment hebben we je gezocht, Adair. Het heeft ons geruime tijd gekost om die man, Douglas, te vinden. Eerst beweerde hij helemaal niets van Stanton te weten, maar na verloop van tijd gaf hij toe dat hij inderdaad degene was geweest die het had geplunderd. Hij herinnerde zich jou heel goed, want hij zei dat je een lastige gevangene was, en dat hij het geluk had gehad je aan de landheer van Cleit te kunnen verkopen, die jouw Elsbeth al had gekocht. Hij vertelde erbij dat Elsbeth net zo lastig was als jij, want ze weigerde eenvoudig met de landheer mee te gaan, tenzij hij jou ook kocht, en dat deed hij dus. Daarna moest ik er zien achter te komen waar Cleit was gelokaliseerd, en het is niet te geloven, maar Cleit ligt volgens mij nog geïsoleerder dan Stanton.' Robert dronk de rest van zijn wijn nu dorstig op.

'Waarom ben je gekomen, Robert?' wilde Adair nieuwsgierig weten.

'Nou, om je te redden natuurlijk,' zei hij, met een uitdrukking op zijn gezicht alsof hij dacht dat ze gek was. 'Ik zal je meester twee keer zoveel betalen als het bedrag waarvoor hij je heeft gekocht. En ik zal Elsbeth eveneens vrijkopen.'

'Je hebt me toch zeker niet al die tijd alleen maar gezocht om me te bevrijden?' vroeg Adair. 'Je bent vast met nog een ander doel gekomen, Robert. Maar om je meteen de waarheid te vertellen, ik kies er niet voor om naar Engeland terug te keren. Mijn thuis is nu hier, op Cleit,' voegde ze eraan toe.

'Maar Adair,' zei Robert Lynbridge, 'de koning heeft je landerijen aan je teruggegeven. Ik heb de boodschap gelezen die je werd gestuurd. Hij kwam van de moeder van de koning, lady Margaret Beaufort, die haar zoon had overgehaald je genadig te zijn. Hij zal je echter niet je titel teruggeven, en hij wil een echtgenoot voor je zoeken om Stanton te verdedigen, maar je landerijen zijn weer van jou.'

Zijn woorden tolden door haar hoofd. Stanton! Stanton was weer van haar! En daarna keek ze recht in de ogen van Conal Bruce. De pijn die ze daarin zag was als een lichamelijke aanval op haar persoon. Hij hield van haar. En ze hield van hem. Ze zou hem niet verlaten, nu niet en nooit. Zelfs niet voor Stanton. 'Ik kan niet teruggaan, Robert,' zei ze tegen hem.

'Maar waarom niet?' vroeg hij. 'Ik weet immers dat Stanton meer voor je betekent dan het leven zelf, Adair. En de koning is vast van plan een rijke echtgenoot voor je te kiezen, zodat de Hall opnieuw kan worden herbouwd. Stanton kan zijn oude glorie terugkrijgen. Lord John zou dat ook willen.'

'Rob, ik heb een man. Een Schotse man die de landheer van Cleit is. Ik kan niet teruggaan, en ik wil ook niet meer terug. Ik weet bovendien zeker dat mijn vader alleen maar zou willen dat ik gelukkig ben, en dat ben ik hier.'

Robert begreep haar verkeerd. 'Een koopovereenkomst is

geen echt huwelijk, Adair,' legde Robert Lynbridge uit. 'Er is niets wat je hier bindt. Natuurlijk kun je terug.'

'Nee Rob, dat kan ik niet. En ik wil echt niet meer terug. Ik ben wettig getrouwd door een priester van onze Heilige Moeder Kerk in het dorp, in aanwezigheid van de graaf van Bothwell en de nieuwe koning in eigen persoon. Elsbeth was bij me, en de twee broers van milord, de landheer van Duffdour en Murdoc Bruce. Ik ben hier gelukkig. Ik ben tevreden met mijn man en het leven dat we samen hebben.'

'Maar wat moet er dan met Stanton gebeuren?' wilde Robert Lynbridge weten.

'Koning Henry heeft het me ontnomen, en het is aan hem om ermee te doen wat hij wil. Er is weinig van over, afgezien van een paar lege huisjes. Wat het eens was, bestaat niet meer. Ik zal hem een boodschap schrijven, en ik hoop dat jij die mee terug naar Engeland wilt nemen en ervoor zult zorgen dat die bij hem wordt afgeleverd. Als jij de landerijen van Stanton wilt hebben, zal ik de koning vragen ze aan jou te geven, hoewel er geen garantie is dat hij dat zal doen. Maar aangezien de Lynbridges en de Radcliffes aan elkaar verwant zijn, zal hij misschien edelmoedig zijn. En het zou mij natuurlijk verheugen te weten dat Andrews broer daarna in het bezit zou zijn van wat eens Stanton was. En je grootvader zou zich er ook over hebben verheugd. En ik zal lady Margaret ook een brief schrijven om haar te bedanken voor het feit dat ze voor mij heeft bemiddeld.'

'Ik zou nooit hebben geloofd dat je Stanton zo gemakkelijk zou kunnen loslaten,' zei Robert Lynbridge op een toon die uitdrukking gaf aan zijn verbazing.

'Gemakkelijk? Nee, niet gemakkelijk, Rob, maar ik ben nu bijna twee jaar weg van Stanton. De Hall is vernietigd, de mensen van Stanton zijn verspreid over het hele land of dood. Het enige wat er over is van het Stanton dat ik eens heb gekend, en waarvan ik eens heb gehouden, zijn mijn herinneringen. Die zullen hier in Schotland voor de rest van mijn leven bij me blijven.'

Hij schudde zijn hoofd. 'Je verbaast me, Adair. Je bent zo volkomen anders geworden dan het meisje dat de vrouw van Andrew was, en wier toewijding aan Stanton zelfs nog groter was dan de liefde die ze misschien voor mijn broer heeft gevoeld, God behoede zijn goede ziel.'

Deze opmerking stak. Welk recht had Robert Lynbridge om haar te bekritiseren? Zou hij naar haar op zoek zijn gegaan als de boodschapper van haar koning niet naar Hillview was gereden om Roberts hulp te vragen? Ze had er ernstige twijfels over, ondanks het feit dat hij de oudste broer van haar man was geweest. Hij had zijn eigen landerijen om voor te zorgen, en zij had wat Stanton betrof niet om zijn hulp gevraagd. 'Ja, God behoede zijn goede ziel,' beaamde ze. 'Hij is met eer gestorven, en ik was trots op hem, Rob. Maar sinds de dag dat hij weg marcheerde om zich bij mijn oom te voegen in zijn laatste strijd tegen de Engelse troon, is er veel veranderd.'

'Is er zoveel veranderd dat je met een Schot wilde trouwen?' vroeg Robert haar botweg. 'Deze verbintenis kan nietig worden verklaard zodat je misschien een goede Engelse echtgenoot zult krijgen, nu je de landerijen van je familie terug hebt. Eens betekende de naam Radcliffe alles voor je, Adair. Zoveel dat mijn broer jouw naam moest aannemen als hij je man wilde worden.'

'Maar ondanks lord Johns vriendelijkheid ben ik nooit een echte Radcliffe geweest, is het wel, Rob?' antwoordde Adair. 'Ik was een kind van de koning, een koninklijke bastaard. Niets anders. Conal Bruce en ik delen veel meer dan ik ooit met Andrew heb gedeeld. We hebben namelijk een kind gekregen.'

'Heb je een kind?' vroeg hij verbaasd. Met zijn broer had ze geen kinderen gekregen. 'Waar is het kind dan?'

'Begraven op de heuvel,' antwoordde Adair rustig. 'Onze dochter, Jane, werd de vorige winter geboren, maar ze heeft minder dan een dag geleefd. Je ziet dus, Rob, dat mijn goede lord en ik voor het leven aan elkaar verbonden zijn. En met Gods zegen zullen we nog meer kinderen krijgen.'

Robert Lynbridge wendde zich tot de landheer. 'Vergeef me mijn openhartige gesprek, milord,' zei hij. 'Wanneer een man en een vrouw een kind hebben gekregen, weet ik dat alles verandert. Ik wil u niet beledigen, en ik vraag u om vergiffenis. Ik wilde niet dat de vrouw van mijn broer hier met u moest blijven als ze niet werkelijk tevreden en gelukkig zou zijn. En ik ben uiterst verbaasd dat ze bereid is haar landerijen voor een Schotse echtgenoot op te geven.'

'U heeft me niet beledigd,' zei Conal Bruce op harde toon. 'En als Adair ongelukkig zou zijn en mij verlaten haar weer geluk zou brengen, zou ik haar laten gaan. Een gekooide vogel die wegwijnt uit verlangen naar vrijheid, blijft niet lang in leven. Ziet mijn vrouw er in uw ogen ongelukkig uit? Of op een of andere manier ontevreden? Heb ik haar tegengehouden om de waarheid uit te spreken? Zal ik u alleen laten om uw zaak nog eens te bepleiten? Er zal niets veranderen als ik dat doe. Daar ben ik zeker van, want Adair houdt van me, zoals ik van haar houd.'

Ze moest bijna huilen om zijn woorden. Nu had hij openlijk verklaard dat hij van haar hield. Ze stond op en ging naast haar man staan, die zijn arm om haar middel sloeg. 'Het zou ons verheugen als je vannacht hier blijft, Rob. En Elsbeth zal verrukt zijn om je weer te zien. Ik zal ervoor zorgen dat je mannen te eten krijgen en onderdak. Je paarden worden in onze stallen verzorgd en ondergebracht. En na het avondmaal wil ik van je horen hoe het met Allis en jullie kinderen is.'

Ze had een einde aan het gesprek gemaakt, begreep Robert Lynbridge, en dus maakte hij beleefd een buiging. 'Ik ben dankbaar voor jullie gastvrijheid, milord, Adair.'

Conal Bruce bleef de rest van die avond relatief zwijgzaam. Hij had zichzelf en zijn broers als Adairs familie beschouwd. Het bezoek van Robert Lynbridge had hem hevig van streek gemaakt. Hij wilde niet dat zijn vrouw nog op een of andere manier banden met Engeland had. Hij had zich er nooit al te veel zorgen over gemaakt dat ze zelf landerijen in bezit had. Hij had die Adair nooit gekend. De vrouw die hij had gekend, was zijn bediende geweest, zijn minnares, niet een vrouw van adellijke afkomst met eigen landbezit. De komst van Robert Lynbridge had hem gedwongen het feit onder ogen te zien dat Adair inderdaad de dochter van een Engelse koning was. Ze was werkelijk de halfzuster van de huidige Engelse koningin. Deze werkelijkheid gaf hem een ongemakkelijk gevoel, en dat beviel hem niet.

Hij had Adair tot een huwelijk gedwongen. O, hij was slim geweest, of liever gezegd zijn broer was slim geweest. Het was allemaal op een wettige manier gebeurd. Wat hem bij een volgend verontrustend punt bracht. Zijn mooie vrouw was ook een verre nicht van zijn eigen Schotse koning. Wie was hij om getrouwd te zijn met een nicht van de Schotse koning en de

339

halfzuster van de Engelse koningin? Hij was niets meer dan een eenvoudige grenslord. Was Adair werkelijk gelukkig met hem terwijl ze zelf ook moest weten dat ze het beter zou kunnen hebben? Misschien moest hij haar laten gaan en hun verbintenis laten ontbinden. Maar hij kon haar niet laten gaan, want hij hield echt van haar, en het leven op Cleit zonder zijn geliefde vrouw zou ellendig zijn.

Conal Bruce vond het dus niet jammer om de volgende ochtend op de binnenplaats afscheid te nemen van Robert Lynbridge. Hij bemerkte dat zijn vrouw hartelijk was, maar niet bijzonder warm jegens de Engelsman. 'Zou je met hem mee willen rijden en terugkeren naar Engeland? Naar Stanton?' vroeg hij zacht.

Adair keek naar hem op met haar prachtige violette ogen. 'Soms, Conal, kun je een domkop zijn, zoals nu. Cleit is mijn thuis, en zal dat altijd zijn. Op dit moment heb ik belangrijker dingen om me mee bezig te houden, zoals een nieuwe jurk, misschien wel twee, voor het nieuwjaarsfeest op Hailes. Ik verheug me er erg op. Het zal fijn zijn om Patrick Hepburn en de koning weer te zien. En ik moet me er trouwens ook van overtuigen dat jouw kleding in orde is voor ons bezoek.' Ze draaide zich om en begaf zich terug naar de burcht.

'Ik ben niet van plan me door jou potsierlijk te laten aankleden,' bromde hij binnensmonds terwijl hij haar naar binnen volgde. 'Ik ben een grenslord, niet een of andere geparfumeerde hoveling.'

'Natuurlijk ben je een grenslord, maar dat wil nog niet zeggen dat je eruitziet als een bandiet of stinkt als een koeienstal,' bitste ze terug. 'Ik ben van plan een met bont afgezette mantel voor je te maken, en die zul je dragen, Conal.'

Hij pakte haar hand en trok haar tegen zich aan. Op haar neerkijkend omvatte hij haar gezicht tussen zijn beide handen en staarde in haar ogen. 'Ben je werkelijk gelukkig met me?' vroeg hij, waarbij hij zijn best deed niet als een zwakkeling te klinken. 'Als je dat niet bent, en als je naar Engeland en naar je landerijen wilt terugkeren, kan ik nu nog iemand achter Robert Lynbridge aan sturen om hem terug te halen, Adair. Ik zou het niet kunnen verdragen als je op Cleit niet volkomen gelukkig zou zijn. Ik zal niet veranderen, mijn honnepon. Ik ben wat ik ben: een eenvoudige man. Ik hoef geen andere titel dan die ik heb, de landheer van Cleit. Maar jij bent wat jij bent: een vrouw met koninklijk bloed in je aderen. Jij hebt een titel gehad en je eigen landerijen. Cleit zal nooit meer zijn dan wat het is: een grensburcht met een kudde koeien en een paar schapen. We zullen nooit rijk of machtig worden. Weet je zeker dat je daar tevreden mee kunt zijn, en gelukkig met een man die je geen titel te bieden heeft?'

'Houd je van me, Conal?' vroeg ze, en keek op naar zijn grove gelaatstrekken en de stormachtige grijze ogen met de gouden vlekjes die haar zo hoopvol aanstaarden.

'Ja, ik houd van je,' antwoordde hij. 'Ik houd zelfs zoveel van je dat ik je zou laten gaan als dat jou gelukkiger zou maken dan bij mij blijven. Ik houd zoveel van je dat ik die woorden zelfs hardop kan uitspreken. Ik wil ze zelfs uitschreeuwen zodat iedereen het kan horen. Ik houd van je! Ik houd van je!' Daarna boog hij zijn hoofd en bedekte haar gezicht met wel honderd kussen.

Ze begon te huilen van geluk. 'Vertel me dan nu, Conal Bruce, waarom ik een man zou verlaten die van me houdt,' snikte ze. 'Je bent alles wat een vrouw in een man kan verlangen. Ik ben er meer dan tevreden mee om de vrouw van een grenslord te blijven. Een man die precies zal blijven wat hij op dit moment is: liefhebbend, loyaal, en edelmoedig in de kern.'

'Als je zo tevreden bent, waarom huil je dan?' vroeg hij.

'Ik huil omdat ik zo gelukkig ben!' zei ze, nu half lachend.

'Ik zal nooit iets van vrouwen begrijpen!' verklaarde de landheer.

'Je hoeft ons ook helemaal niet te begrijpen,' zei Adair. 'Je hoeft alleen maar van ons te houden! En laat me nu gaan zodat ik aan de taken kan beginnen die ik moet voltooien voordat we tegen eind december naar Hailes gaan.'

Conal Bruce was opgelucht dat Adair graag zijn vrouw wilde blijven en dat ze geen spijt scheen te hebben van het feit dat ze haar landerijen op Stanton kwijt was. In de weken die daarop volgden sloeg hij haar gade terwijl zij, Elsbeth en de andere vrouwen aan twee nieuwe jurken werkten die ze mee zou nemen naar Hailes. En hij bleef zelfs goedgehumeurd in zijn grote zaal staan terwijl ze hem voorzichtig een lange, zwartfluwelen mantel aanpasten die met warm bont zou worden gevoerd en afgezet. Het was een eenvoudig kledingstuk, zag hij, met brede manchetten. Hij had er niets over te klagen, dacht hij tot zijn eigen verbazing. Ook het wambuis dat ze voor hem had gemaakt was niet bijzonder opvallend, zelfs niet met de geborduurde halslijn. Ze maakte ook drie nieuwe linnen hemden voor hem, en een broek van de clanruit. Toen hij zag wat ze allemaal had gedaan, was hij geroerd.

'Ik heb alleen maar gedaan wat een goede vrouw zou doen,' zei ze.

Voor haarzelf had ze met behulp van de andere vrouwen twee nieuwe jurken gemaakt. Beide jurken hadden een lage halslijn en een hoog middel. De een was van wijnrode fluweel, en de andere had een dieppaarse kleur, bijna zwart. De mouwen waren lang en strak. De mouwen van de wijnrode jurk waren met bont afgezet, en de mouwen van de paarse jurk hadden geborduurde manchetten.

'Ik kan me voorstellen dat de mode is veranderd, maar ik ben er niet van op de hoogte,' zei Adair toen ze hem de kledingstukken toonde. 'Ik heb ze een beetje eleganter gemaakt, omdat ik het gevoel had dat ik daarmee Patrick Hepburn en de koning eer zou aandoen, want het is een eer voor me dat ik op Hailes ben uitgenodigd.'

'Ik ben al eens eerder op Hailes geweest,' zei hij. 'Het is een burcht zoals Cleit.'

'Maar vast groter,' zei Adair.

'Ja, wel groter,' gaf hij toe.

'Je bent op Hailes geweest toen Hepburn alleen nog maar een landheer was en de koning een prins,' hielp ze hem herinneren. 'Het zal nu allemaal wel anders zijn.'

Hij glimlachte onwillekeurig om haar opwinding. Als er één ding was waarop hij zich echter niet verheugde, dan was het de dagrit door de winterse heuvels naar Hailes. Hij hoopte op een zware sneeuwstorm, maar het zag ernaar uit dat ze toch moesten gaan. Want hoewel de burcht al verscheidene dagen door hevige regenbuien werd gegeseld, en het af en toe zelfs licht sneeuwde, zou het mogelijk zijn de reis te maken. En Adair had niet gezegd dat ze een kind verwachtte. Hij had dus geen enkel excuus om niet te gaan, en dus zouden ze moeten gaan, want Adair had gelijk toen ze zei dat ze de koning of diens beste vriend, Patrick Hepburn, de graaf van Bothwell, niet konden beledigen. Hun kleding was ingepakt, en de hutkoffer zou door een sterke muilezel worden gedragen. Tien gewapende mannen zouden hen vergezellen. Maar eerst vierden ze Kerstmis in hun eigen burcht. Na de mis werd er een eenvoudig feestmaal opgediend, en de landheer schonk ieder van zijn mannen een zilveren halve stuiver als waardering voor hun loyaliteit. Ze waren dankbaar, aangezien ze wisten dat hun meester geen rijk man was. Adair schonk haar vrouwen genoeg stof om ieder een nieuwe jurk van te maken. En Jack kreeg zijn eigen mes. Het had een benen handvat, en hij was er erg blij mee, hoewel Flora haar bezorgdheid uitte over het feit dat haar zoon nog niet oud genoeg was om een wapen te bezitten.

Murdoc had een jong gekregen van Beistes eerste worp. Hij was er heel tevreden mee. Hij was niet uitgenodigd om naar Hailes te komen, en dus zou hij achterblijven als bewaker van Cleit Keep. Hij was erg opgewonden over de verantwoordelijkheid die hem was gegeven, en hij stond trots op de binnenplaats toen ze zich de dertiende december voorbereidden om te vertrekken.

'We zullen over zeven dagen weer terugkomen, jongen,' zei de landheer tegen zijn jongste verwant. 'Zorg dat je tijdens onze afwezigheid niet in al te veel moeilijkheden verzeild raakt. En laat Agnes hierheen komen om je wat plezier te bezorgen. Breng geen enkele nacht weg van de burcht door.'

Murdoc grinnikte. 'Ik ben blij dat ik je toestemming heb om haar te laten komen.'

Conal Bruce lachte.

'Reis in veiligheid en met Gods bescherming,' zei Murdoc toen de groep van de landheer zich omdraaide om weg te rijden. 'Ik zie jullie over zeven dagen terug.'

17

*H*et was een lange, en tamelijk koude rit naar Hailes Castle, hoewel er bijna geen wind stond en de zon zelfs scheen.

'Zie je,' zei Adair opgewekt, 'ons bezoek aan Hailes heeft gewoon zo moeten zijn.'

'Je gaat er vast anders over denken als we daar langer moeten blijven vanwege een hevige sneeuwstorm, of als die ons halverwege de terugtocht naar Cleit zou overvallen,' bromde de landheer.

'Het is een schitterende gelegenheid voor je,' zei Adair. 'De koning zal je beter leren kennen, en dat is alleen maar toe te juichen.'

'Ik zie niet in waarom,' antwoordde Conal Bruce. 'Ik heb immers niets met de koning te maken.'

'Het kan geen kwaad om een vriend van de koning te zijn,' hield Adair hem voor. 'Je hoeft niet aan het hof te verblijven en betrokken te raken bij politieke zaken om zijn vriend te zijn. Maar dit bezoek aan Hailes, de camaraderie die je met Hepburn en de koning zult delen, zal James Stewart tonen dat hij hier in de grensgebieden in de landheer van Cleit een loyale man heeft gevonden. Jij bent het soort man met wie hij op jacht zal willen gaan, en met wie hij zal willen drinken en dobbelen, milord. En als deze koning je onder de wapenen roept, zul je daar gehoor aan geven.'

'Hoe komt het dat jij zo goed op de hoogte bent van dit soort zaken?' vroeg de landheer.

'Je vergeet, Conal, dat ik aan een koninklijk hof ben opgegroeid. Aan de kinderen die het hof bevolken wordt weinig aandacht besteed. Mensen roddelen nou eenmaal, en denken niet over hun aanwezigheid na. Maar kleine potjes hebben grote oren. Luisteren, dingen opnemen, schiften wat niet belangrijk is en dingen geheimhouden zijn allemaal zaken die bij de opvoeding van koninklijke kinderen horen. En ik heb mijn lessen goed geleerd,' vertelde ze hem met een droevig lachje. 'Dit bezoek aan Hailes kan in het voordeel van Cleit zijn,' voegde ze er vastberaden aan toe.

'Je schijnt deze koning te begrijpen, en ik vraag me af hoe dat komt,' antwoordde hij.

Adair lachte. 'Er is iets aan de jonge James Stewart dat me heel erg aan mijn eigen verwekker doet denken. Hij heeft veel charme en kan goed met mensen overweg. Kun jij je een tijd herinneren in de korte periode dat je de koning kent dat hij je als een mindere heeft behandeld, Conal?'

'Nee, dat kan ik niet,' gaf de landheer hoofdschuddend toe.

'En ik heb gehoord dat hij als minnaar bij de lady's ook een behoorlijke reputatie heeft, net als mijn verwekker. Met betrekking tot die koning vond ik dat weerzinwekkend. Met deze vind ik het amusant, en dat komt misschien wel door zijn jeugdige leeftijd. Of misschien denk ik er zo over omdat hij geen getrouwde man is met een huis vol kinderen,' merkte Adair op.

'Hij kijkt naar jou alsof hij je zou willen opeten,' mompelde de landheer.

Adair lachte weer. 'Zo kijkt hij naar alle vrouwen, vooral als ze mooi zijn. Hij bedoelt er niets kwaads mee, en ik heb niet horen zeggen dat hij ooit een vrouw die zijn avances afsloeg tot iets heeft gedwongen.'

'Dat komt omdat geen enkele vrouw ooit zijn toenaderingspogingen heeft geweigerd,' zei de landheer zuur.

'Ben je jaloers, milord?' plaagde ze hem.

'Ja, dat ben ik!' gaf hij fel toe.

'Maar je weet toch dat je niet jaloers hoeft te zijn, Conal?' vroeg ze.

'Ja,' zei hij.

'Dan zal ons bezoek plezierig verlopen, en je zult niet zo nerveus hoeven worden wanneer de koning met me flirt, wat hij vast en zeker zal doen, omdat hij nou eenmaal zo is,' zei Adair tegen haar man. 'Dit bezoek kan bovendien gunstig zijn voor onze kinderen,' voegde ze eraan toe.

'Hij keek haar nieuwsgierig aan. 'Wat bedoel je daarmee?' vroeg hij.

'Wat zal er met Murdoc gebeuren?' beantwoordde ze zijn vraag met een wedervraag.

'Wat bedoel je?' Hij keek haar verward aan.

'Duncan heeft Duffdour. Jij hebt Cleit. Maar Murdoc heeft niets om hem aan te prijzen. Wat zal er van hem terechtkomen? Met wie zal hij trouwen? Kan hij zich wel een vrouw permitteren? Hij heeft zijn bestaan aan jou te danken. Je bent zijn broer, zijn landheer. En wanneer wij zoons hebben, wordt Murdocs waarde zelfs nog minder. Ik wil deze vriendschap met de koning voor onze kinderen, Conal. Jij zult een erfgenaam krijgen, maar wat gebeurt er als we meer dan één zoon krijgen? Stel dat we drie zoons krijgen? Een van hen kan zeker priester worden, maar hoe zit het met de andere zoons? Een vriendschap met de koning zou een zoon een plaats aan het hof kunnen bezorgen, in de vorm van koninklijke wacht, bijvoorbeeld. Of, wanneer hij een opleiding zou hebben gevolgd, als koninklijke secretaris. Zonder de vriendschap van een belangrijk en machtig man zouden onze zoons hun leven misschien al zwervend langs de grenzen doorbrengen, waarbij ze plunderen, meiden achternalopen en drinken. Dat is niet wat ik voor mijn zoons wil. En ik wil dat je voor eventuele dochters die we krijgen goede huwelijkskandidaten zult vinden. Als hun vader bevriend is met de koning, zijn hun kansen veel beter dan als hun vader slechts een eenvoudige en onbelangrijke grenslord is,' besloot ze haar betoog.

'Ik had er geen idee van dat je zo ambitieus bent,' zei hij traag.

'Alle vrouwen zijn ambitieus waar het hun kinderen betreft, milord,' antwoordde ze met een vaag lachje. 'We doen ons uiterste best voor onszelf, maar we willen altijd dat onze kinderen het nog beter hebben. Ik vrees dat het in onze aard zit.'

Nu was het zijn beurt om te lachen. Daarna zei hij: 'Ik zal dit allemaal in jouw zeer vakkundige handen laten, mijn honnepon, want de waarheid is dat ik niets anders ben dan een nederige grenslord zonder bepaald belang, die kennelijk ver boven zijn stand is getrouwd.'

Ze stopten onderweg een keer om hun behoeften te doen en de paarden te laten rusten. Ze aten enkele haverkoeken om hun ergste honger te stillen, en dronken whisky uit een flacon om hun lichaam enigszins te verwarmen. Adair had geen gevoel meer in haar voeten, en haar handen, die de teugels van haar paard vasthielden, waren ijskoud en stijf. Om nog maar te zwijgen over haar achterwerk, dat pijnlijk was. Ze wilde niets liever dan een heet bad, wat ze naar alle waarschijnlijkheid niet zou krijgen in een huis vol gasten die waren gekomen om bij de koning te zijn.

Eindelijk, terwijl de winterse zon over de westelijke heuvels verdween, bereikten ze Hailes Castle. Het was niet zo'n groot huis, maar het was zeker groter dan Cleit. Hun paarden klosten over de dikke houten ophaalbrug, die een bevroren slotgracht overspande, en vervolgens betraden ze de binnenplaats van het kasteel. Patrick Hepburn kwam persoonlijk naar buiten om zijn gasten te begroeten, waarna hun paarden naar de stallen werden geleid.

'Welkom op Hailes,' zei de graaf van Bothwell. 'Kom allemaal mee naar de grote zaal.' Met een breed gebaar van zijn arm betrok hij de gewapende mannen van Cleit bij zijn uitnodiging. 'Er is voor iedereen voedsel en drinken.' Hij drukte een kus op Adairs gehandschoende hand. 'Ik verontschuldig mijn vrouw die niet hier is om jullie ook te begroeten. Maar het is bijna haar tijd en ze voelt zich niet lekker. Ze wacht in de grote zaal op ons.' Hij leidde hen naar binnen.

'Ik wist niet dat je een vrouw had,' merkte Adair op.

'Ja, Janet Douglas. Ze is de dochter van de graaf van Morton. We zijn eerder dit jaar getrouwd, vlak voor de strijd bij Sauchieburn,' zei de graaf.

'En ze is niet lekker? Het spijt me dat te horen,' zei Adair.

Ze betraden de grote zaal met zijn twee open haarden waarin de vuren hoog oplaaiden. Het was hier warmer, stelde Adair tot haar opluchting vast, dan in de gangen van het kasteel. Toch dacht ze dat het nog wel een paar dagen zou duren voordat ze geheel ontdooid was na hun lange en koude rit. Ze volgde de graaf naar een van de haarden, waar een jonge vrouw op een beklede stoel met hoge rug zat, met een zwartbruine terriër aan haar voeten.

'Mijn engel,' zei de graaf. 'Dit zijn Conal Bruce, de landheer van Cleit, en zijn vrouw, Adair. Ze zijn gekomen om je te groeten.'

De gravin van Bothwell keek naar hen op en glimlachte.

Adair begreep waarom haar man haar met 'engel' had aangesproken. Janet Douglas Hepburn was klein en breekbaar, met lichtblond haar en lichtblauwe ogen. Haar buik was omvangrijk door het kind dat ze droeg. 'Jullie zijn zeer welkom op Hailes,' zei ze met een bijna etherische stem. 'Ik benijd jullie niet om de rit die jullie vandaag hebben gemaakt. Zelfs hier in het kasteel voel ik de winterse koude.'

De landheer en Adair maakten een buiging voor de vrouw van de graaf.

'Wanneer wordt je kind geboren?' vroeg Adair, en ze zag vanuit haar ooghoek dat haar man en hun gastheer zich naar de andere kant van de zaal begaven.

'Binnenkort, zegt de vroedvrouw,' antwoordde Janet Douglas Hepburn met een zucht. 'Ga zitten en houd me even gezelschap, tenzij je je bij je man en de andere lady's wilt voegen die allemaal om de koning heen drommen.' Haar blauwe ogen twinkelden. 'Hij heeft zich verheugd op je komst,' zei ze.

'Ik denk dat ik hier bij jou blijf, vrouwe,' antwoordde Adair. 'Conal is een jaloerse man, en hij heeft de hele rit hier naartoe tegen me gemopperd over de vriendelijkheid van de koning jegens mij.'

De gravin van Bothwell lachte, hoewel zwakjes. 'Ik moet toegeven dat Jamie charme heeft. Hij is een echt ondeugende jonge man. Vlak voordat Patrick en ik trouwden, heeft hij geprobeerd me in zijn bed te krijgen, de ondeugd.'

'Ik ben blij dat ik kan zeggen dat hij mij niet op die manier heeft benaderd,' loog Adair.

'Nog niet,' zei de gravin van Bothwell met opnieuw een twinkeling in haar ogen. 'Ga zitten, milady Adair, en houd me gezelschap als je niet van plan bent je bij de anderen te voegen,' herhaalde ze. 'Hebben jullie al kinderen?'

'We hebben een dochter verloren, Jane. Vorige winter,' zei Adair. 'Maar we zijn nog maar zo kort getrouwd dat er tijd is om nog meer kinderen te krijgen. Conal zei dat we niet hierheen konden gaan als ik zwanger was. Dus heb ik nog niet verteld dat ik dat ben. Het kind zal tegen het eind van de zomer worden geboren, denk ik.'

Janet Douglas Hepburn lachte. 'Je bent een sterke vrouw,' zei ze. 'Ik wou dat ik dat was, maar ik ben niet sterk. Dat is ongebruikelijk voor een Schotse vrouw. Patrick had niet met me moeten trouwen, want ik ben zwak, zoals je kunt zien. Mijn moeder wilde het niet, maar ik wel. Ik werd verliefd op hem toen hij de eerste keer naar Castle Douglas kwam en ik hem zag. Ik bid dagelijks voor een zoon, want als dit kind niet mijn dood wordt, dan is het onwaarschijnlijk dat ik ooit nog een kind zal krijgen.'

'O, vrouwe!' riep Adair uit. 'Waarom zeg je zoiets? Mijn stiefmoeder, koningin Elizabeth Woodville, was net zo klein en breekbaar als jij, en ze heeft mijn verwekker tien kinderen geschonken.' Ze sloeg snel een kruisje. 'Dit is je eerste kind, en je maakt je zorgen.'

De jonge gravin pakte Adairs hand. 'Je bent vriendelijk, milady van Cleit, maar ik weet wat mijn lot zal zijn. Ben je een dochter van koning Edward? Vertel me hoe dat zo is gekomen.'

Adair vertelde Janet een korte versie van haar verhaal. Haar gastvrouw luisterde gefascineerd. Tegen de tijd dat ze klaar was, werd de maaltijd opgediend. De graaf kwam naar hen toe om zijn vrouw naar de tafel te begeleiden. Adair ontdekte tot haar verbazing dat Conal en zij aan dezelfde tafel waren gezeten. Maar toen zag ze dat er eigenlijk maar heel weinig gasten waren.

'Je ziet eruit als een voorjaarsbloem, nicht,' zei de koning, doelend op haar gele wollen jurk. Hij zat aan de rechterkant van de graaf. 'Kom me een kus ter begroeting geven. Dat heb je nog niet gedaan.'

Adair begaf zich gehoorzaam naar de stoel van de koning en boog zich voorover om hem een snelle kus op zijn wang te geven, maar James Stewart draaide zijn hoofd, en Adair was geschokt toen ze zijn lippen voelde. Haar ogen werden groot van verbazing, en ze deinsde achteruit voordat de kus iets werd wat het niet moest zijn. Een snelle blik vertelde haar dat Conal het niet had gezien, en haar zucht van verlichting was bijna hoorbaar.

'Een andere keer, nicht,' mompelde de koning ondeugend.

Ze lachte. 'Ik denk het niet, uwe hoogheid,' zei ze preuts, en daarna nam ze plaats op de stoel die haar was toegewezen.

De graaf had een verre nicht uitgenodigd, Eufemia Lauder, een aantrekkelijke vrouw met donkerrood haar en bruine ogen.

Ze was twee keer weduwe, en ze was verrukt dat ze door haar verwant was uitgenodigd om zijn gast te zijn en de bedgenoot van de koning. Eufemia was een praktische en discrete vrouw zonder pretenties. Ze zou de lusten van de koning met enthousiasme bevredigen, en niet jammeren om zijn vertrek of hem smeken haar te vertellen wanneer hij zou terugkomen.

Er waren vanavond nog twee andere heren in de grote zaal. De een was de zwager van de graaf, James Douglas, en zijn vrouw. De andere was de jongere broer van de graaf, Adam, en zijn vrouw.

De maaltijd was goed, dacht Adair, maar niet zo goed als die in haar eigen huis, en dat was een gedachte die haar zeer tevreden stemde. Ze zou Conal vanavond vertellen dat ze weer een kind verwachtte. Ze waren nu immers al hier, en hij kon er niets meer aan veranderen. Gelukkig vertoonde ze geen tekenen van haar toestand. Ze voelde zich in feite fantastisch. Het was niet zoals de eerste keer toen ze vanaf het begin erg misselijk was geweest.

Na de maaltijd gingen ze van tafel en schaarden zich rond de gravin bij een van de haarden. De doedelzakspelers van de graaf speelden voor hen, waarbij de mannen dansten en de vrouwen toekeken. Ten slotte gingen de graaf en de koning zitten schaken, en de drie andere mannen zaten samen te praten. Adair was blij dat ze waren gekomen, en ze vermoedde dat Conal dat ook was. Hij zat met de anderen te lachen en scheen volkomen op zijn gemak, hoewel hij dat van tevoren niet had gedacht.

Een bediende kwam vragen of ze de lady's naar hun slaapkamers mocht begeleiden, waardoor Adair begreep dat de avond voorbij was. Ze stond met de anderen op en maakte een buiging voor de gravin. Daarna volgden de vrouwen de bediende die hen naar een hogere verdieping in het kasteel voerde en elke lady haar kamer wees.

De kamer van Adair was niet bepaald groot. Er was een kleine haard die volop brandde. Een klein raam was gesloten met een houten luik, waarvoor een dik gordijn hing. Er stond een groot bed, een enkele stoel, en meer zou er ook niet in het vertrek hebben gepast. Haar zadeltassen waren op het bed gelegd. Adair haalde haar twee nieuwe jurken te voorschijn en hing ze over de stoel. Daarna hing ze de tassen aan een haak naast het vuur. Ze kleedde zich snel uit, waste haar handen en gezicht in de kom die op de rand van de haard was gezet, en klom vervolgens snel in bed om op haar echtgenoot te wachten.

Ze was al bijna in slaap toen Conal binnenkwam. Hij kleedde zich haastig uit en klom in het bed, waarna hij zijn handen naar haar uitstak. 'Ik ben blij dat je erop hebt aangedrongen om hierheen te gaan,' zei hij zacht, en kuste daarna haar weelderige mond. Zijn hand reikte naar haar borst, die hij zachtjes kneedde.

'Ik vind de gravin erg aardig,' zei Adair.

'Patrick is bang dat ze de bevalling niet zal overleven,' zei Conal.

'Alle mannen die voor het eerst vader worden, zijn daar bang voor. Maar gelukkig zijn degenen die ervaring hebben dat niet. Wij krijgen ook weer een kind, Conal. Ik denk aan het eind van de zomer.'

'Je hebt dus tegen me gelogen,' zei hij gespannen.

'Ja,' zei Adair, volkomen onbeschaamd. 'Ik wilde hierheen gaan. Het kan nu nog geen kwaad om te rijden. Maar dat zou je niet van me hebben aangenomen, en we zouden er ruzie over hebben gekregen. Geen van ons zou blij met de afloop zijn geweest. Ik kan je echter vertellen dat het nu anders is dan de eerste keer. Ik voel me sterk. Het kind dat in me groeit, is ook sterk. Wees niet boos, mijn honnepon,' grapte ze.

'Ik zou je moeten slaan,' zei hij grimmig.

Adair nestelde zich in zijn omhelzing. 'O, zou je me willen slaan?' zei ze plagend. Ze pakte zijn hand en legde hem op haar achterwerk waarna ze ertegen begon te wiebelen. 'Ben ik een stoute meid geweest, milord?' vroeg ze met een zangerige kleine-meisjesstem, waarna ze zich uitdagend tegen hem aan wreef. Zijn mannelijkheid drukte al hard tegen haar dijbeen.

'Je bent onverbeterlijk,' zei hij, en probeerde niet te lachen. Jezus! Hij was zo hard als staal. 'Wat als je jezelf kwaad doet? Of het kind?' Hij legde haar onder het praten op haar rug en trok haar hemd omhoog terwijl zij het zijne omhoog schoof.

'Het is te vroeg om gevaarlijk te zijn,' zei Adair. 'O, snel, snel, mijn honnepon! Ik sta vanavond in vuur en vlam voor je!' Ze trok hem dichter tegen zich aan en sloeg haar benen om hem heen terwijl hij langzaam en kreunend haar vochtige hitte binnendrong.

Hij huiverde toen zijn lengte door haar schacht werd omsloten. Ongeacht het aantal keren dat hij haar had bezeten, iedere keer dat ze vreeën leek voor hem als de eerste keer. Hij voelde haar om zijn lans verstrakken, en hij kreunde weer. 'Heks,' fluisterde hij in haar geparfumeerde donkere haar. 'Ik houd van je!' Adair genoot van het gevoel dat zijn mannelijkheid haar bood. Elke vezel van haar lichaam leek in vloeibare, hete honing te veranderen. Ze kreunde zijn naam. 'Conal! Conal!' En toen begon hij met lange, ritmische stoten in haar te pompen, waarbij haar hoofd wild tegen de kussens woelde, en ze telkens weer haar liefde voor hem uitsprak. Haar nagels dreven diep in de huid op zijn rug, haar handen omvatten zijn billen, en hij voelde zijn hartstocht groeien tot hij in haar overstroomde. Hij kon de kreet van genot die diep uit zijn binnenste kwam niet voorkomen toen ze tegelijkertijd de extase ervoeren. En daarna vielen ze in slaap, verstrengeld in elkaars armen.

Toen ze zich de volgende ochtend voorbereidden om naar de grote zaal te gaan, nam de landheer van Cleit zijn vrouw in zijn armen en drukte een lange, trage kus op haar mond. 'Je bent een stoute meid, Adair, maar ik geloof je wanneer je zegt dat het geen kwaad kan om te rijden,' zei hij.

'En het spijt me dat ik je niet heb verteld dat ik weer een kind krijg. Maar je zou ruzie met me hebben gemaakt, Conal. Dat weet je zelf ook,' zei ze.

Hij lachte. 'Ja, dat zou ik hebben gedaan,' gaf hij toe.

'En daarna was ik zonder jou weggereden en zou je achter me aan zijn gekomen,' zei ze.

'Ja,' beaamde hij, 'dat had ik gedaan.'

'Dus was het werkelijk beter dat ik wachtte tot we hier op Hailes waren om het je te vertellen,' concludeerde ze.

'Ja, dat was het,' zei hij lachend, en hij drukte een kus op haar neus. 'Vrouw, je kent me, vrees ik, veel te goed.'

'Ja, dat klopt,' zei Adair, en ze kuste hem terug.

Daarna gingen ze samen naar de grote zaal beneden, waar ze de andere gasten al aan het ontbijt troffen. Aangezien het een heldere dag was gingen de heren op jacht, terwijl de vrouwen binnen bleven en een spelletje kaart speelden. Die avond, de laatste avond van december, werd er een groot feest in het kasteel van Hailes gehouden. De maaltijd bestond onder andere uit een Schots gerecht, dat van de longen, het hart en de lever van een schaap was bereid. Dat onderdeel van het maal kon Adair echter niet waarderen. En Janet Douglas Hepburn kennelijk ook niet. Ze trok haar neusje vol afkeer op. Maar de koning en de andere gasten aten met smaak.

Daarna werd er gedanst. De koning, die tot nu toe op een beleefde afstand van Adair was gebleven, koos haar als zijn partner voor een Schotse reel. Adair had vanavond haar paarse jurk aangetrokken. Tijdens de dans raakten haar lokken los, en haar wangen waren rood van opwinding.

James Stewart kon haar niet weerstaan. Hij slaagde erin haar al dansend naar een rustig hoekje te leiden. 'Je ziet er gewoon te verrukkelijk uit, nicht!' mompelde hij, terwijl hij haar tegen een muur drukte en een borst omvatte. Daarna raakte zijn mond de hare in een vurige kus.

Adair rukte haar lippen van hem los. 'Milord!' zei ze naar adem snakkend, zich plotseling bewust van zijn strelende hand op haar borst en het feit dat haar tepel tintelde. 'Houd onmiddellijk op, jij ondeugende jongen! Je beledigt me! Is vrouwe Lauder niet genoeg voor je?'

'Ik kan er niets aan doen,' zei de jonge koning, waarna hij haar hand pakte en tegen zijn opbollende mannelijkheid plaatste. 'Ik aanbid je, Adair!'

'Ik ben vereerd met de aandacht die uwe hoogheid me toont, maar ik ben een getrouwde vrouw en ik houd van mijn man. Ik verwacht een kind van hem dat tegen het eind van de zomer zal worden geboren. Ik wil graag dat mijn man een zeer loyale vriend van uwe hoogheid is, maar hij is jaloers. Gelukkig is Conal Bruce geen belangrijk man, maar een koning weet nooit wanneer hij een onbelangrijke vriend op de juiste plaats en op het juiste moment nodig zal hebben,' zei Adair. Daarna duwde ze hem zacht van zich af, nam zijn arm en leidde hem terug naar de vrolijkheid in de zaal waar de dans net was afgelopen.

'Je bent een slimme vrouw, nicht,' fluisterde de koning in haar oor.

Adair glimlachte naar hem. 'En jij zult een geweldige koning zijn, Jamie Stewart,' zei ze zacht.

Om middernacht proostten ze elkaar toe terwijl de plaatselijke kerkklokken het nieuwe jaar inluidden.

Toen ze de volgende ochtend wakker werden regende het, en de graaf en zijn gasten bleven die eerste dag van januari binnen. Ze wisselden cadeautjes uit, en daarna bespraken de mannen hoe ze Engeland ervan konden weerhouden moeilijkheden te veroorzaken, en hoe ze ervoor konden zorgen dat de nieuwe koning van Schotland door de andere regeerders in Europa werd geaccepteerd.

'Jullie moeten een ambassadeur naar elk van de buitenlandse hoven sturen,' zei Adair, waarmee ze de mannen verbaasde.

'Schotland heeft zoiets nog nooit gedaan,' zei James Douglas.

'En betekent dat soms dat ze het nu ook niet moeten doen, milord?' vroeg Adair.

'Waarom moeten we vertegenwoordigers naar buitenlandse hoven sturen?' drong Douglas aan. 'Schotland doet het zelf heel goed, en we hebben het Franse bondgenootschap.'

'De Fransen helpen jullie in oorlogstijd, maar omgekeerd verwachten ze hetzelfde. Maar er zijn andere manieren dan oorlog voeren om bepaalde kwesties te regelen,' zei ze.

'De oude James had het altijd over diplomatie,' bromde Douglas. 'Dat is allemaal onzin. Maar dat begrijp jij niet, want je bent een vrouw.'

'Ik ben aan een koninklijk hof opgegroeid, milord,' zei Adair ijzig. 'Mannen, dwaas als ze zijn, hebben de neiging om wanneer er vrouwen in de buurt zijn, te praten alsof we niet kunnen horen. Ik durf te wedden dat ik beter ben opgeleid dan jullie, en ik weet dat het voor Schotland belangrijk is, als jullie door de Europese machten serieus willen worden genomen, om ambassadeurs te hebben.'

'Waar zou je mijn ambassadeurs naartoe willen sturen?' vroeg de koning.

'Naar Engeland. Je zou koning Henry beledigen als je hem niet als eerste een ambassadeur zou sturen. Daarna moet je ambassadeurs naar de andere belangrijke koninkrijken sturen. Maar ook iemand naar een van de kleine mediterrane koninkrijken, zodat je handelsschepen een plaats hebben om te stoppen om onderweg water en vers voedsel aan boord te kunnen nemen.'

'Wat voor handelsschepen?' vroeg Douglas. 'We hebben geen handelsvloot.'

'Wanneer jullie eenmaal betrekkingen met de Europese koninkrijken zijn aangegaan, zullen jullie ontdekken dat jullie een handelsindustrie gaan ontwikkelen. Handel is belangrijk. Het zal Schotland welvaart brengen. En jullie hebben toch zeker niets tegen welvaart, milord?'

'Je klinkt weer als de oude koning,' bromde de broer van de gravin.

Adair wendde zich naar James Stewart. 'Heb ik toestemming van uwe hoogheid om openhartig te praten?' vroeg ze.

'Ga je gang, nicht,' antwoordde hij.

'Je vader was geen sterke koning, waarschijnlijk omdat hij op jonge leeftijd zijn eigen vader verloor waardoor het hem ontbrak aan de leiding van een sterke man, en de lords die hem opvoedden, hadden het veel te druk met hun eigen positie en autoriteit veilig stellen om hem te leren wat hij nodig had om een goede koning te zijn. En toen je vader oud genoeg werd verklaard om te regeren, wist hij niet hoe hij dat moest doen. En diezelfde lords die hem hadden moeten opleiden, verachtten hem. Is het dus vreemd dat hij zich tot mannen wendde die dezelfde interesses hadden als hij?'

'Handwerkmannen en dichters,' sneerde James Douglas.

'Ja,' beaamde Adair. 'Mannen als de koning zelf, milord. Mannen die hem begrepen, en met hem over onderwerpen konden praten die voor deze koning belangrijk waren.'

'Hij had het gezelschap van zijn eigen soort moeten zoeken,' zei James Douglas.

Vreemd genoeg bleven de andere mannen in de zaal zwijgen, en schenen over Adairs woorden na te denken.

'Hij had niets gemeen met die ruwe lords die dronken en dobbelden en achter vrouwen aan zaten, die genoegen schepten in de jacht op herten en zwijnen,' ging Adair verder. 'De oude koning James was een man die van schone kunsten hield. En geen van jullie heeft een enkele poging gedaan om hem te begrijpen, dus werd de situatie in de loop der jaren alleen maar erger. De mannen die de koning omringden waren, hoewel ze dezelfde interesses als hij hadden, niet beter dan de Schotse lords. Ze deden hun voordeel met de situatie en werden net zo arrogant als hun rivalen. Jullie hebben, geloof ik, enkelen van hen bij Lauder Bridge opgehangen, en daarna Schotland geopend voor mijn oom, de hertog van Gloucester, en de jongere broer van de koning, de hertog van Albany. Dat was een slechte zet, milord.' Ze wachtte een ogenblik.

'Maar ondanks al zijn fouten had de oude koning een paar goede ideeën voor Schotland, die nooit zijn toegepast, want jullie hadden het allemaal te druk met onderlinge ruzies. Nu is hij dood, en de huidige koning, die zich mijn neef noemt, regeert over Schotland. Hij is zijn vaders zoon in zijn voorliefde voor leren en schone kunsten. Maar hij is ook een Schotse koning die in een Hooglandse zaal kan zitten en in die onuitsprekelijke taal van jullie kan praten. Hij ziet dat de wereld om ons heen aan het veranderen is. Hij begrijpt dat het noodzakelijk is om zijn ambassadeurs naar andere landen te sturen omdat Schotland zich niet langer kan isoleren. En Schotland zou niet van Frankrijk afhankelijk moeten zijn voor zijn bescherming. We zouden onszelf moeten beschermen, en diplomatie is een betere weg dan oorlog voeren,' eindigde Adair haar toespraak.

Conal Bruce was verbaasd over de woorden en het inzicht van zijn vrouw. Voor de zoveelste keer besefte hij dat deze vrouw, zijn echtgenote, van een betere afkomst was dan hij eigenlijk had moeten hebben. Want ondanks het feit dat ze aan de verkeerde kant van de deken was geboren, was ze wel een dochter van de koning. Er was adellijk bloed aan beide kanten van haar familie. En hij was niets meer dan een eenvoudige Schotse grenslord.

'Er is veel waardevols in de woorden van mijn nicht,' zei de koning langzaam.

'Ja,' beaamde de graaf van Bothwell, 'inderdaad. Wat kan het voor kwaad om onze ambassadeurs naar verscheidene landen te sturen?'

'De kosten die ermee gepaard gaan om deze mannen naar het buitenland te sturen zullen exorbitant zijn,' klaagde Douglas. 'Als we een ambassade openen, kan het niet een miserabele aangelegenheid zijn, anders zal Schotland worden bespot vanwege een armzalige vertoning.'

'Jullie ambassades hoeven geen grootse aangelegenheden te zijn. We zijn een klein land,' zei Adair. 'Een goed voorkomen is het enige wat vereist is. Laat jullie agenten een geschikt gebouw aankopen in elke plaats waar jullie een ambassade willen vestigen. Meubileer het eenvoudig, maar op een aantrekkelijke manier. Het hoeft niet opzichtig te zijn. Beter trouwens van niet. Maar laat een ambassadeur daar zelf de kosten van het onderhoud van zijn ambassade betalen. Als hun gezin wil meegaan, des te beter. Een lady die als gastvrouw voor haar man optreedt wanneer de ambassade wordt geopend, en later als er festiviteiten worden gevierd, zal hogelijk worden gewaardeerd.'

'Ja,' beaamde de koning, 'dat lijkt me ook. Je plan bevalt me, nicht. Schotland kan onder de andere koningen veel aanzien verwerven als we onze eigen ambassades openen.'

'Het zal de Fransen niet bevallen,' zei Douglas somber.

'De Fransen regeren niet over Schotland,' zei de koning scherp. 'Ik zal me niet door anderen laten vertellen wat ik moet doen, en zeker niet door de Fransen.'

'Maar kies mannen met een adellijke titel om de landen eer aan te doen,' opperde de graaf van Bothwell. 'Als een man landerijen heeft, dan kan hij zijn ambassade zeker onderhouden, en als hij trouw is aan jou, dan kun je hem zo nodig een of meerdere titels geven.'

'Ik heb al verscheidene mannen in gedachten,' zei de koning. Daarna pakte hij Adairs hand en drukte er een kus op. 'Mijn lieve nicht, ik bedank je voor je geweldige idee.' Hij wendde zich tot de landheer. 'Conal, je mooie echtgenote is een hoogst verbazingwekkende vrouw. Ik hoop dat je haar waardeert. Jullie moeten in het voorjaar naar Stirling komen,' voegde hij eraan toe.

Nu kwam Eufemia Lauder naderbij en zette zich op de schoot van de koning, waarna ze hem iets in het oor fluisterde. Hij grinnikte en knikte terwijl hij zijn hand hief om haar weelderige boezem onder haar jurk te liefkozen.

'Wat jammer dat je een vrouw bent,' zei de graaf van Bothwell. 'Je zou een goede ambassadeur voor ons zijn.'

Adair lachte. 'Ik ben er meer dan tevreden mee om de lady van Cleit te zijn,' antwoordde ze. 'Mijn nieuwjaarsgeschenk voor mijn man was dat ik hem kon vertellen dat we tegen het eind van de zomer een kind krijgen. Het zal deze keer een zoon zijn, ik weet het zeker.'

'Dus je hebt het hem eindelijk verteld!' zei Janet Douglas Hepburn lachend.

De andere lady's overlaadden haar met goede wensen, en de mannen gaven Conal een schouderklopje om hem te feliciteren. Daarna vertelde Conal hun hoe Adair hem met een list naar Hailes had laten komen door haar toestand pas te onthullen nadat ze de reis hadden gemaakt. De mannen grinnikten, en de koning hief glimlachend een waarschuwende vinger naar Adair. 'Wilde je me zo graag weer zien, nicht, dat je zelfs je goede lord hebt voorgelogen?' plaagde hij haar.

'Natuurlijk,' antwoordde Adair, maar haar violette ogen twinkelden ondeugend. 'Anders had ik het niet gedaan.'

Een vrolijk lachsalvo vulde de zaal.

De volgende paar dagen bleven verschoond van regen en sneeuw. Op de laatste dag van hun bezoek, Driekoningen, werd er feest gevierd. Er was amusement in de vorm van een man met een groep dansende honden, doedelzakspelers en muzikanten, en de dag daarna vertrokken de gasten allemaal van Hailes Castle.

'Ik ben zo blij dat we elkaar hebben ontmoet,' zei de jonge gravin van Bothwell tegen Adair. 'Misschien kunnen we elkaar de volgende zomer met onze kinderen weer ontmoeten.'

'Je zou op Cleit meer dan welkom zijn,' zei Adair. 'De burcht is klein, maar ik heb het aangenaam bewoonbaar gemaakt.'

De twee vrouwen kusten elkaar ten afscheid.

De dag werd grauwer met een laag hangende bewolking toen ze onderweg van Hailes naar Cleit waren. De koude was vochtig en snijdend. Op een afstand van nog een uur rijden voor ze bij Cleit zouden aankomen, begon het te sneeuwen. Aanvankelijk slechts enkele vlokjes, maar daarna werd het algauw een echte sneeuwbui. Adair dankte God dat ze al zo dicht bij huis waren, want met elke stap die ze reden, werd de sneeuw dikker en heviger. Tegen de tijd dat ze Cleit bereikten, konden ze nog maar nauwelijks een hand voor ogen zien. En toen ze op de binnenplaats van hun paarden stegen en achteromkeken, waren de hoefafdrukken van de paarden al ondergesneeuwd.

De winter was ingevallen, en het bleef de hele nacht sneeuwen. De volgende ochtend waren de heuvels rondom de burcht met een dikke witte deken bedekt. En zo zouden ze blijven tot het voorjaar aanbrak.

Murdoc meldde zijn broer dat het leven in de burcht tijdens diens afwezigheid dodelijk saai was geweest. Hij wilde dolgraag alles horen over Hailes en hoe hun bezoek was verlopen.

'Was onze neef Alpin er ook?' vroeg hij aan Conal.

'Als hij er was, is het hem gelukt uit mijn zicht te blijven,' antwoordde de landheer.

Elsbeth was woedend over het feit dat Adair, terwijl ze wist dat ze zwanger was, de reis naar Hailes had gemaakt en pas daar tegen de landheer had gezegd dat ze een kind verwachtte. 'Ik weet niet wat je heeft bezield,' zei ze. 'Wil je dit kind ook verliezen?'

'Ik zal mijn zoon niet verliezen,' zei Adair tegen haar oude kindermeid.

'Een zoon, zeg je?' zei Elsbeth. 'En ben je nu ook opeens helderziend geworden?'

Adair lachte. 'Ik voel gewoon aan alles dat het dit keer een jongen is. Hij zal een sterk kind zijn, in tegenstelling tot mijn arme kleine Jane.'

De winter ging langzaam voorbij, en ging ten slotte over in het voorjaar. De heuvels begonnen weer groen te kleuren. Adairs buik was inmiddels behoorlijk zichtbaar geworden, en ze was zeer verheugd en gelukkiger dan ze volgens haar ooit in haar leven was geweest. Eind april kwam het bericht dat Janet Douglas Hepburn halverwege januari een dochter had gekregen, die Janet was gedoopt. De baby was sterk en gezond, maar haar moeder was begin april overleden. Patrick Hepburn, die in diepe rouw over zijn vrouw was, had een min naar Hailes laten komen, en was daarna vertrokken om zich bij de koning te voegen. Hun vriendschap was sterk, en de koning had die vriendschap beloond door de graaf tot meester van de koninklijke hofhouding te benoemen, bewaker van Edinburgh Castle, en hoofddrost van Edinburgh en Haddington. Zijn broer, Adam, werd meester van de koninklijke stallen.

Adair was bedroefd toen ze van Janet Douglas Hepburns dood hoorde, maar daarna herinnerde ze zich dat de jonge gravin van Bothwell tijdens de nieuwjaarsviering op Hailes haar eigen einde praktisch had voorspeld. Destijds had ze gedacht dat Janet alleen maar emotioneel was door het feit dat ze een kind droeg. Kennelijk was ze dat niet geweest. Adair huiverde bij de herinnering aan hun gesprek terwijl het kind in haar heftig bewoog.

Toen kwam de wacht op een avond melden dat de bakenvuren op de heuvels waren ontstoken. De Engelsen waren binnengevallen. Cleit ontstak zijn eigen vuur om anderen die lager woonden te waarschuwen. De poorten van de binnenplaats werden gesloten en gebarricadeerd. De heuvelkant was vrij van bomen en struiken gehouden waarachter de vijand zich mogelijk zou kunnen verschuilen. Cleit was geen gemakkelijke burcht om te overvallen, en overvallers passeerden het huis gewoonlijk juist om die reden. Het dorp aan de andere kant van de heuvel was echter kwetsbaar, en de landheer nodigde de bewoners van de huisjes uit om zich in de burcht te verschuilen. De landheer liet het vee van Cleit door zijn mannen uiteen drijven omdat het gemakkelijker zou zijn een hele kudde te stelen, dan achter elk afzonderlijk dier aan te jagen. Nu zouden ze mogelijk enkele stuks vee verliezen, maar niet allemaal.

Deze keer kwamen de overvallers naar Cleit en probeerden de burcht te bestormen. De poorten waren echter sterk genoeg om ze tegen te houden, en de boogschutters van Cleit schoten met dodelijke accuratesse. Al na twee dagen trokken de Engelse grensbewoners verder, op zoek naar een gemakkelijker doelwit. Zodra ze weg waren, verzamelde de landheer zijn mannen en gingen ze achter de Engelsen aan omdat hij wilde proberen het dorp te redden en al te veel plunderingen en schade te voorkomen. Ze slaagden erin de overvallers terug te dringen tot over de grenzen, en daarna keerden ze terug naar huis. Maar het hele voorjaar en de zomer bleef het grensgebied onrustig.

Ze kregen de reden voor de ongebruikelijke activiteit van Hercules Hepburn te horen toen hij naar Cleit kwam om te zien of ze allemaal ongedeerd waren.

'Het is de Engelse koning,' vertelde hij hun vermoeid, want hij was in de afgelopen weken bij verscheidene schermutselingen betrokken geweest.

'Wat is er gebeurd?' vroeg Adair. 'We hadden een onzekere wapenstilstand, maar het was desondanks een wapenstilstand.'

'Koning Henry is ongelukkig over het feit dat de oude koning werd onttroond en gedood,' beantwoordde Hercules haar vraag.

'Waarom zou hij zich daar iets van aantrekken?' wilde Conal Bruce weten.

'De oude koning was gemakkelijker in toom te houden,' antwoordde Hercules.

'Natuurlijk was hij dat,' zei Adair. 'Hij gaf de voorkeur aan diplomatie boven oorlog voeren. Maar deze jonge koning is niet zo inschikkelijk, en hij kan niet door Engeland in toom worden gehouden.'

'Ja!' zei Hercules, heftig knikkend. 'Er wordt gezegd dat Ramsay van Balmain naar hem is gevlucht, en nu moedigt de Engelse koning hem aan in het kwaad. Hij heeft zichzelf gestationeerd in een dorp dat Stanton heet, en van daaruit stuurt hij de overvallers aan die over de grens komen om te plunderen en te verkrachten. Hij spant samen met een man, sir Jasper Keane, een gemene duivel.'

Adair werd lijkbleek. 'Stanton?' zei ze. 'Weet je zeker dat het Stanton is?'

'Ja,' antwoordde hij. 'De plaats was verlaten, zeiden ze, maar de huisjes waren nog stevig en bewoonbaar.'

Adair voelde haar woede opkomen. 'Hoe kon hij?' brieste ze. 'Hoe kon hij me zoiets aandoen? Was het niet genoeg dat hij me alles heeft ontnomen wat ik had? Moet hij Stanton nu tot het middelpunt van zijn trouweloosheid maken?'

'Adair, wind je niet op,' smeekte Conal Bruce.

'Wat is er aan de hand?' vroeg Hercules verward.

'Ik werd geboren als de gravin van Stanton,' vertelde Adair hem. 'Toen Henry Tudor van Lancaster de Engelse troon besteeg, ontnam hij me mijn titel en mijn landerijen, omdat ik niet kon toestaan dat er leugens over koning Richard, die mijn oom was, werden verspreid. Mijn eigen halfzuster zat naast hem, ze is nu koningin van Engeland, en wilde mijn rechten niet verdedigen. Ik ben naar Stanton teruggekeerd en ontdekte dat mijn huis was verwoest, maar het dorp was gespaard. Daar werd ik door Willie Douglas ontvoerd en vervolgens naar Schotland gebracht. Enkele maanden geleden kwam de broer van wijlen mijn man me hier bezoeken om me te vertellen dat de koning me mijn landerijen had teruggegeven, maar ik heb Robert teruggestuurd naar Engeland. Ik gaf hem een brief mee voor Henry Tudor, waarin ik afstand deed van mijn recht op de landerijen en hem vertelde dat ik nu met de landheer van Cleit was getrouwd, en dat ik daar tevreden mee was. Ik vroeg hem in die brief ook mijn landerijen aan mijn voormalige zwager, Robert Lynbridge, te geven. En nu is dit het antwoord van de Engelse koning.'

'Maar waarom?' vroeg Conal aan zijn vrouw.

'Waarom? Omdat ik niet op zijn genade en vrijgevigheid heb gewacht, die hij vast en zeker al in zijn hof had rondgebazuind. Ik heb een nieuw en gelukkig leven voor mezelf opgebouwd. En dat heb ik met een Schot gedaan. In de ogen van koning Henry ben ik voor Engeland een verrader. Dus wilde hij de goede naam van Stanton besmeuren door er een schuilplaats voor een Schotse verrader van te maken.' Na deze woorden barstte Adair in tranen uit. 'Ik zal het die Welshe overweldiger nooit vergeven!' snikte ze. 'Nooit!'

Conal legde troostend een arm rond de schouders van zijn vrouw. 'Meisje toch, huil maar niet,' zei hij, en drukte een kus op haar kruin.

Adair trok zich van hem los. Er lag plotseling een harde trek rond de mond die hij altijd zo graag kuste. Haar ogen keken fel. 'Ik zal niet tolereren wat die Welshe koning van Engeland heeft gedaan,' zei ze. 'Denkt hij dat ik, nu ik in Schotland ben, hem geen slag kan toebrengen?'

'Adair,' zei haar man, 'hij is een koning. Je kunt een koning geen slag toebrengen.'

'En ik ben de lady van Stanton, of althans, dat was ik,' zei ze. Daarna keek ze op naar haar man. 'Ik was niet verantwoordelijk voor het feit wie me heeft verwekt, Conal, en John Radcliffe wist dat ik niet van zijn bloed was. Maar hij heeft me behandeld alsof ik dat wel was. Voordat ik werd geboren, heeft hij ervoor gezorgd dat ik Stanton en de titel die daarbij hoort, zou erven. En hij heeft ook vastgelegd dat Edward van York voor me zou zorgen als het nodig mocht zijn. De man die ik me altijd als mijn vader zal blijven herinneren, heeft me zijn naam gegeven. En ik ben trots op de naam Stanton, evenals mijn vader dat was, en dat was de reden waarom een man die met de lady van Stanton zou trouwen de naam Radcliffe moest aannemen. De Radcliffes hebben zeshonderd jaar over Stanton geregeerd. Het is dus een oude naam. En een eervolle naam. Ik zal niet toestaan dat deze Welshe parvenu die nu op de Engelse troon zit mijn vaders naam besmeurt. Ik zal hem een slag toebrengen.'

Hercules Hepburn luisterde naar Adair en knikte begripvol om haar woorden, maar hij was niet met de lady getrouwd, en ze droeg niet zijn kind. Hij kon de bezorgdheid die hij op Conals gezicht zag heel goed begrijpen.

'Hoe kun je een koning van Engeland een slag toebrengen?' vroeg Conal aan zijn vrouw.

'Ik zal het weinige wat van Stanton over is, verwoesten,' zei ze. 'Ik zal het van de aarde verdelgen. Er zal niets van overblijven, behalve het land. Geen dorp, geen Hall, niets waaraan Stanton of de Radcliffes kunnen worden herkend of te schande kunnen worden gemaakt.'

'Je kind kan nu elke dag geboren worden,' hielp Conal haar herinneren.

'Onze zoon is nu belangrijker voor me dan ooit tevoren,' zei Adair. 'Ik zal niets doen waarmee ik hem in gevaar breng. Dat beloof ik je. Maar wanneer het herfst wordt, Conal Bruce, en er staat een heldere maan boven de Cheviots, dan zullen we naar Stanton gaan en doen wat er moet worden gedaan!' Ze was vastbesloten en haar ogen schoten vuur.

'En de Hepburns zullen met je meerijden, vrouwe,' zei Hercules bewonderend. Vervolgens wendde hij zich tot Conal Bruce. 'Met jouw toestemming, natuurlijk, milord,' voegde hij eraan toe.

'Aangezien ik verstandig genoeg ben om te weten dat ik mijn vrouw er niet van kan weerhouden te doen wat ze moet doen,' zei de landheer wrang, 'zal ik het gezelschap van de Hepburns van Hailes verwelkomen.' Daarna nam hij Adair in zijn armen en zei: 'Ik kan alleen maar hopen dat de zoon die je binnenkort voor me zult baren jouw onverschrokkenheid zal hebben, mijn honnepon.'

'Dat zal zo zijn, milord,' beloofde ze hem. 'Dat zal zo zijn.'

18

𝒥ames Robert Bruce werd op een regenachtige ochtend in juli geboren. Hij was een grote baby die hard huilend en met een rood hoofdje en zwaaiende vuistjes ter wereld kwam. Elsbeth maakte hem schoon met warme olijfolie en constateerde dat hij bijzonder mooie attributen had. Daarna bakerde ze hem stevig in en legde hem in zijn wieg zodat ze aandacht aan de moeder konden besteden. Conal Bruce boog zich over de wieg en bewonderde zijn eerstgeboren zoon die met zijn diepblauwe ogen naar zijn vader opkeek.

Adair was zowel uitgeput als verrukt. Ze had erop gestaan haar zoon direct na de geboorte te zien, en ze had verheugd zijn donkere hoofdje gekust. Dit was zo anders dan toen de kleine Jane werd geboren. Dit kind was sterk. Hij zou blijven leven. Nadat de nageboorte was uitgedreven, stond ze Elsbeth en Flora toe haar te baden en te verfrissen. Vervolgens legden ze haar in een schoon bed dat Grizel voor haar had opgemaakt.

'Geef me het kind,' zei ze, en toen Conal hun zoon uit zijn wieg had getild en in zijn moeders armen had genesteld, legde Adair hem aan de borst. Hij opende onmiddellijk zijn mondje en omvatte stevig haar tepel. Hij sabbelde luidruchtig, en zijn moeder glimlachte voldaan. 'Ik heb je toch gezegd dat ik je een zoon zou geven,' zei ze tegen Conal. 'Wanneer hij genoeg heeft gedronken moet je hem meenemen naar de grote zaal om hem aan Murdoc, Duncan en je clansmannen te laten zien.' Adair was buitengewoon verheugd.

'Hij is een knap kereltje,' zei de landheer grinnikend. 'Je hebt het goed gedaan, meisje.'

Adair lachte. 'Zeg dat wel,' beaamde ze.

'Je hebt nu rust nodig,' maande Elsbeth haar vriendelijk.

'Ik moet eerst het kind voeden, Juffie,' zei Adair, en Elsbeth glimlachte omdat haar meesteres haar oude benaming gebruikte.

'Je hebt een kindermeid nodig,' zei ze.

'Laat Flora me helpen,' antwoordde Adair.

'Dan moeten Grizel en ik al het zware werk doen,' verzuchtte Elsbeth. 'Ik zou een andere vrouw uit het dorp moeten hebben.'

'Nee,' zei Adair. Ze wendde zich naar haar man. 'Als je werkelijk blij bent met de zoon die ik je heb geschonken, dan geef je me iets in ruil.'

'Wat wil je?' vroeg hij, verbaasd door haar verzoek.

'Ik wil dat je naar Willie Douglas gaat en de zuster van Elsbeth, Margery, voor ons haalt. Haar periode als slavin is allang voorbij, maar als ze niet dood is, zal ze bij hem zijn gebleven, omdat ze nergens anders naartoe kan. Voordat ik een andere vrouw uit het dorp laat brengen, wil ik graag dat je op zoek gaat om te kijken of je Margery voor me kunt vinden.'

'Ik zal morgen meteen vertrekken,' zei Conal en Elsbeth barstte in tranen uit.

'Dank je,' zei Adair. 'Hou op met huilen, Juffie, je zult mijn kind bang maken,' zei ze tegen de oudere vrouw. Daarna haalde ze haar zoontje van de borst en gaf hem aan zijn vader. 'Neem James Robert mee naar de zaal en toon hem aan zijn ooms en de clansmannen,' zei ze. 'Ik moet nu slapen.'

'Dank je, mijn kuikentje,' zei Elsbeth nog nasnuffend terwijl ze de slaapkamer verliet.

Adair bleef stil liggen nadat iedereen was weggegaan. Ze had haar taak voor Cleit volbracht. Conal had een erfgenaam. Nu moest ze op krachten komen en doen wat er voor Stanton moest worden gedaan. Ze had vernomen dat Ramsey van Balmain zich in het dorp Stanton had gevestigd en de hele zomer vanuit zijn heiligdom over de grens invallen had gedaan. Elke keer dat Adair daaraan dacht, werd ze overspoeld door koude woede. Ze zou het nog een poosje uitstellen, maar daarna zou ze teruggaan naar Stanton. En wanneer ze het achterliet, zou het voorgoed weg zijn. Niemand zou ooit de naam Radcliffe of Stanton kunnen besmeuren, omdat beide niet langer zouden bestaan.

In de grote zaal beneden hoorde ze een schreeuw opklinken, en ze wist dat Conal het nieuwste lid van de familie aan de anderen toonde. Het kind zou van hand tot hand gaan en worden bewonderd, en daarna door Elsbeth of Flora weer naar boven worden gebracht om hem in zijn wieg te leggen en bij hem te gaan zitten terwijl hij sliep. Adairs ogen werden zwaar en ze viel in slaap. Ze werd niet wakker toen haar man die avond bij haar in bed glipte.

Midden in de nacht bracht Flora de baby naar zijn moeder zodat ze hem kon voeden. De landheer werd ook wakker en ging op zijn zij naar hen liggen kijken. De baby zoog heftig aan zijn moeders borst. Het was, dacht hij, het mooiste wat hij ooit had gezien. Hij viel weer in slaap om pas vlak voor zonsopkomst weer wakker te worden. Hij stond op en kleedde zich snel aan en verliet de slaapkamer. Niet veel later reed hij met zijn oudere broer weg van de binnenplaats van de burcht. Tot zijn verbazing vond hij Willie Douglas in diens eigen huis. Hij verspilde geen tijd en kwam meteen ter zake over zijn bezoek.

'Is Margery nog steeds bij je?' vroeg hij.

'Ja,' antwoordde Willie Douglas. 'Ik heb het oude mens gehouden, hoewel mijn vrouw inmiddels is overleden.'

'Ik zou haar graag willen spreken,' zei de landheer.

'Waarom?' wilde Willie Douglas weten.

'Haar periode als jouw slavin is voorbij,' zei de landheer. 'Haar zuster wil hun laatste jaren samen doorbrengen. Elsbeth is een belangrijk lid van mijn huishouding geworden. Ik wil graag aan haar verzoek voldoen.'

'Als ze met je mee wil gaan, mag je haar meenemen,' zei Willie Douglas. 'Ze is een zuurpruim, en ik ben van plan een nieuwe, jonge vrouw te nemen. Ik zou haar vroeg of laat hebben weggestuurd, want mijn aanstaande bruid is gezond, in tegenstelling tot mijn vorige vrouw. Ze zal koken en mijn huishouding doen. Ik heb geen werk meer voor Margery en ik voel er niets voor een nutteloze mond te voeden. De keukens zijn beneden. Ik heb gehoord dat je de meid die ik je heb verkocht tot minnares hebt genomen. Ik hoop dat ze je meer bevrediging heeft geschonken dan ze mij heeft gegeven.'

'Heeft het lang geduurd voor je genezen was?' vroeg de landheer. Daarna, terwijl hij zich omdraaide, zei hij: 'De lady is nu mijn vrouw, Douglas. Spreek met respect over haar.' Hij liet de handelaar met open mond achter en liep de trap af naar de keukens. 'Margery, zuster van Elsbeth, laat je eens aan me zien,' riep hij in het duistere vertrek. 'Ik ben de landheer van Cleit, en ik ben gekomen om je mee naar huis te nemen.'

Margery kwam uit de schaduwen te voorschijn. Ze was broodmager, haar haren waren smerig wit, en ze was gekleed in lompen. Maar er was nog steeds een sprankeling in haar ogen. 'En waar is dat huis, milord?' wilde ze weten.

'Cleit, waar je zuster mijn keukens bestiert, en de lady Adair mijn vrouw is,' zei Conal Bruce grijnzend.

'U had wel eens wat eerder mogen komen, milord,' zei Margery botweg. 'Maar laten we gaan. Ik ben meer dan bereid om deze plek te verlaten.'

'Haal je spullen dan,' zei hij.

'Spullen?' zei Margery droog. 'Wat ik aanheb, is alles wat ik bezit, milord.'

'Allemachtig, vrouw!' vloekte de landheer zacht. 'Zo kun je niet rijden. Als ik me niet vergis, draag je nog steeds de kleren die je aanhad toen je van Stanton werd meegenomen.'

'U vergist zich niet,' zei Margery. 'U had toch zeker niet verwacht dat die oude gierigaard boven ook maar een halve stuiver aan een dienstmeid zou besteden? Zijn vrouw, God hebbe haar arme ziel, was ongeveer van mijn grootte, maar toen ze was gestorven, heeft hij haar jurken genomen en ze allemaal op de markt verkocht. Hij had me er best een kunnen geven, want het zou hem geen cent hebben gekost en ze waren ook oud en versleten, maar hij kon alleen maar denken aan wat hij zou kunnen verdienen. Ik zou zelfs naakt naar Cleit rijden om aan die man en dit koude huis te ontsnappen.'

'Je kunt mijn mantel dragen,' zei Conal, waarna hij hem uittrok en rond de schouders van de vrouw legde. 'Kom nu maar mee. Het is niet nodig om afscheid te nemen.'

Margery volgde hem de trap op en naar buiten, waar de zon scheen en Duncan op zijn paard zat te wachten met de teugels van een tweede paard in zijn hand. Conal hielp de oudere vrouw op het paard en klom toen in het zadel van zijn eigen paard. Pas toen ze enkele minuten onderweg waren, vertelde hij zijn broer wat er was gebeurd. Duncan was geschokt.

'En de schoft zegt dat hij gaat hertrouwen,' merkte de landheer op. Hij keek Margery aan. 'Wie is de ongelukkige bruid?' vroeg hij haar.

'Het meisje is de dochter van een boer die Willie Douglas geld schuldig is,' zei Margery. 'Ze is een keer weggelopen, maar haar vader heeft Douglas achter het arme kind aan gestuurd. Toen hij haar had gevonden, is hij, met toestemming van haar vader, met haar naar bed geweest. Om er zeker van te zijn, zei hij, dat ze niet nog eens zou weglopen, en zodoende zou begrijpen dat ze zijn vrouw zou worden, of ze dat wilde of niet. Ik kan haar nog horen huilen nadat hij haar maagdelijkheid had genomen. En later schepte hij er tegen mij over op dat hij en haar vader haar, nadat hij het arme kind had thuisgebracht, om de beurt hadden geslagen tot ze flauwviel. Ze wachten nu alleen tot ze voldoende is genezen zodat ze naar de priester kunnen gaan. Want dankzij de ruwe vrijpartij van die duivel en het pak slaag dat het meisje kreeg, kan ze nog steeds niet lopen.'

'Waarom ben jij gebleven?' vroeg Duncan nieuwsgierig.

'Toen mijn dienst voorbij was, leefde zijn vrouw nog. Zij was een goede ziel, en zo blij nog een vrouw in het huis te hebben om haar gezelschap te houden en voor haar te zorgen. En toen is ze zes maanden geleden gestorven, en waar moest ik naartoe, milord? Ik zou niet eens weten hoe ik naar mijn huisje in Stanton zou kunnen terugkeren.' Ze keek de landheer aan. 'Vertel me over mijn zuster en de lady Adair. Zijn ze gezond?'

'Dat zijn ze,' verzekerde hij haar. 'Adair is nu mijn vrouw en we hebben onlangs een zoontje gekregen. Als ik blij met haar was, zei ze, dan moest ik jou naar Cleit halen.'

Margery giechelde. 'En dat heeft u gedaan, milord, en ik dank u. Ik denk dat ik niet veel langer in dat huis had kunnen leven, en waarschijnlijk zou ik een mes hebben gepakt om Willie Douglas te steken als hij eenmaal getrouwd was en dat arme meisje nog eens had mishandeld.'

De twee mannen grinnikten om haar opmerking.

'Je zult tijd nodig hebben om weer op krachten te komen, vrouwe Margery,' zei de landheer. 'Maar daarna zou het ons allemaal verheugen als je in mijn dienst zou willen treden. Ik ben geen grote lord, en Cleit is geen grote burcht, maar je zult een warm huis hebben, goed voedsel, nieuwe kleren wanneer je ze nodig hebt, en het gezelschap van je zuster.'

'Als het mogelijk is, zou ik graag naar Stanton en mijn eigen huisje willen terugkeren, want ze hebben het dorp niet verwoest op de dag dat we werden meegenomen,' zei Margery.

'Sterk eerst maar aan, en beslis daarna,' stelde de landheer voor. Hij zou het aan zijn vrouw en Elsbeth overlaten om Margery over Stanton te vertellen.

Vlak na zonsondergang bereikten ze Cleit. Toen Elsbeth en Margery elkaar na drie jaar voor het eerst weer zagen, vielen ze in elkaars armen en barstten ze in tranen uit. De landheer vond zijn vrouw in de grote zaal waar ze hun zoon zat te voeden. 'Is het wel goed dat je hier bent?' vroeg hij. 'Je hebt net een kind gekregen, mijn honnepon.'

'Ik heb me door Murdoc naar beneden laten dragen,' zei Adair. 'Ik werd wakker, jij was weg en het was eenzaam in onze slaapkamer. Waar ben je de hele dag geweest?'

'Duncan en ik hebben Willie Douglas bezocht en we hebben Margery mee teruggenomen. Ze is nu in de keukens bij Elsbeth, waar beiden staan te huilen omdat ze weer bij elkaar zijn,' vertelde Conal. 'Goddank dat je aan haar hebt gedacht. Douglas gaat hertrouwen en was van plan haar eruit te gooien. Hij is een gemene bruut. De arme vrouw draagt nog steeds de kleren die ze aanhad op de dag dat hij haar meenam. En het zijn zo langzamerhand niet meer dan lompen. Ik heb haar mijn mantel gegeven zodat ze zonder schaamte hierheen kon rijden.'

Adairs ogen vulden zich met tranen. 'Ik had eerder aan haar moeten denken,' zei ze.

'Zij zei hetzelfde,' merkte Conal op.

Een uur later kwamen de twee zusters uit de keukens naar boven. Conal was blij te zien dat Margery een bad had genomen en een linnen rok en een schone blouse van haar zuster droeg. Ze was veel magerder dan Elsbeth, maar Conal vermoedde dat ze snel genoeg weer zou herstellen.

Margery begaf zich rechtstreeks naar Adair en maakte een buiging. 'Dank je, milady, voor mijn redding en hereniging met Elsbeth. Ik weet niet wat er met me zou zijn gebeurd als je dat niet had gedaan. Ik had er geen idee van waar jullie waren en ik had jullie nooit kunnen vinden. Ik ben dankbaar dat je aan me hebt gedacht.'

'Het spijt me heel erg dat ik je niet eerder naar Cleit heb laten brengen,' zei Adair.

'Elsbeth heeft me over Stanton verteld,' antwoordde Margery.

'Blijf je dus bij ons?' vroeg Adair. 'Je zuster zou je hulp kunnen gebruiken, omdat ik Flora van haar huishoudelijke plichten heb ontslagen om mij met de verzorging van mijn kind te helpen.'

'Ik zal blijven, en ik ben blij dat je me een thuis biedt,' zei Margery. Daarna keek ze naar het kind aan Adairs borst. 'Hij is groot, en hij zal vast nog groter worden als hij zo goed blijft drinken.'

Adair lachte. Ze streelde met een vinger over de kruin van het donkere hoofdje van haar zoon. 'Ja, hij zal een grote jongen worden,' beaamde ze.

De zomer was voorbij en ging over in de herfst. Conal Bruce begon te denken dat Adairs bezorgdheid over Stanton misschien zo langzamerhand vergeten was. Maar op een avond, tijdens een spelletje schaak voor het haardvuur, begon ze erover.

'Ramsay doet nog steeds invallen,' zei Adair. 'We moeten de grens van deze boosdoener bevrijden, en ik moet het boek over Stanton sluiten, Conal. We moeten Hepburn van Hailes, lord Home, en je broer, de landheer van Duffdour, laten komen om te beslissen hoe we dat het beste kunnen bereiken.'

'Waarom ben je zo vastbesloten?' wilde hij weten. 'Ik dacht dat je door Robbies geboorte had besloten het verleden achter je te laten.'

'Dat kan ik niet tot ik alles wat Stanton eens was heb vernietigd. Heb je dan niet meer over me geleerd dan dat ik een gewillige bedgenote ben, Conal?'

'Ik begrijp niet waarom jij eropuit moet om over de grens naar Engeland te gaan. Als je deze kwestie wilt afhandelen, dan zullen wij dat voor je doen. Er zou een gevecht kunnen ontstaan, en ik kan je geen gevaar laten lopen, mijn honnepon,' zei de landheer.

Adair slaakte een diepe zucht. 'Voordat ik je honnepon was, Conal, was ik Adair Radcliffe, de gravin van Stanton. En daarom moet ik erbij betrokken zijn. Als ik een man was, zou je deze redenering begrijpen.'

Hij lachte. 'Ik kan je nou eenmaal niet als man zien.'

Nu moest Adair ook lachen, maar ze werd al snel weer serieus. 'Mijn eer is net zo belangrijk als die van iedere man, Conal. De Welshe overweldiger heeft die eer aangetast, evenals de eer van mijn familie en de eer van Stanton, door een verrader toe te staan zich op mijn land te vestigen en aan beide kanten van de grens geweld en verwoesting te veroorzaken. Henry Tudor doet dit meer om koning James te irriteren, die de verantwoordelijkheid heeft om juist vrede in Schotland te bewerkstelligen. James Stewart kan zich door deze schermutselingen aan de grens niet laten afleiden, maar hij kan het ook niet negeren. En als Ramsay van Balmain wraak wil nemen, dan zal hij blijven doorgaan met zijn strijd. Ik durf te wedden dat hij contact heeft met andere ontevredenen zoals hijzelf, die nog weinig hebben gezegd, maar naar koning James zullen uithalen als ze de kans krijgen.'

'En je zoon dan? Je kunt hem niet met je meenemen als je dit gaat regelen, maar je kunt hem ook niet achterlaten en laten doodhongeren,' zei de landheer. 'Je plaats is bij Robbie.'

'Jij kunt me niet vertellen waar mijn plaats is,' zei Adair op dreigende toon. 'En als je zo bezorgd was over onze zoon, dan zou je weten dat ik een maand geleden een min uit het dorp over de heuvel heb laten komen. Een jonge weduwe die onlangs haar man en haar kind heeft verloren. Grizel kende haar.'

Hij was verbaasd over dit nieuws. Hoe was het mogelijk dat hij niets van deze verandering in zijn huishouding had gemerkt? Maar hij had niets gemerkt. Hij was op haar oordeel gaan vertrouwen. De huishouding en de bedienden waren Adairs verantwoordelijkheid. Meer dan ooit besefte hij dat ze een koppige vrouw was en dat ze niet zou rusten voordat ze de kwestie die haar dwarszat had geregeld. 'Ik zal morgen boodschappers naar de Hepburns, de Homes en de Armstrongs sturen,' zei hij. 'We hebben een grote groep mannen nodig. De koning zal ongetwijfeld een goede beloning voor Ramsay van Balwain betalen,' concludeerde hij.

'We zouden de koning een grotere dienst bewijzen en zijn schatkist sparen als we ervoor zorgen dat Ramsay van Balmain in de strijd wordt gedood,' zei Adair droog.

Conal Bruce keek zijn vrouw scherp aan. 'Ik had er geen idee van dat je zo vurig kon zijn, mijn honnepon,' merkte hij op.

'O nee, milord?' Adair stond op uit haar stoel en nestelde zich op zijn schoot, waarna ze zacht zijn mond kuste. Haar vingers maakten zijn hemd los, en haar hand glipte onder het linnen, terwijl ze haar hoofd boog om uitdagend zijn tepels te likken. Hij kreunde zacht toen ze haar tanden gebruikte om ze te plagen. 'Berijd me, jij kleine heks,' mompelde hij in haar oor, terwijl hij haar zo neerzette dat ze hem kon aankijken. Hij trok haar rokken omhoog en wachtte verlangend tot ze zijn mannelijkheid had bevrijd en hem beklom. Hij kreunde toen hij langzaam in haar hete, natte schede gleed.

Ze voelde hem in zich zwellen, kloppend en heet, tot hij dieper in haar drong en ze niets anders kon doen dan zich overgeven aan het genot. Ze schreeuwden beiden toen ze tegelijkertijd hun hoogtepunt bereikten. Daarna viel Adair tegen hem aan, en zijn hoofd rustte tegen haar schouder terwijl hij zijn armen om haar heen sloeg.

Enkele ogenblikken later zei hij: 'Zul je dit altijd blijven doen als ik je je zin geef, mijn honnepon?'

'Altijd,' beloofde ze hem, zacht lachend. 'Allemachtig, ik heb onze vrijpartijen gemist!' Met slappe benen stond ze op van zijn schoot en viel weer terug in zijn armen. 'Maak mijn jurk dicht,' zei ze. 'We hebben geluk gehad dat niemand ons hier heeft betrapt.'

Hij knoopte haar lijfje dicht dat hij eerder had opengemaakt om haar borsten te liefkozen. 'Het is nog niet te laat om ons in onze slaapkamer terug te trekken, mijn honnepon.'

'Wil je dit intermezzo voortzetten?' vroeg ze glimlachend.

'Ja,' antwoordde hij zonder omhaal.

'Ik zal Annie zeggen dat ze ons kind en zijn wieg vannacht bij haar op de kamer moet zetten,' zei Adair.

'En wie is Annie, verdomme?' vroeg hij.

'De min,' zei ze liefjes.

'Zeg dan tegen haar dat ze de jongen en zijn wieg mee naar haar kamer moet nemen. Waar slaapt ze?' wilde hij weten.

'Er is boven een kamertje aan het eind van de gang,' zei Adair. 'Het is koel in de zomer, en warm en gezellig nu het herfst is.' Ze stak haar hand uit. 'Laten we het Annie gaan zeggen,' zei ze.

De hartstocht tussen hen was sterker dan ooit teruggekeerd. En getrouw aan zijn woord stuurde de landheer de volgende ochtend boodschappers naar zijn bondgenoten. De dag erna arriveerden Hercules Hepburn, Andrew Home, een van de zoons van lord Home, en Duncan Armstrong.

Toen Andrew Home hoorde wat Adair wilde bereiken, knikte hij instemmend. 'Mijn vader heeft me verteld dat er geruchten de ronde doen over een complot om de koning te ontvoeren en hem naar Engeland te brengen. Daarna willen ze zijn jongere broertje, de hertog van Ross, met een regent die gekozen wordt door de Engelse koning, op de troon zetten. Het complot is in het leven geroepen door Ramsay van Balmain, maar niemand wist waar hij zich schuilhield. De koning is niet bezorgd, maar mijn vader en Bothwell wel. En het feit dat jij zijn verblijfplaats kent, milady, is voor ons het laatste stukje van de puzzel.'

'Dan is dit nog een reden voor ons om naar Stanton te gaan,' zei Adair.

'Ga je dan mee?' De jonge Andrew Home was verbaasd.

'Ik moet mee,' zei ze.

'Er zal hoogstwaarschijnlijk gevochten worden,' zei Home. 'Het zal dus gevaarlijk zijn.'

'Ik blijf op de heuvels boven Stanton toekijken. Wanneer het voorbij is, en jullie hebben deze verrader gedood, zal ik naar het dorp komen en jullie zullen me helpen te doen wat ik moet doen om de goede naam van mijn familie en die van Stanton te redden. Er mag geen steen overeind blijven die aangeeft dat er eens mensen hebben gewoond. Volgend voorjaar zal er weer gras groeien in de kleine vallei waar Stanton eens was. En daarmee zullen alle sporen van de Radcliffes uitgewist zijn, behalve de grond waar mijn moeder, mijn vader en hun voorouders begraven liggen. En op een dag zullen ook die sporen verdwenen zijn. Maar koning Henry zal mijn landerijen nooit meer gebruiken voor zijn trouweloosheid jegens Schotland, milords.'

'Jouw zaak is gerechtvaardigd, evenals de onze,' zei Andrew Home.

'We moeten binnenkort op pad gaan,' merkte Hercules Hepburn op, 'over een week of twee al, voordat het weer omslaat en de winter zijn intrede doet.'

'Afgesproken,' zei Duncan Armstrong, en Conal Bruce knikte.

Er werd een ontmoetingsplaats overeengekomen waar hun clansmannen zich zouden verzamelen.

'Over acht dagen is het volle maan,' zei Adair. 'Kunnen jullie dan gereed zijn? Het is het beste om met een heldere nachtlucht te rijden.'

Weer stemden de mannen in.

'Onze clansmannen zullen op die dag op de ontmoetingsplaats zijn,' zei Hercules Hepburn. 'Ik kan vijftig man meenemen. Hoeveel mannen heeft Ramsay van Balmain? Weten we dat?'

'Ik zal mijn jongste broer, Murdoc, morgen op onderzoek uitsturen,' antwoordde de landheer.

'Jullie moeten er rekening mee houden dat Ramsay en zijn mannen misschien ook van plan zijn om bij volle maan uit te rijden,' merkte Adair op. 'Het is beter om ze in het dorp in de val te laten lopen, dan in het open veld. Daarbij zouden we wel eens meer mannen kunnen verliezen.'

'Vrouwe, je strategie is een generaal waardig,' zei Andrew Home bewonderend.

'Als jullie aan het eind van de ochtend aanvallen,' vervolgde ze, 'zullen jullie slagen, want niemand zal dan een aanval verwachten. Maar ik wed dat Ramsay van Balmain erg laks is geworden en denkt dat hij veilig is, aangezien niemand hem ooit tot in zijn slangennest is gevolgd.'

Conal Bruce luisterde en was erg verbaasd dat de ruige grenslords naar de strategie van zijn mooie vrouw luisterden, maar ze waren een en al oor. En ze had gelijk.

'Is het mogelijk dat enkele andere Schotten met Ramsay onder één hoedje spelen?' vroeg Adair zich hardop af.

'Dat hebben we overwogen,' antwoordde Andrew Home, 'en mijn vader denkt dat het zo is.'

'In dat geval moet we er achter zien te komen wie die mannen zijn,' zei Adair. 'Ramsay, en iedereen die bij zijn verraad betrokken is, moet worden uitgeschakeld.'

'Eén van die mannen zou je neef Alpin kunnen zijn,' zei Hercules Hepburn tegen Conal, in verlegenheid gebracht omdat hij het moest zeggen. 'De graaf heeft hem enkele maanden geleden uit zijn dienst ontslagen. Hij kon zijn handen niet van de vrouwen in de burcht af houden. Hij veroorzaakte geen ernstige schade, maar er waren zoveel klachten over hem dat Patrick er wel aandacht aan moest besteden.'

Het gezicht van Conal Bruce werd donker van woede. 'Als hij bij Ramsay is, dan zal ik hem persoonlijk doden,' zei de landheer. 'Ik zal hem niet toestaan onze clan te schande te maken.'

De anderen knikten instemmend.

Murdoc vertrok de volgende ochtend voor zonsopkomst om op verkenning uit te gaan. Hij was zeer verheugd over de verantwoordelijkheid die hem was gegeven. De rit van Cleit naar Stanton duurde twee dagen, vernam Adair later. Na de tweede nacht rijden bij het licht van de wassende maan, bereikte Murdoc op de vroege ochtend van de derde dag een plek vanwaar hij uitzicht had op de kleine vallei van Stanton. De toegang tot de vallei was erg smal, wat het makkelijk zou moeten maken om het te verdedigen, maar Murdoc zag geen gewapende mannen op wacht staan. En ook op de heuvels eromheen waren geen wachtposten te bekennen. Ramsay van Balmain voelde zich kennelijk heel veilig. Murdoc had zijn paard tussen een groepje bomen met struikgewas eronder verborgen. Hij sloeg de mannen van Ramsay gade, die kort nadat hij was aangekomen terugkwamen van een rooftocht. De zon was nog niet eens op, hoewel de lucht in het oosten oplichtte. Murdoc lag in het gras de vallei te observeren. Toen de overvallers het dorp bereikten, stegen ze af, kluisterden hun paarden en verdwenen in groepjes in de huisjes, waar rook uit de schoorstenen kwam. Na geruime tijd zag Murdoc vrouwen naar buiten komen en weer naar binnen gaan. Ze waren waarschijnlijk gevangenen die tijdens de rooftochten waren meegenomen en naar Stanton gebracht om te koken, en Ramsay en zijn mannen op andere manieren van dienst te zijn. Er waren geen mannen te zien, maar veel later op de dag kwamen ze weer uit de huisjes te voorschijn, en Murdoc nam aan dat ze hadden geslapen.

Adair had gelijk gehad, dacht Murdoc met een glimlach. Zijn schoonzuster was een slimme vrouw. Als ze dat niet was geweest, bedacht hij, dan was Cleit niet zo'n comfortabel huis geweest als het nu was, en zou zijn broer niet zo'n goede vrouw hebben, peinsde hij. En toen, zelfs van deze grote afstand, herkende Murdoc hun neef Alpin te midden van de mannen. De schoft was dus een verrader geworden! Daarna zag hij tot zijn verbazing William Douglas op een grote wagen het dorp in rijden. Hij werd door Ramsay van Balmain persoonlijk begroet. Samen gingen de twee mannen een van de huisjes binnen. Murdoc wilde dat hij dichterbij zou kunnen komen, maar zijn broers hadden hem gewaarschuwd dat alles verloren zou zijn als hij werd gepakt. Hij mocht alleen observeren.

Na verloop van tijd verliet Ramsay het huisje, en zijn mannen begonnen hun buit, waarschijnlijk van de afgelopen nachten, op de wagen te laden. Deze werd afgedekt om de lading te verhullen, en Douglas ging het huisje weer binnen. Murdoc hoefde niet dichterbij te zijn om te begrijpen dat William Douglas de goederen die de mannen van Ramsay hadden buitgemaakt zou gaan verkopen, uiteraard in ruil tegen een deel van de opbrengst. Op deze manier kon Ramsay zijn mannen onderhouden, en het gaf Douglas het inkomen dat hij nodig had. Het was slim bedacht, moest Murdoc toegeven. Die avond zag hij de mannen weer vertrekken om op rooftocht te gaan. Ze zouden de meeste nachten gaan plunderen tot de sneeuw en de koude dat onmogelijk zouden maken. Vlak voor zonsopkomst zag Murdoc hen terugkeren op het moment dat William Douglas op zijn wagen klom om te vertrekken.

Nu hij genoeg had gezien, besteeg de jonge Bruce zijn paard en reed terug naar Cleit om zijn broer en de anderen te vertellen wat hij had gezien.

Conal was woedend toen hij hoorde dat Alpin Bruce zich inderdaad bij de mannen van Ramsay had gevoegd. Als deze informatie algemeen bekend zou worden, zou het zijn clan te schande maken, en de Bruces van Cleit waren altijd als eervolle mannen beschouwd. Maar ze waren allemaal hoogst verbaasd toen ze vernamen dat William Douglas er ook bij betrokken was. Zonder diens hulp om de gestolen goederen te verhandelen zou Ramsay van Balmain het veel moeilijker hebben gehad om zijn plannen ten uitvoer te brengen.

'Ik heb altijd gedacht dat Willie Douglas het verdiende om te worden opgehangen,' merkte Hercules Hepburn op. 'Ik veronderstel dat we dat moeten doen. Hij was nooit een betrouwbare man, maar nu is hij ook nog bij verraad betrokken. We zullen hem opsporen wanneer de kwestie Stanton achter de rug is en hem overdragen aan een of andere grensrechter.'

De anderen knikten instemmend.

'We zullen morgenochtend voor zonsopkomst vertrekken,' zei de landheer.

'We zijn er allemaal klaar voor,' antwoordde de jonge Andrew Home. 'Je burcht is voller met onze mannen erbij dan hij bij mijn weten ooit is geweest. Hoe je kokkin erin is geslaagd ons gedurende deze dagen allemaal te voeden, is mij een raadsel.'

'Ik denk eigenlijk dat Elsbeth en de anderen ervan hebben genoten,' zei Adair met een glimlach.

En als om te bewijzen dat ze gelijk had, werd er die avond een uitgebreide maaltijd geserveerd met rundvlees en lam en forel. Er was ook wildgebraad, en konijnenstoofschotel, en verschillende soorten gebraden gevogelte. Er was brood en boter en kaas, en volop oktoberbier. En twee uur voor zonsopkomst zetten Elsbeth, Margery, Grizel en zelfs Flora kommen met pap op de lange tafels, en daarnaast brood en kaas. Terwijl de mannen zich voorbereidden om te vertrekken, liepen de vier vrouwen rond om iedereen van haverkoeken en stukken harde kaas te voorzien die de mannen in hun zakken staken voor onderweg. De gastvrijheid van Cleit zou nooit ter discussie worden gesteld.

Adair had zich die ochtend aangekleed zoals haar man haar nog nooit had gezien. Ze droeg een donkere, wollen broek die kennelijk speciaal voor haar was gemaakt. Haar linnen hemd was van een natuurlijke kleur, en daaroverheen droeg ze een kort wambuis dat met konijnenbont was gevoerd en dat met uit hout gesneden knoopjes werd gesloten. Ze had een lederen riem rond haar middel waaraan een lederen schede hing met een dolk erin. Ze had een rode sjerp in de clanruit die met een zilveren claninsigne op haar schouder was vastgespeld. Ze was in alle opzichten de vrouw van een clanhoofd, en ze trok de bewonderende blikken van de mannen die op de binnenplaats op haar stonden te wachten. Zonder hulp steeg Adair op haar zwarte ruin.

Vlak voordat de zon boven de heuvels zichtbaar werd, reden ze weg. Iedereen die hen zag zou denken dat ze op pad waren om een of ander grensgeschil te gaan beslechten. Maar toen de avond viel en ze stopten om hun paarden een paar uur te laten rusten, werden er geen vuren ontstoken. De dieren werden gedrenkt en daarna mochten ze op de heuvels grazen. De ruiters gingen op de grond bijeen zitten en aten haverkoeken en kaas, terwijl een paar van hen de wacht hielden om eventueel gevaar te zien naderen.

Aan het eind van de tweede nacht bereikten ze Stanton, waarna ze zich tussen de struiken onder de bomen verborgen hielden en afwachtten. Ramsay en zijn mannen keerden tegen zonsopkomst terug, en ze gingen, zoals Murdoc hun had verteld, de huisjes binnen. De vrouwen liepen heen en weer naar de waterput om water te halen en te roddelen. De Schotse invallers bereidden zich voor om aan te vallen.

'Ik wil met je mee,' zei Adair tegen haar man.

'Je hebt me beloofd dat je op de heuvels zou blijven,' hielp hij haar herinneren.

'Je bent toch zeker niet van plan de vrouwen te doden?' vroeg ze, bijna angstig. 'De vrouwen hebben geen opzettelijk verraad gepleegd. De meesten van hen, zo niet allen, zijn gevangenen. Je hebt iemand nodig die hen in veiligheid brengt, waarna je kunt doen wat je moet doen.'

'Ze heeft gelijk,' zei Andrew Home. 'We willen Ramsay en zijn mannen. Niet de vrouwen. Ik zal geen vrouw doden zonder dat er een reden voor is.'

'Maar hoe gaan we het aanpakken?' vroeg Conal Bruce. 'Ik wil niet dat mijn vrouw in gevaar wordt gebracht.'

'Als je op je positie bent, en klaar om vanaf de heuvels het dorp binnen te vallen, zul je meer dan genoeg tijd hebben, zelfs als een van de vrouwen alarm slaat. Maar laat mij eerst gewoon het dorp in rijden en de vrouwen vragen me te volgen.'

'Dat is belachelijk!' riep Conal boos. 'Een paar van die verdraaide meiden zijn vast verliefd geworden op degenen die hen gevangen hebben genomen. Ze zullen schreeuwend wegrennen, en de anderen zullen hen volgen.'

'Ik denk dat je het mis hebt,' zei Adair. 'Deze mannen zullen die vrouwen hebben verkracht en geslagen, of in ieder geval slecht behandeld. Velen van deze vrouwen zijn hier al verscheidene maanden. Ze willen maar al te graag weg. Laat mij het proberen, milords. Als het me niet lukt, zal ik de heuvels op rijden terwijl jullie allemaal naar beneden rijden. De vrouwen zullen zich verspreiden als ze jullie zien, en mij waarschijnlijk alsnog volgen.'

'Jezus, vrouw, je hebt wel moed,' zei Hercules Hepburn bewonderend, 'maar ik weet niet zeker of je niet volslagen gek bent.'

Adair lachte. 'Ik ben niet gek, Hercules, ik zweer het. Maar dit is Stanton. Mijn landgoed. Ik moet de eer van mijn familie redden, en daarom wil ik een actieve rol bij dit gebeuren.' Ze keek haar man aan. 'Alsjeblieft, Conal.'

'Het lijkt me veilig genoeg,' zei Duncan Armstrong. 'De mannen liggen te slapen, en ze denken dat de vrouwen zo bang zijn, dat Ramsay niet eens een bewaker heeft opgesteld.'

Adair wierp haar zwager een dankbare blik toe.

'Ik stem in,' zei Hercules Hepburn. 'En het zou zeker een grote hulp voor ons zijn als de vrouwen uit de weg zouden zijn.'

Conal dacht even na. 'Ga maar,' zei hij tegen Adair. 'Maar als je tijdens je actie wordt gedood, zal ik het je nooit vergeven, vrouw, want ik verwacht nog meer mooie zonen van je.'

Ze lachte. 'Ik geloof dat ik degene ben die zoiets zou moeten zeggen,' zei ze. 'Het zal me een paar minuten kosten om van hier naar de ingang van de vallei te rijden. Houd me in de gaten.' Daarna wendde ze haar ruin en reed weg.

De mannen keken haar na en verloren haar even uit het oog, tot ze op het smalle pad kwam dat tot in het dorp Stanton leidde.

Het was allemaal zo bekend voor haar, en gedurende een ogenblik werd Adair overspoeld door herinneringen. De boomgaarden waren er nog, hoewel enkele bomen in de loop der jaren waren omgevallen. Uiteindelijk zouden ook daar geen sporen meer van te bekennen zijn.

Adair werd met een ruk in het heden gebracht toen ze Stanton binnenreed. Ze leidde haar paard naar de dorpsfontein en de waterput en drenkte hem, terwijl ze te midden van een groep geschrokken vrouwen stond, die nooit hadden gedacht een vrouwelijke ruiter in hun midden te zien. Daarna zei ze, met een vriendelijke glimlach en zachte stem: 'Ik ben Adair Radcliffe, de lady van Stanton. Kom met mij mee en ik zal jullie bevrijden.'

Ze wachtte niet op antwoord, maar draaide haar paard om en reed de weg op en het dorp uit. De meeste vrouwen volgden haar. De weinigen die dat niet deden, bleven geruime tijd staan alsof ze in steen waren veranderd. Maar toen de groep vrouwen uit hun zicht verdween en ze de ruiters langs de heuvels naar beneden zagen galopperen, kwamen ze bij zinnen en renden achter de anderen aan.

Adair stopte pas toen ze de vrouwen van het dorp naar de heuveltop had gevoerd vanwaar ze was gekomen. Daar zei ze tegen hen: 'Wanneer dit voorbij is, zijn jullie allemaal vrij om naar jullie eigen huizen terug te keren.'

'Wie bent u?' vroeg een van de brutalere vrouwen.

'Dat heb ik al gezegd. Ik ben Adair Radcliffe, de lady van Stanton.'

'U draagt de kleuren en het insigne van de vrouw van een clanhoofd,' merkte een vrouw scherpzinnig op.

'Dat klopt,' gaf Adair toe. 'Ik ben ook de vrouw van de Bruce van Cleit.'

'Waarom bent u ons komen redden?' wilde een meisje weten.

'We zijn niet speciaal gekomen om jullie te redden, maar om Ramsay van Balmain, een verrader van koning Henry van Engeland, een halt toe te roepen. Verscheidene grenslords hebben het op zich genomen om dit nest van verraders volledig op te ruimen. Koning Jamie wil geen oorlog tussen Schotland en Engeland. Hij heeft te veel te doen om de vrede binnen onze grenzen te bewaren en Schotland welvarend te maken. De grenslords wilden niet dat de vrouwen hier kwaad werd gedaan, als het mogelijk zou zijn om dat te voorkomen.'

'Wat zal er nu met ons gebeuren?' vroeg een vrouw.

'We zullen proberen jullie naar je huizen terug te brengen,' antwoordde Adair.

De vrouwen werden stil nu de eerste schrik voorbij was, en ze keken naar het dorp beneden, waar Ramsay's mannen uit de huizen werden gehaald. Adair zag dat Conal en Murdoc één man afzonderden die ze vermoordden. Ze wist meteen dat het Alpin Bruce was, maar ze had geen medelijden met hem. Toen zag ze dat Ramsay van Balmain uit een huisje werd geleid. Er was een sterk touw rond zijn nek geknoopt. Hij werd naar een boom gesleept en aan een tak opgehangen. Tot Adairs verbazing ging er een gejuich op onder de vrouwen. Sommigen omhelsden elkaar. Anderen huilden van opluchting.

Murdoc reed de heuvel op om Adair te vertellen dat het dorp nu veilig was. Ze verliet de groep vrouwen met de belofte terug te komen. Vervolgens voegde ze zich bij Conal en de andere grenslords. 'De vrouwen zijn bang en willen weten wat er met hen zal gebeuren,' zei Adair. 'Ik heb gezegd dat we ze naar hun huizen zullen terugbrengen.'

'We zullen uitzoeken waar ze vandaan zijn gekomen,' zei Duncan.

'Doe het nu,' zei Adair. 'Breng ze weg zodat ze geen ogenblik langer op een plek hoeven te blijven waar ze zo hebben geleden. Degenen die achterblijven, kunnen Stanton verwoesten. We kunnen de huisjes vandaag in brand steken, en daarna binnen een paar dagen de resterende muren vernietigen.'

Geen van de mannen ging tegen haar in, en Duncan reed meteen de heuvel op om te kijken wat hij voor de vrouwen kon doen. Toen hij een uur later terugkwam, koos hij twee mannen uit elke clangroep, acht in totaal, en keerde met hen terug naar de vrouwen. Elke clansman had extra paarden bij zich voor iedere vrouw die hij zou begeleiden. De paarden waarop de vrouwen naar huis werden gebracht mochten ze houden ter compensatie voor hun afschuwelijke gevangenschap, deelde hij hun mede. Daarna kwamen Duncan en Murdoc weer langs de heuvel naar beneden.

De meubels werden uit de huisjes gesleept, op een hoop gegooid en in brand gestoken. Daarna waren de huisjes zelf aan de beurt. Ze brandden de hele nacht. Tegen de ochtend waren de lemen vloeren zwartgeblakerd en de daken waren weg, evenals de ramen.

Gedurende de daaropvolgende dagen werden de stenen muren afgebroken en naar de heuvelkant gebracht. Van een deel van de stenen werd in Stanton Water een kleine dam gebouwd, en ten slotte was er niets meer over om aan te geven dat er eens een welvarend dorp was geweest. Zelfs de fontein was vernietigd, en de waterput waar de vrouwen water hadden gehaald, was gevuld met stenen. Stanton bestond niet meer.

Adair liep alleen naar de heuveltop waar Stanton Hall eens had gestaan. Ze keek uit over de landerijen die zeshonderd jaar of langer aan de Radcliffes hadden behoord. Ze waren er niet meer. O, het land zelf zou er altijd zijn. Maar al het andere dat de trots van de Radcliffes was geweest, was weggevaagd. Ze huilde stilletjes voor zich uit. Om haar moeder, om haar vader, om haar geliefde Beiste, en ja, zelfs om de jonge, dwaze Fitz Tudor. En toen de tranen waren opgedroogd en het verdriet in haar hart afnam, draaide ze zich naar het noorden, richting Schotland. Een lichte bries bracht de geur van heide met zich mee. Adair glimlachte. Daarna draaide ze zich om en keek naar beneden, waar haar man geduldig op haar stond te wachten. Ze begon naar hem toe te rennen, en hield niet op tot ze de bescherming van zijn sterke armen bereikte. Ze hief haar hartvormige gezicht naar hem op, en Conal kuste haar met alle liefde die hij in zijn hart voor haar voelde.

Toen hun lippen elkaar hadden losgelaten, draaide hij zich om en schreeuwde tegen de wachtende mannen: 'Ik houd van haar! Ik houd van mijn vrouw, en ik zal altijd van haar houden!'

De groep Schotse overvallers juichte zijn verklaring luidkeels toe. Hercules Hepburn, Andrew Home, en de broers van de landheer grijnsden breed toen Conal Bruce zijn vrouw in haar zadel tilde. Ze dreven hun paarden voorwaarts, en toen ze de top van de heuvel hadden bereikt, draaide Adair zich nog één keer om. Daarna keek ze vooruit en dreef haar paard naast dat van Conal. Ze gingen naar huis. Ze was Adair, de lady van Cleit, de vrouw van Conal Bruce, en niemand zou haar dat ooit ontnemen. Niemand!

Over de auteur

*B*ertrice Small is een *New York Times* bestseller auteur. Ze heeft verschillende prijzen gewonnen. In overeenstemming met haar beroep woont Bertrice Small in de oudste Engelssprekende stad in de staat van New York, gesticht in 1640. Haar lichte studio omvat de schilderijen van haar favoriete covertekenaar, Elaine Duillo, en een grote bibliotheek. Omdat ze in een gelukkige afloop gelooft, is Bertrice Small al drieënveertig jaar getrouwd met dezelfde man, haar held, George. Ze hebben een zoon, Thomas; een schoondochter, Megan; en vier fantastische kleinkinderen. Lezers van het eerste uur zullen blij zijn te horen dat Nicki, de parkiet, gedijt, evenals zijn huisgenoten: Pookie, de langharige grijs met witte kat; Finnegan, de langharige stoute zwarte kitten; en Sylvester, de zwart met witte kat die zich onlangs bij de familie heeft gevoegd.